PATOLOGIA CERVICAL

DA TEORIA À PRÁTICA CLÍNICA

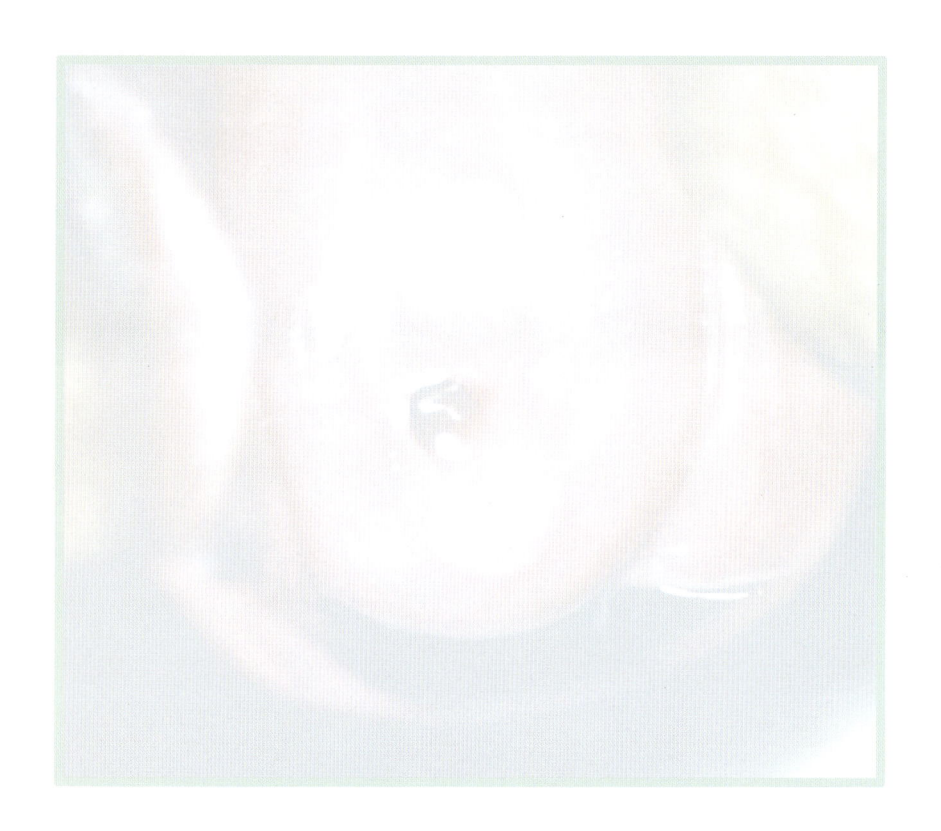

PATOLOGIA CERVICAL

DA TEORIA À PRÁTICA CLÍNICA

GARIBALDE MORTOZA JUNIOR

Título de Especialista em Ginecologia e Obstetrícia (TEGO) pela Federação Brasileira das Associações de Ginecologistas e Obstetras.

Certificado de Qualificação em Colposcopia pela Associação Brasileira de Genitoscopia (Antiga Sociedade Brasileira de Patologia do Trato Genital Inferior e Colposcopia).

Título de Qualificação em Endoscopia Ginecológica pela FEBRASGO.

Assumiu vários cargos na SOGIMIG – Associação de Obstetras e Ginecologistas de Minas Gerais, inclusive a Presidência, sendo atualmente Membro do Conselho Consultivo.

Foi Vice-presidente da Sociedade Brasileira de Patologia do Trato Genital Inferior e Colposcopia e Presidente do Capítulo de Minas Gerais.

Diretor Administrativo e, posteriormente, Vice-presidente da Associação Médica de Minas Gerais.

Foi Coordenador de Curso de Colposcopia do IPEMIG – Instituto de Pesquisa e Ensino de Minas Gerais.

Membro do Serviço de Colposcopia e Patologia Cervical do Hospital Vila da Serra.

Diretor Administrativo-financeiro da UNIMED-BH

Med book

EDITORA CIENTÍFICA LTDA.

PATOLOGIA CERVICAL – DA TEORIA À PRÁTICA CLÍNICA

Editoração Eletrônica e Capa:
REDB STYLE – Produções Gráficas e Editorial Ltda.

ISBN: 85-99977-01-6

MED BOOK – Editora Científica Ltda.
Rua do Ouvidor, 161 – Sala 602
CEP 20040-030 – Centro
Rio de Janeiro – RJ
Tel.: (21) 2221-6089
Fax: (21) 2252-9032
medbook@superig.com.br

DEDICATÓRIA

Dedico este trabalho:

Ao meu pai, Garibaldi Mortoza, e à memória de
minha mãe, Joana Pereira Mortoza, que desde
a minha tenra infância me incentivaram e me
estimularam a ingressar na medicina, não medindo
esforços para a realização de meu sonho.

Aos meus irmãos, Reginaldo, Roberval e Agostinho,
pelo companherismo.

Aos meus filhos, Marina, Letícia e Bernardo,
razão maior do meu viver.

À minha amada esposa, Sonia Cristina Vidigal Borges,
parceira de todos os momentos.

AGRADECIMENTOS

Às pacientes que aceitaram ser fotografadas, muito enriquecendo os casos aqui apresentados.

Aos colegas ginecologistas que confiaram suas pacientes aos meus cuidados nesta subespecialidade.

Aos amigos Victor Hugo de Melo, Neli Sueli Teixeira de Souza, Christine Miranda Correia, João Augusto de Oliveira Fernandes, Luciano Freitas Souza, Alexandre Mariano Tarciso de Sousa, que prontamente aceitaram colaborar, enriquecendo muito o conteúdo deste livro.

Ao amigo, Professor José Focchi, "*grande guru*" de todos que militam na patologia do trato genital inferior, pelo estímulo constante.

Em especial a dois colaboradores fundamentais para a execução desta obra, incentivadores de primeira hora, o amigo Jose Benedito Lira Neto e minha esposa Sonia Cristina Vidigal Borges.

Aos meus filhos, Marina, Letícia e Bernardo, pela compreensão e pelo incentivo.

COLABORADORES

ALEXANDRE MARIANO TARCISO DE SOUSA

Título de Especialista em Ginecologia e Obstetrícia (TEGO) pela Federação Brasileira das Associações de Ginecologistas e Obstetras.

Certificado de Qualificação em Colposcopia pela Associação Brasileira de Genitoscopia (Antiga Sociedade Brasileira de Patologia do Trato Genital Inferior e Colposcopia).

Foi Presidente do Capítulo de Minas Gerais da Associação Brasileira de Genitoscopia.

Preceptor da Residência de Ginecologia do Hospital Júlia Kubistchek – FHEMIG, Belo Horizonte.

Foi Preceptor do Curso de Colposcopia do IPEMIG – Instituto de Pesquisa e Ensino de Minas Gerais

CHRISTINE MIRANDA CORRÊA

Professora Substituta do Departamento de Cirurgia, Disciplina de Ginecologia, da Faculdade de Medicina da Universidade Federal de Juiz de Fora (UFJF).

Mestranda em Ginecologia pela Universidade Federal de Minas Gerais (UFMG)

JOÃO AUGUSTO OLIVEIRA FERNANDES

Professor Auxiliar da Faculdade de Ciências Médicas de Minas Gerais.

Coordenador do Serviço de Ginecologia do HGIP – IPSEMG.

Assistente do Serviço de Oncologia Ginecológica do Hospital Vila da Serra

JOSE BENEDITO LIRA NETO

Citopatologista do Pró-Célula Exames Citológicos Ltda.

Professor Auxiliar de Ensino do Departamento de Patologia Geral da Faculdade de Ciências Médicas de Pernambuco (1977-1978).

Professor Auxiliar de Ensino do Departamento de Patologia Geral da UFMG (1979-1980).

Chefe do Laboratório de Patologia da Secretaria de Estado da Saúde de Minas Gerais (1979-1984)

Patologista Assistente do Laboratório de Anatomia Patológica da Santa Casa de Misericórdia de Belo Horizonte.

Preceptor da Residência Médica em Ginecologia e Obstetrícia da Maternidade Odete Valadares – FHEMIG (1979-1983).

Foi Preceptor do Curso de Colposcopia do IPEMIG – Instituto de Pesquisa e Ensino de Minas Gerais.

Título de Especialista em Anatomia Patológica pela Sociedade Brasileira de Patologia.

Título de Especialista em Citopatologia pela Sociedade Brasileira de Citologia.

Título de Qualificação em Colposcopia pela Sociedade Brasileira de Patologia do Trato Genital Inferior e Colposcopia

LUCIANO FREITAS DE SOUZA

Assistente do Serviço de Oncologia Ginecológica do Hospital Vila da Serra

NELI SUELI TEIXEIRA DE SOUZA

Professora Assistente do Departamento de Tocoginecologia e Medicina da Criança da Faculdade de Ciências Médicas de Minas Gerais.

Mestre em Ginecologia e Obstetrícia pela Faculdade de Medicina da Universidade Federal de Minas Gerais (UFMG)

SONIA CRISTINA VIDIGAL BORGES

Título de Especialista em Ginecologia e Obstetrícia (TEGO) pela Federação Brasileira das Associações de Ginecologistas e Obstetras.

Certificado de Qualificação em Colposcopia pela Associação Brasileira de Genitoscopia (Antiga Sociedade Brasileira de Patologia do Trato Genital Inferior e Colposcopia).

Mestre em Ginecologia pela Universidade Federal de Minas Gerais (UFMG).

Foi Preceptora do Curso de Colposcopia do IPEMIG – Instituto de Pesquisa e Ensino de Minas Gerais.

Foi Presidente do Capítulo de Minas Gerais da Associação Brasileira de Genitoscopia.

Secretária do Capítulo Mineiro da Sociedade Brasileira de Patologia do Trato Genital Inferior e Colposcopia.

Secretária do Comitê de Patologia Cervical e Oncologia Ginecológica da SOGIMIG.

Preceptora do Curso de Colposcopia e Cirurgia de Alta Freqüência do CEPECS

VICTOR HUGO DE MELO

Professor Adjunto do Departamento de Ginecologia e Obstetrícia da Faculdade de Medicina da Universidade Federal de Minas Gerais (UFMG).

Doutor em Medicina pela Universidade Federal do Rio de Janeiro (UFRJ)

SUMÁRIO

APRESENTAÇÃO

Foi com grande satisfação que li o texto *Patologia Cervical – da Teoria à Prática Clínica*. Elaborado por grandes amigos do grupo mineiro, fez-me lembrar de Alberto Henrique Rocha, reconhecido professor de colposcopia.

O livro é apresentado em capítulos, alguns específicos de patologia cervical e outros correlatos a ela.

Nos últimos 20 anos ocorreram sensíveis mudanças no diagnóstico, na terapêutica e no acompanhamento de pacientes portadoras de neoplasias cervicais intra-epiteliais. A citologia e a histopatologia tiveram suas terminologias atualizadas, e a classificação colposcópica foi enriquecida com novos termos.

Os métodos terapêuticos, por sua vez, tiveram de ser revisados e adaptados aos atuais conhecimentos.

Essas mudanças decorreram da caracterização da infecção pelo papilomavírus, como o principal agente causal das lesões precursoras do câncer do colo do útero, patologia responsável por aproximadamente 300.000 óbitos por ano em todo o mundo.

A biologia molecular, metodologia extremamente eficaz no diagnóstico daquele patógeno é, hoje, elemento muito útil no diagnóstico e no acompanhamento das mulheres infectadas.

Os novos conhecimentos têm implicado a necessidade de publicações atualizadas sobre o tema, dirigidas, sobretudo aos clínicos, àqueles que no dia-a-dia se deparam com a doença.

Este livro, sem dúvida, atende a esses objetivos.

No primeiro capítulo, Aspectos Diagnósticos em Patologia Cervical, os temas sobre cito/histopatologia e colposcopia constituem um verdadeiro atlas das especialidades. Com mais de 200 fotomicrografias, os aspectos celulares e tissulares são apresentados com bastante nitidez e comentados com propriedade. A colposcopia, por sua vez, mostra para os principiantes as técnicas e classificações colposcópicas acompanhadas de ilustrações colpofotográficas de excepcional qualidade. A Biologia Molecular é apresentada de maneira didática e suas aplicações clínicas, comentadas de forma simples e de fácil compreensão.

Ainda com relação aos temas específicos e patologia cervical, destacam-se a Infecção pelo Papilomavírus Humano, as Neoplasias Benignas do Colo Uterino, a Neoplasia Intra-epitelial Cervical, a Neoplasia Invasiva do Colo Uterino, as Diretrizes para o Manuseio de Mulheres com Colpocitologia Alterada e os Aspectos Terapêuticos no Colo Uterino: Procedimentos Cirúrgicos.

Por sua grande importância, a Infecção pelo Papilomavírus Humano e a Neoplasia Intra-epitelial Cervical merecem destaque especial. Para o pesquisador, os dois capítulos referidos são abordados de maneira sucinta. Para a prática clínica, no entanto, são mais do que suficientes, principalmente porque são complementados, inteligentemente, por apresentações de Casos Clínicos, nas quais o ginecologista encontrará a necessária orientação para a condução das patologias, consideradas, hoje, por alguns autores, uma só doença.

Também sucintamente são apresentados os tumores benignos do colo do útero, tema incomum nos compêndios de ginecologia.

A Neoplasia Invasiva do Colo do Útero, descrita no Capítulo 8, é apresentada como uma aula na qual são considerados, com propriedade, tanto a importância quanto o estadiamento, o diagnóstico, o tratamento e o seguimento. Completando o capítulo, comentários sobre a conduta em casos especiais de doença recorrente e durante a gestação.

De grande importância na prática diária, as Diretrizes para o Manuseio de Mulheres com Citologia Alterada indicam, aos clínicos, os caminhos mais apropriados a serem seguidos para a melhor condução dos casos.

Em Aspectos Terapêuticos do Colo Uterino: Procedimentos Cirúrgicos, os métodos ambulatoriais de diagnóstico e tratamento são comentados no que diz respeito às técnicas empregadas, as suas vantagens e às limitações.

Além dos tópicos específicos de patologia cervical uterina, os autores não deixam de apresentar importantes temas como Doenças Sexualmente Transmissíveis, Abordagem Prática dos Corrimentos Vaginais e Doenças do Trato Genital Inferior em Mulheres Portadoras do Vírus da Imunodeficiência Humana, todos presentes com freqüência na prática clínica da ginecologia.

Neste tratado o leitor encontrará, sem sombra de dúvida, a resposta para maioria de seus casos ambulatoriais.

José Focchi

PREFÁCIO

A patologia cervical tem como foco principal o câncer do colo uterino, que ainda se mantém com incidência em níveis alarmantes em boa parte do mundo. Desde o início do século passado, com o advento da colposcopia, com o trabalho de Hans Hillsemann, e da citologia, com o trabalho de Papanicolaou, em todo o mundo vem-se travando uma batalha, em níveis diferentes, no sentido de reduzir essa doença. Novas tecnologias surgiram, propiciando o entendimento da etiopatogênese, o diagnóstico cada vez mais precoce das lesões pré-neoplásicas, os tratamentos mais simplificados e mais acessíveis e, mais recentemente, a finalização das pesquisas em busca de uma vacina capaz de prevenir o surgimento dessa doença. Mesmo assim, principalmente em países em desenvolvimento, o câncer do colo uterino ainda continua atingindo cerca de meio milhão de mulheres a cada ano, com alta mortalidade, acarretando cerca de 230 mil mortes por ano. No Brasil, segundo estimativas do Instituto Nacional do Câncer (INCA), surgirão 19.260 novos casos e deverão ocorrer cerca de 9.000 mortes durante o ano de 2006. As novas tecnologias estão sendo utilizadas em nosso país, mas, infelizmente, ainda não temos um programa bem estabelecido, tanto na saúde pública quanto particular, de rastreamento e tratamento das lesões pré-cancerosas e cancerosas. O porquê disso está na falta de interesse das autoridades governamentais em investir em saúde, além do individualismo do atendimento particular. Em recente avaliação, numa grande operadora de plano de saúde, evidenciou-se que menos de 50% das mulheres se submeteram ao exame citológico durante o ano de 2005, ao passo que algumas mulheres sadias foram submetidas a dois a três exames citológicos neste ano.

A Pesquisa Nacional sobre Demografia e Saúde (PNDS, 1996) mostrou que somente 25% das mulheres, entre 15 e 49 anos de idade, haviam feito um exame preventivo na vida. Em 2001, Silvia Michelina F. Brenna e cols. publicaram um interessante trabalho avaliando os motivos pelos quais as mulheres portadoras de CIN ou câncer cervical não se submeteram a exames prévios, sendo os principais motivos: desmotivação; vergonha; distância; dificuldade de com quem deixar filhos e/ou parentes; trabalho fora de casa; dificuldades de transporte; dificuldades em relação ao centro de saúde por causa do tempo de espera; agendamento tardio; falta de médicos; greves; médico que não examina (*Cad Saúde Pública*, RJ, *17*(4):909-914, jul-ago, 2001). Nossa realidade mostra que falta uma política nacional que permita articulação das diferentes etapas de um programa de forma equitativa em todo o território nacional. O objetivo deste livro é fornecer aos médicos que atuam na ginecologia subsídios que possam ajudar na prevenção, no diagnóstico e no tratamento adequado das doenças do colo uterino. Está dividido em duas partes: uma teórica, abrangendo as ferramentas diagnósticas, os agentes etiológicos, as doenças benignas e malignas e os procedimentos terapêuticos; e outra clínica, com apresentação de casos e condução embasada nas teorias apresentadas na primeira parte. Estes casos foram conduzidos em meu consultório e no Serviço de Colposcopia do Hospital Vila da Serra.

Garibalde Mortoza Junior

PATOLOGIA CERVICAL

DA TEORIA À PRÁTICA CLÍNICA

Capítulo 1

Aspectos Diagnósticos em Patologia Cervical

Parte A

Colpocitologia e Histopatologia do Colo Uterino

Jose Benedito Lira Neto

INTERPRETAÇÃO DE UM LAUDO COLPOCITOLÓGICO E ANATOMOPATOLÓGICO

Introdução

Interpretar/Definir diagnóstico/Aplicar tratamento

Indiscutivelmente a adequada terapêutica é instituída após uma correta interpretação dos exames laboratoriais, aliando-se, evidentemente, a uma boa propedêutica. Em patologia do colo uterino esta regra se aplica muito bem. É necessário saber interpretar os exames colpocitológico e anatomopatológico. Parece descabida a afirmação de que a interpretação dos laudos citológico e histológico é assunto importante. Infelizmente, basear a interpretação desses exames lendo apenas a conclusão dos referidos laudos é quase uma rotina e um grande erro. Existe uma rotina que deve sempre ser seguida para a correta interpretação:

1. Ter cuidado em não definir diagnóstico baseando-se em um método apenas (necessidade da realização dos três métodos complementares: colposcopia, citologia e histologia).

Não comunique a paciente o diagnóstico ou proposta terapêutica baseando-se apenas em um exame. Por mais que esteja alterada a colposcopia ela não define diagnóstico nem indica tratamento. Comunique à paciente que ela apresenta uma colposcopia alterada e que será necessário realizar uma biópsia, mesmo que a citologia também apresente alterações. O "padrão-ouro" é sempre o anatomopatológico.

Se uma paciente procura você com um laudo citológico alterado, explique que precisa fazer uma colposcopia. E, se você já fez o exame colposcópico e não achou nenhuma alteração, volte a fazê-lo para avaliar se houve troca de material citológico, se a lesão é endocervical e você não observou alterações na ectocérvice, se deixou passar uma lesão colposcopicamente tênue, ou, ainda, se a lesão está localizada em paredes vaginais ou fundos de sacos vaginais.

O resultado alterado de uma biópsia de colo uterino, isoladamente, também não indica tratamento, pois a biópsia pode ter sido feita em local não representativo da lesão mais importante etc.

2. Lembrar das limitações dos métodos.

Colposcopia

A colposcopia apresenta uma série de limitações. Cabe lembrar que o exame colposcópico tem como finalidade direcionar o local mais apropriado para a realização de biópsia. Mesmo em mãos extremamente experientes a colposcopia não está autorizada a definir diagnóstico. É uma conduta errada indicar ou não a coleta de citologia na dependência de alterações colposcópicas. Lembrar que os exames citológico, colposcópico e anatomopatológico se complementam.

As principais limitações da colposcopia consistem em:

- *Colposcopia insatisfatória:* (a) JEC não visível — a lesão pode estar localizada no interior do canal cervical; (b) colo não visualizado; (c) cérvico-colpites intensas — por alterarem substancialmente a configuração da mucosa e da vascularização; (d) Colos muito atróficos — não dão boa impregnação com o iodo, e a acidofilia, quando presente, é de difícil avaliação.

- *Imagens não típicas:* a grande maioria das atipias histológicas de significado oncológico é observada em alterações colposcópicas, clássicas (pontilhado, mosaico, epitélio aceto-branco, etc.), porém, eventualmente, essas alterações podem estar ausentes ou mesmo ser muito tênues e passar despercebidas em um primeiro exame colposcópico.

- *Ausência de imagens:* é muito rara. Geralmente a lesão colposcópica pode ser observada após minuncioso exame, usando-se, obviamente, é claro, a colposcopia alargada. Outra eventualidade é que um Papanicolaou alterado pode estar associado a alterações localizadas na endocérvice ou mesmo em paredes vaginais, inclusive em fundos de sacos vaginais.

- *Inexperiência do colposcopista:* esta é a causa mais comum de limitação do método.

- *Equipamento ruim:* é necessário que o equipamento possua opções variadas de aumentos de graus ópticos, tenha um bom sistema de iluminação (de preferência com luz fria) e apresente um sistema com pelo menos dois filtros de luz.

- *Colposcopia simples:* a maioria das alterações colposcópicas só pode ser observada, pelo menos de forma mais clara, quando o colposcopista utiliza substâncias químicas para acentuar as características das alterações da mucosa cérvico-vaginal. A colposcopia alargada se caracteriza pelo emprego dessas substâncias químicas (ácido acético a 5%, solução de Schiller, solução de bissulfito e, em alguns casos, o uso de azul de toluidina a 2%).

Citologia

Os exames falso-negativos podem ser observados em até 25% dos casos, e a possibilidade de falso-positivos (menos de 4%) revela uma evidente limitação de método. Portanto, o exame de Papanicolaou, como um exame limitado, é método de *screening* e deve sempre ser acompanhado de colposcopia, tornando necessária a confirmação pela histologia das alterações daquele exame. Assim, nenhum exame colpocitológico alterado pode indicar conduta radical, necessitando sempre de confirmação pela histopatologia.

As principais causas de limitação do método consistem em:

- *Inexperiência ou inabilitação:* a citopatologia é especialidade médica. Só tem autoridade legal para assinar um laudo citopatológico um profissional formado em medicina e com título de especialista. Biólogos, bioquímicos e citotécnicos podem escrutinar as lâminas, mas jamais liberar laudos. É bem verdade que há profissionais não-médicos com bastante experiência em colpocitologia, mas não podem liberar laudos sem o aval de um médico citopatologista. O ideal é que o citopatologista tenha, além da formação médica e citológica, formação em anatomia patológica, em especial a do trato genital inferior feminino. Os casos examinados pelos técnicos não-médicos devem passar por controle de qualidade através de um patologista. Todos os casos que apresentem atipias celulares devem ser encaminhados ao patologista para diagnóstico definitivo. Pelo menos 10% das lâminas negativas devem ser reexaminadas mediante escolha aleatória. Atualmente, o método ideal de controle de qualidade consiste na releitura rápida de todas as lâminas escrutinadas pelos técnicos (*rapid rescreening*). É aconselhável também que todos os casos com informação clínica de alterações colposcópicas e/ou passado de neoplasia intra-epitelial e/ou infecção pelo papilomavírus humano também devam ser reexaminados pelo patologista.

- *Problemas de coleta:* (a) coleta: em toda mulher que possua colo uterino a coleta precisa atingir a ectocérvice e a endocérvice. Sempre usar escova para obtenção de amostra endocervical, mesmo estando a junção escamocolunar exteriorizada; (b) sangramento: uma paciente menstruada não deve colher material, pois o fluxo menstrual prejudica a celularidade da amostra; (c) pós-coito: a OPAS (Oficina Pan-Americana de Saúde) sugere que as amostras somente sejam obtidas, havendo coito recente, 72 horas após; (d) duchas: a lavagem vaginal prejudica a celularidade da amostra; (e) menopausa: mucosas muito atróficas oferecem amostras com muito baixa celularidade, além de não raro, promoverem distorções celulares que prejudicam a avaliação microscópica. Outro fato interessante é que a atrofia epitelial dificulta a avaliação dos critérios morfológicos celulares utilizados para classificar as neoplasias. É aconselhável apenas realizar colposcopia e colher amostra para o Papanicolaou após 3 semanas de estrogenioterapia local, nos casos de vaginas muito atróficas. Caso não seja possível adiar a coleta de material, é possível obter amostras cérvico-vaginal utilizando-se espátulas de Ayres previamente umedecidas com água ou solução salina; (f) inflamação: as vaginites e vaginoses podem determinar um grande aumento do resíduo vaginal que está constituído por abundante material celular freqüentemente degenerado em meio a abundantes polimorfonucleares, tornando a amostra espessada, purulenta e constituída por células epiteliais degeneradas. Portanto, é melhor tratar o processo inflamatório especificamente, realizando a coleta do Papanicolaou 2 a 3 semanas após a correção do distúrbio da flora vaginal; (g) citólise: esfregaços citolíticos apresentam material rico em restos celulares e em flora bacteriana lactobacilar, sendo que células íntegras, quando presentes, são, insuficientes em número para uma boa avaliação ou mesmo podem estar "escondidas" em meio aos restos citolíticos.

- *Pequenas lesões cervicais:* pequenas alterações colposcópicas, geralmente inferiores a 2 ou 3 mm, podem não liberar elementos celulares suficientes para diagnóstico no exame de Papanicolaou.

- *Lesões intra-epiteliais escamosas de baixo grau muito leves:* às vezes, as atipias desse epitélio estão restritas a dois ou, no máximo, três extratos na camada basal e ainda apresentam-se de forma discreta, de tal maneira que, ao diferenciar estas células em células superficiais, não apresentam alterações nucleares e citoplasmáticas suficientes para que possam ser identificadas e classificadas como tais.

- *Lesões intra-epiteliais escamosas de baixo grau na superfície e lesões intra-epiteliais escamosas de alto grau em glândulas ou em porções mais internas do epitélio:* nesses casos o exame citológico apontará a alteração de grau mais leve, deixando para trás o diagnóstico de uma lesão mais grave.

- *Falso-positivos:* processos inflamatórios tais como a tricomoníase, a candidíase e a gardnerose podem determinar uma reação celular tão intensa que essas alterações tornam muito difícil a sepração entre benigno, inflamatório/reacional ou neoplásico. Os "mímicos" de HPV, são provavelmente o principal fator de falso-positivos em colpocitologia oncótica. Provavelmente muitos casos tratados como infecção por HPV, na verdade, tratavam-se de casos de sobrediagnóstico da infecção. Halos perinucleares, hipertrofia nuclear e binucleação, alterações observadas em células inflamadas, podem dificultar tanto o diagnóstico diferencial com alterações HPV-induzidas que a exclusão ou afirmação fica impossível tanto do ponto de vista da citologia quanto da histologia. Nesses casos, torna-se indicado ou um acompanhamento mais amiúde com citologia e colposcopia e, se possível, com biologia molecular para HPV. Quando há inflamação é necessário repetir o exame após tratamento antiinflamatório local e/ou sistêmico.

As células de regeneração ou reparo, principalmente quando estão associadas à tricomoníase, podem ser causa de Papanicolaou falso-positivo para adenocarcinoma ou carcinoma de células escamosas moderadamente diferenciado, ou ainda, carcinoma indiferenciado de células grandes.

As células da deciduose, das reação de Arias-Stella, de restos de ductos mesonéfricos, de hiperplasia endometrial, de alterações celulares induzidas pelo DIU também podem induzir o patologista a errar em seu diagnóstico. Portanto, nunca é demais lembrar que um exame citológico alterado não indica conduta radical e sempre exige confirmação histológica, mesmo que o citopatologista seja competente e de sua confiança.

Histologia

Apesar de o exame histopatológico ser "padrão-ouro", ele pode apresentar limitações.

- *Tamanho e número dos fragmentos obtidos:* um fragmento adequado deve apresentar, em uma de suas dimensões, um valor igual ou superior a 3 mm (0,3 cm). Fragmentos de tamanhos inferiores a este são considerados de insatisfatórios. Na macroscopia, local do exame anatomopatológico em que são descritas as características do material biopsiado, não devem ser mencionadas as dimensões do conjunto dos fragmentos, mas, constar o tamanho do maior e, se possível, do menor fragmento enviado para exame. Fragmentos grandes precisam ser seccionados em fragmentos menores (tarefa do patologista no ato da clivagem do material), mencionando-se, a quantidade deles e a quantidade de blocos de parafina que receberam esses fragmentos. Geralmente um fragmento com 1 cm em uma de suas dimensões deve proporcionar três a quatro fragmentos menores (cada um com cerca de 0,3 a 0,4 cm de espessura) e gerar um número de lâminas não inferior a quatro. A quantidade de fragmentos obtidos na biópsia deverá variar de acordo com o tamanho e a focalidade da lesão colposcópica e com o tipo de material utilizado para biopsiar. Este número deve ser anotado na ficha da paciente e conferido com o descrito na macroscopia do laudo anatomopatológico. Na macroscopia não pode faltar fragmento, pois quem pode garantir que o fragmento que está faltando não é aquele que definiria, o diagnóstico da lesão de maior importância oncológica? Se a quantidade for menor que a observada no laudo, isto quer dizer que um ou alguns fragmentos se "fragmentaram" no transporte até o laboratório. Geralmente isso acontece quando há descolamento do epitélio que se solta do estroma.

- *Modo de obtenção (CAF, pinça de biópsia):* biópsias que contenham lesão inferior a 7 mm (0,7 cm) deve ser realizada com pinça "saca-bocado" de tamanho médio, que confere ao fragmento uma dimensão entre 0,3 e 0,5 cm. O uso de alça de CAF somente quando o ginecologista estiver bem treinado com o método e assim mesmo em lesões iguais ou superiores a 1 cm. É ideal para excisar lesões que tomem todo um ou ambos os lábios do colo uterino (excisão ampla de zona de transformação), pois além de propedêutico, sendo uma lesão de baixo grau, também, é terapêutico. Fragmentos inferiores a 0,7 cm, mesmo quando o profissional é bastante treinado, costumam gerar amostras de tecido hidrolisadas ou bastante danificadas pela cirurgia de alta freqüência.

- *Escolha do local mais atípico*: se você não escolher o local mais apropriado, conseqüentemente a biópsia oferecerá um resultado com alterações inferiores à realidade da paciente. Portanto, é importante, já que a finalidade primeira da colposcopia é direcionar a biópsia, que esta seja direcionada no local de maior atipia colposcópica. Caso não haja contra-indicação, pode ser feita uma excisão ampla da zona de transformação para estudo escalonado da amostra. Caso os exames citológico e colposcópico sejam concordantes com, por exemplo, uma neoplasia intra-epitelial grau 3 e o exame da referida excisão ampla da ZT com CAF aponte uma lesão de baixo grau, deve-se tomar a seguinte conduta: (a) observar o tamanho da amostra enviada para análise e a quantidade de fragmentos gerados; e (b) a quantidade de blocos, e principalmente a quantidade de lâminas (geralmente 1 cm deve gerar, no mínimo, quatro lâminas). Se esses requesitos foram cumpridos pelo patologista, deve-se sugerir que ele faça mais cortes dos blocos, pois há a possibilidade da lesão estar localizada mais interiormente no bloco de parafina.
- *Nem todos os achados colposcópicos alterados possuem correspondência histológica com as neoplasias epiteliais:* quando essas alterações colposcópicas se enquadram nas descritas como tênues, discretas, leves ou grau 1, geralmente estão associadas, em cerca de 80% dos casos, a alterações histológicas sem significado oncológico imediato tais como: acantose, paraceratose, ceratose, depleção glicogênica, hiperplasia basal reacional, espongiose, exocitose. Apenas 18% dessas alterações colposcópicas apresentam as características histológicas das neoplasias intra-epiteliais geralmente de grau 1.
- *Discordância entre patologistas:* menos de um terço das lesões histológicas não apresenta características clássicas ou bem definidas das lesões clássicas de *Cervical Intraepithelial Neoplasia* (CIN 1, 2 ou 3). Assim, é possível que haja discordância entre patologistas, principalmente quando as lesões estão entre os limiares (alterações histológicas entre CIN 1 e 2, ou entre 2 e 3). Caso o resultado do exame anatomopatológico seja assinado por um patologista que você não conhece e haja discrodância do laudo com os achados citológicos e colposcópicos, sugere-se revisão de lâmina em outro serviço de patologia. Vale lembrar que nem sempre o laudo de revisão é o correto. Se houver discordância entre o primeiro laudo e a revisão, será obrigatória a realização de uma terceira análise por um terceiro patologista. Embora, AGUS (atipias de significado indeterminado em células glandulares) e ASCUS (atipias de significado indeterminado em células escamosas) sejam diagnóstico citológico e não anatomopatológico (ver mais adiante), sugerimos, principalmente para as AGUS, uma revisão em outro serviço de patologia.

- *Número de cortes histológicos examinados:* Quanto maior for o número de cortes histológicos realizados na amostra, mais fiel será o resultado do exame anatomopatológico. Hoje é inviável financeiramente a realização de exames seriados de colo uterino. Basicamente os laboratórios fazem, ou deveriam fazer, cortes escalonados ou semi-seriados, isto é, a cada número "x" de cortes um é selecionado até o esgotamento do material no bloco. Se o material tinha pelo menos 1 cm em um de seus maiores segmentos e a microscopia menciona que foi examinada apenas uma lâmina, é bem provável que o material não tenha trazido porção satisfatória da lesão mais grave.
- *Problemas de ordem técnica (histotecnia):* o material deve ser fixado em formol a 10%. Não fixá-lo em álcool e nem tão pouco enviá-lo "a seco" para o laboratório. O material geralmente é processado por uma aparelho chamado de histotécnico, que na verdade, é um processador automático de tecidos. Os mais modernos possuem placas semelhantes às utilizadas por computadores e que podem sofrer variação na programação do aparelho em virtude de variações da corrente elétrica e/ou de descargas elétricas observadas em tempestades. É possível, nessa situação, perder todo o material enviado para estudo histológico. Atualmente alguns serviços de patologia tem utilizado o processamento rápido com microondas, que funciona adequadamente para pequenas amostras, mas que podem determinar alterações tissulares importantes, no processamento, quando o aparelho não é adequado ou está desregulado. As soluções empregadas no processamento histológico devem ser trocadas toda vez que os álcoois e xilóis estiverem turvos ou com depósito e a parafina, quando estiver amolecida após resfriamento. Soluções nessa situação produzem cortes de tecido mal fixados, mal desidratados, mal diafanizados, mal impregnados, mal corados e mal interpretados.

NORMAS PARA INTERPRETAÇÃO DO LAUDO

← Sempre Leia Todo o Exame

Leia o cabeçalho do exame, a macroscopia, a microscopia e as conclusões. Se houver adendos ou notas à parte, também deverão ser lidos. Por que ler todo o exame? Porque sempre há possibilidade de troca de material, perda de material, erro de digitação, incompatibilidade com a colposcopia, etc.

É necessário mencionar aqui um caso que ocorreu em nosso serviço para destacar a importância de leitura de todo o conteúdo do exame: Uma paciente fez uma punção de um cisto pélvico cujo diagnóstico citológico foi compatível com cistadenocarcinoma papilar do ovário. A paciente se submeteu à cirurgia, que, uma vez confirmada pelo exame anatomopatológico de congelação e parafina, confirmou o diagnóstico citológico, sendo então indicado um Werthein-Meigs. Três a quatro meses após a cirurgia a paciente apresentou, ao ultra-som, um cisto pélvico sugestivo de linfocele. Uma vez puncionado, o material foi enviado para estudo citológico, que confirmou a suspeita ultra-sonográfica. Ocorre que a paciente havia solicitado que o resultado deste último exame fosse para o consultório de seu médico e se esqueceu disso. Foi ao laboratório buscar o resultado do exame e, como este não estava no fichário de entrega de resultados, uma vez que havia ido para o consultório do clínico, foi tirada, pela secretária do laboratório, uma segunda via do exame pelo computador. Foi impressa uma cópia do mesmo e na conclusão estava escrito: compatível com cistadenocarcinoma papilar do ovário. Se o clínico não tivesse lido o cabeçalho do exame, que mostrava uma data prévia à cirurgia, teria submetido a paciente a uma nova cirurgia desnecessária.

Leia o nome da paciente, pois há possibilidade de homônimos. Leia a data do exame, para conferir se o atual laudo não é o passado ou anterior ao procedimento cirúrgico. Leia o nome do médico para se certificar de que é você mesmo.

Leia a macroscopia para checar se a amostra é adequada e se a quantidade de fragmentos ali descrita coincide com o número de fragmentos que você biopsiou.

Leia a microscopia para verificar se as características histológicas apresentam as bases morfológicas das alterações colposcópicas observadas (ver anteriormente). Veja se a sua amostra apresenta lâmina própria, pois fragmentos sem lâmina própria (ou cório ou estroma) são considerados insatisfatórios.

Leia a conclusão para ter certeza de que ela é compatível com a descrição microscópica. Hoje com o uso de computadores, é possível que haja discordâncias entre a microscopia e a conclusão, pois as linhas de descrição são digitadas por códigos que permitem acrescentar ou retirar palavras ou frases, simplificando muito a confecção do laudo. Por um erro de digitação de uma número o resultado pode ser discordante entre a microscopia e a conclusão, apesar de todos os cuidados por parte do laboratório. Caso isso aconteça, e não raro tem acontecido, entre em contato com o laboratório para resolver o problema.

É necessário um bom relacionamento com o patologista. Não omita informações clínicas no pedido de exame. Escreva de forma legível no pedido de exame todas as informações clínicas necessárias, não sonegue nenhuma delas, para que haja uma boa interpretação por parte do patologista.

↑ Sempre Procure Achar Sincronia entre os Métodos (Colposcopia/Citologia/Anatomia Patológica)

HÁ SINCRONIA ?

☐ **SIM.**
Passe para o próximo passo: intervenção ou expectação.

☐ **NÃO.**
Investigue a discrepância
- Repetir o Discordante
- Repetir os Concordantes
- Desprezar a Discordância
- Revisar Todos os Métodos
- Repetir Todos os Métodos

O melhor laudo citopatológico e anatomopatológico é aquele que tira o máximo de informação do material examinado.

Significado de Termos Utilizados nos Laudos de Citologia e de Histopatologia do Colo Uterino

Metaplasia Escamosa: São células provenientes da zona de transformação (ZT). Por ser a metaplasia escamosa um processo fisiológico e comum em mulheres menacmes, a sua presença em um esfregaço de Papanicolaou ou no laudo de uma biópsia de colo uterino não indica nenhum tipo de tratamento ou de cuidado especial, (Figuras 1.32 a 1.37).

Células Colunares Endocervicais: São células provenientes da mucosa endocervical (Figuras 1.12 a 1.16) obtidas por escovado ou de raspado ectocervical em mulheres com ectopia. A sua ausência em um esfregaço indica que a JEC (Figura 1.11) não foi alcançada. Na classificação de Bethesda a adequação da amostra diz que a amostra é satisfatória porém limitada pela ausência das referidas células. As células metaplásicas não substituem as endocervicais no que diz respeito à indicação de que a JEC foi alcançada.

Escamas Córneas: São células escamosas superficiais anucleadas (Figura 1.18). São observadas em esfregaços cérvico-vaginais nos quais há processos de ceratinização: prolapso uterino, leucoplasia, epitélio branco. Podem ser observadas na contaminação vulvar, pelo espéculo, ou na bolsa amniótica rota de gravidez com feto maduro.

Pérolas Córneas (Figura 1.112): São agrupamentos concêntricos de células escamosas bastante eosinofílicas, em geral associadas ao processo de metaplasia escamosa madura e são desprovidas de significado oncológico exceto se houver atipia nuclear.

Células Endometriais (Figura 1.17): São observadas no período menstrual, sendo consideradas um achado citológico normal até o 12º dia do ciclo. Fora desse período é, segundo o Sistema de Bethesda (SB), achado citológico anormal. Nunca devem ser observadas em mulheres menopausadas sem terapia de reposição hormonal. Em usuárias de DIU elas podem quebrar essa regra, pois o dispositivo intra-uterino, causando processo irritativo crônico, fazem com que as células endometriais descamem em qualquer período do ciclo menstrual.

Esfregaço Citolítico (Figura 1.38): Caracteriza-se pela presença de núcleos desnudos de células intermediárias normais, juntamente com os resíduos citoplasmáticos em meio a abundante flora bacteriana lactobacilar. É dividido em três graus: leve, moderado e acentuado. Quando acentuado, é considerada pelo SB como amostra inadequada.

Espermatozóides (Figura 1.19): São observados freqüentemente nos exames de Papanicolaou. Segundo a OMS, o exame só pode ser colhido com, pelo menos, 72 horas de abstinência sexual, e a presença dos referidos gametas indicam inadequação da amostra.

Células com Alterações Reacionais (Figuras 1.26 a 1.29): Os processos inflamatórios específicos ou inespecíficos determinam alterações celulares caracterizadas por hipertrofia nuclear, presença de pequenos nucléolos e indicam um certo estado de "alerta" do epitélio a uma possível ou real injúria. Esta alterações celulares quando intensa podem mimetizar atipias celulares que vão desde a displasia leve ao carcinoma *in situ* principalmente se relacionadas a agentes inflamatório como a tricomonas e a clamídia. Essas modificações celulares não devem ser chamadas de "atipias", termo reservado a presença de modificações celulares relacionadas com as displasias e o câncer.

Células de Reparo (Regeneração) (Figura 1.30): São células responsáveis por "tampar" áreas de erosão epitelial.

Discariose (Figuras 1.85 a 1.89): é uma expressão citológica que significa que há atipia nuclear. E é um termo reservado a presença de modificações celulares relacionadas com as displasias e o câncer. Divide-se em três graus: leve, moderada e acentuada. Os critérios maiores são cromatina grosseira, espaços vazios e nucléolos múltiplos, irregulares e/ou proeminentes. A cariomegalia (aumento do tamanho do núcleo), a hipercromasia (aumento da afinidade tintorial do núcleo) e a anisocariose (diferença de tamanho do núcleo associada ou não a pleomorfismo nuclear) também contam na avaliação microscópica para definir-se uma célula como discariótica.

Exemplo: discariose leve = CIN 1; discariose moderada = CIN 2; discariose acentuada = (CIN 3, carcinoma, adenocarcinoma etc.).

Coilocitose (Figuras 1.77, 1.78 e 1.124): É a atipia celular que indica a presença de infecção ativa pelo papilomavírus humano. Apresenta três características fundamentais e *sine qua non*: atipia nuclear, halo perinuclear e espessamento do bordo vacuolar.

Depleção Glicogênica: Redução da quantidade de glicogênio do epitélio escamoso do colo uterino e vagina. A camada intermediária é rica deste açúcar que é armazenado sob estimulação hormonal (estrogênio). Assim no hipoestrogenismo, nos processos irritativos, nas lesões pré-neoplásicas e neoplásicas o glicogênio está bastante reduzido ou mesmo ausente, dando no teste de Schiller uma reação positiva (iodo-negatividade).

Espessamento Epitelial ou Hiperplasia Epitelial (Figura 1.127): o epitélio escamoso possui um número determinado de camadas de células que varia de acordo com o momento endócrino da mulher, podendo inclusive estar espessado em situações reacionais, inflamatórias, pré-neoplásicas e neoplásicas. Confere à colposcopia uma reação positiva ao ácido acético (epitélio aceto-branco).

Elevação de Papilas Estromáticas (Figuras 1.109 e 1.127): O epitélio é avascular, assim a sua nutrição é feita por vasos sangüíneos que, através do tecido conjuntivo que está logo abaixo do epitélio, "envia" vaso sangüíneo para nutri-lo, formando pequenas papilas do estroma. É considerado normal quando estas papilas insinuam-se até, no máximo, o terço interno do epitélio. Quando elas se elevam colposcopicamente, conferem imagens de mosaico. Quando no topo das papilas há vasos dilatados, a imagem colposcópica esperada é a de pontilhado.

Hiperceratose (Figura 1.114): É um processo anormal de maturação. O epitélio escamoso do colo uterino e da vagina é pavimentoso estratificado não-ceratinizado. Os processos irritativos crônicos, mutações epiteliais e lesões pré-neoplásicas e neoplásicas podem conferir ao epitélio uma camada de queratina. Colposcopicamente, o esperado é epitélio branco ou leucoplasia.

Paraceratose (Figuras 1.110 e 1.111): É um processo anormal de maturação. É um processo incompleto de ceratinização epitelial. As células superficiais se ceratinizam sem perder seu núcleo geralmente fusiforme. Colposcopicamente, o esperado é epitélio branco ou leucoplasia dependendo da sua espessura.

Disceratose (Figura 1.113): É um processo anormal de maturação. Enquanto a paraceratose é um processo incompleto de ceratinização de células superficiais, a disceratose é um processo nas células profundas. Mostram-se arredondadas, de citoplasma densamente eosinofílico e de núcleo picnótico. Colposcopicamente, o esperado é epitélio branco ou acidofilia forte (EAB).

Hiperplasia Basal Reacional (Figura 1.114): Nos processos inflamatórios, reacionais ou reparativos, há uma intensa atividade reprodutiva de células da camada basal que se apresentam com mais de uma camada, exibindo núcleos hipertrofiados, com membrana nuclear espessada e presença de pequenos nucléolos.

Espongiose (Figura 1.117): Consiste em edema intercelular. As células do epitélio ficam "afastadas" uma das outras. É indicativo de processo inflamatório em atividade, principalmente se vier junto com hiperplasia basal reacional e exocitose.

Exocitose (Figura 1.118): É a presença de leucócitos no interior do epitélio. É um fenômeno normal quando é observada em discreto grau, porém indica atividade inflamatória quando encontrada de forma acentuada ou moderada.

Hiperplasia Basal Atípica (HBA) (Figuras 1.123 a 1.130): A camada basal do epitélio tem uma só fileira, em paliçada, de células. Os processos pré-neoplásicos do colo uterino conhecidos como neoplasia intra-epitelial cervical (CIN) são caracterizados pela presença de hiperplasia da camada basal com células exibindo "discariose". À medida que a camada basal perde a sua capacidade de se diferenciar nas demais células do epitélio escamoso, vão ocorrendo graus de atipias neste epitélio. Ver CIN.

Neoplasia Intra-epitelial Escamosa de Grau 1 (CIN 1 – Figuras 1.123 a 1.128): O epitélio apresenta HBA envolvendo o terço interno do epitélio. Pode ser com ou sem coilocitose.

Neoplasia Intra-epitelial Escamosa de Grau 2 (CIN 2 – Figuras 1.130 a 1.131): O epitélio apresenta HBA e mitoses atípicas (quantidade variável) envolvendo os dois terços internos do epitélio. Pode ser com ou sem coilocitose.

Neoplasia Intra-epitelial Escamosa de Grau 3 (CIN 3 – Figura 1.132): O epitélio apresenta HBA e mitoses atípicas (quantidade variável) envolvendo toda a espessura do epitélio. Não é comum a coilocitose.

ASCUS – Células Escamosas com Atipias de Significado Indeterminado (Figuras 1.60 a 1.62): As atipias de significado indeterminado (ASCUS) são assim chamadas por não se poder afirmar origem, destino ou mesmo etiologia delas mediante simples avaliação citológica de rotina. Portanto, são atipias inconclusivas. Havendo alterações colposcópicas devem ser biopsiadas pois podem ser observadas em hiperplasia de células de reserva subcilíndrica ou mesmo em lesões intra-epiteliais de baixo ou alto grau mesmo sendo as alterações colposcópicas mínimas. Estando associadas a processo inflamatório ou atrofia epitelial, deve ser tratado (antiin-flamatório e/ou estrogênio-terapia local) com posterior repetição do exame citológico para uma nova avaliação. Caso não haja alterações colposcópicas e nem clínicas está indicado controle citológico e colposcópico mais amiúde.

AGUS – Células Glandulares com Atipias de Significado Indeterminado (Figuras 1.65 a 1.69): As alterações de significado indeterminado em células endocervicais (AGUS), são modificações morfológicas que excedem as alterações inflamatórias sem no entanto, preencher as características citológicas de malignidade. As AGUS que podem histologicamente apenas apresentar alterações glandulares mínimas, às vezes alterações reacionais ou exibirem displasia glandular ou ainda o adenocarcinoma *in situ*. São, portanto, atipias citologicamente inconclusivas. Essas alterações também podem ser observadas em células endometriais, podem estar relacionadas a pólipos endometriais, à hiperplasia endometrial e até mesmo ao câncer de endométrio.

LSIL – Lesões Intra-epiteliais Escamosas de Baixo Grau: Expressão da classificação ou sistema de Bethesda que inclui a CIN 1, o condiloma exofítico e o *flat* (incipiente). Significa que as lesões desse grupo têm baixo potencial de malignização e alto potencial para cura espontânea.

HSIL - Lesões Intra-epiteliais Escamosas de Alto Grau: Expressão da classificação ou sistema de Bethesda que inclui a CIN 2 e CIN 3. Significa que as lesões desse grupo têm alto potencial de malignização e baixo potencial para cura espontânea. São consideradas verdadeiros precursores de câncer de colo uterino e se não tratadas um número razoável de casos poderá evoluir para câncer. Estão associadas a HPV oncogênico, tornando desnecessária a investigação biomolecular (PCR, captura híbrida etc.).

Exsudatos Inflamatórios: O cório (estroma ou lâmina própria) apresenta normalmente uma pequena quantidade de células inflamatórias principalmente na JEC e nos processos de formação do epitélio metaplásico (zona de transformação). Não é considerado normal uma quantidade de moderada a acentuada dessas células. A presença de polimorfonucleares neutrófilos (granulócitos) em infiltrado inflamatório indica atividade do processo inflamatório.

Cervicite Folicular Crônica (Figura 1.121): Na presença de clamídia, ou de HPV, ou de candidíase crônica, o estroma do colo uterino se apresenta rico em infiltrado inflamatório mononuclear (linfócitos, plasmócitos e histiócitos mononucleares), podendo, inclusive, constituir folículos linfóides com hiperplasia reacional dos centros germinativos que caracterizam esta cervicite. Os achados colposcópicos esperados (quando a cervicite folicular crônica está presente de forma intensa e difusa) é da colpite em pontos brancos.

Exemplos de Interpretação

Lembrar que

1. A interpretação tem poder de decidir nosologia e terapêutica;
2. Por trás de um exame há uma pessoa (ou várias); só comunique a o diagnóstico e proposta terapêutica a(o) paciente quando houver segurança diagnóstica nos métodos.

EXERCÍCIOS – AVALIAR AS SEGUINTES SITUAÇÕES

1) **Colposcopia anormal** padrão LoSIL com citologia HiSIL e biópsia LoSIL

Comentário:
- As avaliações colposcópica e citológica foram corretas e a biópsia superestimada.
- As avaliações colposcópica e citológica foram subestimadas e a biópsia correta.
- As avaliações colposcópica, citológica e histológica foram corretas. A lesão mais grave foi observada no fundo de glândulas endocervicais, enquanto que as alterações menores estavam localizadas na superfície do epitélio.

2) **Colposcopia anormal** padrão HiSIL com citologia HiSIL e biópsia LoSIL

Comentário:
- As avaliações colposcópica e citológica foram corretas e a biópsia foi direcionada em local de menor atipias histológica.
- Havendo alterações inflamatórias, as SIL podem colposcópica e citologicamente ficar "mais graves do que a realidade", enquanto a histologia representaria a realidade da patologia.

3) **Colposcopia normal** com citologia compatível com CEC invasivo

Comentário:
- A avaliação colposcópica foi correta e o exame citológico pode ter sido trocado.
- O colposcopista não avaliou canal cervical.

4) **Colposcopia anormal** padrão LoSIL com citologia e histologia normal.

Comentário:
- Nem todos os achados colposcópicos anormais estão associados a CIN.

- O maior índice de falsos-negativos da citologia está nas CIN 1 com alterações histológicas mínimas ou discretas (displasias muito leves).

5) **Colposcopia padrão** carcinoma invasivo com citologia inflamatória e biópsia HiSIL.

Comentário:
- A avaliação colposcópica.

6) **Colposcopia de LoSIL** com citologia inflamatória/ HiSIL e biópsia LoSIL.

7) **Histerectomia total** com citologia apresentando células metaplásicas e células endocervicais.

Comentário:
- Troca de material citológico ou então a paciente apresenta adenose vaginal.

8) **Colposcopia de padrão inflamatório** com citologia normal sem agentes inflamatórios:

Comentários:
- Após o coito, as mucosas cervical e vaginal se tornam túrgidas, congestas e ricas em resíduo de odor anormal, podendo induzir o colposcopista, que não fez uma boa anamnese, a fazer diagnóstico de colpite.
- Às vezes um resíduo vaginal aumentado como na gravidez, na segunda metade de um ciclo bifásico, na anovulação crônica, produzindo intensa citólise ou na hiperprodução de muco cervical também induzir o colposcopista a erroneamente diagnosticar colpite.
- A candidíase pode não estar presente na amostra enviada ao citologista.
- A cliente fez ducha vaginal.
- A cliente fez uso recente de medicamento contra o agente inflamatório em questão, estando este presente em quantidades mínima nos esfregaços.
- O citologista não viu o agente inflamatório que estava presente na lâmina.
- O agente inflamatório não se diagnostica pela citologia (ureaplasma, micoplasma, bacterias especiais) ou se diagnostica precariamente pela citologia (clamídia, HPV em forma subclínica e incipiente).

9) **Colposcopia normal** com citologia inflamatória

Comentários:
- O citologista, ao ver uma quantidade maior de leucócitos no muco cervical (achado considerado normal e não inflamatório), erroneamente define o esfregaço como inflamatório.
- **a.** As colpites inespecíficas assintomáticas são caracterizadas por alterações microscópicas da flora e/ou da higidez celular e/ou aumento da quantidade de leucócitos no esfregaço sem que haja uma correspondência

colposcópica e clínica e são o resultado de um distúrbio geralmente transitório do meio vaginal (primeiros dias do ciclo menstrual, pós-coito, uso recente de medicamentos vaginais, atrofia epitelial, ectopia etc). Este achados podem ser resolvidos espontaneamente ou posteriormente evoluírem para uma colpite clínica. **b.** A vaginose (bacteriose) assintomática é caracterizada por alterações essencialmente microscópicas sem uma correspondência colposcópica ou clínica como resultado de um distúrbio geralmente transitório da flora vaginal (primeiros dias do ciclo menstrual, pós-coito, uso recente de medicamentos vaginais, ausência temporária de lactobacilos etc.). Esses achados podem ser resolvidos espontaneamente ou posteriormente evoluírem para uma vaginose (bacteriose) clínica. **c.** Cerca de 30% dos exames citológicos que apresentam leveduras (*Candida, Torulopsis, Geotrichum*) são provenientes de mulheres assintomáticas. Esses fungos, nessa situação, são considerados saprófitas, podendo, em determinadas situações (gravidez, uso de pílula, estresse, baixa imunológica etc.), desenvolver processo parasitário sintomático.

HISTOLOGIA UTERINA

O útero está constituído de duas partes principais: o corpo e o colo.

Anatomicamente, o colo uterino se divide em duas porções: ectocérvice e endocérvice. O endocérvice, correspondendo ao canal cervical, mede 2 a 3 mm de espessura, podendo nas porções mais internas desse canal atingir cerca de 1 cm de profundidade, e está revestido por epitélio colunar simples, raramente ciliado e predominantemente mucíparo (Figura 1.14). As saliências e reentrâncias da mucosa endocervical dão a impressão de formações glandulares (Figuras 1.13 e 1.12) . Esse epitélio cilíndrico é responsável pela produção do muco cervical. Sob ação dos hormônios ovarianos o muco cervical sofre modificações cíclicas. Assim, por exemplo, ele é abundante, alcalino e menos viscoso na fase folicular. Depois da ovulação, sob influência da progesterona, ele se torna denso e mais viscoso. As células cilíndricas são oriundas de células de reserva subcilíndricas (Figura 1.31), que são pequenas células de escasso citoplasma, localizadas entre o epitélio e a membrana basal, e que normalmente são escassamente observadas em um epitélio hígido.

A endocérvice inicia-se no orifício anatômico interno por continuidade com o endométrio. No colo padrão, o epitélio colunar endocervical termina abruptamente no nível do orifício anatômico externo. A ectocérvice é revestido por epitélio escamoso estratificado não-ceratinizado (Figuras 1.1 e 1.2). Seu estroma não apresenta glândulas. Este epitélio também reveste os fundos de saco

e vagina em toda a sua extensão. Esta união de epitélio diferentes é chamada de junção escamocolunar (JEC, ver Figura 1.11).

O escovado do canal cervical demonstrará a presença de células colunares de núcleos localizados em uma das extremidades e citoplasma vacuolado. Pode apresentar cílios na extremidade oposta ao núcleo; quando vistas em grupos, lembram uma colméia ou favo de mel (Figuras 1.15 e 1.16).

A importância do achado de células colunares endocervicais está na afirmação de que a JEC foi alcançada durante a colheita do material. Isto é muito importante, pois é nessa localização que incide com maior freqüência o tipo histológico mais comum de câncer do colo uterino: o carcinoma de células escamosas.

A junção escamocolunar, em um colo padrão, deve incidir sobre o orifício anatômico externo, do colo uterino. Quando a JEC é deslocada para fora fala-se em ectopia ou ectrópio, enquanto o seu deslocamento para dentro do canal cervical, indica entrópio ou entropia. Na ectopia o epitélio colunar simples adquirindo localização ectocervical passa, por motivos não muito conhecidos (talvez a acidez vaginal, entre outros fatores), por um processo de transformação até se converter em epitélio escamoso maduro, produtor de glicogênio e contendo, basicamente, as mesmas características morfológicas do epitélio escamoso original. O processo, chamado metaplasia escamosa, inicia-se por hiperplasia de células de reserva subcilíndricas, que normalmente produzem células colunares, e que por um processo de "viragem do dicionário genético", passam a se diferenciar em células escamosas imaturas, com resquícios celulares glandulares (vacuolização e núcleos muito parecidos com os das células endocervicais) até alcançar completa maturidade, quando a diferenciação com as células escamosas originais é muito difícil. À colposcopia, a metaplasia escamosa é observada como a terceira mucosa ou zona de transformação normal (Figuras 1.31 a 1.37).

Portanto, podemos definir a metaplasia escamosa como o processo no qual o epitélio cilíndrico endocervical é substituído por epitélio escamoso. De forma esquemática, podemos distinguir a metaplasia escamosa em três estágios: metaplasia imatura, metaplasia intermediária e metaplasia madura.

O corpo uterino consiste em uma parede (miométrio) e uma mucosa (endométrio) que reveste toda a cavidade uterina.

A morfologia histológica do endométrio sofre variações de acordo com o ciclo menstrual. Na fase folicular ou estrogênica as glândulas proliferam e seu epitélio de revestimento se torna bastante alto e produz fosfatase alcalina. Na fase luteínica, ou progesterônica, as glândulas deixam de ser ovóides e se tornam ramificadas. Há considerável formação de glicogênio é o estroma apresenta pseudodecidualização.

Ao chegar a menstruação, essa mucosa se desprende, deixando apenas uma fina camada basal que servirá de tecido regenerativo.

As células endometriais, podem ser encontradas na cavidade vaginal, principalmente no período menstrual, no qual, evidentemente, a descamação é maior (Figura 1.17).

No período reparativo ou pós-menstrual imediato o endométrio continua descamando pequenos grupos de células estromáticas. Esta descamação pode se manter, no máximo, até o 12º dia do ciclo. É anormal o encontro de células endometriais fora do período de segurança (12º dia) indicando alteração orgânica (endometrite, hiperplasia endometrial, uso de DIU) ou funcional (por exemplo, hemorragia disfuncional) do endométrio.

CITOLOGIA DA CÉRVICE E DA VAGINA

Tanto a vagina como a ectocérvice estão revestidas por epitélio pavimentoso estratificado (Figuras 1.1 e 1.2). Este tipo de epitélio sofre influência da produção cíclica hormonal do ovário ou de medicamentos com efeitos hormonais semelhantes. Assim sendo, o epitélio vaginal é dez vezes mais sensível ao estrogênio e oito vezes mais sensível à progesterona que o endométrio.

Na mulher castrada ou pós-menopausada o epitélio é bastante delgado possuindo pequeno número de camadas. Já na gravidez, na fase ovulatória ou nos tumores produtores de estrogênio, ele adquire um sem-número de camadas.

Para que possamos entender os efeitos dos hormônios esteróides sobre este epitélio, é necessário o reconhecimento dos tipos celulares que o compõe. Se observarmos, atentamente, um corte histológico de mucosa vaginal ou ectocervical, notaremos que à medida que as células se afastam da membrana basal, seus citoplasmas aumentam de tamanho. O inverso acontece com seus núcleos: de grandes e vesiculosos próximos à membrana basal, se tornam punctiformes e de cromatina indistinta na superfície epitelial. Assim, poderemos dividir o epitélio em três estratos funcionais: profundo, intermediário e superficial.

As células da camada profunda (Figura 1.3 e 1.4) são pequenas, arredondadas e no máximo quatro vezes maiores que os polimorfonucleares neutrófilos. Seus núcleos são relativamente grandes, e é possível identificar estruturas cromatínicas em seus interiores. A camada profunda está subdividida em estrato basal e parabasal de acordo com o maior ou menor tamanho celular. A basal só possui uma única camada de células que, em paliçada, repousa sobre a membrana basal (Figura 1.2). É formada por células, no máximo, duas vezes maiores que os neutrófilos. A camada parabasal possui três a quatro vezes maiores que os neutrófilos. As células androgênicas são variantes das células profundas (Figuras 1.5 e 1.6). São células de bordos citoplasmáticos bem delimitados e espessados. É freqüente a binucleação, e o citoplasma é pálido. Quando vistas em pequeno aumento lembram um quebra-cabeça por tentarem amoldar-se umas as outras. São encontradas em situações que cursem com androgenismo relativo (pós-menopausa) ou absoluto (terapêutica com androgênios ou tumores masculinizantes). No uso prolongado de anovulatórios cujo gestágeno seja a noretindrona ou noreetisterona e, ainda, nas hiperprolactinemias fisiológicas (lactação) ou patológicas podem ser um achado citológico.

Nos esfregaços acentuadamente atróficos, observados em mulheres com vários anos de menopausa, estas células podem apresentar alterações degenerativas caracterizadas por picnose, cariorrexis com fragmentação granular e basofílica do conteúdo celular conferindo ao fundo do esfregaço um aspecto de "poeira grossa" e que os autores de língua inglesa chamam de *blue blobs*. Às vezes, nessa mesma situação, as células profundas apresentam-se desprovidas de citoplasma (citólise atrófica). Células profundas em um esfregaço vaginal são indicativas de hipoestrogenismo. Quanto maior a quantidade de células profundas maior a deprivação estrogênica.

A camada intermediária está representada por vários estratos celulares; suas células têm citoplasmas mais delgados, menos corados e poligonais. Seus diâmetros são superiores a 4 vezes o tamanho dos leucócitos. Os núcleos são menores que os das células profundas, porém suas cromatinas são perfeitamente identificáveis (núcleos vesiculosos) (Figuras 1.7 e 1.8).

As células naviculares (Figura 1.9) são variantes do tipo intermediário. São células que lembram uma concha ou navio e caracterizam-se pelo alto teor de glicogênio. Aparecem nas estimulações hormonais persistentes quando da associação estrógeno-progesterona (gravidez) ou estrógeno-andrógenos (anovulatório combinado e anovulação crônica). Devem sempre ser encontradas na gravidez, porém não são diagnósticas daquele estado.

A camada superficial (Figuras 1.7 e 1.10) apresenta estratificação variável de acordo com a atividade estrogênica. É numerosa nos estímulos estrogênicos importantes, como no período periovulatório, e escassa na segunda fase do ciclo ou nos estímulos estrogênicos fracos. Suas células são grandes de citoplasmas poligonais e quase transparentes. Seus núcleos se apresentam punctiformes, intensamente corados, onde não se consegue identificar cromatinas. São chamados de núcleos picnóticos.

De acordo com a afinidade dessas células aos corantes policrômicos de Papanicolaou ou de Shorr, estas células ou se coram em verde-azulado (cianofílicas), ou em amarelo-alaranjado (eosinofílicas). São cianofílicas as células da camada profunda, das intermediária e o estratos mais superficial da camada intermediária (pré-picnótico) e mais profundo da superficial. São eosinofílicas única e exclusivamente as células mais superficiais do estrato superficial.

ELEMENTOS NÃO-EPITELIAIS ENCONTRADOS NO ESFREGAÇO CÉRVICO-VAGINAL

- **Polimorfonucleares neutrófilos** (Figura 1.20) – São células pequenas de aproximadamente 7 micra, com núcleo segmentado de até cinco lobulações. Nos processos inflamatórios estão presentes em grande número, transformando, por vezes, os esfregaços em esfregaços purulentos. Geralmente a tricomoníase e a infecção bacteriana por cocos determinam esfregaços bastante purulentos.
- **Histiócitos** (Figuras 1.20 e 1.21) – São encontrados nos esfregaços vaginais principalmente no período menstrual ou, no máximo, até o 12º dia do ciclo. Voltam a aparecer 1 a 2 dias antes da menstruação.

  Na pós-menopausa as células profundas podem se assemelharem a histiócitos devido a uma pronunciada vacuolização citoplasmática. Há, inclusive, a fusão de diversas células parabasais formando células gigantes multinucleadas. Deve-se atentar para o fato de que uma verdadeira histiocitose no pós-menopausa em 18% dos casos está relacionada com patologia orgânica do endométrio (hiperplasia glandular ou adenocarcinoma).

  Os histiócitos são células de 7 a 10 micra de diâmetro contendo um núcleo de cromatina fina e escassa. Freqüentemente apresentam abaulamento nuclear, dando-lhes formato reniforme; nas usuárias de DIU estão numericamente aumentados e o aparecimento de formas gigantes multinucleadas indica endometrite granulomatosa por corpo estranho.
- **Plasmócitos** (Figura 1.24) – Em condições normais não devem ser encontrados nos esfregaços vaginais. A sua presença indica processo inflamatório crônico cervical ou endometrial.

  São células redondas ou ovais, com núcleos excêntricos e com cromatina arranjada na membrana nuclear de maneira caprichosa, lembrando uma roda de carroça.
- **Linfócitos** (Figura 1.22) – Têm o mesmo significado dos plasmócitos. Dois são os tipos de linfócitos observados nos processos inflamatório crônicos: a forma adulta e do tipo imaturo ou blástico (linfoblasto). Os linfócitos adultos são pequenas células de núcleos intensamente corados e praticamente picnóticos. Seus citoplasmas são bastante escassos. Os linfoblastos são células de núcleos grandes com cromatina granulosa.

É freqüente a visualização de nucléolos. O citoplasma dos linfoblastos é mais abundante do que o do linfócito e caracteristicamente é basofílico. Os linfoblastos são encontrados em um tipo especial de cervicite, às vezes relacionada com infecção por *Chlamydia trachomatis* (cervicite folicular crônica).

- **Hemácias** (Figura 1.20) – São normalmente encontradas no período menstrual. Fora dessa fase indicam traumatismo da colheita, erosão ou ulceração e, ainda, neoplasia cervical. No sangramento intermenstrual (ovulatório) o seu encontro pode ser uma observação normal.
- **Muco** (Figura 1.25) – Não tem significado oncológico tampouco funcional quando examinado pela coloração citológica. Na fase estrogênica é transparente e praticamente invisível. Na segunda fase, ou fase luteínica, se torna grumoso e corável em verde, aprisionando leucócitos, detritos celulares e flora bacteriana.
- **Espermatozóides** (Figura 1.19) – São achados com certa freqüência nos raspados vaginais. Os esfregaços pós-coito, além de prejudicar a avaliação cito-hormonal, podem levar a falsos diagnósticos de leucorréia. Desconfiamos de pós-coito quando no exame especular encontramos secreção mucóide.
- **Flora bacteriana do tipo lactobacilar** (Figuras 1.38 e 1.39) – A flora vaginal normal é constituída, principalmente, por bacilos de Döderlein. Os lactobacilos utilizam o glicogênio celular transformando-o em ácido láctico, principal guardião da cavidade vaginal contra as infecções. Às vezes determinam um fenômeno chamado de citólise. A citólise é a destruição do citoplasma de células da camada intermediária pelo efeito do baixo pH. Este fenômeno é normal quando discreto.

  A exacerbação dessa flora pode determinar o aparecimento de corrimentos.

A intensidade com a qual o epitélio vaginal descama, varia direta e proporcionalmente com a qualidade e duração da ação esteróide, observada na atividade estrogênica combinada a progesterona ou a androgênios. Desta forma, o resíduo vaginal encontra-se clinicamente aumentado na segunda fase do ciclo, no uso de anovulatórios, na anovulação crônica e na gravidez.

A contínua ação descamativa do epitélio vaginal, observada nas três últimas eventualidades clínicas, descritas acima, é causa de citólise pronunciada, incrementação da colonização lactobacilar, redução do pH e conseqüente aumento do conteúdo residual da vagina. Freqüentemente essa situação é motivo de consulta medica, tendo como queixa principal fluxo vaginal anormal, ardor ou prurido vaginal.

Todas as pesquisas atestam maior incidência de candidíase durante a gestação, porém ela ocorre nas mulheres de todas as idades e não raramente no período perimenopáusico. O crescimento da cândida é mais acentuado ao final do ciclo menstrual e a enfermidade exacerba-se próximo a menstruação.

Outro fator, além do diabetes, que pode predispor à vulvovaginite micótica é o tratamento com anticoncepcionais do tipo combinado. Experimentalmente, a vaginite por cândida é produzida mais rapidamente na gestante que na mulher não-grávida.

O constante estado de citólise proeminente e baixo pH, observado nestas situações clínicas, geram, na vagina, condições ambientais propicias ao desenvolvimento das leveduras. Um meio permanentemente úmido, quente, rico em glicogênio (ou glicose) e com pH constantemente ácido é condição ideal para o desenvolvimento de fungos imperfeitos ou mesmo favorecer recidivas que freqüentemente conferem a moléstia caráter terapêutico rebelde.

Brunsting relatou um caso de vaginite por monília com 22 anos de duração. Hurley descreveu também casos de vulvovaginites micóticas de longa duração. Não possuímos informações muito precisas a respeito da freqüência da forma intratável da vaginite micótica, porém em estudo retrospectivo, não publicado, Hurley mostrou que em 45% de pacientes tratadas durante a gestação, houve insucesso em mais de uma tentativa terapêutica. Isto sugere que, pelo menos durante a gravidez, a vaginite por cândida seja menos suscetível ao tratamento e que os índices de cura têm sido persistentemente mais baixos nas gestantes.

Curiosamente, o isolamento das leveduras cai apreciavelmente no puerpério, sugerindo que o resíduo vaginal citolítico seja o principal responsável pela manutenção da enfermidade e causa da proliferação biológica dos fungos.

Não há evidência de que a cândida, isolada naturalmente em meios de culturas, seja resistente a antibióticos poliênicos, nistatina, anfotericina B nem aos imidazólicos. Desta forma, acreditamos que o insucesso terapêutico seja responsabilizado pelas recidivas promovidas por sucessivas reinfecções micóticas, por sua vez devidas ao encontro de condições permanentemente favoráveis ao seu crescimento na vagina.

A maior incidência de vaginites micóticas observadas nas diabéticas, nas gestantes e em mulheres usando anovulatórios orais reforça a nossa teoria de que a citólise é fator fundamental no favorecimento de micoses vaginais.

O encontro de citólise na primeira fase do ciclo é, do ponto de vista funcional, achado citológico anormal, sendo a principal característica colpocitológica da anovulação crônica. No entanto, a citólise é um achado microscópico normal quando observada no uso de anovulatório, gravidez, menopausa recente e anovulação crônica, desde que em níveis mínimos de degeneração celular.

O achado colpocitológico de citólise, em caso de corrimento vaginal rebelde ou não a terapêutica, clinicamente recidivante ou não, implica numa propedêutica a parte no sentido de averiguar e corrigir as causas determinantes de citólise, visto que esta degeneração celular pode ser definida como fator desencadeante, predisponente ou facilitador de vaginites.

Além disso, deve-se sempre ter em mente a existência do corrimento vaginal determinado pela incrementação volumétrica do resíduo vaginal citolítico, em que os exames laboratoriais são repetidamente negativos, há características clínicas de cronicidade e de refratariedade terapêutica e antimicóticos, antibióticos e quimioterápicos; sendo o único achado diagnóstico da enfermidade a presença de esfregaço citolítico.

Conclusões sobre Esfregaços Vaginais Citolíticos

1. Esfregaços citolíticos podem ser encontrados em 15% dos corrimentos vaginais
2. A citólise como causa de corrimento vaginal ocorre em 11,7% das vaginites
3. A associação de agentes inflamatórios ao fenômeno citolítico ocorre em 3,4% das vaginites
4. As leveduras são os principais agentes biológicos inflamatórios encontrados em associação com a citólise (*Candida* sp. — 88,3%, *Torulopsis glabrata* — 6,7% e *Geotrichum candidum* — 3,3%).
5. A anovulação, a ação conjunta estrogênio-progesterona (segunda fase do ciclo e gravidez) e o uso de anovulatórios orais são os principais fatores favorecedores de citólise vaginal (88,9%) associada a agentes inflamatórios ou como causa isolada de vaginite.

TROFISMO, AÇÃO DOS HORMÔNIOS SOBRE O EPITÉLIO VAGINAL E ÍNDICES CITOLÓGICOS

Trofismo Vaginal

Quando o epitélio vaginal possui suas três camadas funcionais (profunda, intermediária e superficial), diz-se que este é trófico ou maturo e a descamação é de células intermediárias e superficiais e em proporções variadas.

O epitélio maturo é encontrado na menacme por estimulação dos hormônios esteróides fisiologicamente liberados pelos folículos ovarianos ou na estimulação hormonal exógena como, por exemplo, na terapêutica estrogênica substitutiva do climatério, no uso de anovulatórios etc.

O indicador citológico de maturação epitelial é apontado pelo achado de células superficiais. Nos casos de estimulação estrogênica fraca, no uso de anovulatórios combinados, na fase luteínica plena, na gravidez e na anovulação crônica, o epitélio vaginal não consegue se diferenciar até a camada superficial e apresenta uma descamação essencialmente de células do tipo intermediário e às vezes com a presença de variantes do tipo navicular. Chamamos este epitélio de hipotrófico.

Na insuficiência ovariana fisiológica (infância, pós-menopausa, pós-parto e lactação) ou patológica, a mucosa vaginal apresenta francos sinais de atrofia evidenciáveis pela perda das dobras e umidade vaginal além de uma fraca reação ao teste de Schiller. O corte histológico dessas mucosas evidencia uma menor extratificação epitelial. Morfologicamente, as células são do tipo profundo. Falamos então em epitélio atrófico.

A atrofia está associada a diversos graus de hipoestrogenismo.

Quanto maior a atrofia maior a deficiência estrogênica. Assim sendo, classificamos a atrofia epitelial em três tipos distintos:

- **Leve** – quando nos esfregaços vaginais apresentam-se células profundas em quantidade não superior a 30%. Está associada a hipoestrogenismo inicial ou leve.
- **Moderada** – presença de células profundas (basais e parabasais) numa percentagem que oscila entre 30% e 49%. Este achado é compatível com hipoestrogenismo moderado.
- **Acentuada** – presença de mais de 50% de células profundas. Estes esfregaços são os usuais do hipoestrogenismo acentuado. Na pós-menopausa tardia e na colpite senil os raspados vaginais se mostram constituídos essencialmente por células profundas.

Ação dos Hormônios sobre o Epitélio Vaginal

Até algum tempo atrás acreditava-se que apenas os estrogênios tinham efeito sobre o epitélio vaginal. No entanto, foi demonstrado que diversos hormônios esteróides (androgênios e progesterona) também possuíam efeitos específicos.

O epitélio vaginal sofre fenômenos de proliferação, diferenciação e descamação sob influência de diversos estímulos hormonais.

Neste capítulo estudaremos também a ação de outros hormônios e substâncias sintéticas ou naturais com efeitos afins.

Ação dos Estrogênios

O epitélio atrófico indica inatividade hormonal. Assim sendo, a vagina de uma mulher menopausada ou castrada constitui um efetor bastante sensível dos hormônios, principalmente do estrogênio. Nessas pacientes, antes de administrarmos estrogênios, os esfregaços estão constituídos por numerosas células profundas, com numerosos leucócitos e muco conferindo ao raspado um aspecto sujo.

Ao administrarmos estrogênios (estrogênios conjugados, 1,25 mg/dia), já em poucos dias observaremos modificações no esfregaço. As células profundas vão sendo paulatinamente trocadas por células intermediárias e superficiais em quantidade que variam de acordo com a quantidade e duração da administração dos estrogênios. Ao cabo de aproximadamente duas semanas os esfregaços se apresentarão constituídos por numerosas células epiteliais principalmente do tipo superficial. Desaparecem os leucócitos e a flora bacteriana se torna escassa, conferindo ao preparado um aspecto limpo. É um fato notório o isolamento e aplainamento dessas células.

Comprovadamente o estrogênio tem efeito altamente maturativo sobre o epitélio vaginal.

Efeito da Progesterona

Do ponto de vista histológico, o epitélio atrófico sob estimulação da progesterona apresenta uma apreciável proliferação da camada intermediária que se carrega intensamente de glicogênio. O esfregaço atrófico se transforma. Há diminuição e desaparecimento das células parabasais e basais que são trocadas gradativamente por células do tipo intermediário. Excepcionalmente aparecem células superficiais do tipo cianofílico.

Estes experimentos demonstram que a progesterona por si só, sem estimulação prévia dos estrogênios, é capaz de proliferar o epitélio vaginal, porém de maneira bem mais tênue que os estrogênios.

Ação Conjunta Estrogênio-Progesterona

Em uma mulher com esfregaço atrófico administraremos estrogênios de forma contínua até conseguirmos um esfregaço completamente maturo e a seguir empregaremos a progesterona por alguns dias. Paradoxalmente, no esfregaço de controle, em vez de encontrarmos aumento, há progressiva e pronunciada queda da quantidade de células superficiais tanto eosinofílicas como cianofílicas. Os leucócitos que antes estavam reduzidos numericamente voltam a aparecer. Há incrementação do muco e aumento da população bacteriana do esfregaço. O predomínio celular se faz por conta de células do tipo intermediário que descamam pregueadas e aglutinadamente.

A diminuição da quantidade de células superficiais não deve ser interpretadas como efeito antiestrogênico da progesterona, mas como aumento do efeito descamativo celular, determinado pela progesterona, não havendo tempo para o epitélio amadurecer até o extrato superficial.

Não podemos comparar os efeitos específicos da progesterona no endométrio com os efeitos vaginais. No endométrio os efeitos são tão marcantes e típicos que se pode precisar o dia do ciclo. Isto não acontece no esfregaço vaginal tendo em vista que o aparecimento de pregueamento e aglutinação com queda numérica das células superficiais podem também ser encontrado em outras situações hormonais (uso de anovulatórios, anovulação crônica etc.). Portanto, não existem sinais citológicos específicos da ação conjunta estrogênio-progesterona, por isso não ter valor uma única avaliação cito-hormonal feita na segunda fase do ciclo.

Efeitos dos Androgênios

A administração de androgênios em uma mulher com epitélio atrófico produz evidente efeito proliferativo nas camadas profundas e intermediárias, porém não chegando o processo maturativo ao extrato superficial.

Se a dose é aumentada ou mantida por um período mais longo, este epitélio volta a se tornar atrófico e apresentar esfregaços do tipo androgênico.

Na mulher menstruante o emprego do androgênio tem efeito antiestrogênico, fato evidenciado pela diminuição e desaparecimento de células superficiais com o aparecimento de pregueamento e aglutinação celulares. Tem efeito semelhante ao da progesterona em epitélio previamente tratado com estrogênio. Contudo, se a dose for mantida, os esfregaços serão modificados progressivamente para a atrofia com presença de células do tipo androgênico.

Efeito dos Anovulatórios

Dependem do tipo, se seqüencial ou combinado, e ainda da relação dos esteróides componentes da fórmula.

Os anovulatórios combinados são constituídos por comprimidos contendo estrogênio e um androgênio de baixo poder de masculinização (progestagênio). A citologia vaginal espelhará a ação exógena desses hormônios, ou seja, descamação epitelial constituída principalmente por células intermediárias com poucas ou raras células cianofílicas e eosinofílicas superficiais. As células são pregueadas e aglutinadas.

Produzem trofismos mais baixos os anovulatórios que possuem em sua fórmula os progestágenos: noretindrona e noretisteron. Estes dois gestágenos podem ser responsáveis pelo aparecimento de esfregaços atróficos, inclusive do tipo androgênico no uso prolongado e ininterrupto de anovulatório.

Nos anovulatórios seqüenciais, os primeiros comprimidos contêm unicamente estrogênios e posteriormente se acrescenta um gestágeno no intuito de mimetizar as modificações hormonais que ocorrem num ciclo ovariano normal. A citologia demonstra, enquanto são administrados apenas estrogênios, uma descamação epitelial com certo predomínio de células superficiais, planas e isoladas com poucos leucócitos e rara flora bacteriana. Com o início dos comprimidos combinados (estrogênio + progestágenos) a citologia apresenta efeitos semelhantes ao da ação conjunta estrogênio-progesterona, ou seja, diminuição numérica das células superficiais com incrementação da quantidade de células intermediárias que descamam pregueadas e aglutinadas etc.

Ação dos Indutores da Ovulação

Citrato de Clomifênio (Clomid®)

O citrato de clomifênio é bastante empregado no tratamento da anovulação crônica. São sabidamente conhecidos seus efeitos antiestrogênicos.

Se se emprega clomifênio a uma mulher com epitélio proliferado pelo estrogênio, o seu esfregaço apresentará queda do número de células superficiais com aparecimento da pregueamento e aglutinação células. Em mulheres castradas, ao se fazer emprego de estrogênio para transformar seu epitélio em maturo, o clomifênio o reduz a atrófico.

O mecanismo de ação do clomifênio se faz ao nível dos transportadores intracitoplasmáticos do estrogênio, impedindo desta forma a sua captação e portanto seu efeito biológico. A ação do clomifênio aparece pouco depois da tomada do primeiro comprimido e se mantêm até aproximadamente 8 dias após o último. Esse efeito se deve a dois fatores: ligação mais duradoura com os receptores estrogênicos e pelo ciclo êntero-hepático do clomifênio. Portanto, as pacientes que ovulam sob o efeito do clomifênio apresentam o mesmo tipo de esfregaço daquelas que não o fazem. Os esfregaços são semelhantes em todas as colheitas. Por essa razão a citologia não se presta como método de avaliação de eficácia terapêutica.

Gonadotrofinas

Não têm efeitos diretos sobre o epitélio vaginal, apenas refletem nele a estimulação que exercem sobre os ovários quando estes têm capacidade funcional de resposta.

No entanto, a citologia é de grande valia para avaliação terapêutica nas amenorréias e na anovulação quando se emprega gonadotrofina.

Nesta terapêutica se emprega gonadotrofina por 7 a 10 dias. Devem-se realizar colheitas diárias para verificação da atividade estrogênica. Dizemos que houve boa resposta ovariana quando a quantidade de células superficiais chegou a 60% ou 70%. Acima de 70%, fala-se em hiperdosagem quando o tratamento deve ser interrompido.

Efeito do Hormônio Adrenocorticotrópico

A injeção de hormônio adrenocorticotrópico (ACTH) pode determinar um certo grau de maturação no epitélio vaginal por hiperestimulação do córtex supra-renal que responde produzindo também estrogênios, progesterona e androgênios.

Efeitos dos Hormônios da Supra-renal

Somente a desoxicorticosterona (DOCA) apresenta efeito no nível do epitélio vaginal, tendo em vista a sua semelhança estrutural com a progesterona, enquanto que a cortisona e seus derivados não apresentam influência no nível da citologia vaginal.

Efeito dos Digitálicos

São fatos confirmados os efeitos estrogênicos desses glicosídeos em homens (ginecomastia) e em mulheres (melhor do trofismo geral e às vezes sangramento vaginal).

Têm interesse a digoxina e a digitoxina (principalmente em uso por mais de 2 anos) por serem os digitálicos de escolha na manutenção da digitalização.

O produto metabólico do digital (glicosídeo com estrutura parecida com os esteróides sexuais: ciclopentanoperidrofenantreno) tem grande afinidade pelos receptores plasmáticos do estrogênio: albumina e betaglobulina. Ligam-se de maneira mais duradoura, impedindo, dessa forma, o acoplamento com o estrogênio que se torna livre e portanto biologicamente ativo.

Índices Citológicos

Os índices citológicos são métodos quantitativos e qualitativos utilizados para valorização da atividade hormonal sobre o epitélio vaginal.

Inicialmente o citologista faz uma contagem diferencial entre os quatro tipos celulares para estabelecer uma proporção e percentagem. Ao mesmo tempo observa a maneira pela qual as células estão descamando e a quantidade de leucócitos e flora bacteriana. São contadas cerca de 400 células.

Seqüência das tarefas:

1º. Contagem diferencial dos tipos celulares
Céls. profundas.. %
Céls. intermediárias... %
Céls. cianófilas superficiais.............................. %
Céls. eosinófilas superficiais........................... %

2º. Soma da quantidade de células superficiais, ou seja, células cianofílicas e eosinofílicas. Dessa forma obtendo o índice picnótico (IP).

3º. A percentagem de células eosinofílicas superficiais é chamada de índice eosinofílico (IE).

4º Determinação do Índice de Frost (IF). Consiste na transcrição de forma objetiva da contagem diferencial dos tipos celulares. A informação é feita por uma seqüência de três valores separados por duas traves verticais aparecendo desta forma três colunas que representam:

- Coluna da esquerda – quantidade de células profundas do esfregaço;
- Coluna do meio – quantidade de células intermediárias do esfregaço; e
- Coluna da direita – quantidade de células superficiais ou o índice picnótico.

Exemplo: IF: = 0/80/20. Traduz esfregaço com ausência de células profundas (0%), com numerosas células intermediárias (80%) e algumas células superficiais (20%).

O índice de Frost complementa o picnótico e eosinofílico dando uma noção geral do tipo de descamação. Por exemplo: um índice picnótico de zero (IP = 0) pode representar estímulo fraco ou hipoestrogenismo em grau variável. A diferenciação entre essas situações somente poderá ser feita pela presença ou ausência de células profundas.

5º. Descrição do padrão de descamação. Se as células são planas, isoladas e o esfregaço é limpo, indica atividade estrogênica pura. Porém, se as células descamam pregueadas e aglutinadas com um *backgroud* sujo, sugere ação conjunta com outro hormônio (progesterona, androgênios ou gestogênios).

Os índices picnóticos e eosinofílicos são os indicadores da atividade estrogênica. Quanto maiores, mais elevado é o nível plasmático de estrogênios. O inverso também é verdadeiro.

Esfregaços sujos (ricos em leucócitos e flora bacteriana) indicam pobre ou nenhuma estimulação estrogênica. Esfregaços limpos são indicadores de pele menos moderada atividade estrogênica.

PARA MEMORIZAR:

Índice picnótico de 1% a 29% – indica estímulo estrogênico fraco. Corresponde aos 7 primeiros dias do ciclo.

Índice picnótico de 30% a 49% – indica estímulo estrogênico moderado. Observado do 8º ao 12º dia do ciclo.

Índice picnótico maior que 50% – é indicador de importante estímulo estrogênio encontrado normalmente do 13º ao 16º dia do ciclo (período periovulatório).

Exercícios de leitura dos índice citológicos:

Exemplo 1

IP = 35 IE = 27 IF = 0/65/35

Células planas e isoladas. Raros leucócitos e escassa flora de Döderlein.

Comentário: Trata-se de um moderado estímulo estrogênico puro (compatível com 8º dia do ciclo, por exemplo). Traduz-se pela quantidade de 35% de células superficiais, 65% de células intermediárias e 0% de células profundas. O esfregaço é do tipo "limpo".

Exemplo 2

IP = 0 IE = 0 IF = 50/50/0

Diversos polimorfonucleares neutrófilos e moderada flora bacteriana cocóide.

Comentário: Trata-se de um caso de hipoestrogenismo de moderado para acentuado, traduzido pela ausência de células superficiais, 50% de células profundas e intermediárias.

Exemplo 3

IP = 0 IE = 0 IF = 0/100/0

Células pregueadas e aglutinadas acentuadamente. Vários leucócitos.

Numerosa flora Döderlein com discreta citólise. Presença de células do tipo navicular.

Comentário: Pode tratar-se de ação conjunta estrogênio-progesterona (gravidez em evolução não de termo), de ação conjunta estrogênio-gestagêno (uso de anovulatório combinado) ou estrogênio-androgênios (anovulação crônica da menacme ou do período perimenopáusico ou ainda da pré-menarca).

Traduz-se por ausência de células superficiais e profundas. A descamação é essencialmente do tipo intermediário com variantes do tipo navicular. As células pregueadas e aglutinadas com esfregaço sujo sugerem ação conjunta estrogênio com progesterona, androgênios ou gestogênios.

CITOLOGIA NORMAL E PATOLÓGICA NAS DIVERSAS FASES DE VIDA

Citologia na Menina Impúbere

Consideramos impúbere a criança que ainda não apresenta caracteres sexuais secundários. Esta fase se estende desde o nascimento até o aparecimento de telarca e/ou pubarca. Compreende um período de aproximadamente 8 a 9 anos, em virtude do repouso do eixo diencéfalo-hipotálamo-hipófise-ovariano.

Citologia na Recém-nascida

A regência dos hormônios esteróides sexuais nessa fase de vida é dada pelo estrogênio e progesterona de origem materna que são fornecidos ao feto pelo cordão umbilical. Desta forma, o epitélio vaginal da recém-nascida espelhará a ação desses hormônios. O padrão citológico é portanto igual ao da mãe por ocasião do parto. Caracteriza-se por descamação de células intermediárias com variantes do tipo navicular e raríssimas células cianófilas superficiais. As células estão moderadamente pregueadas e aglutinadas. O índice picnótico é inferior a 20% e o índice eosinófilo inferior a 10%.

Esse quadro citológico permanece por 3 a 4 dias até que os hormônios maternos sejam metabolizados no organismo do novo ser. À medida que os níveis plasmáticos de estrogênio e progesterona vão caindo, o esfregaço vaginal também mostra alterações condizentes com este fato. Isto se observa com o aparecimento progressivo de células intermediárias mais profundas e de células parabasais.

Por volta do 7º/8º dia de nascimento e, por vezes, coincidentemente com a chamada crise genital, os raspados vaginais se apresentam com predomínio de células profundas (basais e parabasais). A partir do 15º dia o epitélio vaginal se torna completamente atrófico, permanecendo assim até próximo à eclosão da pubarca ou telarca.

Citologia na Infância

Como existe na infância uma inatividade do hipotálamo e hipófise, os ovários e supra-renais não são estimulados. Assim sendo, o epitélio vaginal mostrar-se-á atrófico traduzindo hipoestrogenismo acentuado. O padrão é atrófico até alguns meses antes do aparecimento dos primeiros sinais de puberdade.

Citologia na Puberdade

A data provável do início da puberdade é variável. De um modo geral inicia-se entre 8 e 10 anos de idade.

O eixo hipotálamo-hipófise-ovariano após um longo período de repouso, desperta. O hipotálamo é o despertador mediante síntese de substâncias de baixo peso molecular chamadas de fatores de liberação (*releasing factor*). O fator de desencadeamento do despertador hipotalâmico é, à luz dos conhecimentos, desconhecido.

Os fatores de liberação hipotalâmicos atuam na hipófise induzindo-a à produção de hormônios que têm efeito maturativo sobre as gônadas. O FSH e LH estimulam os ovários que inicialmente produzem estrogênio e androgênios e posteriormente progesterona, quando o funcionamento desta orquestra estiver perfeitamente harmonizado e afinado. Estes passos são facilmente detectados na colpocitologia. Os esfregaços de completamente atróficos, vão se tornando menos atróficos espelhando estimulação ovariana progressiva.

Por volta dos 9 anos aparece o broto mamário; coincidentemente com o advento da adrenarca (10 a 11 anos) inicia-se o aparecimento de finos e escassos pêlos pubianos (pubarca). Há também crescimento estrutural e ponderal. Nessa fase (pubarca e telarca) os esfregaços são do tipo levemente atróficos.

Uma vez que os raspados vaginais se apresentem com ausência de células profundas (leve maturação), isto indica que o endométrio já iniciou sua proliferação e, portanto, dentro de algum tempo eclodirá a primeira menstruação (menarca), que deverá ocorrer entre 11 e 13 anos.

O aparecimento dos sinais puberais dependem, como dissemos, do despertar hipotalâmico. São vários os fatores que interferem na sua liberação: condições socioeconômicas, fatores genéticos, alimentação, o meio onde a menina se desenvolve cultural e afetivamente, doenças metabólicas e infecciosas etc. Esses fatores podem influenciar tanto para uma aceleração como para retardamento da puberdade. Teremos, assim, puberdade *precoce* ou *tardia*.

Puberdade Precoce

Quando os sinais clínicos de puberdade aparecem antes do 9º ou 8º ano de vida dizemos que há precocidade sexual.

Falamos em precocidade sexual verdadeira quando os fatores determinantes da precocidade estão ligados ao amadurecimento precoce do eixo diencéfalo-hipotálamo-hipófise-ovariano. Pseudopuberdade precoce ou precocidade sexual falsa é encontrada quando os fatores desencadeantes são hormônios esteróides sexuais oriundos de outras fontes ou órgãos que não o eixo diencéfalo-hipotálamo-hipófise-ovariano ou de tumores ovarianos. Esse tipo de precocidade ainda pode ser dividida em:

- Heterossexual – quando a maturação sexual se desvia para o padrão masculino: hipertrofia do clitoris, desenvolvimento de pêlos axilares e pubianos de distribuição masculina, aumento do diâmetro biacromial.
- Isossexual – quando os caracteres sexuais secundários são do tipo feminino: telarca, pubarca e menarca.

Na precocidade sexual verdadeira, o único tipo de maturação possível é do tipo isossexual.

Precocidade sexual incompleta, é definida, quando isoladamente aparece o desenvolvimento de mama 9telarca) ou de pêlos pubianos (pubarca) sem o aparecimento de menarca.

Classificação Etiopatogênica das Precocidades Sexuais

Precocidade Sexual Verdadeira ou Isossexual Pura

Corresponde a 90% de todas as precocidades sexuais.

- Idiopática, constitucional ou criptogênica – 70% das precocidades sexuais.

São muito importantes boa anamnese e rigorosa propedêutica, tendo em vista que existem casos familiares anteriores e não há patologias identificáveis que possam explicar o amadurecimento precoce do hipotálamo.

Clinicamente se apresentam em meninas com idade óssea superior à idade cronológica e, portanto com, bom desenvolvimento estatural. Apresentam telarca e não obrigatoriamente pubarca. É freqüente a história de sangramento vaginal (menarca).

O amadurecimento ovariano pode ser tão acentuado que essas pequenas pacientes podem ovular e inclusive procriar.

- *Infecciosa* – quando o motivo da maturacção hipotalâmica se deve a quadros anteriores de encefalites e meningites. Recentemente descrita na esclerose tuberal múltiplas (viral).
- *Metabólicas* – na carência de vitamina D (raquitismo). Nessa patologia há má formação das tábuas ósseas da base do encéfalo, ao que parece, seja a casa da desinibição hipotalâmina.
- *Traumática* – quedas e acidentes de automóveis em que haja traumatismo craniano.
- *Síndrome de Albright* – caracterizada por displasia óssea poli ou monoostótica (áreas de rarefação císticas ósseas inclusive dos da base do crânio). Clinicamente são crianças com história de fraturas ósseas espontâneas, manchas cutâneas café com leite e precocidade sexual. É uma síndrome bastante rara.
- *Tumoral* – tumores supra-selares como os pinealomas e hamartomas.

Os exames laboratoriais indicam dosagens hormonais de FSH, LH, estrogênios e progesterona em níveis menácmicos.

A citologia demonstra maturação do epitélio vaginal com picnose que não ultrapassa 65%.

Diante de um caso de precocidade sexual isossexual com colpocitologia com um índice picnótico inferior a 65% praticamente está feito o diagnóstico de precocidade sexual verdadeira.

Pseudopuberdade Precoce

Corresponde a 9% dos casos e são devidos a patologias tumorais (ovarianas, supra-renais), iatrogênicas, tumores produtores de gonadotrofinas, infecciosas (toxoplasmose congênita).

- *Hiperplasia e neoplasias (benignas e malignas) do córtex supra-renal* – são raros os casos de precocidade isossexual, determinando, mais freqüentemente, maturação sexual masculina pela produção de androgênios em maior escala.
- *Tumores ovarianos – principalmente do tipo feminilizante* – são teratomas, tecomas, disgerminomas, coriocarcinomas e tumores de células da granulosa.

Os teratomas, os disgerminosas e os coriocarcinomas são de raríssima incidência. Apenas 8% dos tumores de células da granulosa incidem na infância, por isso uma certa raridade nesta patologia. Podem ser benignos ou malignos e, portanto, de prognóstico mais reservado. São funcionantes, de um modo geral e produzem estrogênio em altos níveis.

- *Causas iatrogênicas e medicamentosas* – ingestão inadvertida de anovulatórios, medicações contendo estrogênios.
- *Causas tumorais (tumores produtores de gonadotrofinas)* – hepatomas, tumores pré-sacros e retroperitoneais. São extremamaente raros como causa de precocidade sexual. Tipo isossexual.

Colpocitologia na pseudopuberdade precoce

- *Clínica de precocidade isossexual* - índice picnótico superior a 65% pensar em precocidade sexual falsa por tumor feminilizante. Se o índice picnótico é superior a 90%, está feito o diagnóstico de tumor feminilizante.
- *Clínica de precocidade heteressexual* – evidentemente, a clínica é bastante sugestiva, de um modo geral conclusiva. A citologia demonstrará esfregaços de picnose muito baixa ou nula. Com esfregaços indicando ação androgênica leve (pregueamento e aglutinação) ou acentuada (esfregaço do tipo androgênico).

Precocidade Sexual Incompleta

Nesse tipo de precocidade sexual falta a menarca. Há o aparecimento de pêlos pubianos ou de mamas. Não há amadurecimento do eixo hipotálamo-hipófise-ovariano, nem patologias tumorais.

A precocidade sexual incompleta é dividida em: pubarca precoce e telarca precoce.

- *Pubarca precoce* – Clinicamente a única alteração do desenvolvimento sexual está por conta do aparecimento de escassos e finos pêlos pubianos. Não há desenvolvimento ósseo importante nem aparecimento de mamas ou de sangramento vaginal.

Os exames laboratoriais são todos normais e compatíveis com infância.

A colpocitologia demonstrará esfregaços do tipo acentuadamente atrófico e, portanto, compatíveis com a faixa etária da criança. Como etiologia dessa anomalia, presume-se que haja uma maior sensibilidade dos receptores cutâneos aos baixos níveis (fisiológicos) de androgênios circulantes.

- *Telarca precoce* – há apenas o desenvolvimento não pronunciado de uma ou ambas as mamas. Não há aparecimento de pêlos pubianos nem história de sangramento vaginal. A idade óssea é compatível com a faixa etária da paciente. Os exames laboratoriais são freqüentemente normais, às vezes com prolactina um pouco elevada.

A colpocitologia é de atrofia epitelial tendo em vista que os ovários estão em repouso.

Valor da Citologia na Propedêutica das Precocidades Sexuais

Talvez a maior indicação da citologia hormonal seja o estudo diferencial das precocidades sexuais. Um simples exame citológico orienta a providência a ser tomada evitando dispendiosas análises laboratoriais e radiológicas.

1. Clínica de precocidade sexual isossexual
   - Colpocitologia com IP = 20%, indica tratar-se de precocidade sexual verdadeira, por isso a indicação de propedêutica para as etiopatogenias desta situação.
   - Colpocitologia com índice picnótico de 80% é compatível com precocidade sexual falsa e portanto indica propedêutica para tumores feminilizantes.
2. Clínica de aparecimento de pêlo pubianos, sem história de sangramento vaginal nem aparecimento de telarca: até prova em contrário, trata-se de um caso de precocidade sexual incompleta (pubarca precoce), porém poderia ser uma fase inicial de uma precocidade sexual falsa do tipo heterossexual.
   - Colpocitologia com padrão atrófico é compatível com pubarca precoce.
   - Colpocitologia com padrão atrófico do tipo androgênico ou com certo grau de maturação sugere tumor masculinizante.
3. Clínica de telarca – sem aparecimento de pubarca ou menarca: sugere clinicamente telarca precoce, porém poderia ser uma fase inicial de precocidade sexual verdadeira.
   - Colpocitologia com esfregaço atrófico: telarca precoce.
   - Colpocitologia com esfregaço com maturação epitelial: precocidade sexual verdadeira.
   - Puberdade tardia. Por definição, "puberdade tardia é o aparecimento dos caracteres sexuais secundários após os 16 anos, ou seja, a falha de maturação ou diferenciação anátomo-fisiológica que transforma a menina em adolescente e a capacita para a reprodução" (Bastos e Fonseca). Chamamos de infantilismo sexual o grau máximo de imaturidade sexual.

Na ausência de menarca após os 18 anos, falamos em amenorréia primária. O retardo da puberdade pode ser visto em alterações orgânicas e funcionais (insuficiência dos hormônios hipotalâmicos, deficiência das gonadotrofinas hipofisárias por insuficiência ou tumor hipofisário, disgenesia gonadal ou outra causa cromossômica. Se for positiva, fazer propedêutica endocrinológica visando descobrir outras causas do retardo.

Caso a cliente apresente sinais clínicos de puberdade porém sem ter menarca e a citologia demonstra esfregaço do tipo maturativo (ausência de células profundas) sugere que a menarca está por vir e tudo não passará de uma questão de tempo, caso a paciente tenha útero normal. Entretanto, se os esfregaços forem atróficos, há possibilidades:

- cromatina positiva: menarca tardia.
- cromatina negativa ou positiva abaixo de 20%: disgenesia gonadal pura ou do tipo mosaicismo, respectivamente. Na feminização testicular o padrão citológico pode ser atrófico ou com maturação epitelial assemelhando-se a ação conjunta estrogênio-androgênios, porém com cromatina perinuclear negativa.

- Citologia na menacme. Coincidindo com os sinais clínicos de puberdade sabemos que há uma progressiva elevação dos níveis plasmáticos de estrogênios indicando maturação ovariana. Este fato é traduzido na colpocitologia pela crescente diminuição de células profundas até que os esfregaços se tornem tróficos e maturos. Por essa ocasião, o endométrio está proliferado e apto a descamar. Uma vez instalada a menarca e até que o sistema reprodutor "toque afinado" existem irregularidades menstruais. Dos 12 aos 15 anos cerca de 90% dos ciclos são anovulatórios. Cerca de 30% são do tipo hiperestrogênicos (picnose elevada durante as colheitas), 40% são normoestrogênicos (picnose entre 30% e 50%) e 30% cursam com estímulo estrogênico fraco sob leve ação androgênica.

Uma vez iniciados os ciclos ovulatórios, aparecem modificações citológicas que podem ser classificadas em períodos. Há imagens relativamente características, porém evidenciadas e estabelecidas pelo estudo citológico seriado. É, entretanto, um estudo comparativo que dará uma exatidão diagnóstica em aproximadamente 80% dos ciclos ovulatórios. É importante destacar que não existem sinais citológicos específicos da progesterona e que por uma única colheita por volta do 23º dia do ciclo não se poderá afirmar estar na fase luteínica.

A medida em que o folículo ovariano amadurece sob estímulo das gonadotrofinas hipofisárias, há elevação dos níveis plasmáticos de estrogênios, proliferação endometrial e alterações da maturação no epitélio vaginal. Estas alterações são divididas em fases ou períodos:

- Menstrual – do 1º ao 5º dia.
- Pós-menstrual – do 6º ao 9º.
- Pré-ovulatório – também chamado de foliculínico médio. Do 10º ao 13º dia.
- Ovulatório ou foliculínico avançado – do 14º ao 16º dia.
- Pós-ovulatório ou luteínico inicial – do 17º ao 19º dia.
- Luteínico propriamente dito ou luteínico pleno – do 20º ao 24º dia.
- Luteínico avançado ou pré-menstrual – do 25º ao 28º dia do ciclo.

Da fase menstrual até a fase ovulatória há progressiva maturação e desenvolvimento do folículo ovariano, que também progressivamente produz níveis cada vez mais elevados de estrogênio. Na colpocitologia hormonal, isto é verificado, por valores cada vez mais altos da picnose. De 20% na fase menstrual o índice picnótico alcança cifras de 60% a 75% no período periovulatório. A ação estrogênica faz desaparecer os leucócitos e a flora, além de determinar aplanamento e isolamento das células epiteliais.

Com o advento da ovulação, há luteinização do folículo ou, mais especificamente, da teca com produção cada vez maior de progesterona. A repercussão citológica é de queda progressiva da picnose e eosinofilia com desaparecimento paulatino do isolamento e aplanamento celular que é trocado por pregueamento e aglutinação, acentuando-se a medida que se aproxima da fase luteínica plena. Outro fato interessante é o reaparecimento dos leucócitos e incrementação da flora lactobacilar. Como mencionamos a título mnemônico: PREGUEOU, DOBROU, SUJOU, OVULOU!!

Citologia dos Ciclos Anovulatórios

A presença de ciclos anovulatórios, na mulher, de uma certa maneira é acompanhada de irregularidades do ciclo menstrual (polimenorréias, oligomenorréias, hipomenorréias, espaniomenorréias etc.).

Segundo Pundel, cerca de 85% dos ciclos das mulheres que ciclicamente menstruam, são do tipo anovulatório e um valor aproximado para o período pré-menopáusico e pós-menárquico.

São diversos os métodos propedêuticos de avaliação que quando usado em conjunto dão excelente exatidão diagnóstica. A associação da citologia funcional com outros métodos, principalmente a temperatura basal, filância e cristalização do muco cervical e a biópsia do endométrio.

Os ciclos devem ser estudados pela citologia por avaliações seriadas. Em ciclos de aproximadamente 28 dias propomos colheitas no: 8º, 12º, 15º e 23º dias.

Citologia das Amenorréias

Definimos amenorréia como a falta de menstruações pelo menos durante 3 meses consecutivos, excetuando-se os períodos fisiológicos como a pré-menarca, gestação, lactação e menopausa.

De acordo com o critério etiológico pode ser classificada em:

1. Funcional – enfermidades prolongadas crônicas e degenerativas, fatores ambientais e emocionais, insuficiência hipofisária, ovariana, tireoidiana e supra-renal.
2. Orgânica:
   – *Uterina* – destruição do endométrio (síndrome de Aschermann), endometrites, endométrio rudimentar, histerectomia.
   – *Ovariana* – castração, cirurgias ovarianas e disgenesia ovariana.
   – *Hipofisária* – neoplasias e destruição do lóbulo anterior (cirúrgica ou síndrome de Sheehan).

Cronologicamente são classificadas em:

- *Primária* – quando a paciente nunca menstruou.
- *Secundária* – quando a paciente menstruou anteriormente.

A citologia pode ser um método útil no diagnóstico e prognóstico nos diferentes tipos de amenorréias, inclusive permitindo sugerir tratamento. A avaliação é feita através de curvas e, portanto, torna-se necessário um estudo seriado. Temos preconizado a realização de cinco a seis colheitas com intervalo de 5 a 6 dias para a verificação de variação hormonal espontânea.

Padrões Citológicos nas Amenorréias

1. *Tipo atrófico.* Caracteriza-se pela presença de células profundas em quantidades variáveis em todas as amostras. São amenorréias quase sempre do tipo orgânico e rebeldes à terapêutica. Devem-se estudar os ovários e hipófise.
2. *Tipo androgênico.* Os esfregaços contém células profundas do tipo androgênico. É encontrada em amenorréias devidas a neoplasias benignas e malignas das supra-renais (adenoma e carcinoma) e tumores ovariano, todos produtores de androgênios. É de nossa observação o encontro deste tipo de curva em pacientes com amenorréia por hiperprolactinemia, principalmente com níveis séricos acima de 75 ng/ml, ou no uso prolongado e ininterrupto de "pílula." Devem-se estudar os ovários, supra-renais e hipófise.
3. *Tipo hiperfoliculínico.* Caracteriza-se pela presença persistente de elevados índices maturativos. Os esfregaços mostram predomínio de células superficiais com IP geralmente acima de 50%. As células são planas e isoladas. Os leucócitos e a flora são escassos.

   A etiologia desta amenorréia deve-se a uma persistente estimulação estrogênica por tumor produtor de estrogênios (tecoma ou tumor de células da granulosa) ou por cistos foliculares. Devem-se estudar os ovários.
4. *Tipo hiperluteínico.* Os esfregaços estão constituídos por células intermediárias inclusive com variantes do tipo navicular; são raras as células superficiais. As células descamam acentuadamente pregueadas e aglutinadas. O IP e o IE são muito baixos. Esse padrão citológico traduz pronunciada ação estrogênio-progesteron ou estrogênio-androgênios.

   A etiologia está na persistência de corpo lúteo ou na gravidez. Pode ser encontrada na anovulação crônica. Em pacientes pré-menopáusicas as irregularidades menstruais podem levar a ciclos espaniomenorréicos.
5. *Tipo normofoliculínico.* O estudo citológico indica que está havendo maturação folicular cíclica pela variação da picnose e dos índices qualitativos.

   Este tipo de curva é encontrada em causas orgânicas uterinas principalmente na síndrome de Ascherman. Uma boa anamnese (história de curetagem uterina) e uma boa histeroscopia fará o diagnóstico.
6. *Tipo hipofoliculínico acíclico.* O padrão citológico é idêntico ao mesmo tipo de curva do ciclo anovulatório hipofoliculínico acíclico. Este tipo é encontrado principalmente na anovulação crônica e no ovário policístico.
7. *Tipo hipofoliculínico cíclico.* O padrão citológico é idêntico ao mesmo tipo de curva do ciclo anovulatório hipofoliculínico cíclico.

   Também encontrada na anovulação crônica.

   A determinação dos diversos tipos de curvas nos permite apreciar o estado funcional do ovário.

   A curva atrófica, por exemplo, indica que a atividade da glândula é praticamente nula. As curvas hipofoliculínicas revelam discreta atividade ovariana, sendo maior no caso das curvas com variações hipofoliculínica cíclica).

   A colpocitologia hormonal ainda permite localizar o ponto do eixo hipófise-ovariano em que está o defeito. Esta localização pode ser feita com o emprego de diversos recurso laboratoriais (dosagens plasmáticas com RIE) ou provas funcionais.

Citologia nos Ciclos Gravídico-puerperais Normal e Patológico

Após a nidação e sob estimulação hormonal do trofoblasto (HCG), o corpo lúteo aumenta a síntese de estrogênios e progesterona transformando-se em corpo lúteo gravídico. O corpo lúteo é o principal mantenedor hormonal da gestação no seu primeiro trimestre. O padrão citológico nesta fase traduz a ação moderada e prolongada do binômio estrogênio-progesterona. As células se tornam acentuadamente pregueadas e aglutinadas, incrementa-se a citólise. Aparece moderada quantidade de células do tipo navicular. O índice picnótico é inferior a 30%.

Quando a regência hormonal da gravidez vicaria para a placenta, no início do 2º trimestre, o padrão citológico adquire finalmente o típico padrão gravídico, que se perpetuará até próximo ao termo. Há um aumento visível na quantidade de células naviculares, incrementado-se ainda mais o fenômeno de citólise. As células superficiais nunca ultrapassam 10%.

Próximo do termo, inicia-se uma insuficiência placentária fisiológica motivada pelas áreas cada vez menos funcionantes em razão de pequenos enfartes. A diminuição da síntese de progesterona associada ao aumento da produção de estrogênios, principalmente de origem fetal, causam modificações sensíveis e detectáveis na colpocitologia. Os primeiros sinais de têrmo são do tipo qualitativos: diminuição do pregueamento, da aglutinação, da citólise e do número de células naviculares do esfregaço. Posteriormente, esses sinais são quantitativos, indicando leve predomínio do efeito estrogênico: ascensão do índice picnótico.

Um detalhe que vale destacar é que em nenhuma fase da gestação podem ser encontradas células do tipo profundo. A sua observação nos esfregaços vaginais de mulheres grávidas está associada a graves insuficiências placentárias. Se sua percentagem é superior a 30%, pode ser indicativa de descesso fetal.

Após o fenômeno parturitivo e principalmente após a dequitadura, deixa de existir o órgão mantenedor do padrão hormonal da gravidez: a placenta. Com o delivramento, a puérpera entrará em um estado de insuficiência ovariana fisiológica e temporária, às custas da produção de prolactina.

Por definição, o pós-parto imediato é aquele que vai da parturição até 10 dias após, enquanto que o pós-parto tardio se prolonga até 6 semanas após o pós-parto imediato. Caracteristicamente, os esfregaços do pós-parto imediato, em virtude do hipoestrogenismo imposto, são do tipo atrófico, e são chamados esfregaços do pós-parto. Caso a mulher não amamente, haverá um novo despertar hipotalâmico à custa da queda dos níveis de prolactina. Paulatinamente, com a volta ao normoestrogenismo, os esfregaços vão se tornando maturos, pela troca de células profundas por células da camada intermediária.

Em puérpera não-lactante, a falta de menstruação associada aos esfregaços atróficos 3 meses após o parto indica propedêutica para a síndrome de Sheehan.

No pós-parto tardio com lactação, os esfregaços adquirem aspectos peculiares. Há uma certa melhora do trofismo, porém os esfregaços mantêm-se levemente atróficos. Alguns autores descrevem um tipo de célula parabasal, de bordos espessados e citoplasma espumoso. A estes elementos da camada profunda foi-lhe dado o nome de célula da lactação. Quando os níveis de prolactina caem a menos de 75 ng/ml, essas células desaparecem e são trocadas por células do tipo intermediário.

Citologia na Ameaça de Abortamento e de Parto Prematuro

É bem verdade que a maioria dos abortamentos são de causa ovular e não hormonal.

A colpocitologia faz diagnóstico de ameaça de abortamento por insuficiência hormonal placentária. Evidentemente se a placenta vai mal, provavelmente o feto também vai. Nem sempre a recíproca deste argumento é verdadeira. Existem casos de morte fetal com placenta normalmente funcionante por um período relativamente grande.

Com o advento dos estudos eletrônicos dados pela cardiotocografia e pela ultra-sonografia, o emprego da colpocitologia no rastreamento de morte fetal ficou relegado a plano terciário com justa razão. No entanto, em centros com poucos recursos, pode ainda a citologia fornecer auxílio de inestimável valor na resolução de um problema obstétrico. Principalmente no acompanhamento das diversas patologias que possam enquadrar uma gravidez de alto risco.

Os sinais citológicos de insuficiência endócrina placentária são de dois tipos:

1. *Qualitativos* – são os primeiros a serem evidenciados. A diminuição do pregueamento, da aglutinação, da citólise e da quantidade de células naviculares é sinal de alarme do início da insuficiência placentária (insuficiência de progesterona).
2. *Qualitativos* – caso persista ou evolua a insuficiência de progesterona, os esfregaços podem apresentar dois tipos de alterações:
   a. *Maturativa* – neste tipo há elevação dos índices picnóticos e eosinofílicos traduzindo predomínio estrogênico. Podem ascender até cifras maiores que 30%.
   b. *Regressiva* – indica um nível mais grave de insuficiência placentária, diagnosticado pelo encontro de células profundas. No óbito fetal ou embrionário é freqüente a observação de mais de 30% dessas células. Alguns autores chamam a célula profunda de célula da insuficiência placentária.

Mário Kamnitzer em 1952 foi o primeiro pesquisador a observar o efeito paradoxal dos estrogênios em mulheres com gravidezes normais. Se administramos estrogênios a uma mulher não grávida, seus índice de maturação se elevam (efeito ortodoxo estrogênico), enquanto nas grávidas o padrão gravídico não se altera (efeito paradoxal). Posteriormente, esse teste foi aplicado para avaliação do grau de insuficiência placentária. Em casos onde havia sério dano placentário ou morte ovular, a resposta aos estrogênios é do tipo ortodoxa. No entanto, nas placentas passíveis de recuperação, a resposta é do tipo paradoxal.

Esquema posológico inicialmente proposto, com algumas modificações, era com o benzoato de estradiol 5 mg, 1 ampola intramuscular diariamente durante 3 dias. Vinte e quatro horas após a última aplicação, colhe-se novo material citológico para comparação.

Tendo em vista a vida de administração ser parenteral, preconizamos o emprego do etinil-estradiol, 1 mg, 3 comprimidos ao dia durante 3 dias consecutivos. Vinte e quatro horas após, nova colheita citológica para comparação.

Assim, se em uma ameaça de abortamento a reação for ortodoxa, isso indicará mau prognóstico e com grandes possibilidades de abortamento. Todavia, se a resposta for paradoxal, o prognóstico será bem melhor, podendo em um bom número de casos haver evolução para a normalidade.

Citologia do Climatério e da Menopausa

À medida que os anos vão se passando, os folículos ovarianos vão desaparecendo do córtex ovariano. Todo mês vários folículos entram em atresia e deixam de existir. Por um processo de seleção, são amadurecidos primeiramente os folículos mais sensíveis a ação do FSH e LH, até que próximo da última menstruação restam apenas folículos resistentes, e que precisam do dobro da dose de FSH para poderem evoluir. Chegará um ponto em que haverá franca resistência à estimulação hipofisária. Esses folículos não chegam a amadurecer suficientemente e, por este motivo, são fracos na produção de estrogênios. Então sobrevém a sintomatologia do climatério e acontece a menopausa.

Nessa passagem de seleção folicular, os ciclos se tornam irregulares e anovulatórios. No período pré-menopáusico, os achados citológicos refletindo baixa produtividade estrogênica demonstram esfregaços com baixa picnose, predomínio de células intermediárias que descamam pregueadas e aglutinadas. A flora lactobacilar freqüentemente se exacerba advindo a citólise e possível leucorréia. Esses fenômenos traduzem estímulo estrogênico fraco sob leve ação androgênica, androgênios estes produzidos pelo próprio folículo.

A menopausa é traduzida pela incapacidade ovariana de produzir estrogênios suficientemente para proliferar e descamar o endométrio.

Uma vez estabelecida a menopausa, os esfregaços vaginais apresentarão alterações progressivas com o decorrer dos anos. Inicialmente pode apresentar esfregaços, indicando atividade estrogênica débil, traduzida por esfregaços constituídos exclusivamente por células intermediárias, pregueadas e aglutinadas. Às vezes se evidenciam esfregaços do tipo gravídico ou citolítico. Estes raspados podem permanecer até o 3º ano de pós-menopausa.

De um modo geral, a partir do 2º ou 3º ano, os esfregaços começam a apresentar sinais de atrofia, inicialmente leve e posteriormente acentuada, passando ou não por uma fase intermediária. No hipoestrogenismo moderado, em razão da maior produção de desidroepiandrostenediona, os esfregaços podem apresentar-se do tipo androgênico.

Após o 10º ano de pós-menopausa, os esfregaços devem ser sempre do tipo atrófico. A inobservância deste fato implica uma propedêutica no intuito de se averiguar a causa da atividade estrogênica no pós-menopausa. Cabe lembrar os tipos mais freqüentes:

- Uso inadvertido de mediações contendo estrogênio.
- Obesidade.
- Diabetes.
- Insuficiência cardíaca com ou sem uso de digitálicos.
- Insuficiência hepática.
- Tumores funcionantes do ovário (tecoma, tumor de células da granulosa).
- Hiperplasia do córtex ovariano.

Indicações da Colpocitologia Hormonal

- Estudo diferencial das precocidades sexuais.
- Avaliação na puberdade tardia.
- Estudo da função ovariana em plena menacme.
  - Propedêutica da ovulação e anovulação.
  - Distúrbio funcionais ovarianos.
  - Gravidez endocrinamente perturbada no curso do 1º trimestre.
- Estudo diferencial das amenorreias.
- Estudo da atividade estrogênica no pós-menopausa.
- Vigilância nos tratamentos com hormônios.
  - Terapêutica substitutiva no pós-menopausa.
  - Terapêutica e testes hormonais de prova nas amenorréias.
  - Terapêutica do câncer mamário.
  - Uso prolongado e ininterrupto de anovulatório.
- Estudo da gravidez perturbada ou patológica.

Causas de Falhas da Colpocitologia Hormonal

1. *Infecção vaginal* – é a causa mais freqüente de resultados mal interpretados e falsos. A *Gardnerella vaginalis* como determina infecção de superfície, é a principal responsável por pseudo-atividades estrogênicas devidas a falsa picnose. Leucorréia com clínica e/ou citologia de gardnerose invalidam a avaliação hormonal pela citologia.

2. *Tricomoníase e candidíase* – determinam alterações celulares inflamatórias, que impossibilitam a avaliação dos índices de maturação.

3. *Relações sexuais* – devem ser evitadas pelo menos 72 horas antes da coleta de material.

4. *Exame ginecológico* – somente pode ser feito após a realização do esfregaço. O espéculo não deve estar lubrificado. Não realizar teste de Schiller nem tocar a paciente antes da execução do raspado.

5. *Duchas vaginais* – devem ser proscritas em pacientes candidatas a estudo hormonal seriado.

6. *Uso de cremes, geleias ou óvulos vaginais* – as pacientes devem terminar o tratamento. Realizar o exame pelo menos uma semana após.

7. *Medicações hormonais* – a citologia traduzirá apenas a ação exógena do medicamento.

8. *Cistocele e prolapso* – provocam, quadros citológicos de falsa maturação epitelial.

9. *Má fixação* – o material deve ser imediatamente fixado em álcool a 92% (álcool comercial) para que se evite ressecamento celular.

10. *Colheita cervical* – não se presta para estudo hormonal. Fornece quadros de falsa maturação. Raspar nas paredes laterais do terço posterior vaginal.

CLASSIFICAÇÕES CITOLÓGICAS (SISTEMA DE BETHESDA E NOMENCLATURA BRASILEIRA PARA LAUDOS CITOPATOLÓGICOS CERVICAIS)

Sistema Bethesda de Classificação Citológica

Em 1988 um seminário do Instituto Nacional de Câncer realizado em Bethesda, Maryland, EUA, resultou no desenvolvimento de um sistema de classificação citológica (Sistema de Bethesda). Neste sistema de classificação as amostras são avaliadas quanto à qualidade do esfregaço (satisfatório, insatisfatório e satisfatório mas limitado) e quanto à presença ou não de atipia citológica (em células escamosas e em células glandulares). Foram também introduzidos alguns conceitos novos de diagnóstico de atipias celulares que incluíam não só as alterações morfológicas, mas também uma sugestão de prognóstico das mesmas (lesões de baixo e alto grau). A descrição para o carcinoma de células escamosas invasor, nesta classificação, perde a qualificação dos tipos histológicos. Outra inovação citológica são as atipias celulares (escamosas e glandulares) de significado indeterminado, haja vista as dificuldades morfológicas de estabelecer-se lesões limítrofes entre o inflamatório e o neoplásico. Estabelece quais os microorganismos consensualmente diagnosticados pelo método e exclui o diagnóstico funcional em amostras obtidas de ectocérvice com finalidade oncótica. Esta classificação inicial de 1988 foi reavaliada em 1991 e posteriormente em 2001, estando descrita abaixo.

Adequação da Amostra

- Amostra satisfatória para avaliação
- Amostra insatisfatória para avaliação
- Ausência de identificação
- Componente epitelial insuficiente
- Presença de sangue, inflamação, áreas densas, fixação deficiente (> 75% dos campos microscópicos)

Nota explicativa: amostra satisfatória apresenta boa representatividade celular (celularidade em citologia convencional: 8 a 12 mil células. Celularidade em citologia em base líquida > 5 mil), presença de células endocervicais e/ou células de metaplasia escamosa, sendo aceitável certo grau de dessecamento, inflamação, presença de sangue e sobreposição celulares desde que seja inferior a 50%-75% dos campos microscópicos. O item "satisfatório mas limitado por" foi abolido pela baixa taxa de aceitação, e ausência de diferenças estatisticamente significativas no encontro de atipia citológica quando comparada a amostras "satisfatórias". Qualquer espécime com células anormais é por definição satisfatório para avaliação.

Diagnóstico Geral

Negativo para lesões intraepiteliais e malignidade.

Nota explicativa: neste item estão incluídos os itens anteriormente descritos como "dentro dos limites da normalidade" e "alterações celulares benignas" (inflamação, atrofia com ou sem inflamação, associadas com radiação, associadas com DIU).

Alterações Celulares Benignas (Reativas)

Associadas com Inflamação (Figuras 1.26, 1.27, 1.28, 1.29, 1.30, 1.42, 1.57)

As alterações celulares induzidas pelo processo inflamatório são observadas por modificações citoplasmáticas e/ou nucleares.

Citoplasmáticas

- *Vacuolização citoplasmática: microvacuolização*
  - Policromasia: afinidade tintorial variada em uma mesma células, ou seja, o citoplasma toma duas cores simultaneamente (anfofilia).
  - Falsa eosinofilia: células que são cianófilas (intermediárias e profundas) passam a corar-se eosinofilicamente.
  - Granulações citoplasmáticas: por vezes conferindo à célula o aspecto de "célula com sarampo".
  - Halo perinuclear: é bastante comum na tricomoníases e, às vezes, de acordo com a intensidade do

processo, pode causar dificuldades diagnósticas com coilócitos e ser, não raro, causa de falso-positivo para infecção por HPV.

– Borramento dos bordos citoplasmáticos: as células perdem a nitidez de seus contornos.

- *Nucleares*
  - Hipercromasia: aumento da afinidade tintorial do núcleo.
  - Cariomegalia: hipertrofia nuclear que não exceda duas vezes o tamanho do núcleo de uma célula intermediária normal, é possível observar uma condensação granular da cromatina sob a forma de alguns cromocentros.
  - Anisocariose: variação de tamanho e forma nuclear. Esta característica não é tão acentuada quanto a observada nas neoplasias. Quanto mais atípica uma célula, geralmente, mais acentuada é esta característica.
  - Bi ou multinucleação.
  - Espessamento da membrana nuclear: este espessamento é de espessura com pouca variação, sendo que o contorno nuclear é liso e arredondado.
  - Degeneração nuclear: picnose (o núcleo fica punctiformes pela condensação do material cromatínico), cariorrexis (fragmentação granular da cromatina), cariólise (borramento por liquefação e absorção do conteúdo cromatínico).

Com Atrofia com ou sem Inflamação (Figura 1.4)

Os esfregaços atróficos, observados em situações de deprivação estrogênica (menopausa, pós-parto, lactação, infância pré-púbere) pode mostrar, devido a uma redução da espessura do epitélio e consequente redução dos processos de defesa da mucosa, alterações inflamatórias, como as descritas anteriormente, associadas à exsudação neutrofílica. Curiosamente células profundas podem adquirir citoplasma eosinofílico e núcleo picnótico ou mesmo as demais alterações regressivas do núcleos (cariorrexis e cariólise). Nos intensos processos de atrofia, as células profundas podem se apresentar nos esfregaços desprovidas de citoplasma (citólise atrófica).

Associação com Radiação (Figuras 1.63, 1.64)

As células sofrem alterações, em níveis variáveis, de acordo com o tempo e a intensidade da exposição. Essas variações inicialmente são de natureza degenerativa tais como hipertrofia nuclear e vacuolização citoplasmática e nuclear, única ou múltipla devido a degeneração hidrópica induzida pela água ionizada intracelularmente. As células neoplásicas irradiadas apresentam uma acentuação de suas características acrescidas de vacuolização citoplasmática e nuclear. São células lesionadas de forma letal. Após

o encerramento da ionização, o genoma sofre alterações e determina alterações celulares que podem durar em média 6 meses. Alguns casos as alterações podem permanecer *ad infinitum*. De gigantismo celular com hipertrofia nuclear e certo grau de anisocariose até alterações que podem tornar difícil um diagnóstico diferencial com as displasias. A estas alterações chamamos de displasia radiógena.

Com DIU

O dispositivo intra-uterino pode, ao longo de sua permanência na cavidade uterina, determinar alterações celulares importante, a ponto de ser fator de sobrediagnóstico de ASCUS e AGUS (ver a descrição destas entidades). Sessenta por cento das usuárias de DIU apresentam endometrite crônica inespecífica e 18% desenvolvem endometrite granulomatosa a corpo estranho. Dessa forma, as alterações reacionais tanto de estroma como de epitélio endometrial são as "atipias" que podem gerar sobrediagnósticos de lesões pré-neoplásicas do endométrio e também da endocérvice. Os fios do DIU determinam processos reacionais na mucosa endocervical que além da possibilidade de alteração da morfologia das células endocervicais, também é responsável pela formação de ilhotas de metaplasia escamosa com alterações reacionais. As células metaplásicas imaturas ou as células de reserva subcilíndrica quando hiperplasiadas já são causas de dificuldades diagnósticas, e aliadas ao processo reacional celular aumenta ainda mais as chances de sobrediagnósticos de ASCUS ou de AGUS. As alterações mais comuns são hipertrofia nuclear em células metaplásicas de pequeno porte, com vacuolização citoplasmática que descentraliza o núcleo. Essas células freqüentemente vem em agrupamentos celulares não coesos.

- *Anormalidades em células epiteliais*
  1. Em células escamosas:
     - ASC (*atypical squamous cells*): células escamosas atípicas de significado indeterminado. Subdividido em ASC-US (significado indeterminado sem outras especificações, pode incluir alterações reacionais e no máximo CIN 1), ASC-H (provável neoplasia).
     - LSIL (*low grade squamous intraepitelial lesions* = lesões intra-epiteliais escamosas de baixo grau): estão incluídos condilomas, efeito citopático por HPV, CIN 1.
     - HSIL (*high grade squamous intraepitelial lesions* = lesões intra-epiteliais escamosas de alto grau): inclui neoplasia intra-epitelial cervical graus 2 e 3.
     - HSIL (*high grade squamous intraepitelial lesions* = lesões intra-epiteliais escamosas de alto grau), não se podendo excluir invasão: inclui os casos com CIN 3 e áreas focais, no esfregaço, contendo hemácias de-

generadas, restos celulares em meio a células atípicas mais pleomórficas.

- Carcinoma de células escamosas. Implica estado invasor.

2. Em células glandulares:

- Células endometriais, benignas fora do período menstrual em mulheres > 40 anos e na menopausa.
- AGUS: células glandulares atípicas (endocervicais/endometriais/outras).
- Com subdivisão em (1) provavelmente não neoplásico e (2) provavelmente neoplásico.

LEMBRETE – POSSÍVEIS CAUSAS DE AGUS:

- Pólipo endocervical ou endometrial.
- Deciduose.
- Reação de Arias-Stella.
- Hiperplasia microglandular endocervical.
- Metaplasia tubária.
- Alterações reacionais no uso de DIU.
- Infecção clamidial.
- Adenocarcinoma endocervical
- Adenocarcinoma endometrial e extra-uterino

Infecção

Candida spp., *Trichomonas vaginalis, Gardnerella vaginalis* (distúrbio da flora compatível com bacteriose vaginal), *Leptothrix, Actinomyces,* herpes.

Nota explicativa: é excluído o diagnóstico de clamídia, haja vista um alto índice de falso-positivo.

Nomenclatura Brasileira para Laudos Citopatológicos Cervicais

Com a atualização do Sistema de Bethesda em 2001 e considerando a necessidade de incorporar as novas tecnologias e conhecimentos clínicos, morfológicos e moleculares, o Instituto Nacional de Câncer e a Sociedade Brasileira de Citopatologia promoveram o "Seminário para discussão da nomenclatura brasileira de laudos de exames citopatológicos – CITO 2001". Com o apoio da Sociedade Brasileira de Patologia, Sociedade Brasileira de Patologia do Trato Genital Inferior e Colposcopia e FEBRASGO, foi elaborada uma proposta de nomenclatura, amplamente divulgada por correio e internet, estimulando-se contribuições e sugestões. Em um segundo encontro, ocorrido em agosto de 2002, representantes da Sociedade Brasileira de Citopatologia, da Sociedade Brasileira de Patologia, da Sociedade Brasileira de Patologia do Trato Genital inferior e Colposcopia, das Secretarias Estaduais de Saúde, IBCC, Hospital A.C. Camargo, INCA, UNICAMP, ANVISA, Núcleo Estadual rio de Janeiro do Ministério da Saúde e da Sociedade de Ginecologia e Obstetrícia do Rio de Janeiro aprovaram a nova nomenclatura brasileira para laudo dos exames citopatológicos.

Assim, a nomenclatura brasileira para laudos citopatológicos cervicais – 2002 contempla aspectos de atualidade tecnológica, e sua similaridade com o Sistema Bethesda – 2001 facilita a equiparação de resultados nacionais com aqueles encontrados nas publicações científicas internacionais. São introduzidos novos conceitos estruturais e morfológicos, o que contribui para o melhor desempenho laboratorial e serve como facilitador da relação entre a citologia e a clínica. Sua estrutura geral facilita a informatização dos laudos, o que permite o monitoramento da qualidade dos exames citopatológicos realizados no Sistema Único de Saúde. Além disso, a anuência das sociedades científicas envolvidas com a confirmação diagnóstica e o tratamento das lesões torna possível o estabelecimento de diretrizes para as condutas terapêuticas.

Nomenclatura Brasileira

Tipo da Amostra

Citologia: ❑ Convencional ❑ Em Meio Líquido

Nota explicativa: com a introdução da citologia em meio líquido é indispensável que seja informada a forma de preparado, uma vez que a adequacidade do material é avaliada de forma diversa para cada meio (ver Atlas de Citologia em Meio Líquido da página 68 à 96, Figs. 1.149 a 1.237).

Avaliação Pré-analítica

- Ausência ou erro de identificação da lâmina e/ou do frasco.
- Identificação da lâmina e/ou do frasco não coincidente com a do formulário.
- Lâmina danificada ou ausente.
- Causas alheias ao laboratório (especificar).
- Outras causas (especificar).

Adequabilidade da Amostra

- Satistatória
- Insatisfatória para avaliação oncótica devido a:
  - Material acelular ou hipocelular (< 10% do esfregaço).
  - Leitura prejudicada (> 75% do esfrega;o) por presença de:
    1. sangue
    2. piócitos
    3. artefatos de dessecamento
    4. contaminantes externos
    5. intensa superposição celular
    6. outros (especificar)

- Epitélios representados na amostra:
  1. Escamoso
  2. Glandular
  3. Metaplásico

Nota explicativa: deve-se considerar *satisfatória* a amostra que apresente células em quantidade representativa, bem distribuídas, fixadas e coradas, de tal modo que sua visualização permita uma conclusão diagnóstica, levando-se em consideração as condições próprias de cada uma (idade, estado menstrual, limitações anatômicas, objetivo do exame). *Insatisfatória* é a amostra cuja leitura esteja prejudicada pelas razões expostas acima, todas de natureza técnica e não de amostragem celular.

Diagnóstico Descritivo

- Dentro dos limites da normalidade, no material examinado.
- Alterações celulares benignas.
- Atipias celulares.

Nota explicativa: a expressão "no material examinado" visa estabelecer, de forma clara e inequívoca, o aspecto do momento do exame, significando que naquela amostra, não foram observadas atipias celulares (neoplasia intra-epitelial e malignidade).

- Alterações celulares benignas:
  1. Inflamação
  2. Reparação
  3. Metaplasia escamosa imatura
  4. Atrofia com inflamação
  5. Radiação (especificar)

Nota explicativa: a introdução da palavra "imatura" em metaplasia escamosa, buscando caracterizar que é esta a apresentação que deve ser considerada como alteração. A metaplasia escamosa madura não deve ser considerado com "inflamação".

- Atipias celulares:
  ### Células atípicas de significado indeterminado:
  - Escamosas:
    1. Possivelmente não neoplásicas.
    2. Não se pode afastar lesão intra-epitelial de alto grau.
  - Glandulares:
    1. Possivelmente não neoplásicas.
  - De origem indefinida:
    1. Possivelmente não neoplásicas.
    2. Não se pode afastar lesão intra-epitelial de alto grau.

Nota explicativa: a categoria "de origem indefinida" corresponde àquelas situações em que não se pode estabelecer com clareza a origem da célula atípica.

Em células escamosas:
- Lesão intra-epitelial de baixo grau (compreendendo efeito citopático pelo HPV e neoplasia intra-epitelial cervical grau 1).
- Lesão intra-epitelial de alto grau (compreendendo neoplasias intra-epiteliais cervicais graus 2 e 3).
- Lesão intra-epitelial de alto grau, não podendo excluir microinvasão.
- Carcinoma de células escamosas invasor.

Nota explicativa: a terminologia "lesão intra-epitelial" substitui o termo neoplasia e displasia, estabelecendo dois níveis (baixo e alto graus), separando as lesões com potencial morfológico de progressão para neoplasia daquelas mais relacionadas com o efeito citopático viral, com potencial regressivo ou de persistência.

Em células glandulares:
- Adenocarcinoma *in situ*
- Adenocarcinoma invasor:
  1. cervical
  2. endometrial
- Sem outras especificações
  1. outras neoplasias malignas
  2. Presença de células endometriais (na pós-menopausa ou acima de 40 anos, fora do período menstrual.

Nota explicativa: o item "sem outras especificações" refere-se exclusivamente a adenocarcinomas de origem uterina. Os achados de células endometriais nos primeiros 12 dias do ciclo menstrual são considerados normais. Estas células só tem significado quando observadas além deste período acima de 40 anos ou menopausadas.

Microbiologia

- *Lactobacillus* sp.
- Bacilos supracitoplasmáticos (sugestivos de *Gardnerella/Mobiluncus*).
- Outros bacilos
- Cocos
- *Candida* sp.
- *Trichomonas vaginalis*
- Sugestivo de *Chlamydia* sp.
- Efeito citopático compatível com vírus do grupo herpes.
- Outros (especificar).

Nota explicativa: foram mantidas as informações de *Chlamydia*, cocos e bacilos por considerar-se a oportunidade, por vezes única, em um país continental e com grandes dificuldades geográficas e econômicas de estabelecer uma terapêutica antimicrobiana baseada exclusivamente no exame preventivo.

CITOLOGIA INFLAMATÓRIA. AGENTES MICROBIOLÓGICOS INFLAMATÓRIOS

A causa mais freqüente de consulta ginecológica é a leucorréia. Apesar disso, ainda é elevado o número de casos refratários e rebeldes à terapêutica. Talvez este fato se deva à pouca importância sobre sua propedêutica e terapêutica durante a formação profissional, no curso de graduação e pós-graduação (residência médica). Aliados a essa verdade, os inúmeros medicamentos polivalentes, que abrangem um espectro amplo de agentes inflamatórios, desmotivam o ginecologista a preocupar-se com a etiologia dos corrimentos.

Todo corrimento vaginal é passível de diagnóstico e tratamento. Não acreditamos na existência de leucorréias rebeldes à terapêutica. O que existe são cérvico-colporréias incorretamente diagnosticadas, tratadas inadequadamente e, conseqüentemente, resistentes ao tratamento. Desta forma, para uma correta terapêutica, faz-se necessário, e isto é condição *sine qua non*, um correto esquema propedêutico. Caso a propedêutica seja relegada a plano secundário ou simplesmente ignorada, os resultados terapêuticos estarão matematicamente fadados ao fracasso.

Todo caso de leucorréia deve ser submetido invariavelmente ao estudo microscópico, mesmo que a cliente com corrimento vaginal crônico ou recidivante nos apresente toda uma bateria de exames laboratoriais e de prescrições médicas anteriores.

O exame a fresco ainda é o principal exame na elucidação etiológica dos corrimentos vaginais; portanto, no consultório do ginecologista, um microscópio é tão importante quanto um colposcópio. Com um microscópio o ginecologista faz rapidamente o diagnóstico das causas mais freqüentes de vaginites específica ou, na pior das hipóteses, afasta determinadas etiologias, selecionando, dessa forma, os casos que necessitem de uma propedêutica mais adequada, sem mencionar a vantagem de que a paciente já sai medicada da consulta.

O exame a fresco é excelente método laboratorial de diagnóstico de tricomoníase, candidíase e de infecção por *Gardnerella vaginalis*.

Com algum treinamento, é possível muitas vezes o diagnóstico de outros tipos de bactérias, como os cocos, coliformes, *Fusobacterium*, difteróides e Leptotrix.

A infecção por *Torulopsis glabrata* (7% a 10% das micoses vaginais), de um modo geral, não é feita pelo exame a fresco, em vista da diminuta dimensão e baixa refringência dos esporos daquele fungo. O diagnóstico diferencial entre *Candida* sp. e *Geotrichum candidum* nem sempre é feito pelo exame a fresco.

Esses aspectos são de importância relevante ao se considerar a semelhança dos quadros clínicos destas micoses e as diferenças na resposta terapêutica.

A infecção por *Torulopsis* e *Geotrichum* requer tratamento local com antimicóticos modernos (econazol, clotrimazol, miconazol, terconazol), não respondendo de um modo geral à nistatina ou a tratamentos antimicóticos orais.

Quantos casos de candidíase, diagnosticados no exame a fresco, que clinicamente se comportaram resistentes ao tratamento instituído; em verdade, não se tratavam de infecção por *Torulopsis* ou *Geotrichum*?

Nos últimos anos, o exame colpocitológico tem sido empregado no rastreamento propedêutico dos corrimentos vaginais, em virtude de sua real capacidade em identificar agentes biológicos capazes de determinar processos inflamatórios vaginais. A razão da eficácia desse método é explicada pelo excelente detalhe morfológico dado pela coloração de Papanicolaou.

O exame colpocitológico faz diagnóstico dos microrganismos mais freqüentemente associados às vaginites.

É do campo diagnóstico da colpocitologia a infecção por herpesvírus, papilomavírus e por adenovírus.

O diagnóstico de *Torulopsis glabrata* e de *Geotrichum candidum* é feito com segurança por este método.

Ao referir flora bacteriana atípica o exame colpocitológico indica um estudo microbiológico mais detalhado (bacterioscopia e/ou cultura), orientando desta forma uma seqüência propedêutica.

O diagnóstico citológico das formas bacterianas mais freqüentemente relacionadas com corrimentos vaginais é feito sem maiores dificuldades. Além disso, o diagnóstico do corrimento vaginal causado por aumento de resíduo vaginal fisiológico é feito essencialmente pelo estudo colpocitológico.

As nuanças celulares da inflamação, características deste ou daquele agente inflamatório, são visualizadas apenas no esfregaço corado pelo Papanicolaou.

Os casos de candidíase e de tricomoníase nos quais haja pobreza de parasitos (fase crônica ou após *toillete* vaginal), além de mascararem o quadro clínico, freqüentemente deixam de ser diagnosticados pelo exame a fresco. Estes casos podem ser diagnosticados na citologia através da observação dos sinais citológicos inflamatórios indiretos do parasito.

Portanto, o emprego do exame colpocitológico, no rastreamento diagnóstico das vaginites, tem-se destacado como método laboratorial importante, assim como tem sido no rastreamento do câncer cérvico-uterino.

CÉRVICO-COLPITES: COLPOSCOPIA × COLPOCITOLOGIA

A princípio, ao contrário do que o título sugere, não há competição entre os métodos. As falhas da colposcopia são supridas em parte pela colpocitologia e vice-versa. Os métodos são complementares e não antagônicos.

Mesmo em mãos profissionais experientes, não raro, a colposcopia pode apresentar sinais clássicos de colpites com resultado citológico normal (ausência de alterações celulares inflamatórias, de fungos e protozoários com flora vaginal lactobacilar). O inverso também ocorre. Exames colposcópicos normais com citologia inflamatória e por vezes até com germens patógenos ou parasitos (HPV, herpes, cândida, tricomonas, *Gardnerella, Actinomyces* etc.).

Ambos métodos têm limitações, portanto é necessário conhecer esses limites.

A colposcopia evidencia, até um certo limite, alterações da mucosa cérvico-vaginal seja no seu conteúdo epitelial como no componente conjuntivo. Assim, a paraceratose e a ceratose dão à colposcopia uma reação acidófila forte (epitélio branco); a acantose (hiperplasia da camada intermediária) impressiona o colposcopista com uma imagem de mosaico; a atrofia entre os brotos acantóticos, ao favorecer a aproximação dos vasos sangüíneos à superfície, determina colposcopicamente o aparecimento do pontilhado. Já os processos inflamatório do colo uterino e vagina se caracterizam por ectasia vascular (vasodilatação) exsudação de fluidos e células inflamatórias (linfócitos, plasmócitos, histiócitos e polimorfonucleares) tanto na lâmina própria (fase crônica) como no epitélio pavimentoso estratificado ao invadi-lo (exocitose) e edemaciá-lo (exosserose). Essas alterações à colposcopia caracterizam-se por colpite difusa, focal, acidofilia e reação anômala ao teste de Schiller, podendo inclusive mimetizar zonas de transformação anormal. Os achados colposcópicos de colpite são muito comuns.

Nem sempre há correspondência entre os sintomas e os achados colposcópicos. Podem ser assintomáticos um colo uterino e vagina com alterações colposcópicas, bem como sintomaticamente floridos um colo uterino e vagina sem alterações colposcópicas (vaginite sem vaginite). O colo uterino por ser um local de traumatismo e submetido a variações cíclicas do pH reage inflamatoriamente sem que haja necessariamente um agente inflamatório biológico envolvido. A recíproca também é verdadeira. Assim, por exemplo, cerca de um terço das pacientes que apresentam esporos e hifas de cândida em seus esfregaços vaginais não apresentam nenhum sintoma de candidíase e nem tão pouco alterações colposcópicas. Com relação a gardnerose este número é de aproximadamente 30%.

Assim, de acordo com uma série de fatores adjacentes (fumo, imunidade, estado hormonal [infância, menopausa, gravidez, uso de pílula, anovulação crônica, terapia hormonal substitutiva], atividade sexual, prática de sexos oral e anal etc.), o colo uterino pode reagir de forma diferente aos agentes inflamatórios sejam eles físicos, químicos ou biológicos.

Após uma relação sexual é normal que a mucosa cérvico-vaginal se apresente congesta, por vezes com pontilhado petequial cervical e com secreção vaginal aumentada com odor diferente do observado em uma vagina hígida. Apesar do estado colposcópico aparentemente inflamatório (e às vezes há uma correspondência citológica), este é um estado reacional absolutamente fisiológico e, se não for feita uma boa anamnese, pode o colposcopista interpretar tal quadro como sendo o de uma real colpite, principalmente se a citologia evidenciar ausência de espermatozóides em sendo o parceiro da cliente vasectomizado.

Outro fato interessante é que o material colhido do início do canal cervical, principalmente quando a coleta é feita em períodos afastados da ovulação, mostra um aumento da população de polimorfonucleares neutrófilos quando comparados ao observado naquele período. Portanto o momento hormonal da paciente determina a quantidade maior ou menor de leucócitos no muco cervical localizado no óstio externo do colo uterino. Nos sete primeiros e últimos dias do ciclo a população de leucócitos está aumentada. Evidentemente que este achado microscópico (que pode ser interpretado como inflamatório) não passa de um achado absolutamente fisiológico. É bem verdade que um aumento expressivo de leucócitos no muco cervical, principalmente às custas de linfócitos, sugerem cervicite. E quando houver, adicionados a estas células, os linfoblastos é obrigatório a pesquisa de infecção clamidial. Nesses casos geralmente há friabilidade cervical (ectrópio friável, exofítico e/ou sangrante ao contato).

Outro aspecto importante a ser lembrado é o de que pessoas podem relacionar-se imunologicamente bem com agentes inflamatórios sem desenvolver alterações colposcópicas. HPV, vírus herpético, tricomonas, cândida ou bactérias anaeróbias podem estar presentes na vagina sem causar-lhe alterações visíveis à colposcopia. A isso nós chamamos de vaginites ou vaginoses microscópicas. Microscópica por que não há correspondência colposcópica. De acordo com o estado imunológico a infecção ou infestação pode ser debelada, permanecer latente, incipiente ou evoluir para um quadro sintomático com repercussão colposcópica.

Evidentemente, há erros de interpretação tanto do colposcopista como do citologista, que pode hipervalorizar um achado insignificante ou deixar passar algo importante. Este fato pode ser observado não só com profissionais inexperientes mas também no qualificado que possui muitas horas de exames em sua vida profissional. Estado emocional, condições de trabalho do local, salários, qualidade dos equipamentos, entre outros fatores, interferem consideravelmente no resultado final da avaliação de qualificação dos exames em questão. A diferença entre um profissional inexperiente e um experiente é que o segundo erra menos.

Finalizando, enfatizamos o fato de que a colposcopia e colpocitologia são exames complementares aliados e não antagônicos. Uma colposcopia normal com colpocitologia inflamatória e vice-versa é uma possibilidade muito freqüente e não implica obrigatoriamente erro de um dos métodos. O grau de relacionamento entre os profissionais é fator importante na solução de algum impasse que por acaso advenha da discrepância entre os dois exames. Uma revisão de lâmina pode solucionar o caso ao observar o patologista que hipervalorizou a quantidade de leucócitos do esfregaço. Sendo realmente inflamatório um esfregaço, o colposcopista instruir a sua cliente sobre a existência da colpite microscópica, que é assintomática e colposcopicamente imperceptível e sua importância clínica. Assim os achados citológicos não necessariamente desmerecem, invalidam ou questionam os achados colposcópicos. A recíproca é totalmente verdadeira.

Os esfregaços inflamatórios se caracterizam (Figuras 1.22, 1.23, 1.30, 1.57 e 1.59) por: (1) aumento numérico de polimorfonucleares neutrófilos e/ou mononucleares (histiócitos, linfócitos e plasmócitos) que podem conferir ao esfregaço um padrão purulento qualificando a amostra como insatisfatória; e (2) alterações celulares inflamatórias e degenerativas inflamatória são caracterizadas por:

1. falsa eosinofilia – células cianofílicas que se coram em alaranjado;
2. anfofilia ou policromasia – às células adquirem dupla afinidade tintorial;
3. vacuolização citoplasmática – inclui-se aqui o halo perinuclear característico da tricomoníase;
4. perda da nitidez das bordas citoplasmáticas;
5. inclusão citoplasmática de leucócitos, bactérias e restos celulares;
6. cariomegalia – discreto aumento do tamanho nuclear;
7. hipercromasia – discreto aumento da afinidade tintorial do núcleo;
8. multinucleação – presença de mais de um núcleo na célula.

Agentes Inflamatórios

Os agentes biológicos causadores de cérvico-colpites são classificados segundo a Tabela 1.1.

Flora Bacteriana Vaginal

De acordo com sua forma, as bactérias são divididas em dois grandes grupos. Os cocos recebem este nome por serem bactérias arredondadas e granulosas; já as bactérias morfologicamente semelhantes a bastonetes recebem a denominação de bacilos.

Segundo a sua disposição os cocos podem ser denominados de diplococos quando se agrupam em duplas; em estafilococos quando se dispõem em aglomerados e em estrptococos quando assumem o formato de rosários.

Tabela 1.1
Agentes biológicos causadores de cérvico-colpites

1. FITOPARASITOS (vegetais)
   A. BACTÉRIAS: Esquisomicetos – microrganismos unicelulares que se multiplicam por divisão binária (*Chlamydia*, aeróbios e anaeróbios).
   B. ORGANISMOS CELULARES MAL DEFINIDOS:
      a. *Espiroquetales* e *Mycoplasma*.
      b. Fungos: *Eumicetos* dos gêneros *Candida*, *Torulopsis* e *Geotrichum*.

2. ZOOPARASITOS:
   A. Protozoários (micoparasitos): *Trichomonas vaginalis, Toxoplasma gondii, Entamoeba* sp.
   B. Metazoários (platelmintos e nematelmintos): *Schistosoma mansoni, enterobius vermicularis.*
   C. DNA vírus: *Herpesvirus hominis I e II, Papilomavirus* humano, adenovírus, *Molluscum contagiosum.*

Nota: Agentes microbiológicos diagnosticados pela citologia, de acordo com o Sistema de Bethesda: Cândida, *Trichomonas vaginalis*, Gardnerella, Leptothrix, actinomiceto e herpes. O HPV é descrito no estudo da lesões intra-epiteliais escamosas de baixo e alto graus.

Os bacilos mais curtos denominam-se cocobacilos. Os vibriões ou espirilos são fundamentalmente curvos.

Baseando-se nas diferentes composições químicas da parede celular das bactérias, Christian Gram em 1885 classificou as bactérias em dois grupos: as Gram-positivas, quando tomavam a coloração básica de sua fórmula (violeta de genciana), resistindo inclusive à descoloração pelo álcool ácido, e Gram-negativas, quando se descorassem, tomando uma coloração púrpura de fundo (fucsina).

Esta divisão é de grande importância clínica, visto que esta simples classificação pode selecionar o antibiótico adequado para o caso.

Discorrer sobre a freqüência da flora bacteriana vaginal é bastante difícil, visto que os dados estatísticos variam consideravelmente. Essa grande variância deve-se a inúmeros fatores, principalmente às diferenças socioeconômicas das pacientes, se estão grávidas ou não, se são menopausadas ou não, além de, obviamente, depender do tipo de técnica empregada na identificação do germe.

Não é um hábito propedeuticamente correto iniciar a investigação de um corrimento vaginal com a cultura microbiológica.

Na vagina, existe em equilíbrio com os bacilos de Döderlein, diversos microrganismos de natureza bacteriana (estafilococos, estreptococos, coliformes, bacteróides etc.), considerados integrantes normais da flora vaginal e que, uma vez isolados em cultura, podem levar a terapêuticas errôneas e, o pior, determinar um desequilíbrio bacteriano antes inexistente e o aparecimento de leucorréia (iatrogênica).

A Tabela 1.2 demonstra os achados microbiológicos normais de mulheres em plena menacme.

Observações em décadas anteriores já demonstravam e confirmavam estas observações. Assim, Gestner *et al.*

Tabela 1.2
Flora Vaginal Normal em Mulheres Menacmes

Agente bacteriano	Percentagem
Estafilococos coagulase-negativos	34-78
Estafilococos coagulase-positivos	5-15
Estreptococos alfa e gama	10-21
Enterococos	Freqüente
Estreptococos anaeróbios	12-59
Bacilos de Döderlein	49-73
Lactobacillus bifidus	26-72
Difteróides	44-74
Coliformes	3-12
E. coli	Freqüente
Bacteróides	Freqüente
Micoplasma	26-92
Clostridium welchii	0-9

Tomado de Decker, 1977.

(1981), ao estudarem 38 meninas pré-puberais, isolaram 5,3% de espécies de bactérias por paciente, sendo que 2,9% eram aeróbios e 2,5% espécies anaeróbias. Os gêneros de anaeróbios encontrados nesta casuística foram: *Peptococcus, Peptostreptococcus, Bacteroides (B. melaninogenicus), Propionibacterium* e *Veillonella parvula*. Os aeróbios foram: enterococcus, *E. coli, Staphylococcus epidermidis*. Estes resultados sugerem que os anaeróbios representam componentes significativos da flora bacteriana do trato genital baixo em meninas saudáveis ou com descarga vaginal.

Posteriormente, os mesmo autores, em estudo clínico e microbiológico prospectivo, em 36 meninas pré-puberais com história de vulvovaginites e/ou descarga vaginal e em 31 meninas assintomáticas, encontraram os mesmos grupos bacterianos, tanto aeróbios como anaeróbios.

Hummann (1982), ao estudar 220 mulheres, isolou em 34 delas anaeróbios da família Bacteroidacea, Peptococcacea e *Clostridia*. *Bacteroides fragilis* também foi encontrado. Germes aeróbios como o enterococo e a *E. coli*, bem como germes anaeróbios facultativos, foram freqüentemente observados.

Esses resultados demonstram a importância clínica dos anaeróbios como um usual habitante do trato genital apesar de não ser um membro regular dessa flora.

A análise de espécimes obtidos seqüencialmente, durante o ciclo menstrual, demonstrou significativa modificação qualitativa e quantitativa e sugere que a flora da vagina é um ecossistema dinâmico, sujeito a modificações, o mesmo não ocorrendo com o nido ecológico endocervical, que é estável.

Blum *et al.* (1981), estudando 78 mulheres menopausadas (menopausa fisiológica ou cirúrgica), por intermédio de flora anaeróbia (*Bacteroides* sp. e *Bacteroides fragilis*) como habitantes usuais da vagina e da cérvice uterina, podendo inclusive, em determinadas situações, como o pós-operatório, ser causa de morbidade. Referem que estes tipos de bactérias são também encontrados normalmente na infância, na mulher jovem e puérpera.

Ekwmpu *et al.* (1981) isolaram nove gêneros de microrganismos em 187 mulheres em trabalho de parto. Portanto, a flora vaginal usual pode representar fator de risco infeccioso no puerpério, quando de trabalho de parto prolongado associado ou não ao traumatismo do parto.

Vaginoses e Vaginites Bacterianas

O clássico trabalho de Piot *et al.*, em 1982, descreve a flora vaginal microbiana em 40 mulheres com vaginites clinicamente inespecíficas, investigando a flora microbiana anaeróbia facultativa, usando como controle uma população feminina assintomática também de 40 mulheres. A *Gardnerella vaginalis*, bacilos Gram-negativos anaeróbios, cocos Gram-positivos e negativos estiveram sempre associados aos casos sintomáticos, enquanto os lactobacilos ocorreram em baixa freqüência nos casos de vaginites. O inverso foi observado nos casos sintomáticos.

A presença de células indicadora, o Teste do KOH positivo, um pH superior a 5,0 e a ausência de lactobacilos no Gram, estiveram fortemente relacionados às formas sintomáticas.

Mediante coloração de Papanicolaou, podem ser reconhecidas as principais bactérias causadoras de cérvico-colpites.

Mobiluncus sp.

É um bacilo curvo e móvel observado desde 1895, mas que somente em 1913 foi isolado por Curtis no trato genital feminino, em pacientes com infeção puerperal.

A partir de 1954 a presença de *vibrios* tem sido notada por investigadores em descargas vaginais associadas a vaginites.

Em 1954, Gardner e Dukes publicaram alguns trabalhos referindo o *Haemophilus vaginalis* como único agente das vaginoses. Esse conceito persistiu até recentemente, quando vários investigadores começaram a observar um relacionamento simbiótico entre *Gardnerella vaginalis* e anaeróbicas como um fator nas gêneses das vaginoses.

Esses bacilos curvos e móveis, gram-negativos e gram-variáveis foram recentemente assinalados por Spiegel como um novo gênero *Mobiluncus*, o qual incluídas espécies: *Mobiluncus mulieris, Mobiluncus curtisii*.

No exame a fresco são bacilos curvos, altamente móveis. Apresentam movimentos rápidos de curta duração (*wave-like*). Movem-se em espiral em movimento do tipo saca-rolhas.

No exame citológico corado pelo Papanicolaou (Figura 1.44), observam-se células indicadoras, bacilos curvos *comma shaped*, ausência de lactobacilos, aumento do número de bactérias de fundo. Bacteróides são também freqüentemente vistos. Geralmente há um aumento do número de leucócitos.

As pacientes com *Mobiluncus* mostram secreção homogênea freqüentemente no intróito, odor fétido, pH > 4,5 e succinato lactato em torno de 0,4.

Outros sinais e sintomas relacionados a pacientes com *Mobiluncus*, incluem corrimentos recidivantes, perdas sangüíneas esporádicas, dor no baixo ventre, doença inflamatória pélvica. abortamento (corioamnionite), endometrite pós-parto.

Segundo Paim *et al.* (1991), de um total de 506 exames citológicos rotineiros, foram detectados 77 esfregaços com flora bacteriana sugestiva de *Gardnerella vaginalis*. Utilizando-se lente de imersão (o que rotineiramente não é feito pelo citopatologista), foi possível verificar a associação de *Mobiluncus* sp. em 25 destas pacientes. A idade variou entre 18 e 57 anos. Media de 30 anos.

Conclusão

É importante que se identifique o *Mobiluncus* sp. principalmente naqueles casos em que ha resistência ao tratamento, em casos de corrimentos vaginais de odor fétido e KOH positivo, para que se possa instituir uma terapêutica adequada.

A coloração de Papanicolaou é altamente sensitiva e especifica para diagnosticar o *Mobiluncus* sp., podendo-se evitar culturas para esses microrganismos, que são dispendiosas e demoradas.

O exame a fresco fornece ao ginecologista uma informação imediata mas é necessário que se use um aumento de 100 vezes (lente de imersão)

O Gram é importante para a classificação do *Mobiluncus.*

Embora o *Mobiluncus* não seja provavelmente o único agente das vaginoses bacterianas, além da *Gardnerella*, o *Mobiluncus* pode ser um bom marcador para as vaginoses e prontamente identificado morfologicamente.

Como esses microorganismos interagem na patogênese das vaginoses é desconhecido e requer estudos adicionais.

Sobre o *Actinomyces Sp.*

O *Actinomyces* (Figura 1.45) é um microrganismo cujo *Fillum* se desenvolveu paralelamente aos fungos e bactérias. São filamentosos, Gram-positivos e anaeróbios. Habitam normalmente a cavidade oral, a orofaringe e o trato gastrointestinal, onde raramente podem ser responsabilizados por patologias inflamatórias.

Têm-se relatado actinomicoses do trato urinário baixo e da cavidade pélvica em pacientes usuárias de dispositivo intra-uterino.

O actinomices pode ser detectado e diagnosticado nos esfregaços cérvico-vaginais, incidindo em 0,3% dos exames colpocitológicos de rotina e em 0,9% das vaginoses citologicamente específicas, em nosso material.

Em vista da alta incidência de flora mista nas infecções por anaeróbios, estão os actinomices freqüentemente associados a outros anaeróbios, principalmente os dos gêneros *Bacteroides*, *Peptococcus* e *Clostridium.* Por isso a importância do seu diagnóstico, isolamento e tratamento.

Sessenta por cento das usuárias de DIU há um ano apresentam endometrite crônica e 18% endometrite granulomatosa a corpo estranho.

Pelo fio-guia, os actinomices vencem o muco cervical, encontrando no endométrio condições propicias à sua implantação. Pela via hematogênica ascendem às trompas e à cavidade pélvica. Não raro, essa infecção assume quadros sintomatológicos de doença inflamatória pélvica.

A Actinomicose de bexiga urinaria foi recentemente descrita em uma usuária de DIU que apresentava, a cistoscopia, massa tumoral inicialmente diagnosticada como de natureza neoplásica.

É importante que o ginecologista tenha em mente a possibilidade de infeção por actinomices em usuárias de DIU na presença de corrimento amarelado, leitoso e fétido associado ou não a quadros de endometrite e de doença inflamatória pélvica. Nessa ocasião deverá o DIU ser retirado e instituída terapêutica antimicrobiana.

Jones *et al.* (1979) referem uma incidência de 25,5% e 8,0% do actinomices em usuárias de DIU provenientes de clínicas de planejamento familiar e de clínicas privadas, respectivamente.

Em nosso serviço descrevemos uma incidência de 18,3% de actinomices em 120 usuárias de DIU. Naquela ocasião, observamos que quanto maior o tempo de uso do DIU maior a incidência de actinomices (4,3% e 57,1% nas usuárias com menos de um ano e com mais de dez anos, respectivamente).

Relatamos também que o corrimento vaginal determinado por este anaeróbio tem as mesmas características clinicas das vaginoses bacterianas (*G.vaginalis*).

Marino *et al.* (1984) apontam o uso de DIU como um novo aspecto da patologia infecciosa bacteriana da cavidade uterina e do trato genital. Ao estudarem 61 usuárias assintomáticas do dispositivo, encontraram germes patógenos em 82,3% dessas pacientes. Estreptococos do grupo B foram detectados em 10,6% (cavidade vaginal – 9,8% e endocervical – 11,5%).

Portanto, as usuárias de DIU devem fazer exames periódicos do conteúdo vaginal para que, uma vez diagnosticados os agentes inflamatórios, sejam devidamente tratadas, evitando desta forma as prováveis causas de facilitação da infeção pelo *Actinomyces* sp. Isto também deve ser aplicado candidatas ao uso do DIU.

Realizar esfregaço do DIU, para pesquisa de *Actinomyces* sp. na cavidade endometrial. Sendo o exame positivo, investigar-se com mais detalhes a possibilidade de DPI.

Sobre Anaeróbios do Grupo *Fusobacterium*

São bacilos anaeróbios Gram-negativos.

Pertencem ao gênero II da família Bacteroidaceae. Microscopicamente são longos e finos, assemelhando-se ao *Leptothrix vaginalis*, diferenciando-se deste pelo menor tamanho (Figura 1.41).

Incidem em 1,9% de todos os exames colpocitológicos de rotina e em 3,4% de todos os exames colpocitológicos de rotina e em 34% das vaginoses citologicamente específicas.

A sua associação com *Candida* spp. pode ser observada em torno de 20% dos casos.

Podem determinar leucorréias rebeldes à terapêutica antibiótica se não forem devidamente identificados.

Provocam corrimentos amarelo-esbranquiçados, fluidos, com pouco odor e não pruriginosos.

Henry *et al.* (1983) identificaram espécies de *Fusobacterium* em 26 pacientes com bacteremia, representando 0,9% dos casos de bacteriemia de sua clínica. Referem o trato genital feminino com um dos focos mais freqüentemente observados em pacientes no puerpério imediato.

Infeção Cérvico-vaginal por Leptothrix vaginalis

O *Leptothrix vaginalis* (Figura 1.46) é um longo bacilo que se assemelha a finos pelos. O seu grande tamanho propicia curvaturas que lembram letras (S, U e C).

São anaeróbios Gram-negativos do gênero III da família Bacteroidaceae

Incidem em 0,2% dos exames colpocitológicos de rotina e em 0,3% das vaginites citologicamente específicas.

Loiudice *et al.* (1981) reportaram a presença e classificação morfológica do *Leptothrix* na flora vaginal de sete mulheres, em um grupo de 150 gestantes. A cultura destes casos mostrou o isolamento de formas microbiológicas diferentes do *Leptothrix* em cinco casos, enquanto a coincidência diagnóstica só foi observada em dois casos. Concluem os autores que a observação do fluxo vaginal fresco ou corado pelo método de Papanicolaou é insuficiente para identificação do germe. Os esfregaços devem sempre ser suplementados pela culturas nos casos em que o primeiro exame foi negativo.

O exame a fresco e a colpocitologia são métodos eficazes e suficientes para identificação desses anaeróbios.

O *Leptothrix* é responsável por leucorréias clinicamente inespecíficas, exceto quando associado a *Trichomonas vaginalis*. A sua associação com este parasito é referida como em torno de 80%; em nosso material observamos este relacionamento em 60% dos casos.

Habitualmente, a evolução das vaginites por *L. vaginalis* é favorável. Prevot *et al.* (1968) comunicaram um caso de septicemia grave em um homem, provavelmente adquirida por contato sexual.

Aeróbios Diagnosticados pela Coloração de Papanicolaou

Enterobactérias (Coliformes)

São bacilos curtos, grossos, Gram-negativos, freqüentemente aos pares e unidos virtualmente por suas extremidades (Figura 1.47). Estão incluídos nesse grupo *Escherichia coli*, *Klebsiella*, *Proteus*, *Aerobacter* etc. Não existe possibilidade de identificação de gênero e espécie pela coloração pelo Papanicolaou. Fica ao encargo da cultura seu isolamento e tipificação.

A vaginite por enterobactérias freqüentemente adquire um caráter rebelde na sua erradicação, em vista de serem bactérias intestinais.

Incidem em 0,1% das citologias rotineiramente escrutinadas em nosso serviço e em 0,3% dos casos sintomáticos. Dão corrimentos amarelados de moderado odor. Se associados a prurido, deve-se pensar na possibilidade de candidíase, tendo em vista uma relativa associação com este fungo.

Cocos

São, por excelência, germes piogênicos. Provocam corrimentos profusos, purulentos e de moderado odor. Podem ser aeróbios e anaeróbios. O grupo anaeróbio deve ser suspeitado quando o corrimento é fétido com teste do KOH positivo e exame bacterioscópico compatível com flora cocóide Gram-positiva ou mesmo Gram-negativa.

Incide em 4,3% dos exames citológicos de rotina e em 22,8% dos casos sintomáticos.

O exame citológico não faz diagnóstico específico com respeito às espécies e gêneros de cocos, referindo-se apenas à presença de bactérias de morfologia cocóide. Fica para a bacterioscopia pelo Gram a distinção genérica e para a clínica a qualificação biológica: aeróbia ou anaeróbia.

Nunca é demasiado lembrar que os estafilococos e estreptococos são mais freqüentemente encontrados em vaginas hígidas do que naquelas com algum processo inflamatório. Dificilmente os cocos aeróbios são causa de corrimento vaginal, exceto a *Neisseria gonorrhoeae*.

Bacilos Difteróides

São bacilos Gram-positivos, morfologicamente semelhantes aos lactobacilos de Döderlein, diferenciado-se apenas por apresentarem em ambas as extremidades um espessamento arredondado, dando-lhes o aspecto de "alteres" ou de "palito de fósforo de duas cabeças" (Figura 1.40).

Incidem em 0,2% das colpocitologias de rotina e em 1,2% dos casos sintomáticos.

Podem ser considerados como flora normal da mulher infante e pós-menopausada; no entanto, durante a menacme, freqüentemente estão associados a corrimentos vaginais clinicamente sem especificidade.

Sobre a Infecção por *Chlamydia trachomatis*

A *Chlamydia trachomatis* (Figuras 1.119, 1.120, 1.120a e 1.120b) é considerada hoje como uma bactéria com características especiais que a distingue das demais bactérias.

Por não possuir mitocôndrias, a clamídia torna-se um parasito intracelular obrigatório, à semelhança dos vírus, com os quais foi confundida durante muitos anos.

Por determinar uma relação parasitária intracelular obrigatória, a clamidia precisa invadir células que tenham capacidade de síntese a altura de suas necessidades metabólicas. Por isso, essas bactérias não parasitam células escamosas do epitélio pluriestratificado, visto que elas são células "final de carreira", desprovidas de suas principais organelas. Assim, a clamídia parasita apenas células com alta atividade metabólica como são as células colunares endocervicais, as células de reserva subcilíndricas do epitelio endocervical, as células do endométrio, da mucosa tubária, do peritônio etc.

Por este motivo, não encontramos com freqüência na colpocitologia a presença de inclusões intracitoplasmáticas da infeção clamidial, visto que o elemento celular predominante nos esfregaços colpocitológicos são de células "final de carreira". Mesmo os raspados, ou *swabs* endocervicais, corados pelo Papanicolaou, não mostram índice de positividade considerável para a infeção clamidial, pelo menos em nossas mãos. Em nossa experiência, a citologia tem-se mostrado um método fraco em positividade para infeção clamidial.

Em um levantamento que fizemos em nosso serviço, em 7.100 exames colpocitológicos realizados de rotina, a incidência de clamídia mostrou-se muito baixa (0,2% dos exames). No entanto, sabemos que sua freqüência é bem mais elevada do que estes índices quando utilizados os métodos laboratoriais adequados para esta bactéria.

Apesar dessa fraqueza do método na investigação dessa infeção, temos observado a infeção clamidial muitas vezes associada a algumas situações clinica, que nos são fornecidas pelos colegas na solicitação do exame colpocitológico.

Essas alterações, segundo nossa observação, implicam pesquisa da infecção por metodologia biomolecular (PCR). São elas:

1. Ectopia edematosa exofítica (ectopia papilar extensa);
2. Colo ou ectrópio friável.
3. Muco cervical turvo.
4. História pregressa de DST, principalmente gonorréia.
5. Parceiro(s) sexual(is) com história de DST.
6. Uretrites, principalmente a gonocócica ou pós-gonocócica (na mulher e/ou no parceiro).
7. Corrimentos vaginais rebeldes ao tratamento.
8. Incontinência urinaria.
9. Doença inflamatória pélvica.
10. Colpite folicular ou em pontos brancos (histologicamente equivale à cervicite folicular crônica, ver Figura 1.121).
11. Presença de numerosos linfócitos maduros ou blásticos no esfregaço colpocitológico; ou resultado anatomopatológico de cervicite folicular crônica.

Importância Clínica dos Esfregaços Vaginais Citolíticos

A intensidade com a qual o epitélio vaginal descama, varia direta e proporcionalmente com a qualidade e duração da ação esteróide, observada na atividade estrogênica combinada a progesterona ou a androgênios. Dessa forma, o resíduo vaginal encontra-se clinicamente aumentado na segunda fase do ciclo, no uso de anovulatórios, na anovulação crônica e na gravidez.

A contínua ação descamativa do epitelio vaginal, observada nas três últimas eventualidades clínicas, descritas acima, é causa de citólise pronunciada, incrementação da colonização lactobacilar, redução do pH e conseqüente aumento do conteúdo residual da vagina. Essa situação freqüentemente é motivo de consulta médica, tendo como queixa principal fluxo vaginal anormal, ardor ou prurido vaginal.

Todas as pesquisas atestam maior incidência de candidíase durante a gestação, porém ela ocorre nas mulheres de todas as idades e não raramente no período perimenopáusico. O crescimento da cândida é mais acentuado ao final do ciclo menstrual e a enfermidade exacerba-se próximo a menstruação.

Outro fator, além do diabetes, que pode predispor a vulvovaginite micótica é o tratamento com anticoncepcionais do tipo combinado. Experimentalmente, a vaginite por cândida é produzida mais rapidamente na gestante que na mulher não-grávida.

O constante estado de citólise proeminente e baixo pH, observado nessas situações clínicas, geram, na vagina, condições ambientais propícias ao desenvolvimento das leveduras. Um meio permanentemente úmido, quente, rico em glicogênio (ou glicose) e com pH constantemente ácido é condição ideal para o desenvolvimento de fungos imperfeitos ou mesmo favorecer recidivas que freqüentemente conferem a moléstia caráter terapêutico rebelde.

Brunsting relatou um caso de vaginite por monília com 22 anos de duração. Hurley descreveu também casos de vulvovaginites micóticas de longa duração. Não possuímos informações muito precisas a respeito da freqüência da forma intratável da vaginite micótica, porém em estudo retrospectivo, não publicado, Hurley mostrou que em 45% de pacientes tratadas durante a gestação, houve insucesso em mais de uma tentativa terapêutica. Isto sugere que, pelo menos durante a gravidez, a vaginite por cândida seja menos suscetível ao tratamento e que os índices de cura têm sido persistentemente mais baixos nas gestantes.

Curiosamente, o isolamento das leveduras cai apreciavelmente no puerpério, sugerindo que o resíduo vaginal citolítico seja o principal responsável pela manutenção da enfermidade e causa da proliferação biológica dos fungos.

Não há evidência de que a cândida, isolada naturalmente em meios de culturas, seja resistente a antibióticos poliênicos, nistatina, anfotericina B nem aos imidazólicos. Dessa forma, acreditamos que o insucesso terapêutico seja responsabilizado pelas recidivas promovidas por sucessivas reinfecções micóticas, por sua vez devidas a condições permanentemente favoráveis ao seu crescimento na vagina.

A maior incidência de vaginites micóticas observadas nas diabéticas, gestantes e em mulheres usando anovulatórios orais reforça a nossa teoria de que a citólise é fator fundamental no favorecimento de micoses vaginais.

O encontro de citólise (Figura 1.38) na primeira fase do ciclo é, do ponto de vista funcional, achado citológico anormal, sendo a principal característica colpocitológica da anovulação crônica. No entanto, a citólise é um achado microscópico normal quando observada em uso de anovulatório, gravidez, menopausa recente e anovulação crônica, desde que em níveis mínimos de degeneração celular.

O achado colpocitológico de citólise, em caso de corrimento vaginal rebelde ou não à terapêutica, clinicamente recidivante ou não, implica uma propedêutica à parte no sentido de averiguar e corrigir as causas determinantes de citólise, visto que esta degeneração celular pode ser definida como fator desencadeante, predisponente ou facilitador de vaginites.

Além disso, deve-se sempre ter em mente a existência do corrimento vaginal determinado pela incremen-

tação volumétrica do resíduo vaginal citolítico, em que os exames laboratoriais são repetidamente negativos, há características clínicas de cronicidade e de refratariedade terapêutica a antimicóticos e antibióticos, sendo o único achado diagnóstico da enfermidade a presença de esfregaço citolítico.

Conclusões sobre Esfregaços Vaginais Citolíticos

1. Esfregaços citolíticos podem ser encontrados em 15% dos corrimentos vaginais.
2. A citólise como causa de corrimento vaginal ocorre em 11,7% das vaginites.
3. A associação de agentes inflamatórios ao fenômeno citolítico ocorre em 3,4% das vaginites.
4. As leveduras são os principais agentes biológicos inflamatórios encontrados em associação com a citólise (*Candida* sp. – 88,3%, *Torulopsis glabrata* – 6,7% e *Geotrichum candidum* – 3,3%).
5. A anovulação, a ação conjunta estrogênio-progesterona (segunda fase do ciclo e gravidez) e o uso de anovulatórios orais são os principais fatores favorecedores de citólise vaginal (88,9%) associada a agentes inflamatórios ou como causa isolada de vaginite.

Micoses Vaginais

Dos fungos imperfeitos, os únicos de interesse em ginecologia são da ordem hifomicetales ou moniliales.

Os gêneros *Candida, torulopsis* e *Geotrichum* são os mais freqüentes na vagina.

As leveduras mais freqüentes em ginecologia são do gênero *Candida* com aproximadamente 30 espécies, porém só algumas têm verdadeiro interesse médico, sendo a mais comum a denominada *Candida albicans.* Não muito tempo atrás, esta espécie se chamava *Monilia* e sua infecção era denominada moniliíase, denominações hoje abandonadas.

Por trás dos corrimentos vaginais determinados por leveduras sempre existem fatores que predispõem ou desencadeiam.

A não-investigação e correção destes fatores, são não raro, causa de insucesso terapêutico.

São três as condições para que o fungo produza infecção. Em primeiro lugar, é necessário o contato com o fungo patógenos; em segundo lugar, o fungo tem de penetrar no organismo humano e, por último, encontrar um terreno favorável para seu desenvolvimento.

Assim, devem sempre ser lembradas as situações que favorecem o desenvolvimento e a perpetuação das micoses vaginais:

1. Tratamento antibiótico em pequenas doses ou por longo tempo.
2. Dietas ricas em carboidratos.
3. Abstinência sexual não observada durante o tratamento.
4. Não tratamento do parceiro.
5. Ingestão de bebidas alcoólicas durante o tratamento.
6. Anovulação crônica.
7. Uso de anovulatórios combinados.
8. Diabetes.
9. Gravidez.
10. Terapêutica com imunossupressores.
11. Tabagismo.

Candida spp.

Sua presença no canal vaginal é muito freqüente e está aumentando na atualidade em razão de uma série de fatores circunstanciais denominados fatores predisponentes.

Em nosso material representam 28,5% das vaginites citologicamente específicas e são observadas em 9,7% dos exames citológicos de rotina.

Representam 89,1% dos fungos diagnosticados pela colpocitologia e 92,1% das micoses vaginais.

As vaginites por cândida são a segunda causa etiológica de cérvico-colpites.

Fato interessante é que um terço das mulheres que possuem cândida em seus esfregaços vaginais não apresenta quaisquer sintomas de vaginite.

Microscopicamente a cândida aparece como (Figuras 1.48 a 1.50) estruturas alongadas, septadas, das quais brotam esporos. Tomam coloração marrom pelo Papanicolaou. A *Candida guillermondii* apresenta-se no esfregaço unicamente sob a forma de esporos ovalados.

Torulopsis glabrata

Os fungos do gênero *Torulopsis* (Figura 1.51) são fungos imperfeitos. Não formam endosporos, nem micélios *in vivo*. São esféricos, medem menos de 8 micra e são Gram-positivos.

No exame a fresco podem passar despercebidos em vista da sua baixa refringência e pequena dimensão. No entanto, no exame citológico corado pelo Papanicolaou têm características próprias que os tornam de fácil diagnóstico.

Na coloração pelo Shorr ou Papanicolaou apresentam-se sob a forma de diminutos esporos arredondados, freqüentemente em grupos. Deve-se fazer diagnóstico diferencial com a *Candida guillermondii*. Esta última é ovalada e tem mais de 8 micra de diâmetro máximo.

Em nosso material, tem sido diagnosticados em 0,8% dos exames citológicos de rotina e em 1,7% das vaginites específicas. Representam 7,4% dos fungos diagnosticados na colpocitologia e 5,6% das micoses vaginais.

Podem estar associados a outras leveduras, principalmente a cândida.

Em 94,1% dos casos estão associados à flora bacteriana predominantemente lactobacilar.

Geotrichum candidum

Atualmente há uma corrente promovendo a classificação do gênero *Torulopsis* e *Geotrichum* ao mesmo gênero da *Candida*, passando o *Torulopsis glabrata* e o *Geotrichum candidum* a ser definidoscomo *Candida glabrata* e *Candida geotrichum*.

Geotrichum candidum (Figura 1.52) é uma levedura bem caracterizada na coloração preconizada pelo Papanicolaou. Os seus esporos são semelhantes a micélios, unindo-se entre si de forma articulada (artrosporos). Lembram a morfologia articular da pata de inseto. Alguns definem os artrosporos de *Geotrichum candidum* como esporos miceliantes.

Incide em 0,4% dos exames citológicos de rotina e em 0,7% das vaginites citologicamente específicas, representando 3,5% dos fungos diagnosticados na colpocitologia e 2,3% das micoses vaginais.

Vaginites por Protozoários

Trichomonas vaginalis

Incidem em 15,9% dos exames citológicos obtidos de pacientes com vaginites.

Dos três gêneros diferentes de protozoários (*Toxoplasma*, *Entamoeba* e *Trichomonas*) que podem molestar a vagina a *Trichomonas vaginalis* é a mais freqüente. É rara na infância e na pós-menopausa.

Determinam leucorréia com fluxo abundante, purulenta ou amarelo-esverdeada, fétida, bolhosa e pruriginosa. É freqüente a sua associação com flora bacteriana anaeróbio; daí a positividade ao teste do KOH e o aspecto bolhoso do corrimento.

Em nosso material encontramos a sua associação com a *Candida* spp., em apenas 5,8% dos casos.

No exame a fresco apresenta-se como estrutura arredondada, ovalada ou piriforme caracteristicamente móvel. No exame citológico (Figura 1.53) é arredondada, piriforme ou ovalada e corada em verde-azulado. Seu protoplasma é finamente vacuolado e exibe um núcleo borrado e pouco nítido. Costumam dar reação inflamatória celulas pronunciada. Binucleação, falsa eosinofilia, halo perinuclear, anfofilia, discreta cariomegalia e hipercromasia, que às vezes pode assemelhar-se à displasia celular ou mesmo ao carcinoma *in situ* (alterações formadoras de mímicos), representam em conjunto os chamados sinais citológicos indiretos da tricomoníase.

Aconselhamos a repetição do exame citológico, após correção da parasitose, em pacientes com achados citológicos anormais (ASCUS, AGUS, LSIL ou HSIL).

Toxoplasma gondii

Smolka e Soost, em 1966, relataram ser rara a presença de pseudocistos de toxoplasma no conteúdo vaginal. Este autor fez uma breve referência de um caso de Jelke (1950), na Suécia, que em 1953 descreveu pela primeira vez no esfregaço vaginal de uma mulher de 53 anos, um pseudocisto de *Toxoplasma*. O corpo celular estava repleto de elementos ovais e arredondados, alguns parecidos ao "caroço de laranja". O tamanho médio destes elementos é de 4×2 micra. No seu interior distinguia-se um núcleo sem estrutura, corado em escuro.

Na Espanha, Domingues e Giron (1976) encontram proporção de 1 caso para cada 1.000 escames citológicos, todos os casos em mulheres pós-menopausadas e assinalaram a importância de diferenciá-los de núcleos tumorais.

Nossa casuística está perfeitamente de acordo com as informações desses pesquisadores, visto que encontramos sete casos de *Toxoplasma gondii* em 7.100 exames citológicos de rotina (0,1%). Todos os casos estudados foram observados em esfregaços completamente atróficos, sendo a idade média $62,4 \pm 6,8$ anos.

O encontro exclusivo do pseudocisto de *T. gondii* em esfregaços atróficos de mulheres pós-menopausadas não apresenta uma razão óbvia para explicação. Acreditamos ser o pseudocisto oriundo do extrato celular basal da vagina e só descamar quando a camada superficial do epitélio vaginal for a profunda. Sessenta por cento dessas pacientes apresentam sorologia positiva para *Toxoplasmose*. Curiosamente, os exames citológicos desses casos negativam após terapêutica estrogênica local e/ou tratamento oral com sulfamidas, tetraciclinca ou com o metronidazol e derivados.

Rizópodes

As amebas são possíveis infectantes da vagina. Interessam-nos as espécies *Entamoeba histolytica*, *Entamoeba coli* e *Entamoeba gengivalis*. A literatura refere uma frequência de 0,03% ou seja, 1 caso para cada 3.000 pacientes. Arizaga *et al.*, em 1971, em 44.000 exames citológicos vaginais encontraram 13 casos. Sempre a espécie encontrada foi a histolítica.

Em 7.100 exames citológicos, encontramos apenas 1 caso no qual não nos foi possível identificar a espécie. Acreditamos ter sido a espécie *gengivalis*, em vista de estar associada ao actinomices e em uma paciente usuária de DIU.

O corrimento vaginal não apresenta características macroscópicas de especificidade. Pode-se suspeitar de infecção amebiana quando a um corrimento vaginal se sobrepuser história típica de colite.

Em contraste com as outras vaginites, raramente a vulva é afetada.

Histologicamente, podem ser observadas ulcerações cobertas por fibrina e infiltração inflamatória crônica, granulomatosa, com abundantes eosinófilos, neutrófilos, macrófagos, plasmócitos e linfócitos, produzindo-se evidentes focos de necrose. Apesar deste aspecto microscópico, não existe um quadro anatomopatológico específico.

Critérios Citomorfológicos de Malignidade

As células superficiais normais do epitélio cérvico-vaginal são oriundas de células profundas do mesmo epitélio por divisão celular e progressiva maturação. Todas as células superficiais, intermediárias e profundas, originadas de um epitélio hígido são muito semelhantes entre si. As variações da afinidade tintorial, da espessura citoplasmática, da morfologia citoplasmática são mínimas quando comparadas com elementos da mesma camada. Assim, também são os núcleos (contorno, forma, tamanho e afinidade tintorial). Esses achados são compatíveis com normalidade genética, com epitélio normal.

Nos epitélios atípicos isto não se observa.

Existem alterações nucleares e citoplasmáticas tão discrepantes que na simples observação microscópica qualquer leigo orientado saberá separá-las. À medida que aumenta o grau de atipia, aumenta o grau de desordem morfológica. Essas alterações são tão peculiares que tornam possível a classificação citológica das atipias epiteliais em leves, moderadas e acentuadas. Não foge à regra o diagnóstico de carcinoma *in situ*, invasor, tanto de origem escamosa como glandular.

Os critério, como acabamos de mencionar, são de natureza citoplasmática e nuclear.

Critérios Citoplasmáticos de Malignidade

- As células de uma mesma camada apresentam afinidade tintorial e densidade citoplasmática variáveis.
- Células de formato anômalos (Figuras 1.81, 1.110, 1.90 e 1.91) – células em fibra, em girino, em raquete etc.
- Variam em tamanho e forma (Figura 1.84).
- Vacuolizações atípicas (Figuras 1.77 e 1.78). A coilocitose observada na infecção por HPV, indicativa de infecção ativa, apresenta-se como grandes cavidades que tomam quase que totalmente o citoplasma da célula afetada. O coilócito verdadeiro apresenta três características: atipia nuclear, extenso halo perinuclear e espessamento das bordas desse vacúolo.

A degeneração mucóide dos citoplasmas de células glandulares neoplásicas é outro exemplo (células em "anel de sinete").

Critérios Nucleares de Malignidade

- Através destes critérios, o citopatologista tem condição de diagnosticar uma célula como displásica ou neoplásica.

- Cariomegalia (Figura 1.79) – é o crescimento do núcleo acima do usual. Deve-se a uma maior quantidade de DNA e presença de cromatinas gigantes e anômalas.
- Hipercromasia (Figuras 1.68, 1.76, 1.82 e 1.84) – maior afinidade tintorial do núcleo. Os núcleos se coram mais intensamente. Deve-se a maior riqueza de DNA.
- Cromatina grosseira e irregular (Figuras 1.84, 1.86 e 1.92) – é um dos maiores critérios citomorfológicos de malignidade. As células normais possuem cromatina finamente distribuída e uniforme. As células atípicas exibem cromossomas anômalos, grandes e irregulares que se somam em cromatinas também grandes e irregulares.
- Espaços vazios (Figuras 1.87 e 1.92) – é outro grande critério de malignidade. O arranjo irregular da cromatina provoca o aparecimento de cavidades no núcleo.
- Membrana nuclear grosseira e irregular – devido a um arranjo também irregular da cromatina, nas imediações da face interna da carioteca.
- Contorno nuclear irregular – determina formatos nucleares bastante diversos.
- Presença de nucléolos múltiplos, proeminentes e irregulares (Figuras 1.72, 1.73 e 1.86) – é indicativa de neoplasia pouco diferenciada ou de adenocarcinoma. É um grande critério de malignidade.

Estas atipias celulares podem ser encontradas em uma gama variável de alterações que vão desde os processos reacionais benignos, relacionados à inflamação, caminhando por alterações peculiares às neoplasias intra-epiteliais escamosas e glandulares até às atipias celulares observadas nas neoplasias francamente invasivas do colo uterino.

Quanto maior o grau de atipia celular, maior o grau de lesão epitelial.

As alterações celulares relacionadas à inflamação não são chamadas de atipias, reservando-se o termo apenas para as observadas nas neoplasias intra-epiteliais e invasoras.

Na categoria de alterações celulares reacionais estão incluídos os "mímicos" e as alterações epiteliais de significado indeterminado.

Os "mímicos" (Figuras 1.30, 1.57, 1.59, 1.63, 1.64, 1.134 a 1.137) são alterações celulares que podem ser confundidas com aquelas observadas na atipias intra-epiteliais. Na tricomoníase, na candidíase ou na gardnerose a formação de grandes halos perinucleares associados a certo grau de cariomegalia, hipercromaisa e multinucleação pode sugerir coilocitose. O coilócito verdadeiro tem atipia nuclear clara (irregularidade de contorno nuclear, hipercromasia mais intensa) e haloperinuclear com bordas reforçadas; no entanto, nem sempre estão claras essas alterações. A presença de mímicos também é observada em cortes histológicos. Certamente é nessa categoria que se encontra a maioria de exames citológicos e anatomo-patológicos falso-positivos, sendo, portanto, o principal responsável por sobretratamentos. Assim, a presença de coilócitos em esfregaços inflamatórios e na ausências de imagens colposcópicas compatíveis com infecção por HPV, torna-se necessário a repetição do exame citológico após tratamento do agente inflamatório. Às vezes é preciso um teste biomolecular para se ter certeza.

A tricomoníase é a maior produtora de mímicos tanto em nível citológico como anatomopatológico e também colposcópico. Pode determinar alterações celulares reacionais e inflamatórias tão intensas que podem mimetizarem até um carcinoma *in situ* ou mesmo um adenocarcinoma. Não raro, na tricomoníase, por causa do processo erosivo determinado por esta protozoose, há formação de células de reparo (regeneração) que são células que normalmente apresentam características bizarras, como cromatina granulosa, núcleos volumosos, nucléolos evidentes e freqüentes mitoses. Se essas células, que, por natureza, já são "atípicas", apresentarem alterações inflamatórias/reacionais, podem confundir ou sugerir o patologista a possibilidade de uma neoplasia epitelial glandular. Nesses casos é conduta prudente realizar tratamento do agente inflamatório, tratar a atrofia epitelial, para depois repetir o exame citológico, antes de realizar biópsia.

CORRELAÇÃO CITO-HISTOLÓGICA DAS ATIPIAS DO EPITÉLIO CÉRVICO-UTERINO (Tabela 1.3)

Tabela 1.3
Quadro Sinóptico das Lesões Histológicas Observadas no Colo Uterino

I. Lesões benignas	
1) Lesões pseudotumorais	1) Pólipo estromal mesodérmico 2) Hiperplasia microglandular 3) Remanescentes mesonéfricos 4) Endometriose 5) Metaplasia tubária 6) Reação de Arias-Stella 7) Nódulo de células fusiformes pós-operatório 8) *Tunnel clusters* 9) Pseudolinfoma (lesão linfoma-símile) 10) Cistos de Naboth 11) Nódulo decidual 12) Nódulo trofoblástico do leito placentário 13) Neuroma de amputação (traumático) 14) Pólipo glial
2) Lesões escamosas benignas	1) Pólipo fibroepitelial 2) Metaplasia escamosa
3) Lesões glandulares benignas	1) Pólipo endocervical 2) Atipia glandular

Tabela 1.3
Quadro Sinóptico das Lesões Histológicas Observadas no Colo Uterino (continuação)

4) Lesões mesenquimais benignas	1) Leiomioma 2) Hemangioma capilar e cavernoso
5) Lesões benignas miscelânias:	1) Adenofibroma papilar 2) Nevo azul

II. Lesões pré-malignas e malignas

1) Lesões intraepiteliais escamosas	CIN 1, 2 e 3 DD: epitélio atrófico, metaplasia imatura, metaplasia normal, carcinoma microinvasivo
2) Tumores escamosos malignos	1) CCE microinvasivo 2) CCE invasivo (ceratinizante e não ceratinizante): BD, MD, PD Tipos de CCE invasivo: 2.1) Verrucoso 2.2) Verruciforme (condilomatoso) 2.3) CCE papilar 2.4) Basalóide 2.5) Carcinoma linfoepitelial-símile 2.6) Escamo-transicional
3) Tumores glandulares malignos e outros tumores epiteliais (ver OMS)	1) Hiperplasia atípica (displasia glandular) 2) Adenocarcinoma *in situ* 3) Adenocarcinoma invasor Tipos: 3.1) Mucinoso: a) endocervical b) intestinal c) células em anéis de sinete d) desvio mínimo, adenoma maligno e) viloglandular 3.2) Endometróide 3.3) Células claras 3.4) Papilar ceroso 3.5) Adenocarcinoma mesonéfrico 4) Outros tumores: 4.1) Adenoescamoso variante células vítreas 4.2) Carcinoma adenóide cístico 4.3) Carcinoma basal adenóide 4.4) Tumores neuroendócrinos 4.41) Carcinóide 4.4.2) Carcinóide atípico 4.4.3) Carcinoma de pequenas células 4.4.4) Carcinoma neuroendócrino de grandes células 4.5) Carcinoma indiferenciado
4) Tumores mesenquimais malignos	1) Leiomiossarcoma 2) Sarcoma do estroma endocervical 3) Rabdomiossarcoma embrionário 4) Sarcoma alveolar de partes moles 5) Osteossarcoma extra-esquelético

Tabela 1.3
Quadro Sinóptico das Lesões Histológicas Observadas no Colo Uterino (continuação)

5) Tumores malignos miscelânias	1) Tumor misto mesodérmico 2) Melanoma 3) Tumores metastáticos: 50% = extensão endometrial adc endometrial pouco diferenciado Ovário – segundo mais freqüente Mama – tumor extragenital mais freqüente 4) Adenossarcoma 5) Linfoma e leucemias 6) Tumor do seio endodérmico

CCE: carcinoma de células escamosas; BD: bem diferenciado; MD: moderamente diferenciado; PD: pouco diferenciado; DD: diagnóstico diferencial.

LESÕES INTRA-EPITELIAIS ESCAMOSAS DE BAIXO GRAU (LSIL)

Estão incluídas aqui as alterações celulares observadas nos condilomas viróticos e nas neoplasia intra-epiteliais cervicais grau 1 e são assim chamadas pelo seu baixo potencial de evolução para lesões mais graves ou mesmo para o câncer do colo uterino. A possibilidade de regressão espontânea é uma realidade que oscila entre 30% a 70% dos casos. São lesões que curam com o médico, sem o médico e apesar do médico, evidentemente quando associadas a vírus de baixa oncogenicidade, e, assim, podem ser apenas acompanhadas ou imediatamente coaguladas (vaporização, eletrocauterização ou quimiocauterização com ATA). Já quando associadas a vírus oncogênicos, um tem potencial maior de evoluir para lesões intra-epiteliais de alto grau (HSIL) em torno de 80% dos casos.

Geralmente estão associadas a alterações colposcópicas de grau leve (grau 1) tais como epitélio aceto-branco grau 1, mosaico de campos regulares, pontilhado fino com distribuição uniforme dos capilares (Figuras 1.108 a 1.114). Cabe lembrar que a maioria dos achados colposcópicos anormais incluídos nesse grupo (tênue, leve, regular etc.), é desprovida de significado oncológico à histologia (cerca de 80%), estando relacionadas a alterações de natureza reacional e inespecífica, que naturalmente podem ser resultado de alterações inflamatórias ou mesmo de uma seqüela histológica e celular de uma infecção virótica. A metaplasia escamosa (zona de transformação) congênita pode determinar imagens colposcópicas semelhantes. São sugestivas de metaplasia congênita achados colposcópicos anormais de até grau 1 envolvendo todo um lábio (ou ambos) do colo uterino e freqüentemente estendendo-se aos fundos de saco vaginal. À histologia o padrão é de um epitélio escamoso maduro com formação de vários brotos epiteliais no estroma (metaplasia florida).

As alterações citomorfológicas das LSIL estão presentes em células do porte das intermediárias e superficiais (Figuras 1.75 a 1.78).

- Critérios citoplasmáticos – são muito discretos. O mais importante e que por si só faz diagnóstico de LSIL é a coilocitose. Em geral as células apresentam certo grau de variação de tamanho, formato, espessura e intensidade tintorial.
- Critérios nucleares – discreta cariomegalia e hipercromasia. Geralmente os núcleos apresentam-se aumentados de tamanhos cerca de mais de três vezes ao de uma células intermediária normal. O maior diâmetro nuclear é inferior à metade do maior raio citoplasmático. Pode haver multinucleação, principalmente a binucleação observada freqüentemente no coilócito.
- Critério histológico (Figuras 1.123 a 1.128) – caracteriza-se por atipia nuclear em células escamosas maduras do tipo intermediário e superficial. Essas atipias são discretas (há variação de tamanho, forma, contorno e espaçamento entre os núcleos). Além do estado aglucógeno, há maturação desordenada e interrupção parcial da estratificação. A basal está hiperplasiada (com exceção em alguns casos de infecção por HPV), com atipias e superposição nucleares envolvendo o terço interno do epitélio. As Figuras de mitose não são comuns, e a presença de formas mitóticas atípicas sugere a possibilidade de infecção por subtipos oncogênicos de HPV. A coilocitose, quando observada, indica fase de replicação virótica onde há síntese de proteínas virais relacionadas ao capsídeo (L1 e L2), enquanto a replicação do conteúdo genético viral ocorre na camada basal. Em suma, a presença de coilócitos indica infecção ativa pelo papilomavírus humano.

LESÕES INTRA-EPITELIAIS ESCAMOSAS DE ALTO GRAU (HSIL)

Estão inseridas nessas lesões as alterações celulares observadas nas neoplasias intra-epiteliais cervicais grau 2 (CIN 2), grau 3 (CIN 3, incluindo-se o carcinoma de células escamosas *in situ*) e no adenocarcinoma endocervical *in situ*.

São chamadas de "alto grau" por se tratar de verdadeiros precursores de câncer cérvico-uterino e que, se não tratadas, evoluirão com alto percentual de probabilidade para o câncer. Evidentemente, essas possibilidades estão vinculadas não só ao tipo de HPV, mas também a aspectos outros como a fatores heredofamiliares, ao tabagismo e ao estado imunológico da paciente. Assim, precisam invariavelmente de intervenção médica. A conização com CAF ou LEEP tem sido a opção terapêutica cada vez mais indicada e que mais benefícios traz a estas pacientes.

Geralmente estão associadas a alterações colposcópicas de grau acentuado (grau 2) tais como epitélio aceto-branco espesso e irregular próximo à JEC ou nela adentrando, mosaico de campos irregulares, pontilhado grosseiro com distribuição irregular dos capilares, orifícios glandulares cornificados e vasos atípicos, sendo este último mais comum nas neoplasia invasoras.

- Citologia da CIN 2 – As alterações citomorfológicas estão presentes nas células do tipo intermediário e parabasal (Figuras 1.79, 1.80, 1.81).
  - critérios citoplasmáticos – são mais acentuados que os da LSIL. O tamanho do citoplasma é um pouco inferior aos da LSIL. A coilocitose pode também estar presente, sendo mais comum nas LSIL.
  - critérios nucleares – cariomegalia e hipercromasia. Há maior variação no tamanho, forma e afinidade tintorial quando comparada à observada na LSIL. O maior diâmetro nuclear é praticamente igual à metade do maior raio citoplasmático.
- Histologia da CIN 2 (Figuras 1.131 e 1.132) – O epitélio apresenta alteração mais grave da diferenciação e da polaridade que a observada na CIN 1. À medida que o grau de lesão genômica celular avança, o epitélio vai perdendo a capacidade em se diferenciar nos seus três extratos funcionais. Assim até os dois terços internos do epitélio está constituído por células basais atípicas, sobrepostas, com, não raro, Figuras atípicas de mitose, deixando apenas uma faixa externa, que vai de 50% a 33% da espessura total do epitélio, constituída por células parabasais e intermediárias "capturadas" pela espátula de Ayre, na feitura do esfregaço de Papanicolaou.
- Citologia da CIN 3 (Figuras 1.82, 1.84 e 1.85) – As células atípicas freqüentemente têm o porte das parabasais. Há considerável desproporção núcleo-citoplasmática. O maior diâmetro nuclear é superior à metade do maior raio citoplasmático. O núcleo se cora mais intensamente e a cromatina é mais grosseira. Esta definição preenche as características morfológicas da antiga displasia leve. O carcinoma de células escamosas *in situ* apresenta morfologia peculiar que o distingue da CIN 3/displasia acentuada e está subdividido em três classes:
  - indiferenciado – as células neoplásicas praticamente não possuem citoplasma. Seus núcleos apresentam-se nus, hipercromáticos e grandes. A cromatina é grosseira e irregular. Dificilmente se encontra cromatina perinuclear única. As células freqüentemente estão agrupadas ou em fila indiana.
  - moderadamente diferenciado – as células possuem as características anteriormente descritas, porém apresentam moderada quantidade de citoplasma. São células do porte das profundas ou intermediárias profundas com núcleos acentuadamente atípicos.

— bem diferenciado – as células do terceiro tipo de Ruth Graham são encontradas neste grau de diferenciação (células do porte das basais ou parabasais com grandes núcleos hipercromáticos e de cromatina irregular). Aparecem células de formato anômalos (fusiformes, girino e de citoplasma orangiófilo), sem detritos ou restos celulares (diátese tumoral).

- Histologia da CIN 3 (Figura 1.132) – O epitélio apresenta-se com pequeno potencial de diferenciação pois toda a sua espessura (a atipia atinge o terço externo) está constituída por células basais atípicas e com freqüentes mitoses atípicas. Resta apenas uma pequena faixa superficial de células com morfologia de células parabasais (antiga displasia acentuada), ou mesmo toda a espessura do epitélio (antigo carcinoma de células escamosas *in situ*) está constituída por células basais acentuadamente atípicas com mitoses atípicas podendo ser observadas até na superfície do epitélio. O epitélio está tão alterado que, se você o puser de cabeça para baixo, não faria diferença morfológica – não saberia onde é a base ou a superfície. As alterações epiteliais podem acometer apenas o epitélio superficial ou envolver e preencher o resto da "glândula". Há um tipo especial de carcinoma *in situ* (descrito por Erich Burghardt) que foge a esta classificação: carcinoma *in situ* bem diferenciado ou ceratinizante. Onde há uma diferenciação superficial marcante, produzindo camada granulosa e densa capa de queratina.

CARCINOMA MICROINVASOR

Não existem critérios citológicos seguros para diagnóstico de carcinoma microinvasor. Deve-se suspeitar de invasão incipiente quando do encontro de células semelhantes às do carcinoma *in situ*, porém com nucléolos e ao lado de pouca diátese tumoral (detritos celulares e hemácias lisadas). Às vezes aparecem células fusiformes e ceratinizadas (Figuras 1.86 e 1.87).

A colposcopia não apresenta, também, critérios seguros, para este diagnóstico. Entretanto é de se suspeitar quando em achados colposcópicos anormais grau II aparecer vasos atípicos e friabilidade epitelial.

Histologicamente (Figura 1.133), o padrão do epitélio superficial é o de um carcinoma *in situ* com preenchimento glandular que em sua base apresenta brotos epiteliais que rompem a membrana basal e infiltram o estroma em até 5 mm, podendo estender-se por até 7 mm em sua lateralidade. O local da invasão é caracterizado por elementos celulares com um padrão de diferenciação melhor que o da lesão que o originou, estando envolto por halo inflamatório constituído por linfócitos e plasmócitos.

CARCINOMA INVASIVO

A morfologia citológica dependerá do padrão histológico.

O carcinoma de células escamosas é o tumor do colo uterino mais freqüente, correspondendo a até 95% dos neoplasmas invasivos. Na classificação histológica de tumores da OMS está dividido em três grupos distintos acrescidos de outros dois grupos (carcinomas indiferenciados) à medida que a neoplasia vai perdendo a sua capacidade de assemelhar-se ao epitélio que lhe originou:

- Carcinoma de células escamosas bem diferenciado (Figuras 1.88 e 1.89): quando está bem evidente o padrão escamoso ou malpighiano da neoplasia. São freqüentes os arranjos de células escamosas atípicas, com ceratinização individual, que se agrupam em camadas concêntricas, formando pérolas ceratinizantes e invadem franca e difusamente o estroma. À citologia, caracteriza-se pela presença de células fusiformes, em girino, com citoplasma intensamente corado em laranja. Presença de pérolas córneas com núcleos atípicos. Detritos celulares e hemácias estão presentes em grande quantidade (diátese tumoral).

- Carcinoma de células escamosas moderadamente diferenciado (Figuras 1.94, 1.138 a 1.142): as células neoplásicas apresentam características de origem escamosa porém com atipias celulares mais intensas, mais Figuras de mitose enquanto que as formações ceratinizadas são eventuais. À citologia o padrão celular é o de células caracteristicamente de linhagem escamosa porém sem citoplasma eosinófilos com núcleos bastante atípicos e não raro presença de pequenos nucléolos.

- Carcinoma de células escamosas pouco diferenciado (Figura 1.92, 93 e 95): Não há formação de pérolas córneas, as células estão arranjadas em cordões ou massas de células bastante atípicas, escasso citoplasma e numerosas mitoses. No exame citológico observar-se-ão elementos celulares de tamanhos diversos, isolados ou em pequenos agrupamentos sem sobreposição celular, de escasso citoplasma, em meio a detritos celulares, hemácias íntegras e lisadas.

- Carcinoma indiferenciado de células grandes: Apresentam as características do carcinoma de células escamosas pouco diferenciado, distinguindo-se deste pela presença de células com grandes núcleos atípicos e pleomórficos. O aspecto citológico é de células de núcleos pleomórficos, atípicos, de escasso citoplasma ou de citoplasma rarefeito. Os nucléolos podem ser múltiplos e irregulares, podendo confundir-se com células adenocarcinomatosas.

- Carcinoma indiferenciado de pequenas células: É, dos tumores do colo uterino, o de pior prognóstico. A sobrevida em 5 anos é inferior à do carcinoma escamoso. Pode ter as características bioquímicas dos tumores que produzem aminas angioativas caracterizando a síndrome carcinóide [APUDomas (*amine precursors uptake descarboxilation*) como observado no feocromocitoma, tumores argentafins do trato intestinal, carcinoma medular da tireóide etc.]. O padrão citológico é de células muito pequenas, geralmente isoladas, ou pouco maiores que linfócitos, apresentando escasso ou ausente citoplasma, núcleos densamente hipercromáticos e com cromatina muito grosseira com espaços vazios, em meio a diátese tumoral intensa.

ADENOCARCINOMA DE PADRÃO ENDOCERVICAL *IN SITU*

À histologia (Figuras 1.143 e 1.144), os elementos glandulares estão revestidos por células cilíndricas pseudo-estratificadas bem diferenciadas. Os núcleos são hipertrofiados, com tamanho e morfologia uniformes. A cromatina é levemente grosseira, há freqüentes mitoses atípicas e a polaridade ainda está preservada. O adenocarcinoma do colo uterino está relacionado a HPV16 e 18.

À citologia (Figuras 1.97 e 1.98), observam-se células descamadas em lençóis ou rosetas, podendo ainda apresentarem em paliçada de células altas, hipercromáticas e que na periferia do conglomerado celular deixam prolongamentos de citoplasma conferindo aspecto de "penacho". Os nucléolos estão presentes, porém são pequenos. Proeminência nucleolar fala mais a favor de invasão.

ADENOCARCINOMA DE PADRÃO ENDOCERVICAL INVASOR

O adenocarcinoma também pode ser, à semelhança do carcinoma de células escamosas, classificado em microinvasivo, quando atinge até 3 mm de profundidade por 7 mm de extensão. Ultrapassando essa margem, é classificado como invasivo. É dividido de acordo com o grau de diferenciação, sendo mais freqüente a forma bem diferenciada. Nos tumores bem diferenciados existem variantes histológicas: endometrióide, papilífero e simples (Figuras 1.145 e 1.146).

As células (Figuras 1.97 e 1.98) descamadas se apresentam em agrupamentos de elementos superpostos. Os núcleos são hipercromáticos e variam em tamanho. Há nucléolos múltiplos, proeminentes e irregulares. O citoplasma freqüentemente é vacuolizado. Nas células isoladas é possível observar a excentricidade nuclear (a membrana nuclear encosta na membrana citoplasmática).

Carcinoma de Células Claras da Cérvice Uterina

É uma neoplasia rara que parece ter origem nos restos mesonéfricos, sendo que estudos recentes sugerem sua origem nas estruturas müllerianas. O carcinoma de células claras, em virtude de sua origem desses restos embrionários, pode ser observado no colo uterino, endométrio, ovário e na vagina.

Pode haver alguma correlação entre a adenose vaginal com os carcinomas de células claras das diversas áreas com o uso de dietilestilbestrol (DEB) às mães destas pacientes durante as respectivas gravidezes. No entanto, têm sido descritos casos em que o uso do DEB não pode ser confirmado. O uso de 5-fluorouracil vaginal no tratamento de infecção por HPV tem sido apontado como um fator relacionado com a formação de uma metaplasia glandular endocervical em mucosa vaginal (adenose iatrogênica) e, se confirmada a associação da adenose com o carcinoma de células claras ou mesmo com o carcinoma de células escamosas da vagina, possa vir a ser um significativo fator na história natural destas neoplasias.

O carcinoma de células claras é um tipo de adenocarcinoma que poderão lembrar adenocarcinoma da endocérvice (Figuras 1.147 e 1.148).

Citologicamente (Figuras 1.102 e 1.104) apresentam características de adenocarcinoma, ou seja, são células de tamanho moderado, núcleos excêntricos, nucléolos evidentes, arredondados, freqüentemente únicos, cromatina grosseira, espaços vazios e citoplasma claro, corado palidamente, motivado pela fina microvacuolização. A hipercromasia não é acentuada e os contornos nucleares dificilmente são irregulares.

ATIPIAS EPITELIAIS DE SIGNIFICADO INDETERMINADO (ASCUS E AGUS)

1. Introdução do conceito em 1988, com a criação do sistema Bethesda de classificação citológica, em reunião do National Cancer Institute Workshop, em Bethesda, USA, reiterado e revisado em 1991.
2. ASCUS = *atypical squamous cells of undetermined significance* (células escamosas atípicas de significado indeterminado) são anormalidades, em células epiteliais escamosas, mais severas do que modificações inflamatórias e/ou regenerativas porém menos do que necessárias para um definitivo diagnóstico de lesão intra-epitelial escamosa.
3. Cerca de 6% a 8% das pacientes com ASCUS tem de fato uma HSIL.
4. Cerca de 30% das mulheres com cancer invasivo do colo uterino apresentaram esfregacos com ASCUS.

Tabela I.4

Estudo	Nº lâminas	AGUS	Incidência (%)	Nº de biópsias	SIL (%)	AIS (%)	HEM (%)	CA (%)
1992 a 1998	486.539	2331	0,48	1136	29,1	3,6	5,4	5,8

AGUS: células glandulares atípicas de significado indeterminado;
SIL: lesões intra-epiteliais escamosas de baixo e alto grau;
AIS: adenocarcinoma *in situ*;
HEM: hiperplasia endometrial;
CA: Câncer

5. A incidência de ASCUS pode chegar a 5% dos exames colpocitológicos de rotina e não deve ultrapassar duas a três vezes o percentual de casos de lesões intra-epiteliais escamosas.

6. Caracteriza-se por crescimento nuclear de duas a três vezes o tamanho de um núcleos de uma célula intermediária normal, leve hipercromasia, leve variação do tamanho e forma nucleares, além de mínima irregularidade da membrana nuclear.

7. Biópsias obtidas de 560 diagnósticos de ASCUS (Lachman & Cavallo-Calvanese, august 1998, Am J Obstet Gynecol): 357 (63,8%) foram benignas ou reativas, 109 (19,5%) LSIL, e 94 (16,8%) HSIL. Quando categorizadas em três subtipos (1. não classificadas, 2. favorável a reacional, 3. favorável a displásico): apresentou diferentes e significativos percentuais: 1. não classificadas = 33,0%; 2. favorável a reacional = 18,3%; e 3. favorável a displásico = 52,5%. quando esses autores compararam 509 casos de citologias compatíveis com lesão intra-epitelial escamosa de baixo grau com o estudo histológico observaram que: 153 biópsias (30,1%) foram negativas para LSIL, enquanto 356 casos (69,9%) apresentavam biópsias positivas para LSIL, mostrando que. Comparativamente, o diagnóstico histológico de ASCUS apresenta apenas um pouco menos especificidade de acuracidade diagnóstica que os critérios citológicos para LSIL (p < 0,001).

8. Subtipos (Figuras 1.60 a 1.64): quando as alterações celulares observadas indicam uma maior probabilidade: segundo o relatório oficial de Sistema Bethesda, as alterações são favoráveis (1) a reacional, (2) a LSIL, (3) a HSIL.

9. AGUS = *atypical glandular cells of undetermined significance* (células glandulares atípicas de significado indeterminado).

10. Compreendem espectro morfológico que vai da possibilidade de um processo reativo,benigno, até o adenocarcinoma *in situ*. Condições benignas tais como endometriose cervical, deciduose (Figuras 1.66a, 1.66b, 1.115 e 1.116), metaplasia tubária, ductos de gartner, hiperplasia microglandular (Figuras 1.70 e 1.71) e glândulas endometriais na porção superior do canal cervical, reação de Arias-Stella podem ser causas de dificuldades diagnósticas.

11. Subtipos (Figuras 1.65 a 1.69 e 1.74): quando as alterações celulares observadas indicam uma maior probabilidade: favorável a (1) benigno (quando um processo reacional/inflamatório for favorável); (2) neoplásico (quando um neoplasma endocervical, displasia endocervical ou adenocarcinoma *in situ* for uma possibilidade, ou menos freqüentemente uma neoplasia endometrial); (3) associação com lesões intra-epiteliais escamosas (SILS); e (4) não especificado, quando não é possível qualificar as alterações por escassez ou ressecamento dos elementos celulares atípicos.

12. Pacientes com AGUS apresentam significantes achados histológicos (patológicos) em até 45% dos casos, segundo a literatura. O acompanhamento dessas lesões revela alta incidência de lesões malignas e pré-malignas.

Os Subtipos de "AGUS", quando bem definidos pela citologia, podem identificar de forma significativa se a mulher é de alto ou baixo risco para condições patológicas importantes e orientar qual o tipo de conduta a ser tomada.

Como o diagnóstico de ASCUS e AGUS traz a possibilidade de encontrar uma lesão histologicamente grave, por carregar um certo grau de subjetividade, sem mencionar que essas entidades não estão ainda familiarizadas por um certo número de patologistas, julgamos interessante que, excluídas ou tratadas as condições associadas, deva-se, antes de prosseguir na propedêutica, realizar revisão de lâminas em outro serviço para confirmação ou não do diagnóstico. Uma vez que haja diferença de diagnóstico à revisão (é bom lembrar que nem sempre o diagnóstico da revisão é o correto) torna necessário a opinião de outro patologista. Dessa forma, é possível reduzir a quantidade de sobrediagnósticos de AGUS e ASCUS com suas conseqüências.

PRANCHAS COLORIDAS
COLPOCITOLOGIA E HISTOPATOLOGIA DO COLO UTERINO

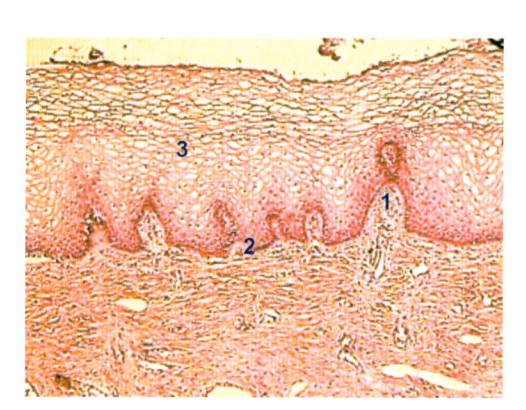

Figura 1.1
HE 4× – Epitélio escamoso pluriestratificado não ceratinizado normal – Apresenta elevação de papilas estromáticas (1) que dificilmente ultrapassam o terço interno do epitélio. A basal (2) apresenta uma única fileira de células em "paliçada", enquanto as camadas intermediária e superficial apresentam células de citoplasma claro e com núcleos uniformes e pequenos (3).

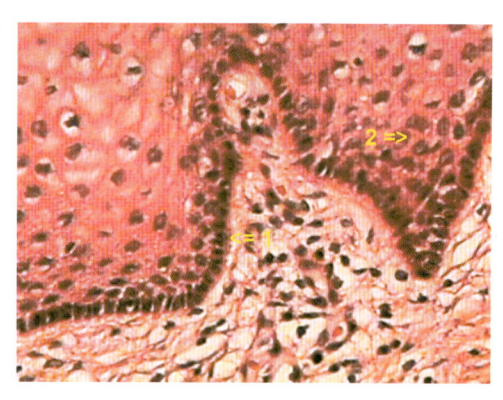

Figura 1.2
HE 10× – Epitélio escamoso pluriestratificado não ceratinizado normal. Detalhe das camadas basal (1) e parabasal (2), sendo que, nesta última, há de 3 a 4 extratos celulares.

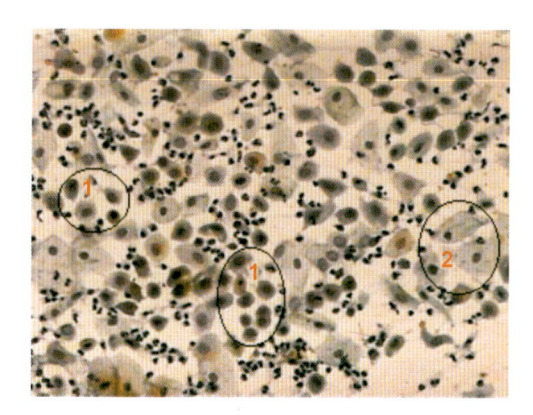

Figura 1.3
Papa 10× – Esfregaço de padrão atrófico – Células profundas (basais e parabasais) são pequenas e arredondadas (1), enquanto células intermediárias são maiores e de citoplasma poligonal (2). A atrofia indica hipoestrogenismo.

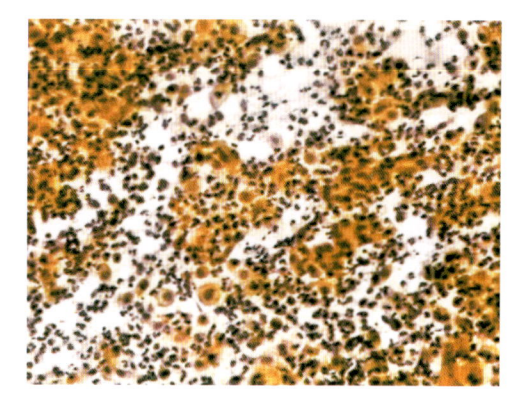

Figura 1.4
Papa 10× – Atrofia com inflamação. Esfregaço constituído por células profundas (basais) com alterações degenerativas em meio a numerosos polimorfonucleares neutrófilos.

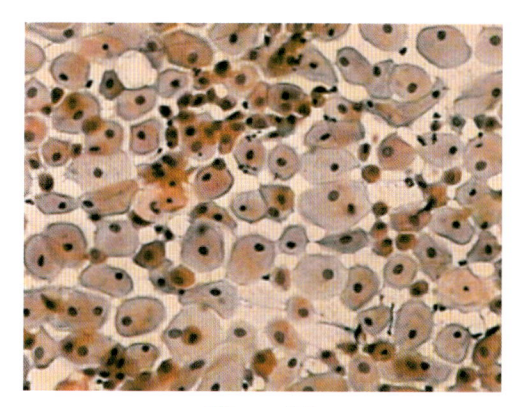

Figura 1.5
Papa 10× – Atrofia epitelial lactacional – Células parabasais e intermediárias mais internas com aspecto de "encaixe".

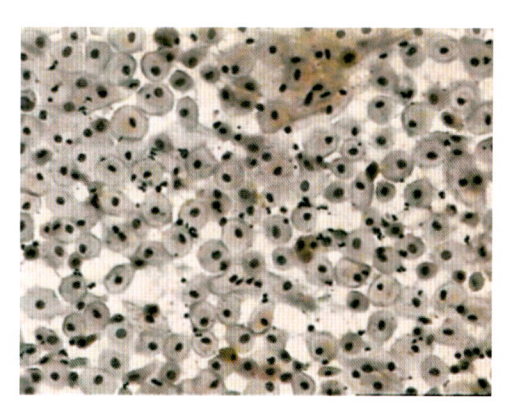

Figura 1.6
Papa 10× – Atrofia epitelial puerperal/lactacional – Células parabasais bastante arredondadas e de bordas bem evidentes.

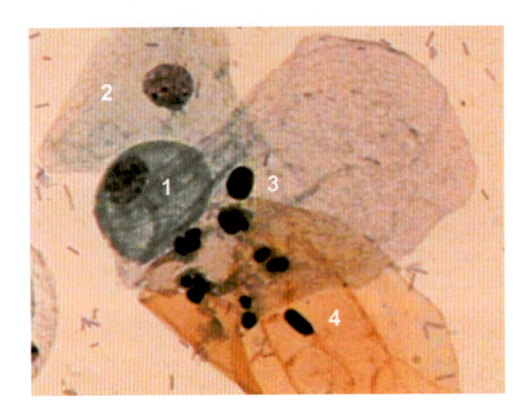

Figura 1.7

Papa 40× – Células epiteliais escamosas da mucosa cérvico-uterina. Célula parabasal (1), célula intermediária (2), célula cianofílica superficial (3) e célula eosinofílica superficial (4). As células 1 e 2 apresentam núcleos vesiculosos, onde a cromatina é claracmente visível, enquanto as células 3 e 4 apresentam núcleos picnóticos, onde a cromatina é condensada e imperceptível.

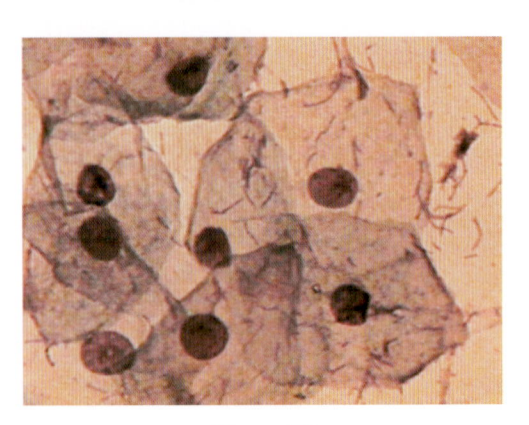

Figura 1.8

Papa 40× – Células epiteliais escamosas da mucosa cérvico-uterina. Células intermediárias e flora bacteriana do tipo lactobacilar (Döederlein).

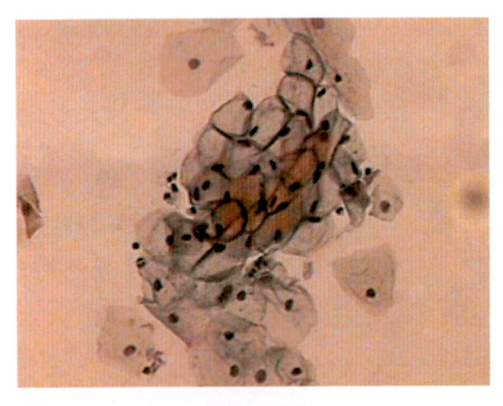

Figura 1.9

Papa 10× – Células epiteliais escamosas da mucosa cérvico-uterina. Células naviculares.

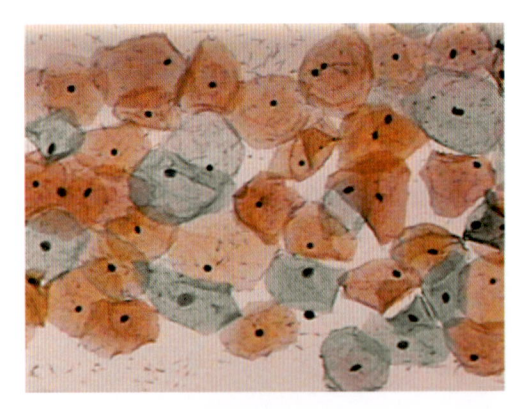

Figura 1.10

Papa 10× – Células epiteliais escamosas da mucosa cérvico-uterina. Padrão celular predominantemente constituído de células superficiais indicando excelente ação estrogênica (estímulo estrogênico acentuado), como pode ser observado no período ovulatório.

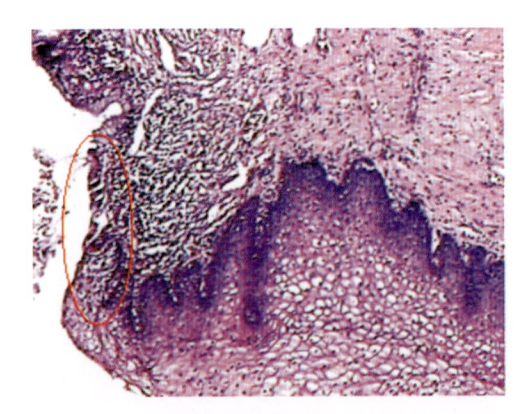

Figura 1.11

HE 4× – Corte histológico na JEC (junção escamocolunar). No círculo, em vermelho, pode ser observada a transição abrupta entre o epitélio escamoso e o colunar. Nesta região, não raro, há algum tipo de infiltrado inflamatório.

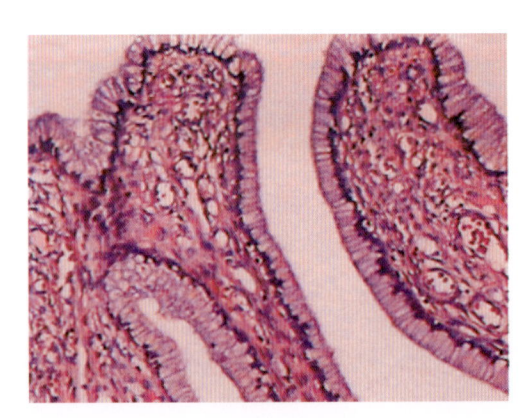

Figura 1.12

HE 10× – Corte histológico de mucosa endocervical. Apresenta aspecto franjado, revestida por epitélio colunar simples sobre uma estroma frouxo e pequenos vasos sangüíneos e discreto infiltrado de linfócitos.

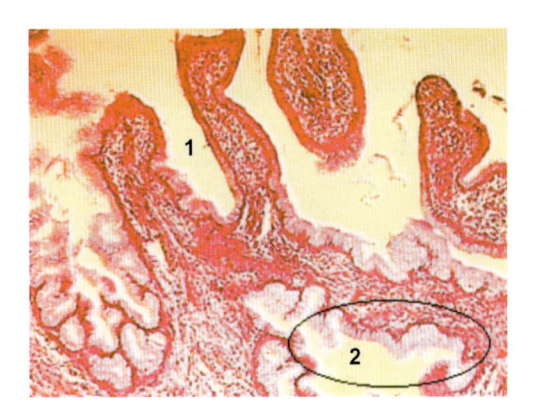

Figura 1.13

HE 4× – Mucosa endocervical original – Mostra ondulações (1) que conferem um aspecto foveolar a esta mucosa. É revestida por epitélio colunar simples. As porções mais inferiores da ondulação, dependendo da incidência de corte, lembram "glândulas".

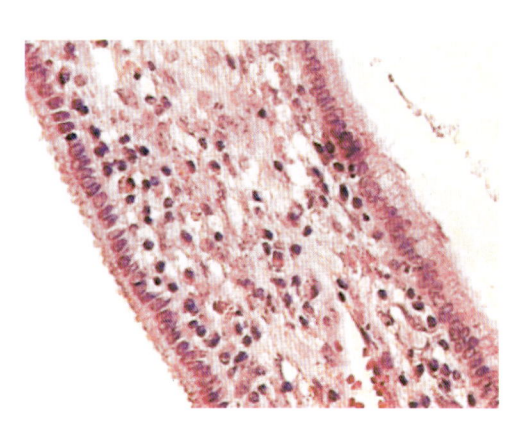

Figura 1.14

HE 4× – Mucosa endocervical original – Mostra revestimento de epitélio colunar simples.

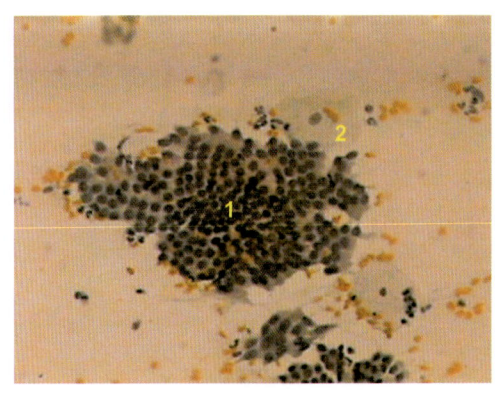

Figura 1.15

Papa 10× – Células colunares endocervicais – Células colunares endocervicais (1) vistas em agrupamento, onde não há sobreposição nuclear e é característico a uniformidade morfológica e tintorial destas células. Compare o tamanho delas com o das células intermediárias (2).

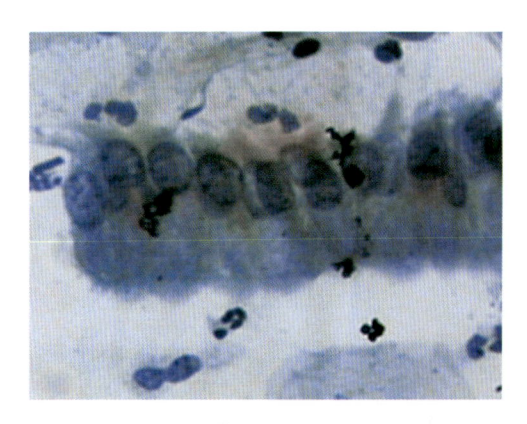

Figura 1.16

Papa 40× – Células colunares endocervicais – Células colunares endocervicais vistas de perfil.

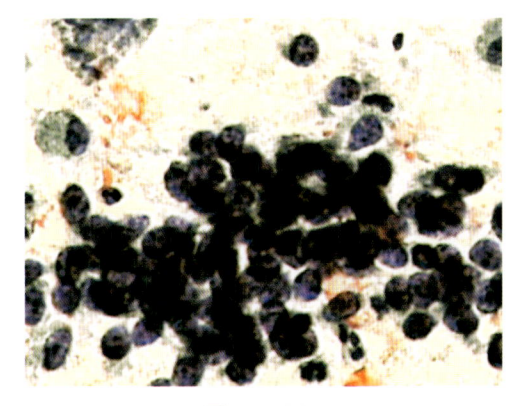

Figura 1.17

Papa 40× – Células endometriais. Células de pequeno porte, núcleos sobrepostos e de conteúdo cromatínico denso.

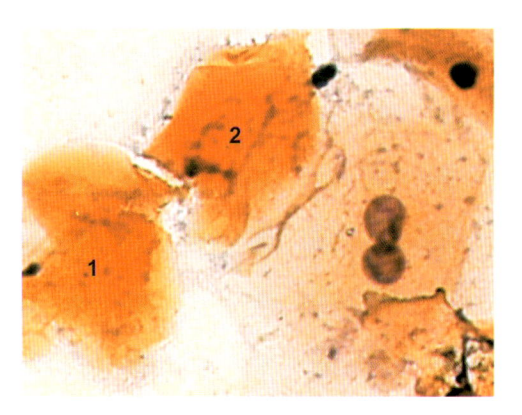

Figura 1.18

Papa 40× – Escamas córneas. Em (1) e (2) há células densamente orangiófilas e anucleadas. Podem ser provenientes de contaminação vulvar ou observadas em processos de ceratinização do colo uterino (epitélio branco, leucoplasia).

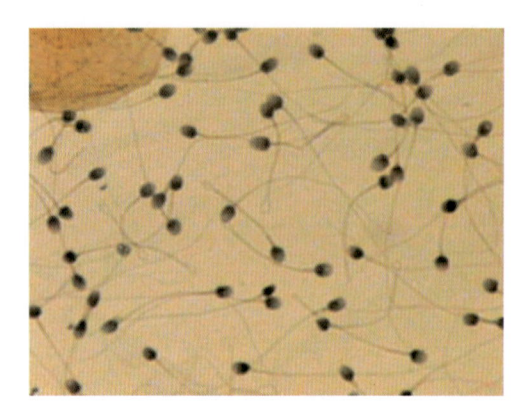

Figura 1.19
Papa 40× – Espermatozóides.

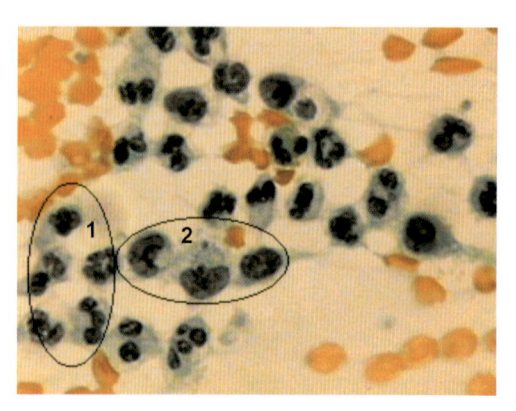

Figura 1.20
Papa 40× – Polimorfonucleares neutrófilos e mononucleares (histiócitos). Os neutrófilos apresentam núcleos polissegmentados (1), já nos histiócitos os núcleos freqüentemente são reniformes ou chanfrados (2).

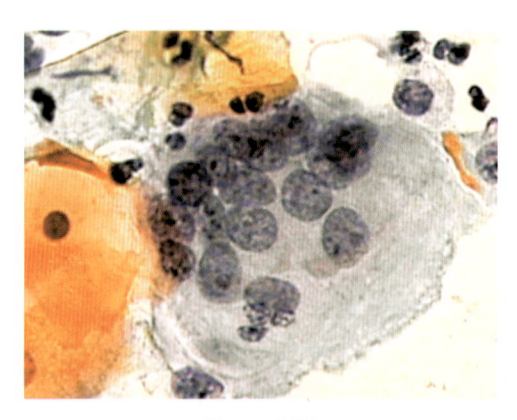

Figura 1.21
Papa 40× – Histiócito gigante multinucleado.

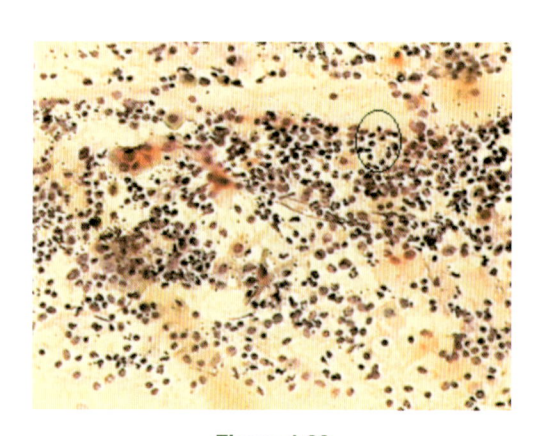

Figura 1.22
Papa 4× – Linfócitos – São pequenas células de núcleos hipercorados, arredondados e praticamente sem citoplasma. Ver círculo.

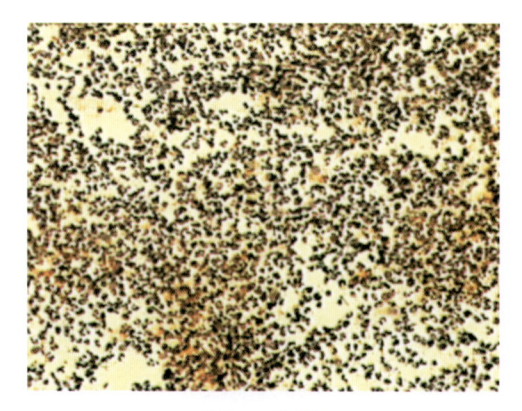

Figura 1.23
Papa 4× – Esfregaço inflamatório – Amostra insatisfatória. Presença de abundantes polimorfonuclares neutrófilos, por vezes em camada espessas, prejudicando a avaliação microscópica.

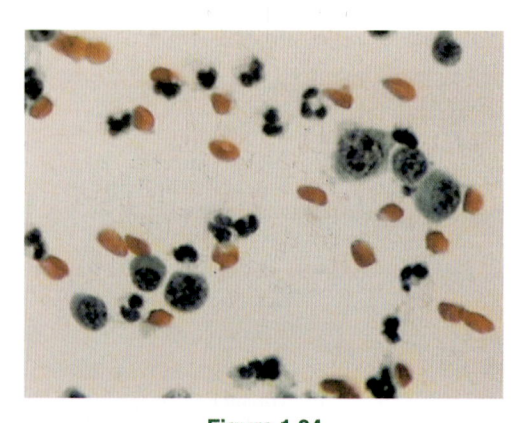

Figura 1.24
Papa 40× – Plasmócitos. Células de núcleos arredondados e excêntricos come cromatina de distribuição granular.

Figura 1.25
Papa 10× – Muco – Material amorfo e eosinofílico aprisionando células e leucócitos. Pode ser cianofílico.

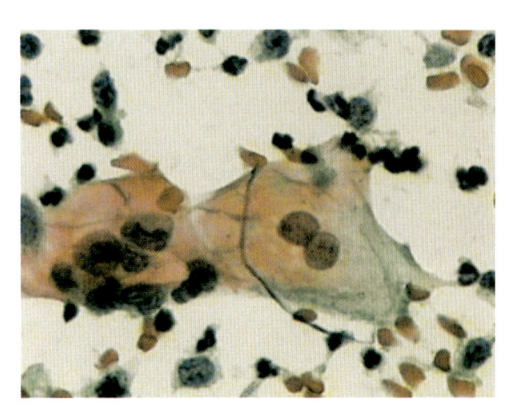

Figura 1.26
Papa 40× – Esfregaço cérvico-vaginal. Alterações inflamatórias. Binucleação, discreta hipertrofia nuclear, vacuolização citoplasmática, falsa eosinofilia (célula da esquerda) e policromasia ou anfofilia (célula da direita).

Figura 1.27
Papa 40× – Esfregaço cérvico-vaginal. Alterações inflamatórias. Binucleação, discreta hipertrofia nuclear, vacuolização citoplasmática por vezes formam grandes halos perinucleares que podem confundir com coilocitose (mímicos da infecção pelo HPV).

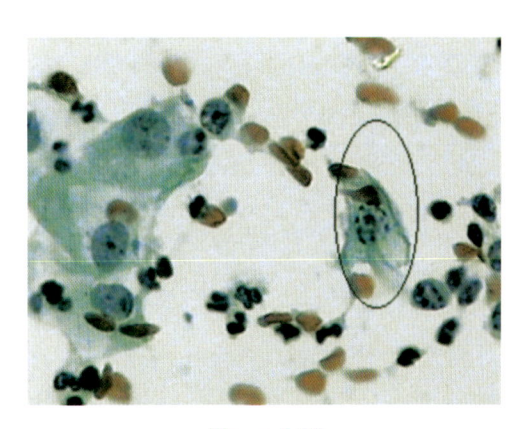

Figura 1.28
Papa 40× – Esfregaço cérvico-vaginal. Alterações inflamatórias. Discreta hipertrofia nuclear, vacuolização citoplasmática e degeneração da cromatina (cariorrexis) observada na célula dentro do círculo.

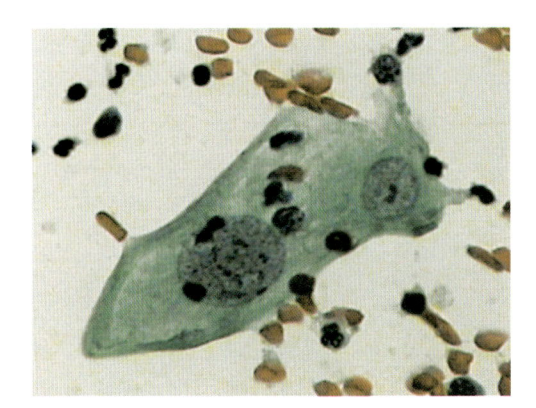

Figura 1.29
Papa 40× – Esfregaço cérvico-vaginal. Alterações celulares de natureza racional. Hipertrofia nuclear e presença de prequeno nucléolos e alguns cromocentros. Estas alterações podem, quando mais acentuadas, "mimetizar" alterações displásicas ou no mínimo apontar sobrediagnóstico de ASCUS.

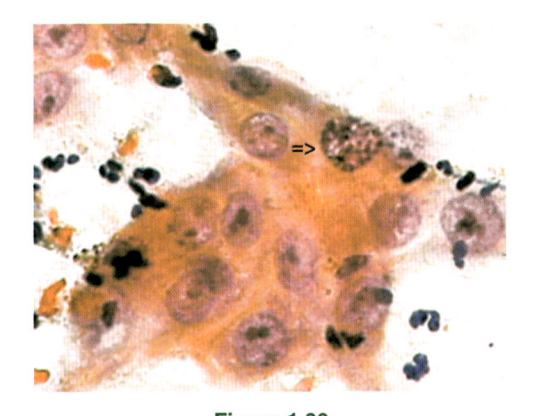

Figura 1.30
Papa 40× – Célula de regeneração – Células de núcleos hipertrofiados, com cromatina granular, nucléolos evidentes porém regulares e não raro mitoses típicas (*seta*) nos agrupamentos celulares. Quando associadas à tricomoníase, as células de regeneração podem adquirir atipias importantes que podem até sugerir malignidade (mímicos).

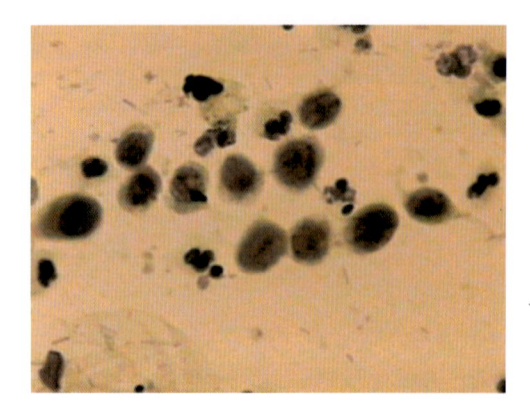

Figura 1.31

Papa 40× – Células de reserva subcilíndrica – Células do porte das basais, de escasso citoplasma, e nucleo hipertrofiado. São provenientes de um processo bastante inicial de metaplasia escamosa: a hiperplasia de células de reserva subcilíndrica.

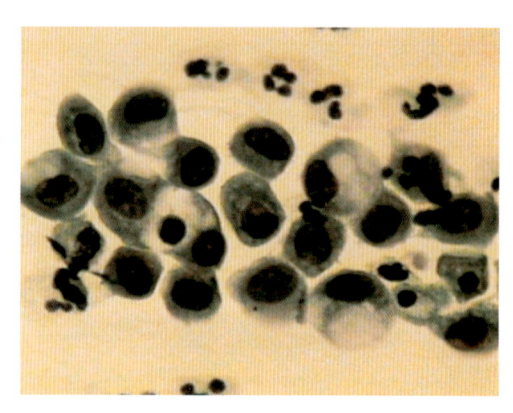

Figura 1.32

Papa 40× – Células metaplásicas imaturas – Células do porte das profundas (parabasais) apresentando vacuolização citoplasmática.

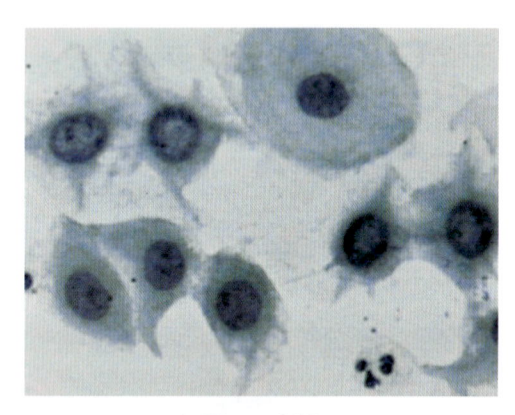

Figura 1.33

Papa 40× – Células metaplásicas em maturação – semelhante à imagem anterior.

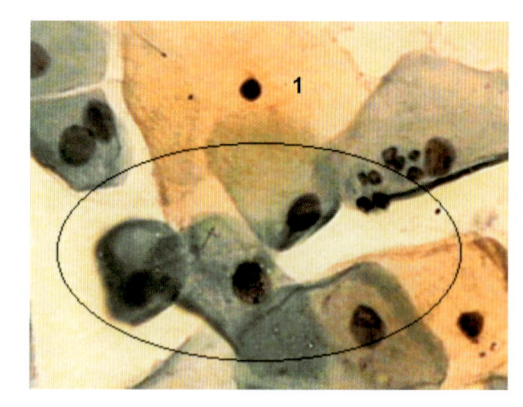

Figura 1.34

Papa 40× – Células metaplásicas – Células do porte das parabasais e intermediárias com citoplasma denso e basofílico com núcleos levemente hipertrofiado (círculo). Há uma célula superficial original para comparação (1).

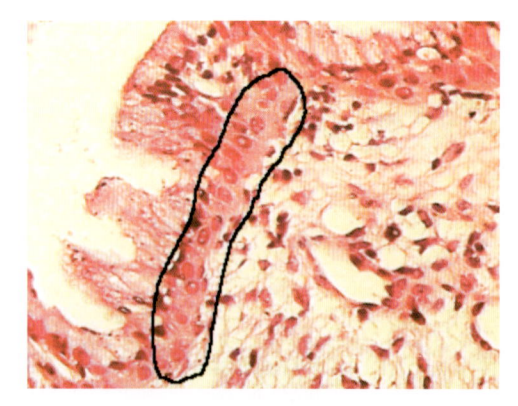

Figura 1.35

HE 10× – Células de reserva subcilíndricas (contornadas) – Estas células em condições normais não são visíveis com facilidade. Aqui já há um processo de hiperplasia. Processo inicial da metaplasia escamosa.

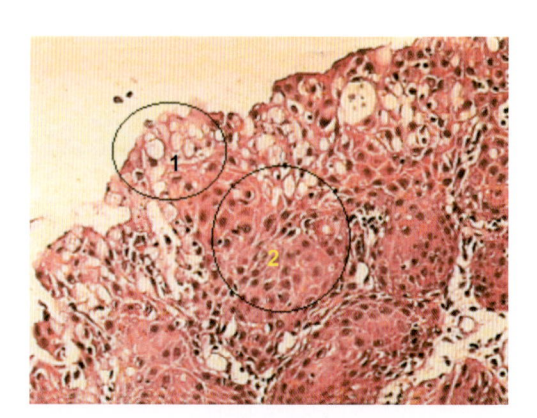

Figura 1.36

HE 4× – Metaplasia escamosa imatura – A hiperplasia da basal conferiu ao epitélio um aspecto escamoso (2) mas ainda é possível ver resíduos de células colunares mucíparas (1).

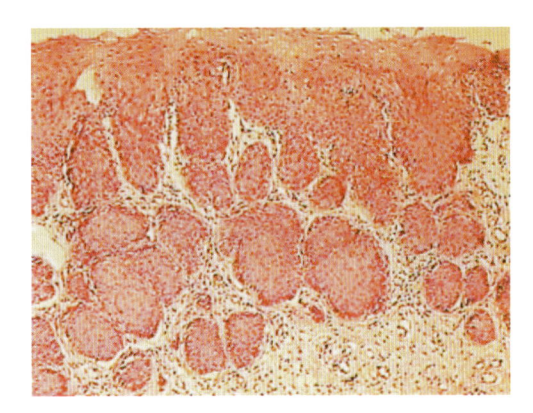

Figura 1.37
HE 4× – Metaplasia escamosa florida – O processo de metaplasia escamosa atingiu todo o componente glandular inclusive ocluindo orifício e fundo de glandulas endocervicais, formando brotos epiteliais (1 e 2, por exemplo). Á colposcopia pode haver mosaico de campos regulares e ser observado em zona de transformação congênita.

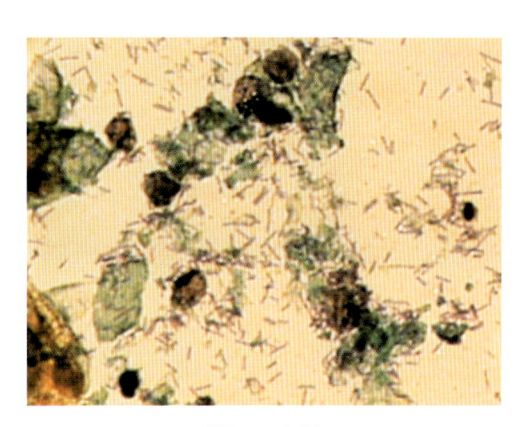

Figura 1.38
Papa 40× – Flora Döderlein com citólise. Restos celulares e núcleos nus de células intermediárias.

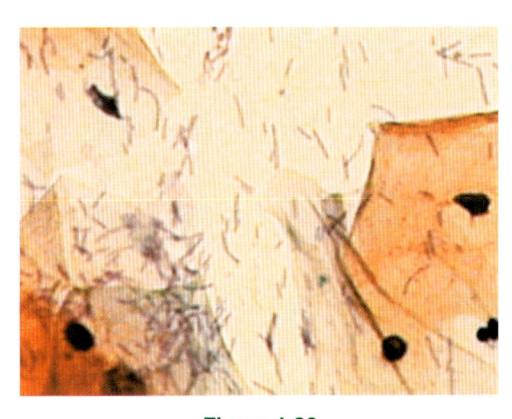

Figura 1.39
Papa 40× – Flora Döederlein. Não há citólise.

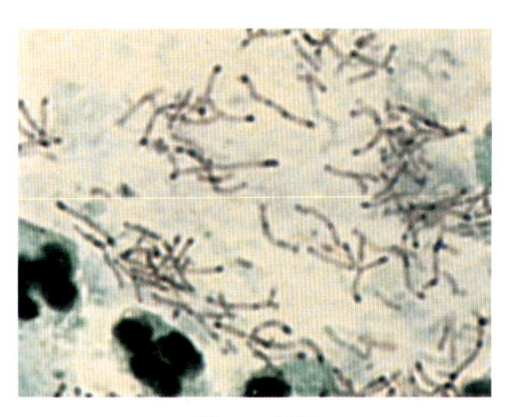

Figura 1.40
Papa 100× – Flora difteróide. Bacilos com espessamento arredondando e basofílico em cada extremidade lembrando um palito de fósforo de duas cabeças.

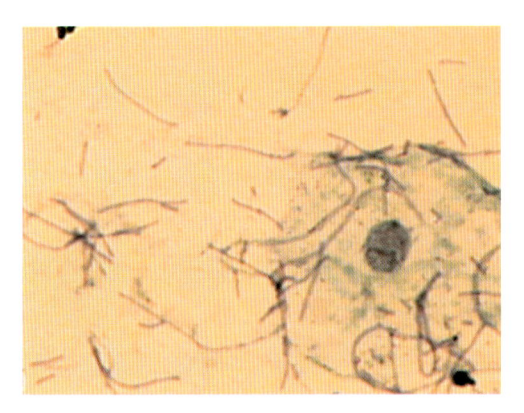

Figura 1.41
Papa 40× – Flora *Fusobacterium* sp. – Bactérias bacilares de 4 a 8 vezes maiores que os bacilos de Döederlein.

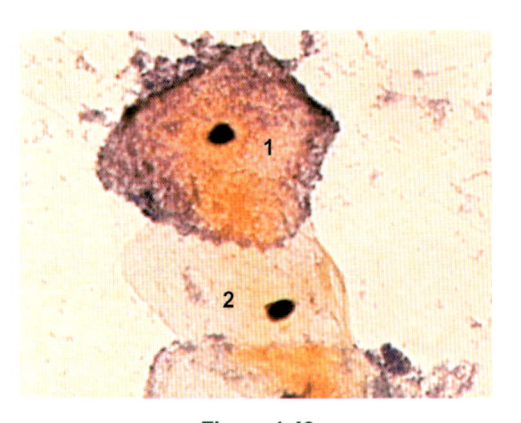

Figura 1.42
Papa 40× – *Gardnerella vaginalis* – Flora bacteriana atipíca cocobacilar, pleomórfica, dispersa entre os elementos celulares e envolvendo bordas e superfície citoplasmáticas de células escamosas de núcleo picnótico (células-guia, ver 1) comparar com células não parasitada (2).

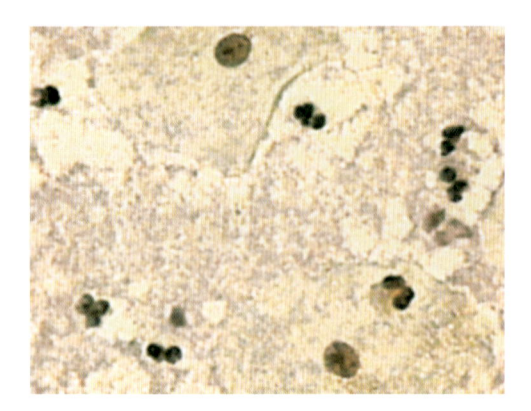

Figura 1.43
Papa 100× – *Gardnerella vaginalis* – Flora bacteriana atipíca cocobacilar, pleomórfica, dispersa entre os elementos celulares. Há escassa reação leucocitária.

Figura 1.44
Papa 100× – *Mobiluncus* sp. – Flora atípica, caracterizada por diminutos e finos bacilos curvos.

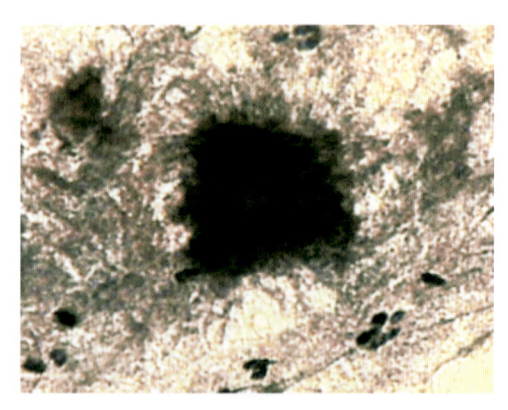

Figura 1.45
Papa 40× – *Actinomyces* – Flora bacteriana arranjadas em "tufos" bacterianos com extremidades filamentosas (*cotton ball*). Observada exclusivamente em usuárias de DIU.

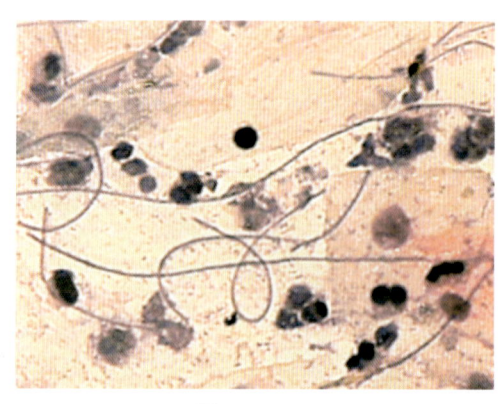

Figura 1.46
Papa 40× – *Leptothrix vaginalis* – Flora bacteriana constituída por longos bacilos que podem adquirir figuras semelhantes a U, C ou S.

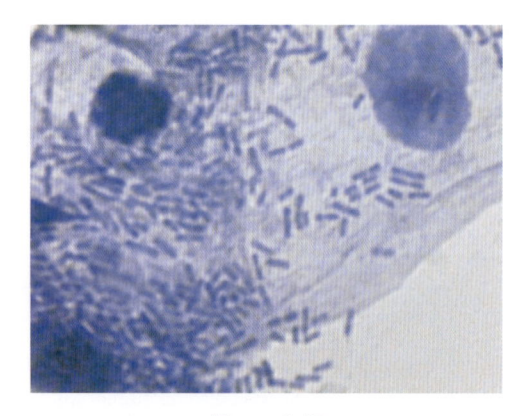

Figura 1.47
Papa 100× – Coliformes. Bacilos curtos, dispostos aos pares, aderidos por uma de suas extremidades.

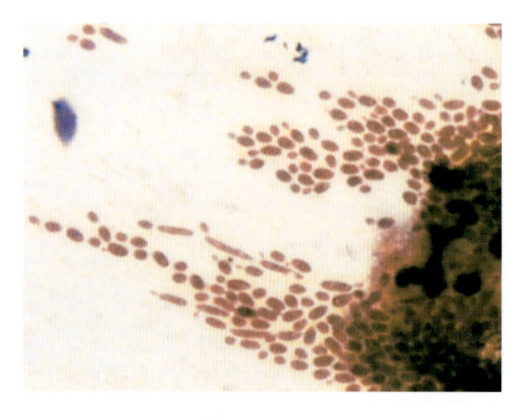

Figura 1.48
Papa 40× – *Candida* sp. – Esporos de pequenas hifas de *Candida* sp.

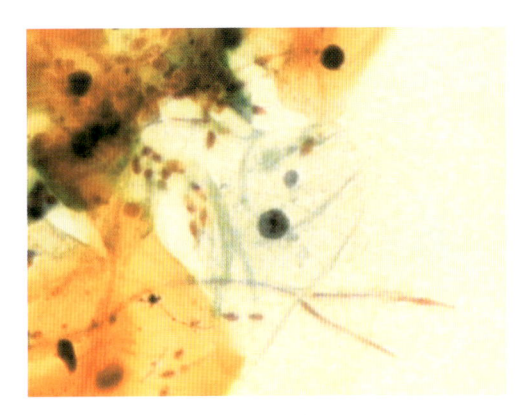

Figura 1.49
HE 40× – *Candida* sp. – Esporos e micélios de *Candida* sp.

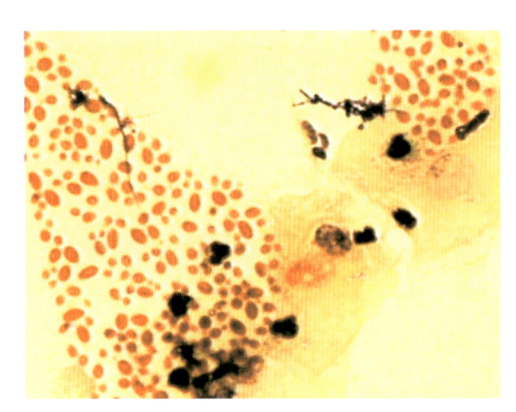

Figura 1.50
Papa 40x – *Candida guilhermondii* – Esta espécie de *Candida* aparece, à microscopia, sob a forma de esporos raramente formam hifas *in vivo*. São duas vezes maiores que suas similares da espécie *glabrata*.

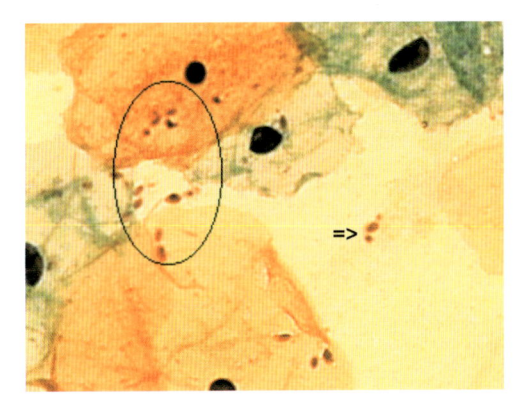

Figura 1.51
Papa 40× – *Torulopsis glabrata* – Espécie de cândida (*Candida glabrata*) que se apresenta *in vivo* sob a forma de minúsculos esporos duplos absolutamente desprovidos de hifas.

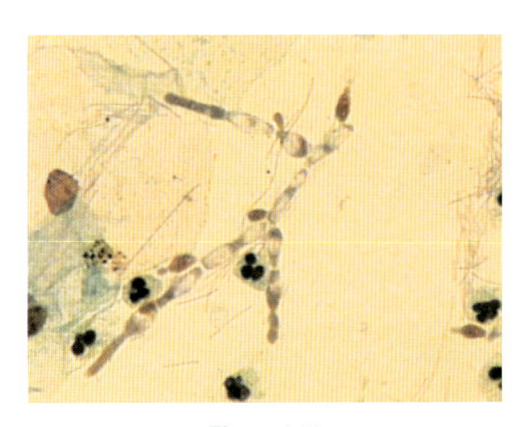

Figura 1.52
Papa 40× – *Geotrichum candidum* – Espécie de candida (*Candida geotrichum*), caracterizada por septação artrosporada.

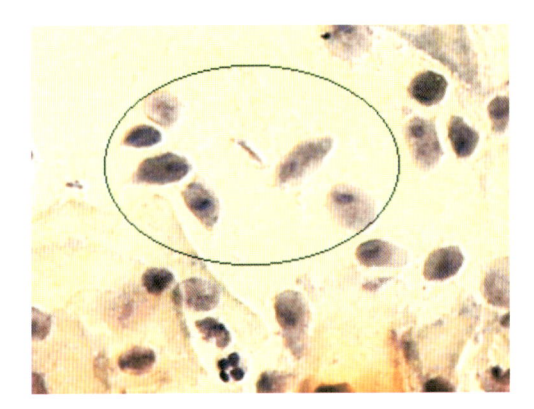

Figura 1.53
Papa 40× – *Trichomonas vaginalis* – Formações basofílicas, arredondadas, ovaladas ou piriformes contendo pequeno núcleos borrado e granuloso.

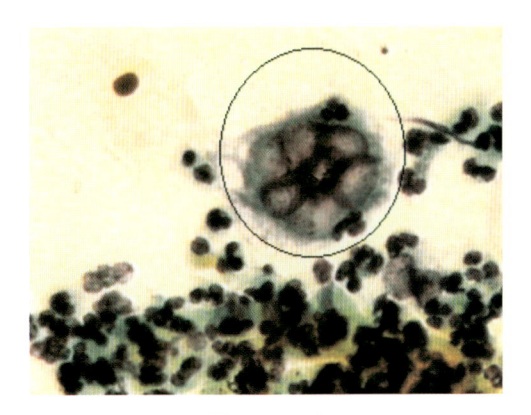

Figura 1.54
Papa 40× – Herpes – As células da infecção pelo herpesvírus humano (células de Tzanck) são multinucleadas, com núcleos amoldados, de cromatina perinuclear regularmente espessada, enquanto que a cromatina nuclear restante se apresenta de aspecto "fosco" ou "esmerilado".

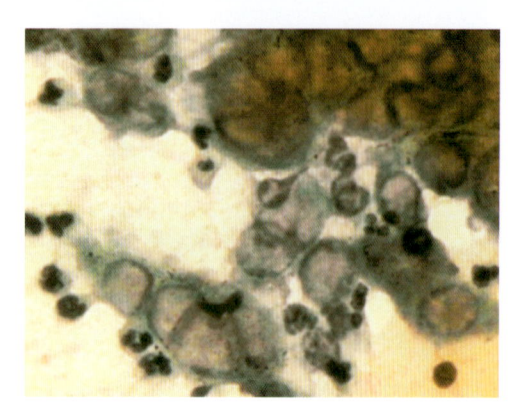

Figura 1.55
Papa 40× – Herpes – Células da infecção pelo herpesvírus humano (células de Tzanck).

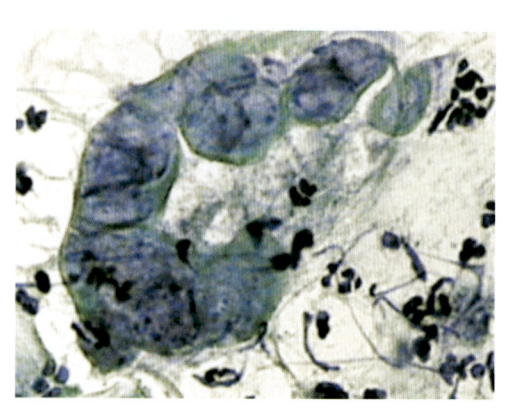

Figura 1.56
Papa 40× – Herpes – Células da infecção pelo herpesvírus humano (células de Tzanck).

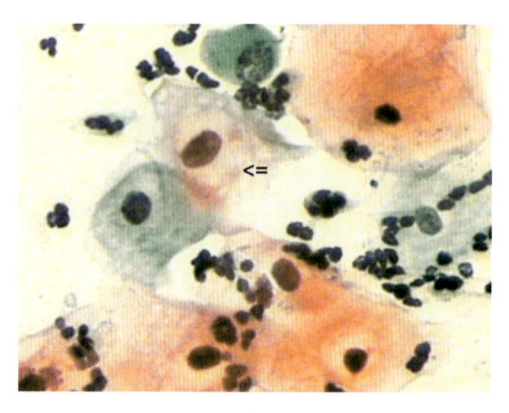

Figura 1.57
Papa 40x – Halos perinucleares – Célula intermediária com falsa eosinofilia e halo perinuclear. É uma alteração celular inflamatória geralmente associada a tricomoníase. As vezes os halos perinucleares podem ser amplos e causar dificuldades diagnósticas e serem estas células confundidas com coilócitos.

Figura 1.58
Papa 10× – Coilócitos – Lesão intra-epitelial escamosa de baixo grau.

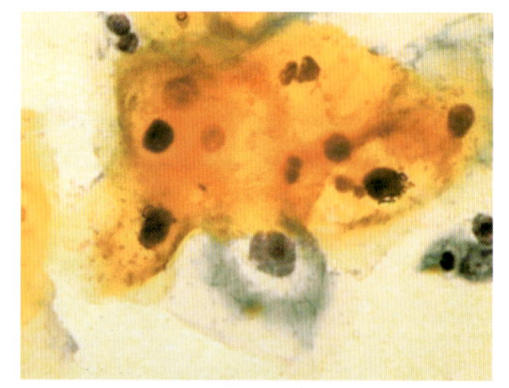

Figura 1.59
Papa 10× – Mímicos – Infecção por HPV? – Células com hipertrofia nuclear e halo perinuclear, além de discreta anisocariose. O melhor diagnóstico seria ASCUS favorável a infecção por HPV. Estaria indicada uma pesquisa biomolecular e biópsia caso haja alterações colposcópicas.

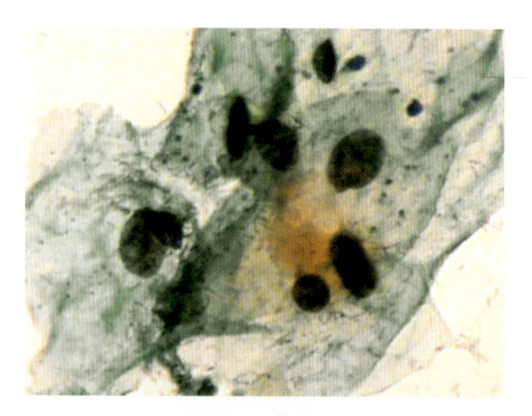

Figura 1.60
Papa 40× – ASCUS favorável a reacional – Células intermediárias com discreta hipertrofia nuclear (até duas vezes maior que um núcleo normal) apresentando cromatina finamente granular e pequenos cromocentros mais evidentes.

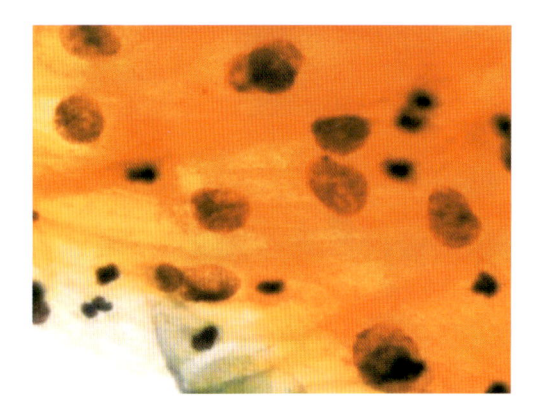

Figura 1.61
Papa 40× – ASCUS favorável a LSIL – Células intermediárias com discreta hipertrofia nuclear (até duas vezes maior que um núcleo normal) apresentando cromatina finamente granular e pequenos cromocentros mais evidentes, porém os contornos nucleares são irregulares.

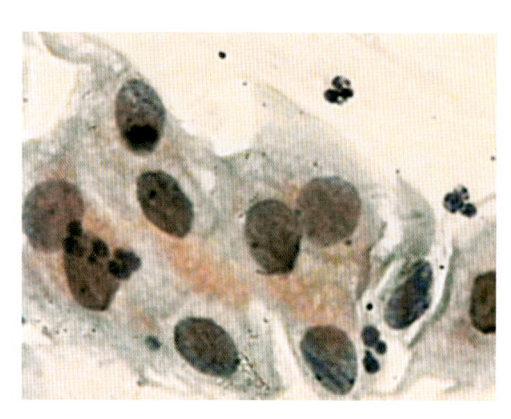

Figura 1.62
Papa 40× – ASCUS favorável a SIL (provavelmente HSIL) – Células intermediárias e parabasais com hipertrofia nuclear, apresentando cromatina finamente granular e pequenos cromocentros mais evidentes e contornos nucleares irregulares.

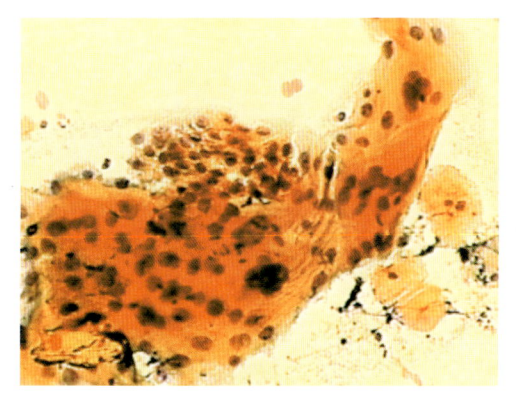

Figura 1.63
Papa 10× – Efeitos citopáticos induzidos por radiumterapia – Células epiteliais escamosas com variação de tamanho e formato, além de núcleos hipertrofiados e não raro múltiplos em exame de controle pós-radioimunoterapia há 1 ano.

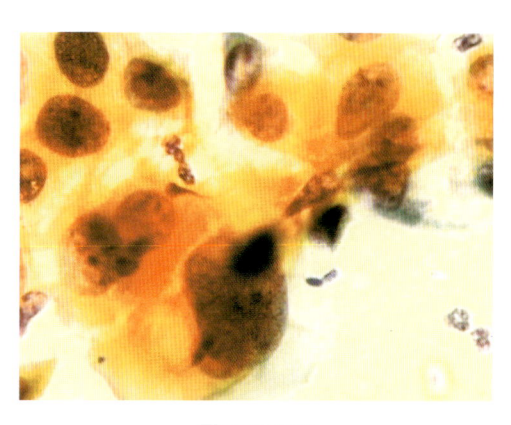

Figura 1.64
Papa 40× – Efeitos citopáticos, em células escamosas, induzidos por quimioterapia antiblástica – Atipias nucleares sugestivas de malignidade (mímicos), de paciente em quimioterapia por CID 174.

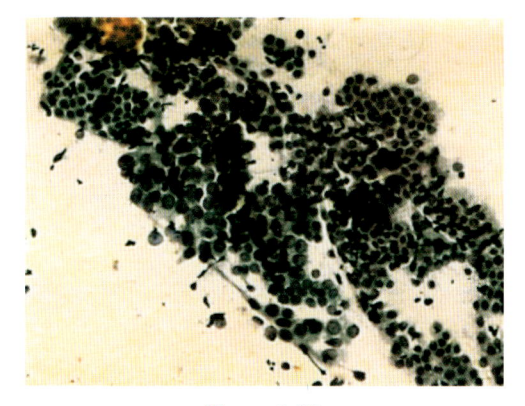

Figura 1.65
Papa 10× – AGUS favorável a alterações reacionais – Há dois tipos de células endocervicais, as da porção superior que apresenta uniformidade de tamanho e distribuição celular enquanto que as da porção inferior apresentam leve hipertrofia nuclear, irregularidade de contorno e pequenos nucléolos. A cromatina tem distribuição praticamente normal.

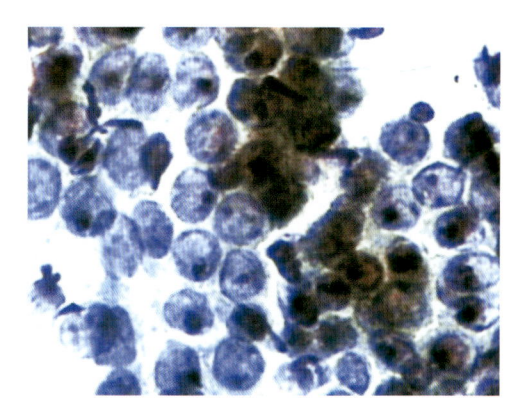

Figura 1.66A
Papa 40× – AGUS favorável a alterações reacionais – Detalhe da Figura 1.65.

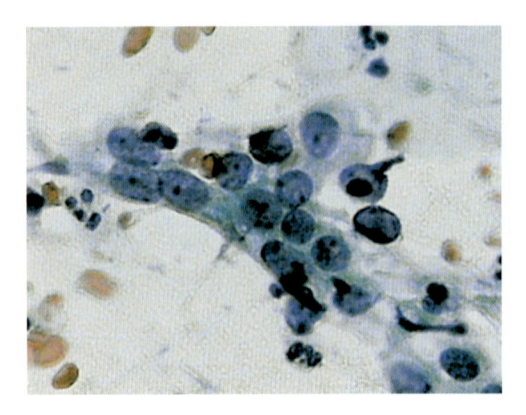

Figura 1.66B

Papa 40× – Células deciduais. Esfregaço de colo uterino – Células de núcleos hipertrofiados com nucléolos e cromocentros evidentes e citoplasma espumoso. Pode ser causa de falso-positivo para neoplasia ou mesmo sugerir AGUS ou ASCUS. Ver histologia na Figuras 1.115 e 1.116.

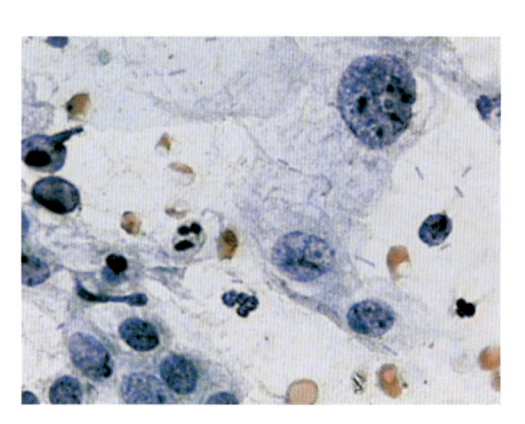

Figura 1.66C

Papa 40× – Células deciduais. Esfregaço de colo uterino – Outro campo com mais detalhes da Figura 1.66B.

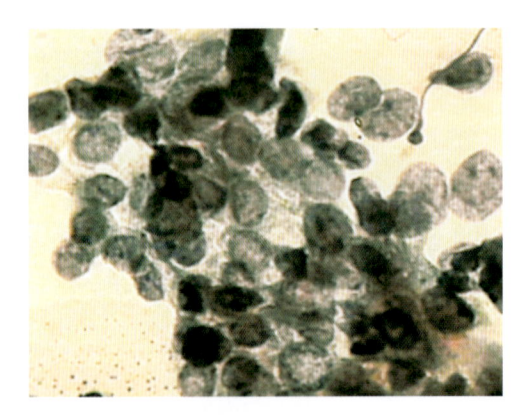

Figura 1.67

Papa 40× – AGUS favorável a neoplasia (adenocarcinoma *in situ*) – Células endocervicais com superposição nuclear, discreta anisocariose, leve cariomegalia. Observe que o padrão cromatínico já apresenta certo grau de anormalidade.

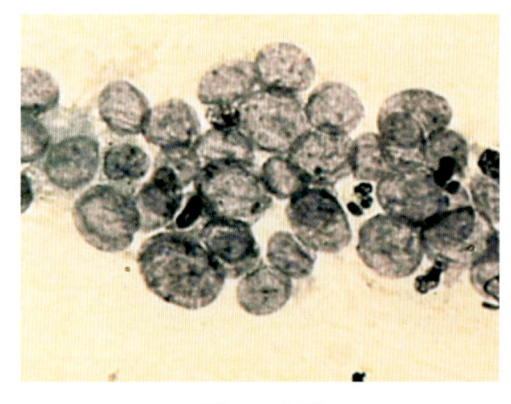

Figura 1.68

Papa 40× – AGUS favorável a neoplasia (adenocarcinoma *in situ* ou carcinoma de células escamosas *in situ* indiferenciado) – Células endocervicais com um mínimo ou ausência de citoplasma, exibindo núcleos hipertrofiados, agrupados e com tendência a formação de "fileira indiana". A cromatina é levemente irrgular e com pequenos nucléolos.

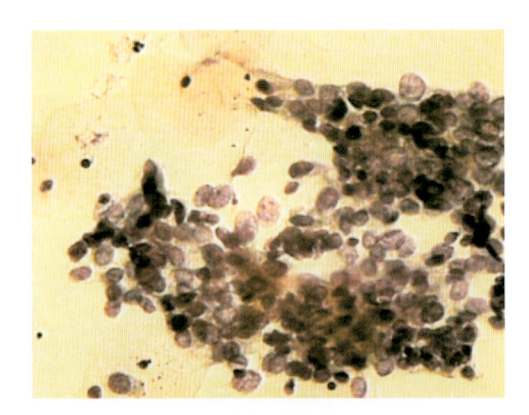

Figura 1.69

Papa 10× – AGUS favorável a neoplasia (adenocarcinoma *in situ*) – Células endocervicais com hipertrofia nuclear, discreta anisocariose, pequenos nucléolos e sobrepostas dentro do agrupamento.

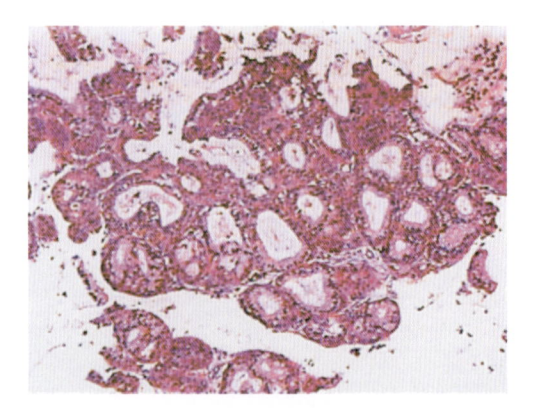

Figura 1.70

HE 4× – Fragmento de colo uterino. Hiperplasia microglandular da endocérvice. Há uma hiperplasia de formações glandulares, com tendência a justaposição das mesmas, lúmen dilatado, com material eosinofílico e amorfo (muco), estando revestidas por monocamada de células epiteliais com leve hipertrofia nuclear.

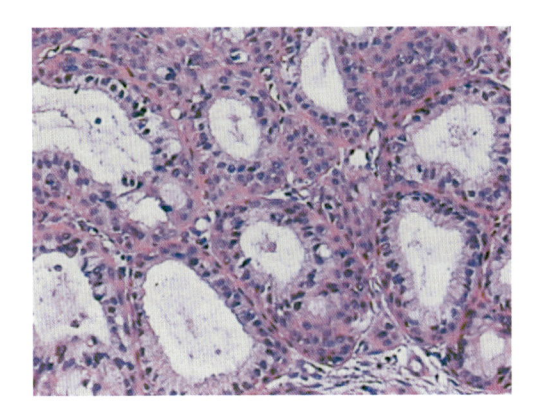

Figura 1.71
HE 10× – Fragmento de colo uterino. Hiperplasia microglandular do endocérvice. Detalhe da figura anterior.

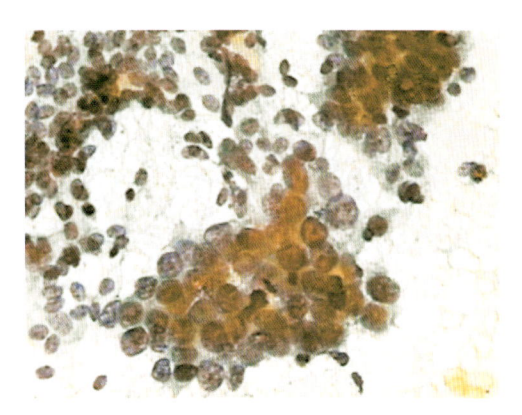

Figura 1.72
Papa 10× – Adenocarcinoma *in situ* de colo uterino – Células glandulares, endocervicais, com superposição nuclear, cariomegalia, cromatina grosseira e nucléolos evidentes e irregulares. Comparar com as AGUS.

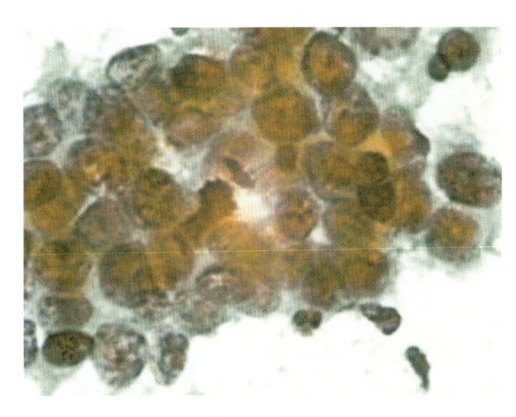

Figura 1.73
Papa 40× – Adenocarcinoma *in situ* de colo uterino. Detalhes da Figura 1.72.

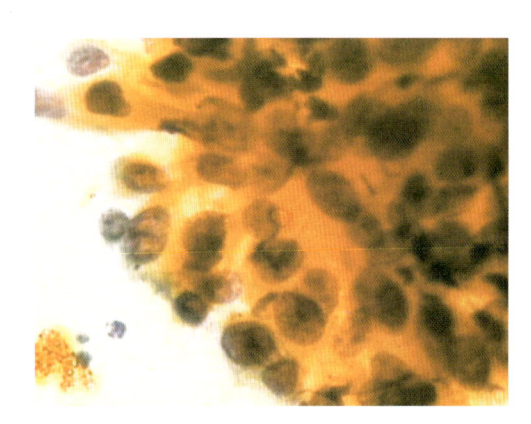

Figura 1.74
Papa 40× – Efeitos citopáticos, em células endocervicais, induzidos por quimioterapia antiblástica – Atipias nucleares sugestivas de malignidade (mímicos), de paciente em quimioterapia por CID 174.

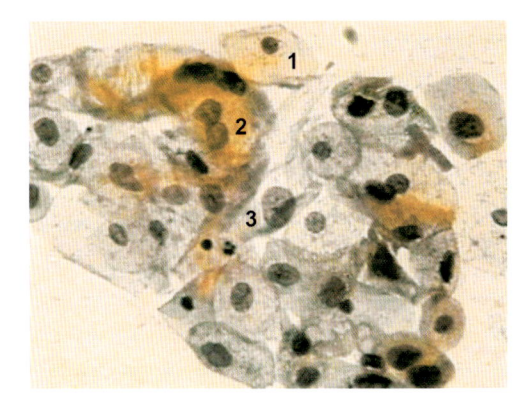

Figura 1.75
Papa 10× – Neoplasia intra-epitelial cervical grau 1 (Displasia leve) – Células do porte das intermediárias com nucleos aumentados (mais de 3 vezes o de uma células intermediária normal – comparar células normal(1) com células atípicas (2 e 3), contorno nuclear um pouco irregular, aumento do conteúdo cromatínico.

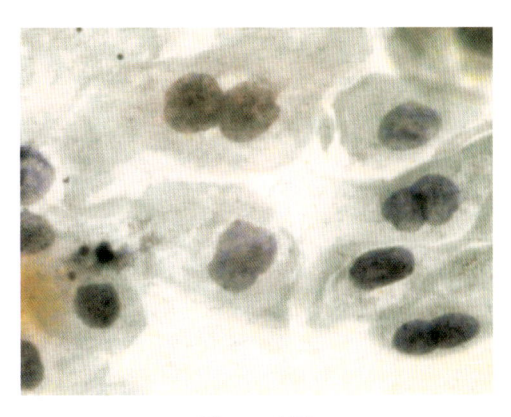

Figura 1.76
Papa 40× – Neoplasia intra-epitelial cervical grau 1 (displasia leve) – Da mesma lâmina da Fig. 1.75.

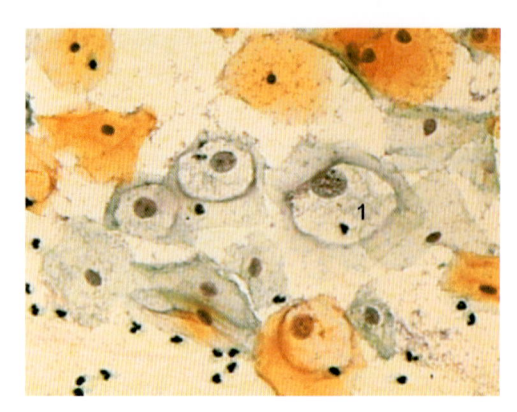

Figura 1.77
Papa 10× – Coilócitos – Células do porte das intermediárias ou superficiais exibindo núcleos atípicos, halo perinuclear extenso com bordas espessadas (1).

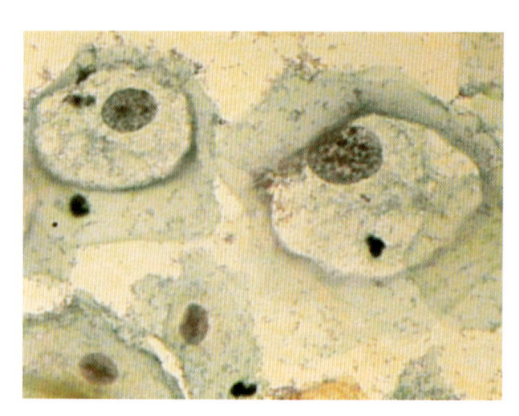

Figura 1.78
Papa 40× – Coilócitos – Detalhe da Figura 1.77.

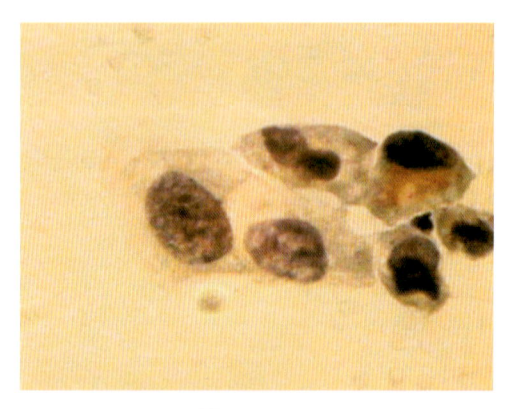

Figura 1.79
Papa 40× – Neoplasia intra-epitelial cervical grau 2 (displasia moderada) – Células do porte das parabasais com núcleo aumentado de tamanho, contorno nuclear irregular e cromatina mais granulosa que as observadas nas NIC 1.

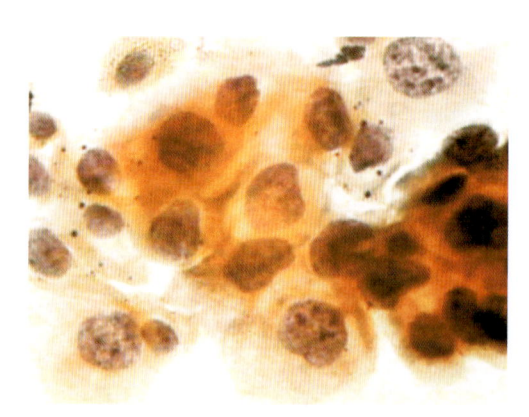

Figura 1.80
Papa 40× – Neoplasia intra-epitelial cervical grau 2 (displasia moderada). Da mesma lâmina da Figura 1.79.

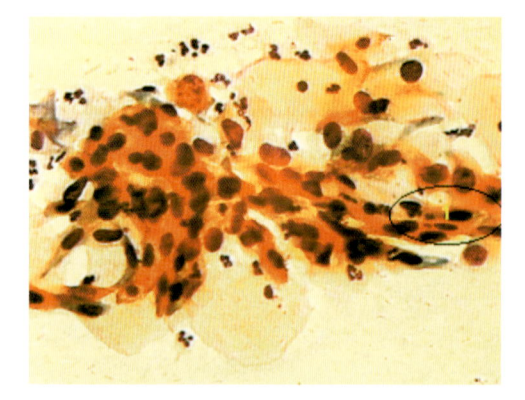

Figura 1.81
Papa 10× – Neoplasia intra-epitelial cervical grau 2 (displasia moderada). Da mesma lâmina da Figura 1.80. Observe a presença de células paraceratóticas atípicas (1).

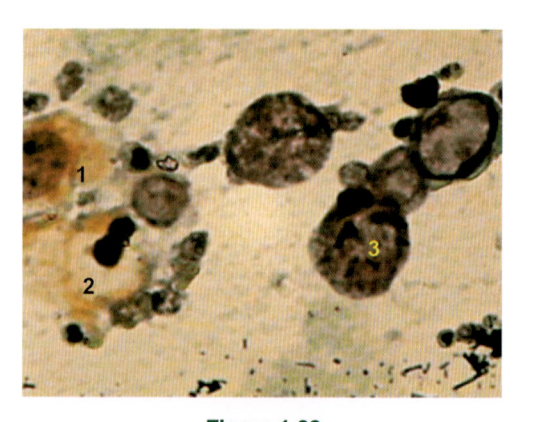

Figura 1.82
Papa 40× – Carcinoma de células escamosas *in situ* do tipo indiferenciado. Células desprovidas de citoplasma e em "fila indiana" (3), célula parabasal (1) com cromatina grosseira e espaços vazios (células do "terceiro tipo") e um pequeno coilócito (2).

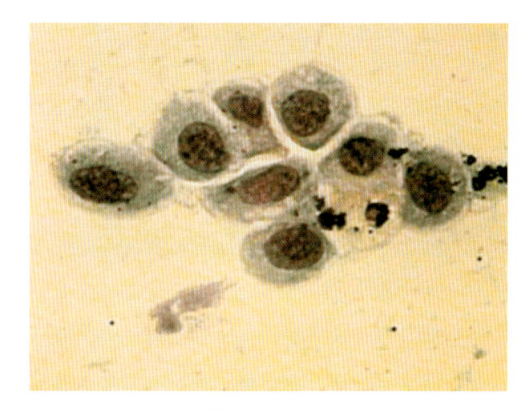

Figura 1.83
Papa 40× – Neoplasia intra-epitelial cervical grau 2 (displasia moderada). As células parabasais da displasia moderada têm mais citoplasma e menos núcleo do que as da displasia acentuada, além do mais o padrão cromatínico desta última é mais grosseiro.

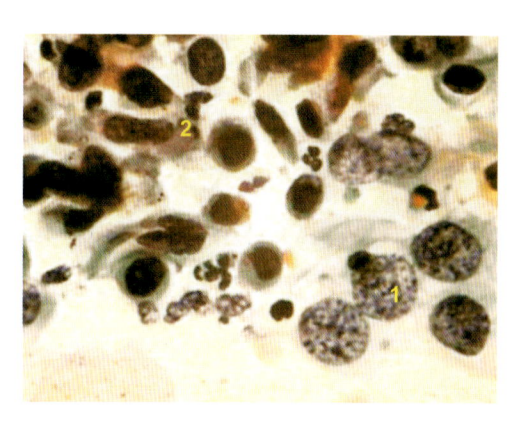

Figura 1.84
Papa 40× – Carcinoma de células escamosas *in situ*. Em (1) células do "terceiro tipo" e em (2) células atípicas paraceratóticas (carcinoma *in situ* com diferenciação superficial).

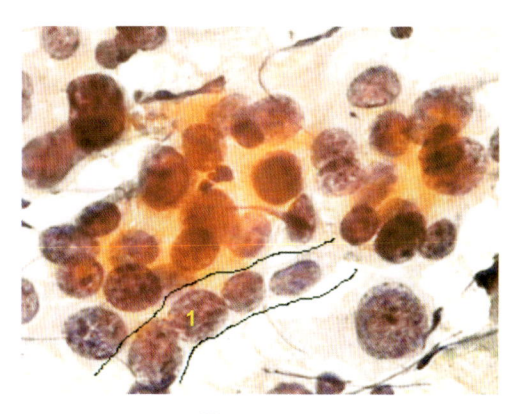

Figura 1.85
Papa 40× – Carcinoma de células escamosas *in situ* – Células profundas acentuadamente discarióticas com tendência a "fila indiana" (1).

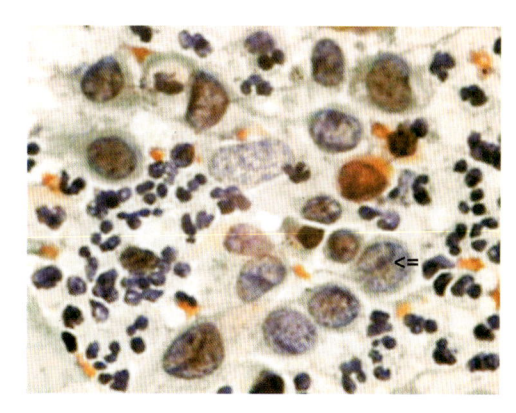

Figura 1.86
Papa 40× – Carcinoma de células escamosas provavelmente microinvasor – O diagnóstico de certeza e histopatológico, no entanto células com morfologia de carcinoma in situ, porém com nucléolos e presença de hemácias lisadas sugerem a possibilidade de microinvasão.

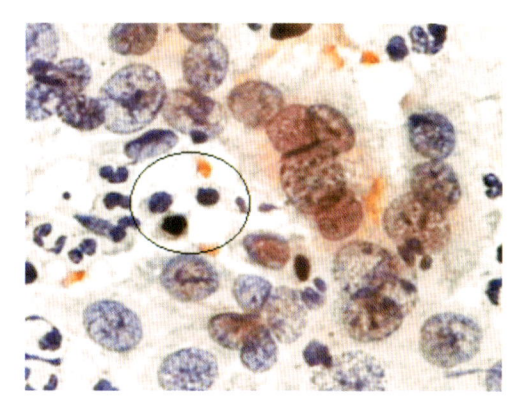

Figura 1.87
Papa 40× – Carcinoma de células escamosas provavelmente microinvasor – Além de hemácias lisadas, a presença de pequenos focos de necrose (círculo) sugere a possibilidade de microinvasão.

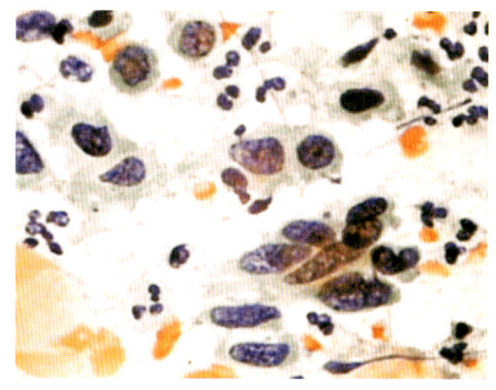

Figura 1.88
Papa 10× – Carcinoma de células escamosas invasor – Esfregaço contendo hemácias lisadas, restos de células epiteliais e presença de células escamosas com núcleos exibindo evidente variação de forma e tamanho contendo núcleos com cromatina grosseira e espaços vazios.

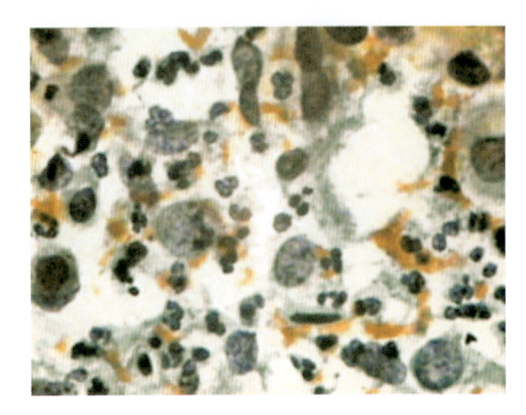

Figura 1.89
Papa 10× – Carcinoma de células escamosas invasor – Mais detalhes do mesmo esfregaço da Figura 1.88.

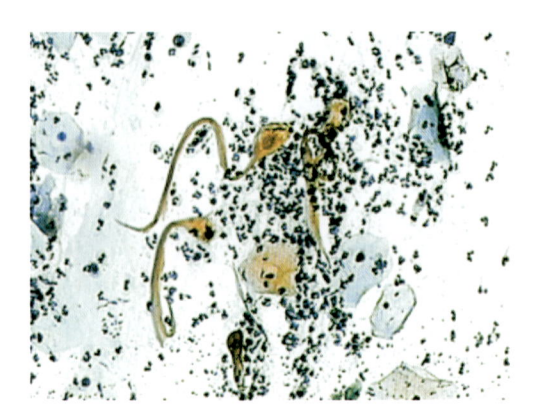

Figura 1.90
Papa 10× – Células de formato anômalo (células em girino).

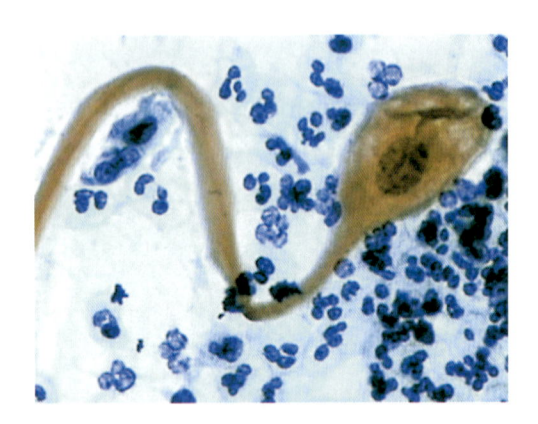

Figura 1.91
Papa 100× – Células de formato anômalo (células em girino). Estas aberrações morfológicas podem ser observadas em carcinomas de células escamosas invasor.

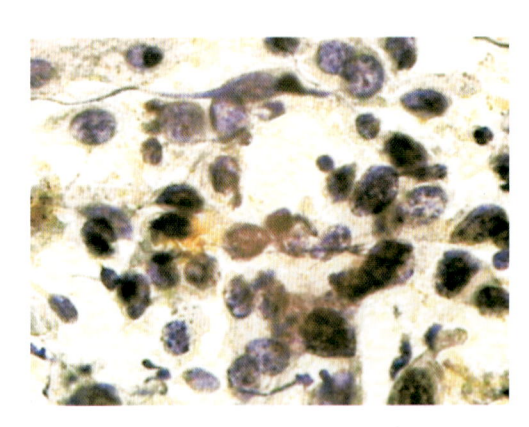

Figura 1.92
Papa 10× – Carcinoma de células escamosas invasor pouco diferenciado – Esfregaço com numerosas células escamosas de pequeno porte apresentando anisocariose, cromatina grosseira, espaços vazios, pequenos nucléolos e escasso citoplasma.

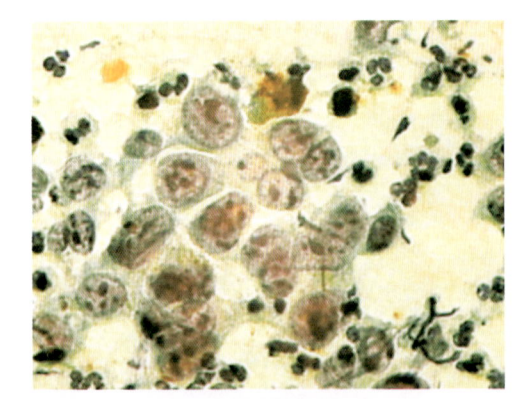

Figura 1.93
Papa 10× – Carcinoma de células escamosas invasor pouco diferenciado – Esfregaço apresentando células escamosas com evidentes critérios citomorfológicos de malignidade (cromatina grosseira, espaços vazios e nucléolos evidentes, múltiplos e irregulares).

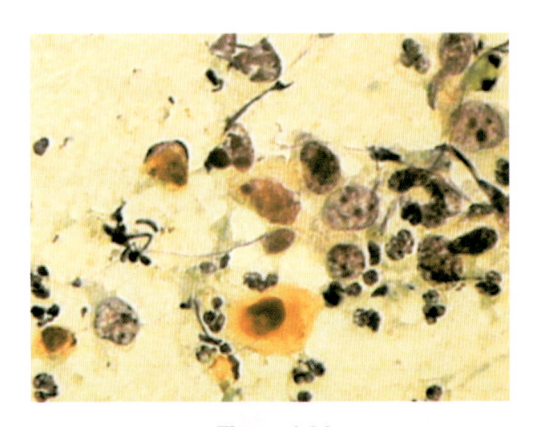

Figura 1.94
Papa 10× – Carcinoma de células escamosas invasor – Esfregaço contendo células escamosas com evidentes critérios citomorfológicos de malignidade, sendo que uma delas apresenta citoplasma densamente eosinófilo. A boa diferenciação celular do tumor é medida, entre outras coisas, pela presença e quantidade deste tipo celular no esfregaço.

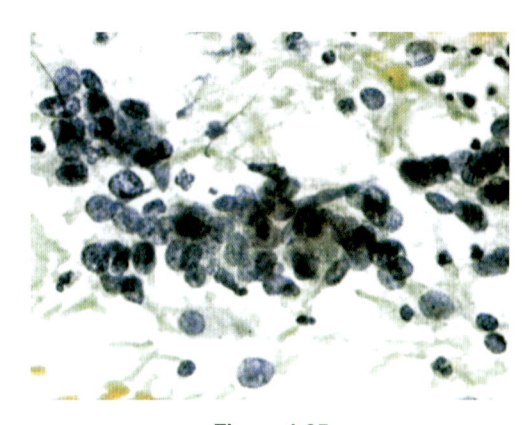

Figura 1.95
Papa 10× – Carcinoma de células escamosas pouco diferenciado. Células atípicas de pequeno porte e escasso citoplasma, exibindo cromatina de distribuição grosseira.

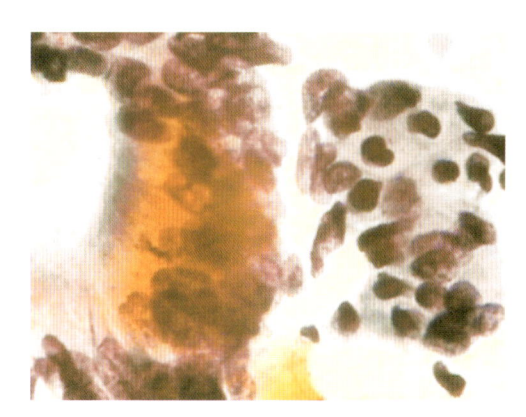

Figura 1.96
Papa 40× – Adenocarcinoma *in situ* de padrão endocervical.

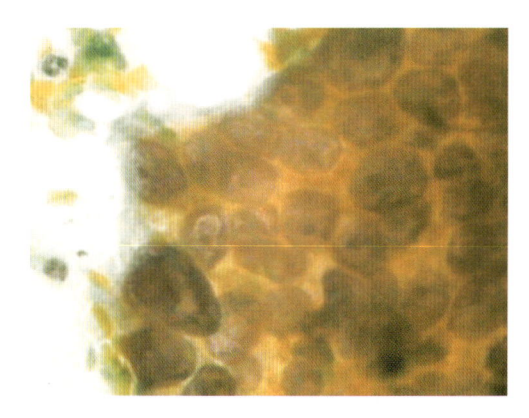

Figura 1.97
Papa 40× – Adenocarcinoma invasivo, de padrão endocervical. Observe células com núcleos hipertrofiados, hipercromasia, cromatina grosseira, sobreposição nuclear, variação de tamanho e contorno nuclear além de evidentes e irregulares nucléolos.

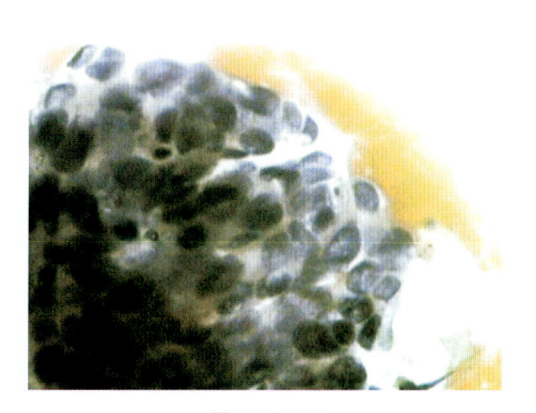

Figura 1.98
Papa 40× – Adenocarcinoma invasivo, de padrão endocervical. Observe células com núcleos hipertrofiados, hipercromasia, cromatina grosseira sobreposição nuclear, variação de tamanho e contorno nuclear além de pequenos e irregulares nucléolos.

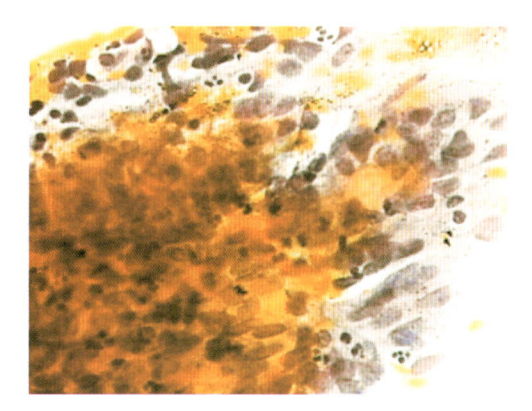

Figura 1.99
Papa 10× – Adenocarcinoma endometrial de padrão endometrióide. As células se apresentam agrupadas, sobrepostas, com cromatina de distribuição levemente grosseira, pequenos nucleolos, chamando a atenção ao aspecto em "paliçada" das células da periferia do grupo.

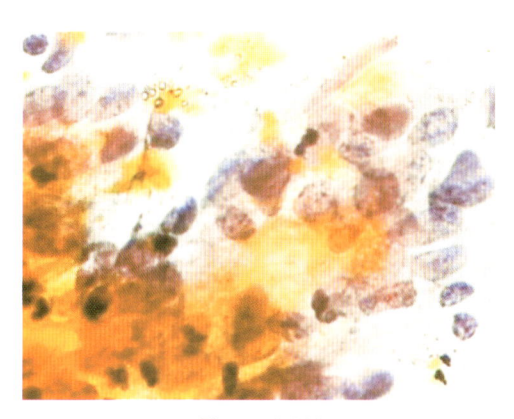

Figura 1.100
Papa 40× – Adenocarcinoma endometrial de padrão endometrióide. Detalhes da Figura 1.99.

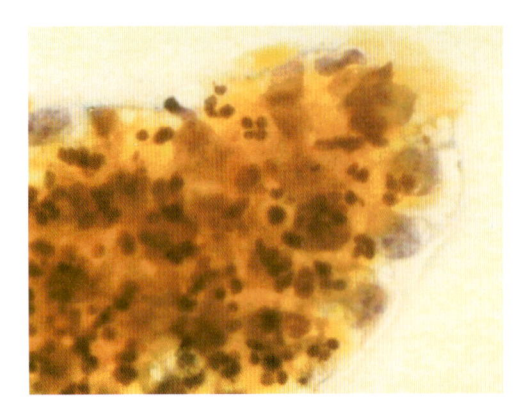

Figura 1.101

Papa 40× – Adenocarcinoma endometrial papilífero moderadamente diferenciado. As células se apresentam em agrupamentos onde é evidente as atipias celulas, núcleos proeminentes, vacuolização citoplasmática contendo polimorfonucleares neutrófilos.

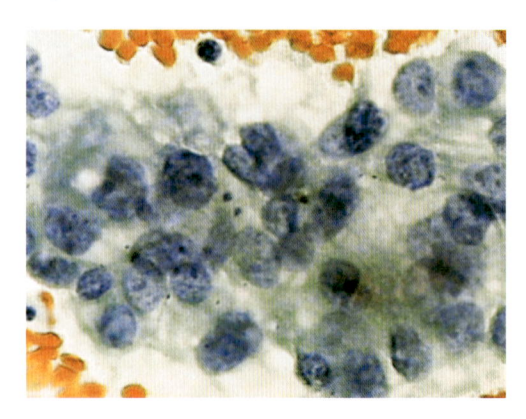

Figura 1.102

Papa 40× – Esfregaço ectocervical. Carcinoma de células claras. Células com padrão morfológico de adenocarcinoma, porém com citoplasma microvacuolado.

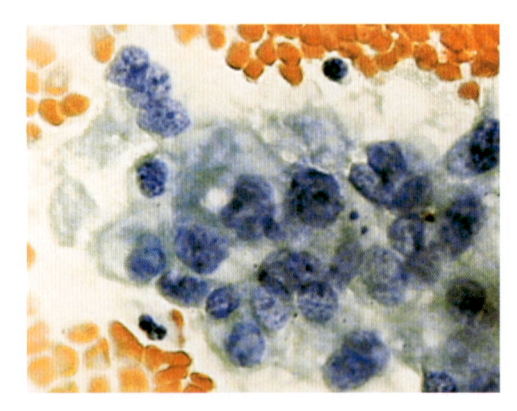

Figura 1.103

Papa 40× – Esfregaço ectocervical. Carcinoma de células claras. Outro campo microscópico do mesmo caso da Figura 1.102.

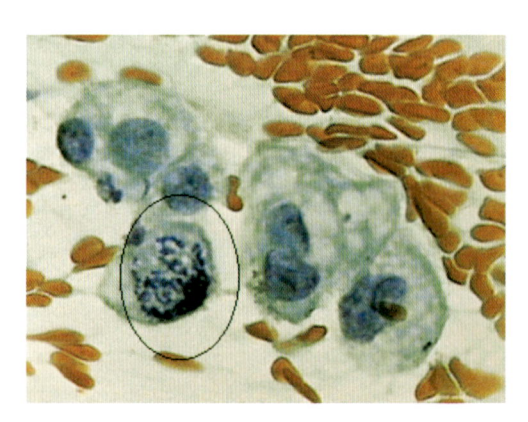

Figura 1.104

Papa 100× – Esfregaço do ectocérvice. Carcinoma de células claras. Mitose atípica.

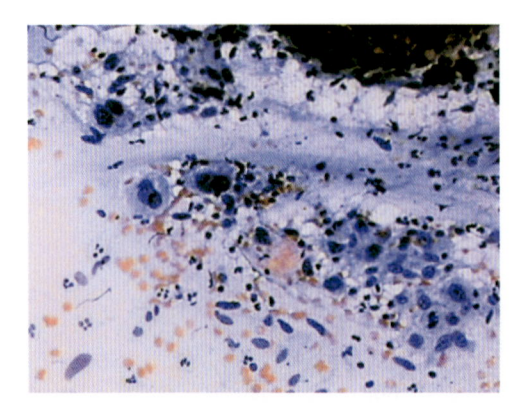

Figura 1.105

Papa 10× – Esfregaço cérvico-vaginal. Leiomiossarcoma de endométrio. Células pleomórficas e por vezes de aspecto fusiforme.

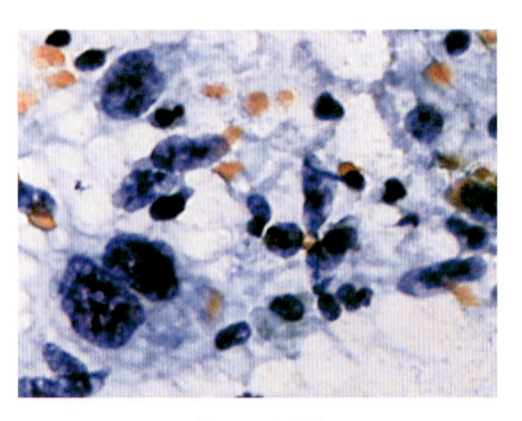

Figura 1.106

Papa 100× – Esfregaço cérvico-vaginal. Leiomiossarcoma de endométrio. Células pleomórfica, por vezes fusiformes, de cromatina grosseira e com espaços vazios.

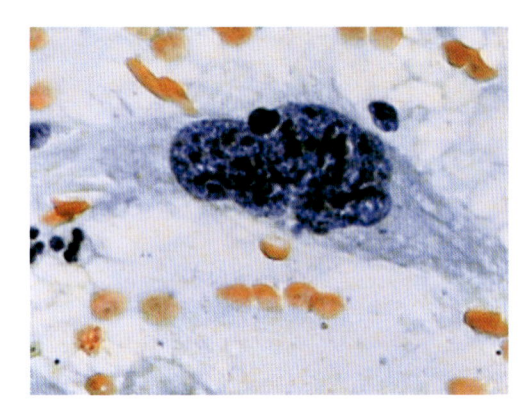

Figura 1.107
Papa 100× – Esfregaço cérvico-vaginal. Leiomiossarcoma de endométrio. Célula pleomórfica, multinucleada, de cromatina grosseira e com espaços vazios.

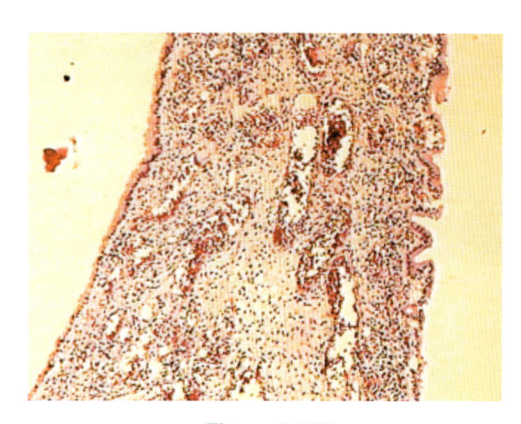

Figura 1.108
HE 4× – Pólipo endocervical – Formação poliposa revestida por epitélio colunar contendo eixo vascular freqüentemente dilatado.

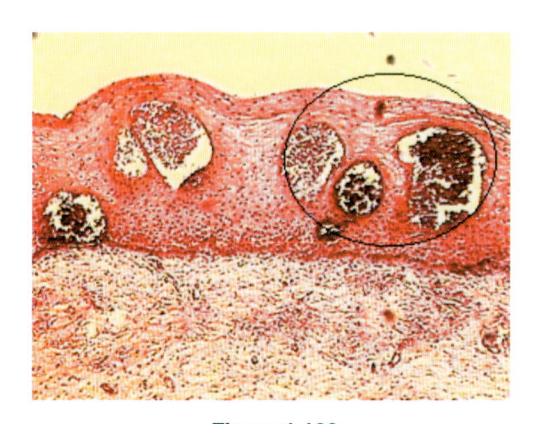

Figura 1.109
HE 4× – Papilas vasculares ectasiadas – Vasos sangüíneos dilatados, congestos, atingido a superfície do epitélio dão freqüentemente imagens colposcópicas de pontilhado.

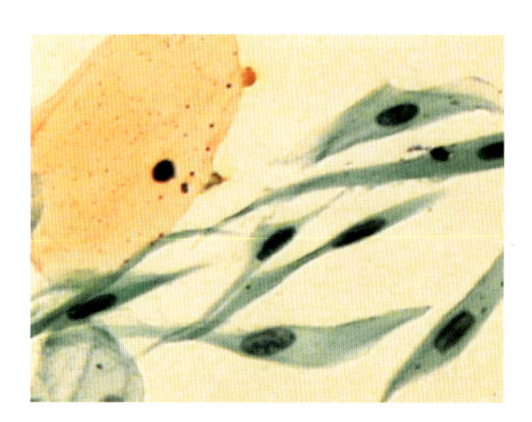

Figura 1.110
Papa 40× – Paraceratose – Células fusiformes. Podem ser observadas em achados colposcópicos de epitélio branco.

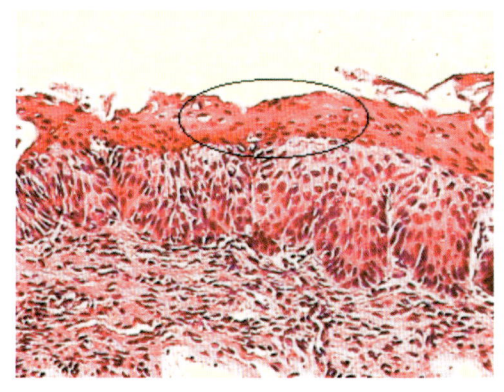

Figura 1.111
HE 10× – Paraceratose – Imagem de uma biópsia de colo uterino em epitélio branco. Dentro do círculo observar células de citoplasma densamente eosinofílico e de núcleos fusiformes.

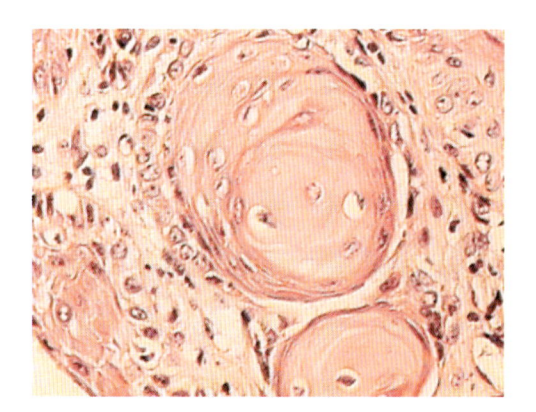

Figura 1.112
HE 40× – Pérolas córneas – Agrupamentos concentricos de células escamosas com tendência a ceratinização. Podem ser benignas, como neste caso, e malignas quando apresentam atipias celulares e estão presentes em carcinoma de células escamosas geralmente bem diferenciados.

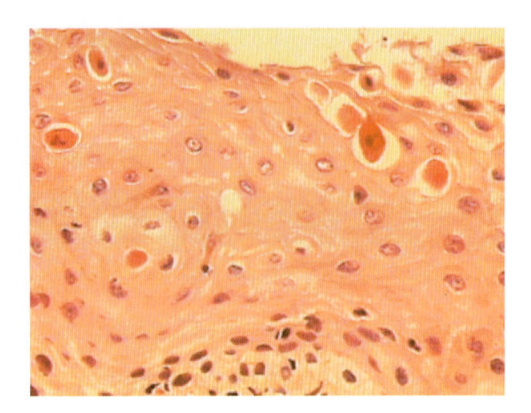

Figura 1.113
HE 10× – Disceratose – Células arredondadas, de citoplasma densamente orangiófilo, destacadas do resto do epitélio por halo claro. Podem dar epitélio branco à colposcopia.

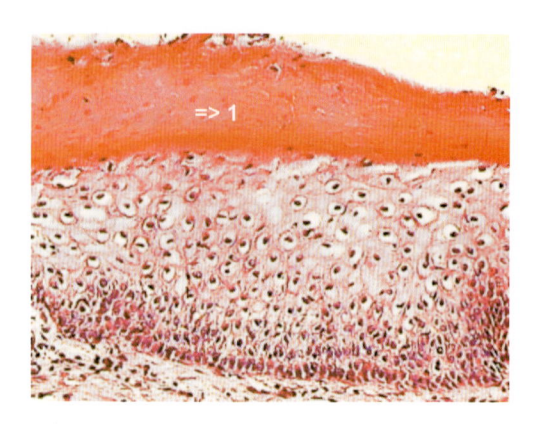

Figura 1.114
HE 4× – Fragmento de colo uterino mostrando espessa camada de queratina (1). Não há atipia na camada basal. Estes achados representam colposcopicamente epitélio branco do tipo leucoplásico e são observados mais em processos reacionais do que neoplásicos.

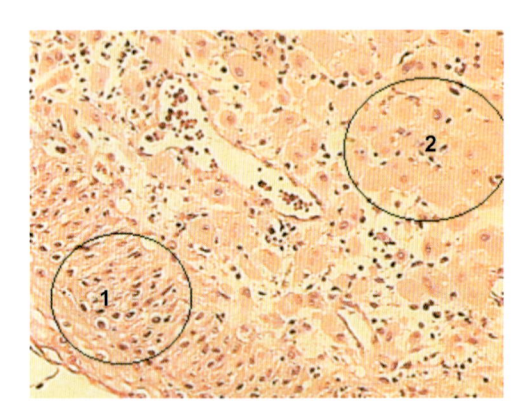

Figura 1.115
HE 10× – Deciduose do colo uterino – Em (1) observa-se o epitélio escamoso de revestimento e em (2) células estromáticas com reação decidual. A imagem colposcópica, quando a deciduose cervical é intensa, pode sugerir, colposcopicamente, neoplasia invasiva do colo uterino.

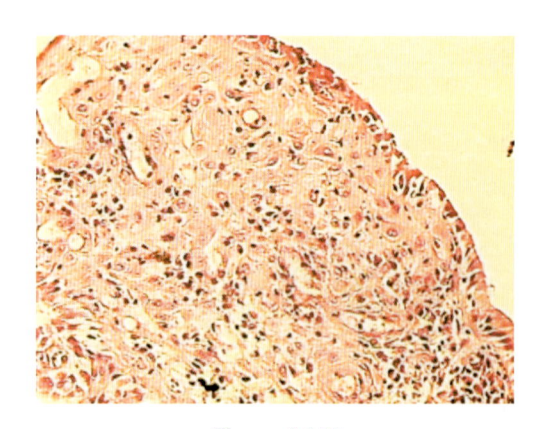

Figura 1.116
HE 10 × – Deciduose do colo uterino – Observa-se o epitélio colunar de revestimento e células estromáticas com reação decidual. Células deciduais, à citologia, por apresentarem algum tipo de atipia, podem sugerir ASCUS favorável a HSIL, ou até AGUS favorável a neoplasia.

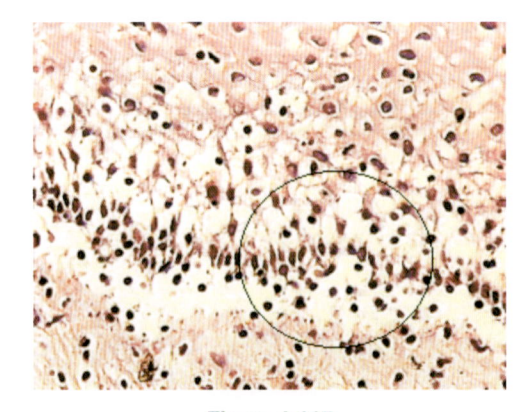

Figura 1.117
HE 4× – Espongiose. Epitélio escamoso com cavitação intercelular, caracterizado por acúmulo de água entre as células. O edema, além de descolar as células epiteliais, está descolando o epitélio do estroma (ver círculo).

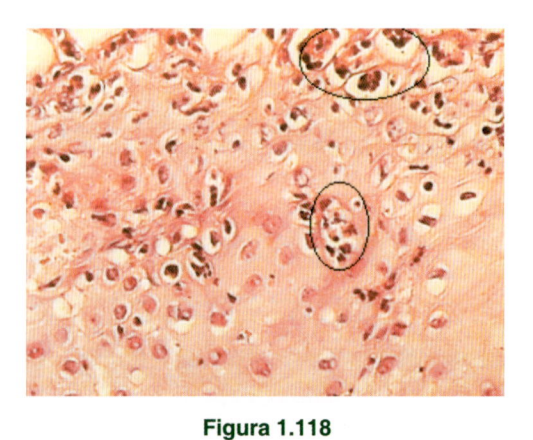

Figura 1.118
HE 4× – Exocitose – Presença de leucócitos (polimorfonucleares neutrófilos), no interior do epitélio (ver círculos).

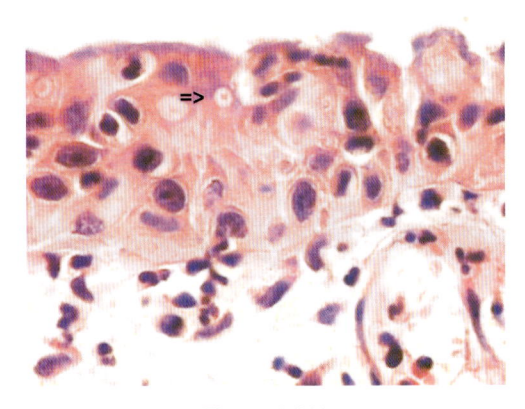

Figura 1.119

HE 40× – Sugestivo de infecção por *Chlamydia trachomatis* – Fragmento de colo uterino com epitélio metaplásico imaturo apresentando células com vacuolização citoplasmática de bordas espessadas contendo inclusão eosinofílica (seta).

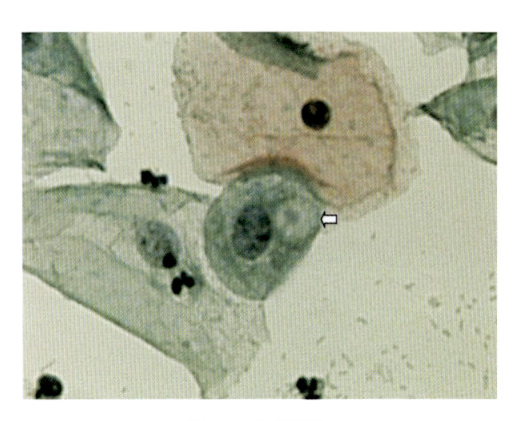

Figura 1.120A

Papa 40× – Célula do tipo metaplásico com vacuolização citoplasmática e com inclusão, sugestivo de clamídia.

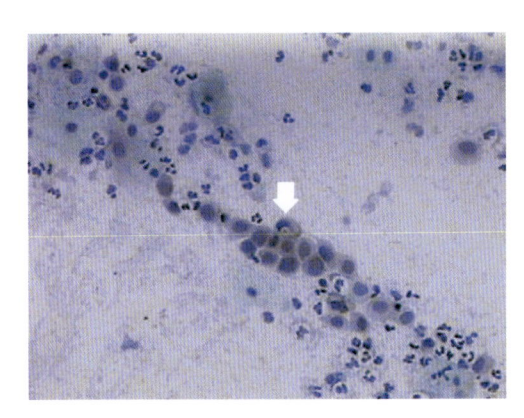

Figura 1.120B

Papa 10× – Clamídia. Vacuolização citoplasmática com inclusão eosinofílica, em células do tipo "metaplásico". A paciente apresentava ectopia friável.

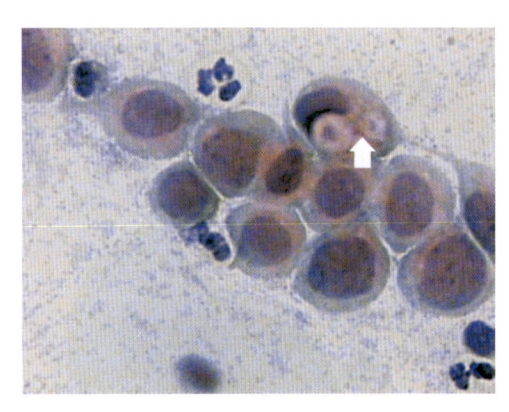

Figura 1.120C

Papa 40x – Clamídia. Detalhe da Figura 1.120B.

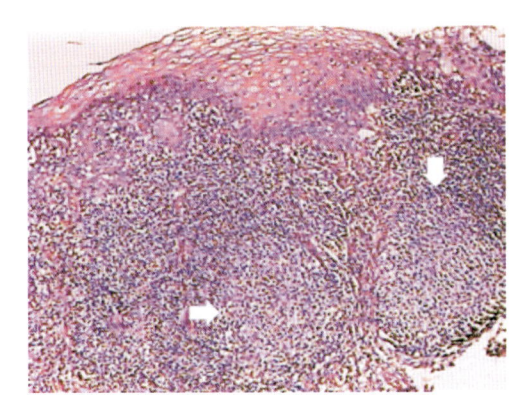

Figura 1.121

HE 10× – Fragmento de colo uterino. Cervicite folicular crônica. Observar infiltrado inflamatório mononuclear denso que por vezes se arranja em formações nodulares do tipo folicular (setas).

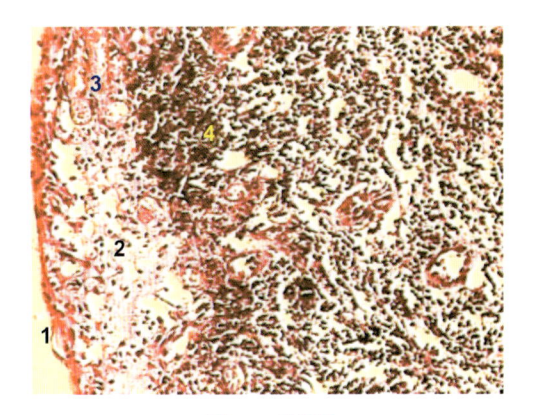

Figura 1.122

HE 4× – Tecido de granulação – Resultado de sucessivas erosões ou de biópsias. Há perda do revestimento epitelial (1), edema (2), neovascularização (3) e infiltrado inflamatório (4). À colposcopia pode dar tecido branco denso, vasos atípicos com tecido friável e sangrante.

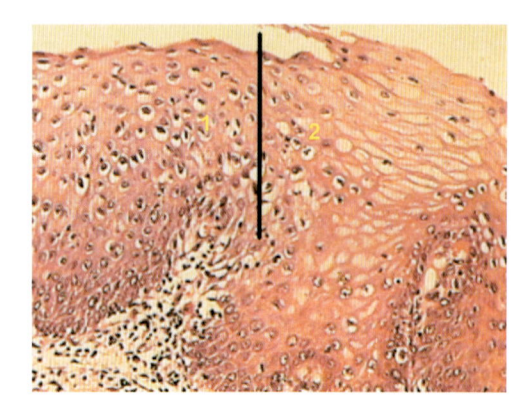

Figura 1.123

HE 4× – Fragmento de colo uterino mostrando neoplasia intra-epitelial cervical grau 1 (CIN 1 – LSIL) no lado esquerdo da foto (1) continuando-se por epitélio sem atipias, no lado direito (2). Compare as variações de tamanho, formato e disposição das células no epitélio.

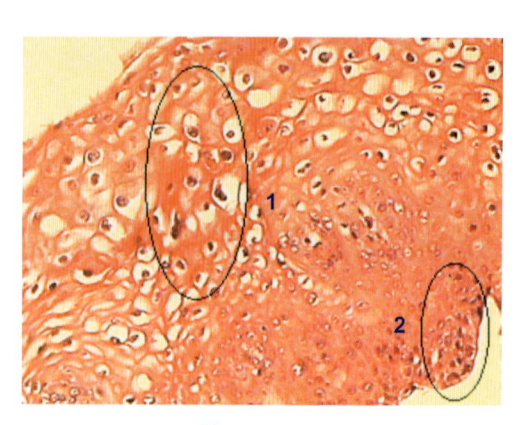

Figura 1.124

HE 10× – Fragmento de colo uterino mostrando neoplasia intra-epitelial cervical grau 1 (CIN 1 – LSIL) em que há coilocitose (1) e discreta hiperplasia atípica da basal (2). A coilocitose indica replicação viral, síntese de proteínas virais L1 e L2, caracterizando infecção ativa por HPV.

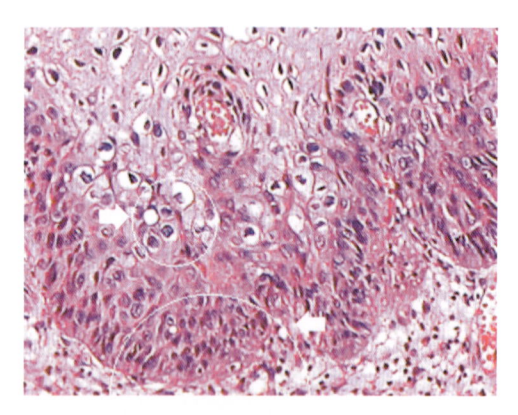

Figura 1.125

HE 40× – Fragmento de colo uterino mostrando neoplasia intra-epitelial cervical grau 1 (CIN 1 – LSIL). Hiperplasia basal, envolvendo o terço interno do epitélio (círculo maior), onde se evidenciam despolaridade e atipia nuclear. No círculo menor há esboçamento de coilocitose.

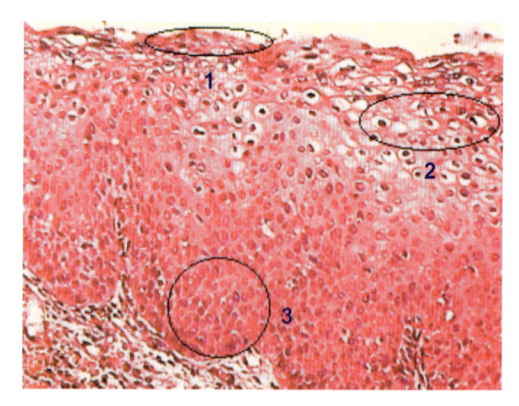

Figura 1.126

HE 10× – Fragmento de colo uterino mostrando neoplasia intra-epitelial cervical grau 1 (CIN 1 – LSIL). Há paraceratose (1), pode dar epitélio branco à colposcopia, coilocitose (2) e hiperplasia atípica da basal (3) atingindo apenas o terço interno do epitélio.

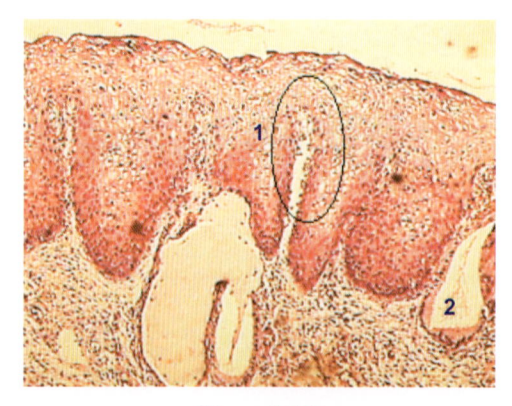

Figura 1.127

HE 4× – Fragmento de colo uterino mostrando Neoplasia intra-epitelial cervical grau 1 (CIN 1 – LSIL). Há elevação de papilas vasculares (1), pode dar pontilhado ou mosaico à colposcopia. As glândulas endocervicais (2) sob o epitélio atípico classificam este último como epitélio metaplásico.

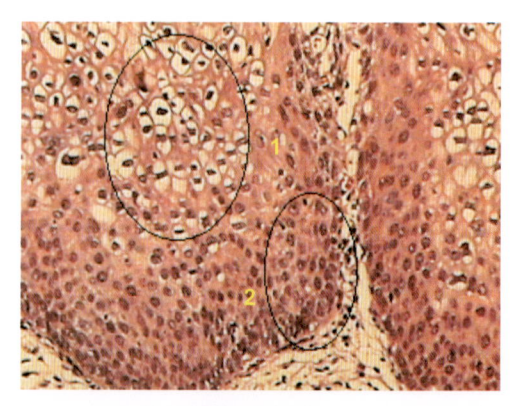

Figura 1.128

HE 10× – Fragmento de colo uterino mostrando neoplasia intra-epitelial cervical grau 1 (CIN 1 – LSIL). Hiperplasia basal atípica envolvendo apenas o terço interno do epitélio (2) classifica como CIN 1. A coilocitose indica infecção ativa por HPV (1).

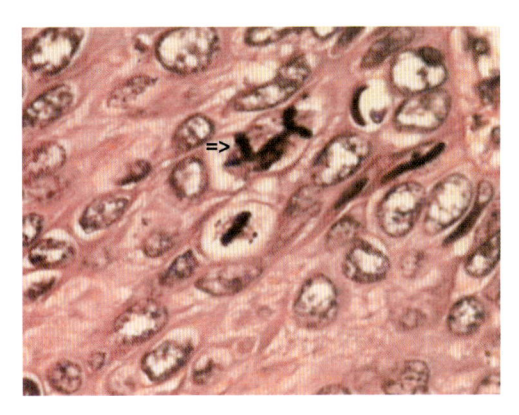

Figura 1.129
HE 40× – Mitose tetrapolar – Mitose atípica é indicativa de subtipos oncogênicos de HPV.

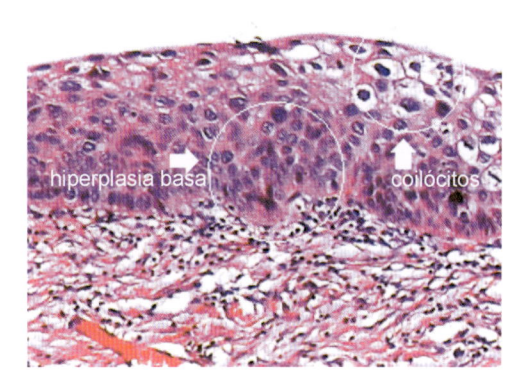

Figura 1.130
HE 10× – Fragmento de colo uterino mostrando neoplasia intra-epitelial cervical grau 2 (CIN 2 – HSIL). A hiperplasia atípica da basal ultrapassa o terço interno e envolve o terço médio. No círculo menor há coilócitos.

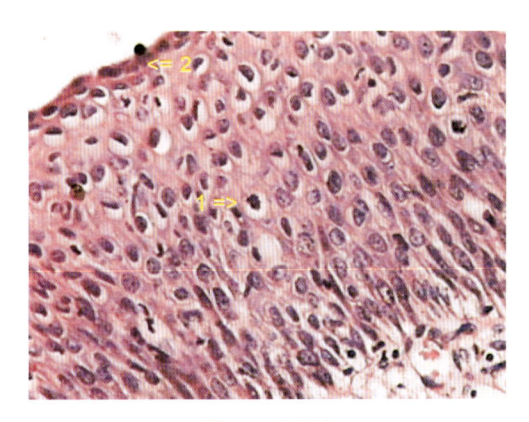

Figura 1.131
HE 10× – Neoplasia intra-epitelial cervical grau 2 – Há hiperplasia basal atípica com mitose atípica (1) envolvendo os dois terços internos do epitélio. Discreta paraceratose (1).

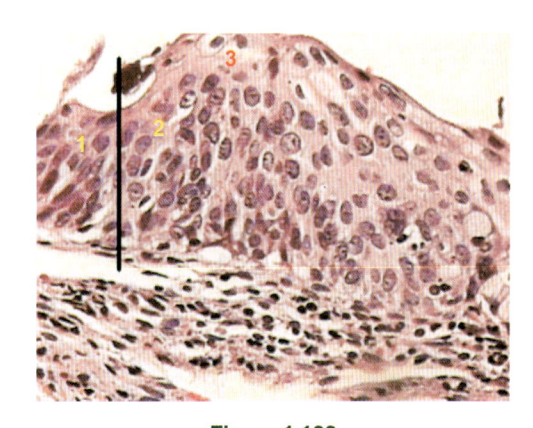

Figura 1.132
HE 10× – Neoplasia intra-epitelial cervical graus 2 e 3 – Do lado esquerdo (1) da foto há atipia e despolaridade envolvendo praticamente toda a espessura do epitélio, enquanto na porção direita (2) estas atípias envolvem no máximo os dois terços internos do epitélio e coexiste coilocitose (3).

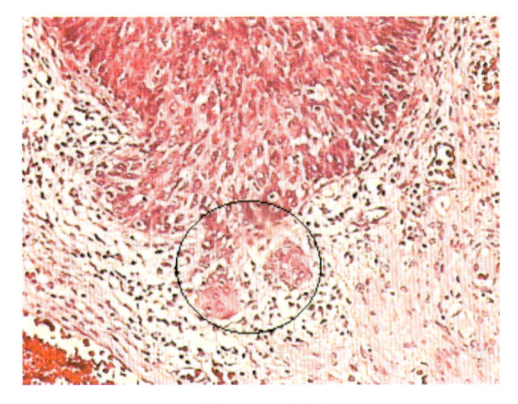

Figura 1.133
HE 10× – Carcinoma de células escamosas *in situ* com micro-invasão (invasão mínima). No círculo há dois pequenos agrupamentos de células neoplásicas rompendo a membrana basal e infiltrando superficialmente o estroma. Há um halo inflamatório em torno.

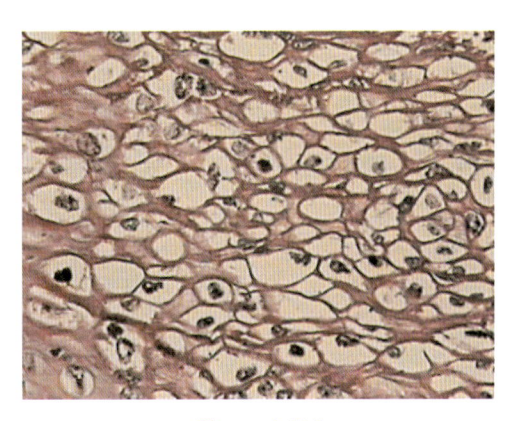

Figura 1.134
HE 10× – Coilocitose – Células intermediárias com citoplasma claro e núcleos com variação de tamanho, forma e contorno irregular.

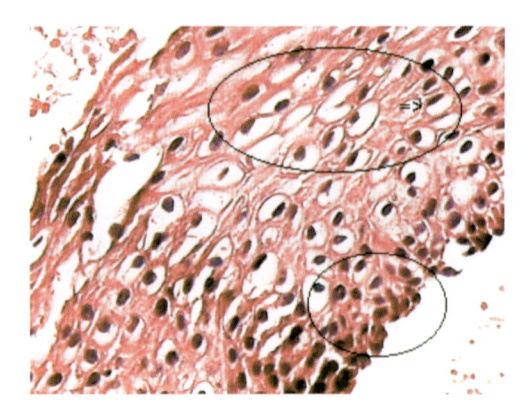

Figura 1.135

HE 10× – Mímico – Alterações celulares reacionais que podem confundir com alterações induzidas por HPV. A basal está levemente hiperplasiada porém não há sobreposição nuclear e nem alterações cromatínicas (círculo menor). Há vacuolização citoplasmática com discreta hipertrofia nuclear (círculo maior), que poderiam confundir com coilócitos, no entanto há um certo grau de uniformidade celular com contorno nuclear liso. Na *seta* há um núcleo "falciforme" indicativo de natureza reacional.

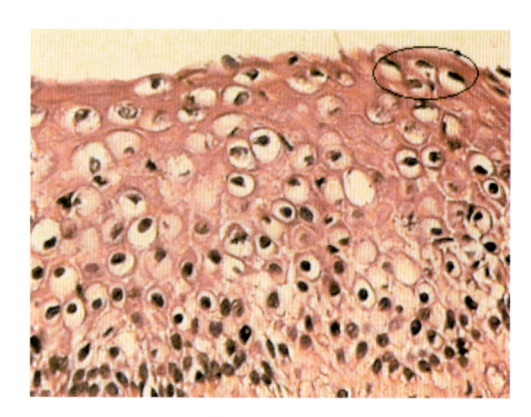

Figura 1.136

HE 10× – Mímico – Alterações celulares reacionais que podem confundir com alterações induzidas por HPV. Observe no círculo núcleos falciformes. Um dos critérios para infecção por HPV é o encontro de pelo menos duas células multinucleadas por campo de 10x.

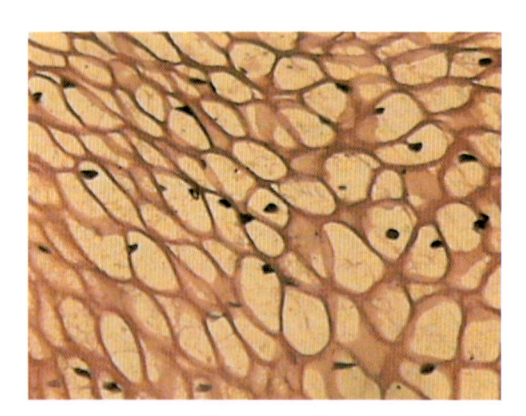

Figura 1.137

HE 10× – Mímico – Secção histológica em epitélio escamoso original absolutamente normal. Observe a uniformidade do padrão celular. Não há atipias e nem variações morfológicas significativas.

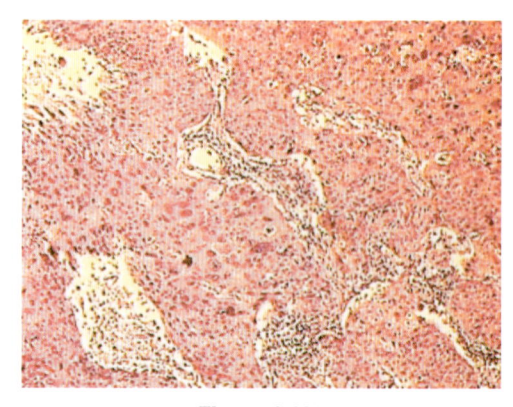

Figura 1.138

HE 4× – Carcinoma de células escamosas invasor, do colo uterino – Lençóis e massas celulares infiltrando o estroma. As células são atípicas, de citoplasma orangiófilico e de núcleos pleomórficos.

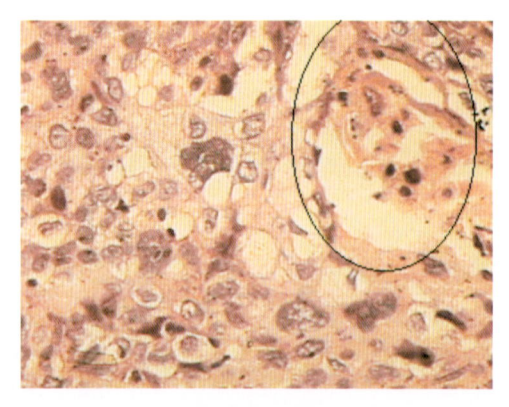

Figura 1.139

HE 10× – Carcinoma de células escamosas moderadamente diferenciado e invasor, do colo uterino. Lençóis e massas celulares infiltrando o estroma. As células são atípicas, de citoplasma pálido, de núcleos pleomórficos e se observa algum grau de ceratinização individual ou em agrupamentos (círculo).

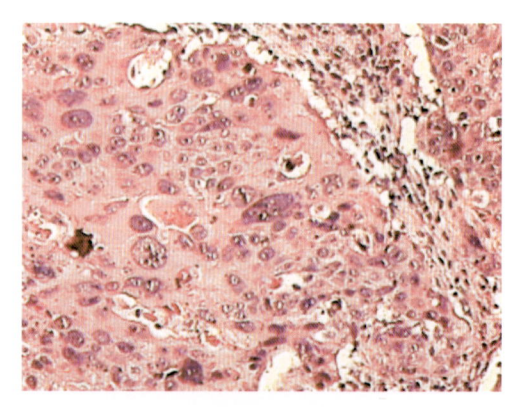

Figura 1.140

HE 40× – Carcinoma de células escamosas moderadamente diferenciado e invasor do colo uterino.

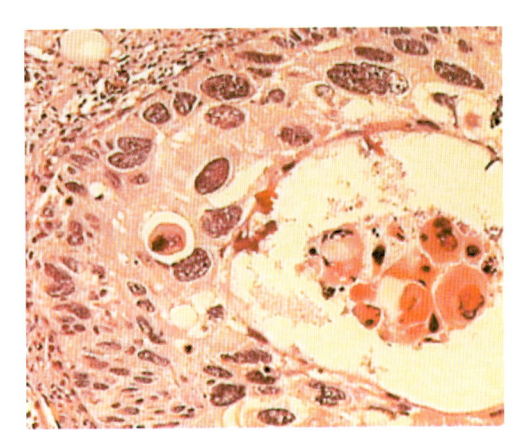

Figura 1.141
HE 40× – Carcinoma de células escamosas moderadamente diferenciado e invasor, do colo uterino. Há grandes e pleomórficos núcleos com focos de evidente ceratinização.

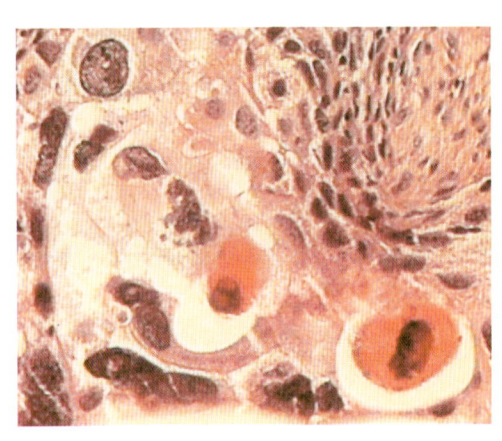

Figura 1.142
HE 40× – Carcinoma de células escamosas moderadamente diferenciado e invasor do colo uterino. Mais detalhes da Figura 1.141.

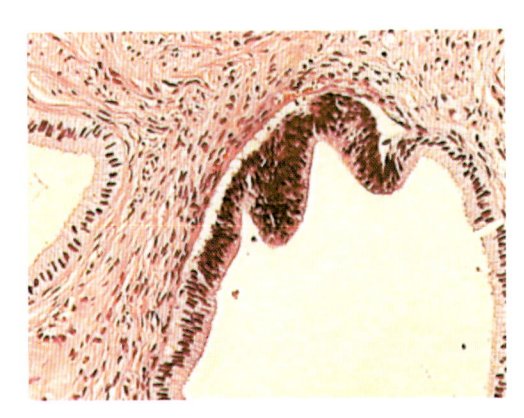

Figura 1.143
HE 10× – Adenocarcinoma *in situ* de colo uterino – Uma glândula endocervical à esquerda da imagem mostra revestimento epitelial normal. A glândula à direita apresenta foco de hiperplasia com atipia e superposição nucleares.

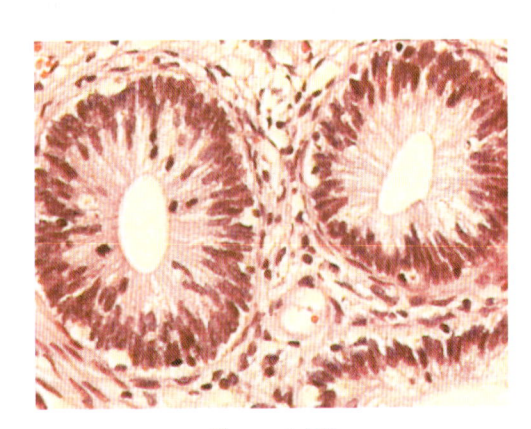

Figura 1.144
HE 40× – Adenocarcinoma *in situ* de colo uterino – Duas glândulas revestidas por epitélio atípico, em várias camadas, onde há superposição de núcleos e freqüentes mitoses.

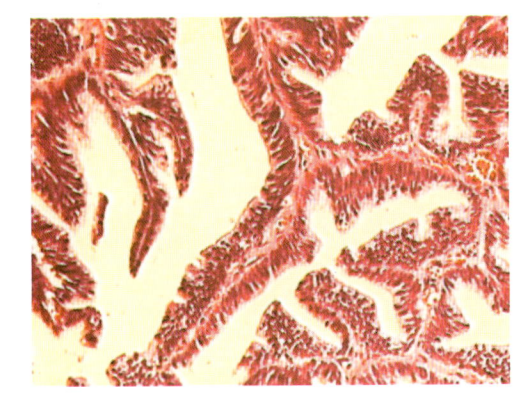

Figura 1.145
HE 10× – Adenocarcinoma de colo uterino, padrão endocervical, invasor.

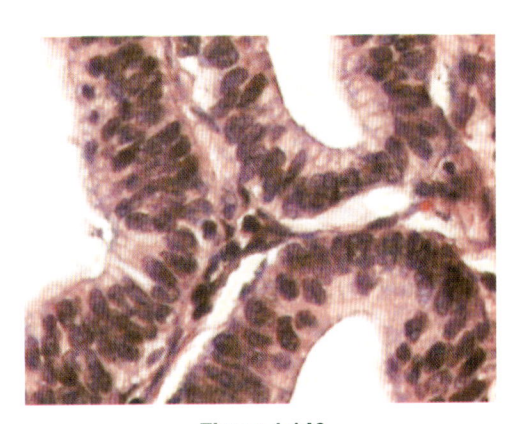

Figura 1.146
HE 40× – Adenocarcinoma de colo uterino, padrão endocervical, invasor. Detalhes da figura anterior. O revestimento celular atípico com sobreposição de núcleos, atipias nucleares e freqüentes mitoses.

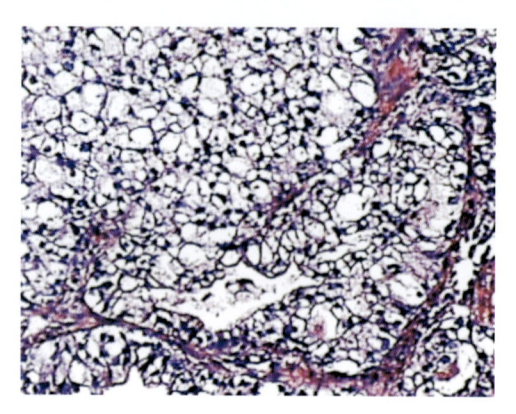

Figura 1.147
HE 10× – Fragmento de colo uterino. Carcinoma de células claras. O campo mostra neoplasia constituída por células epiteliais com arranjo glandular e citoplasma microvacuolado, conferindo uma aspecto "claro" a ele.

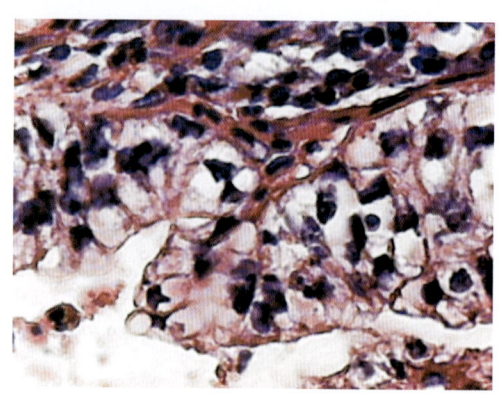

Figura 1.148
HE 10× – Fragmento de colo uterino. Carcinoma de células claras. O campo mostra detalhes da Figura 1.147.

CITOLOGIA EM MEIO LÍQUIDO

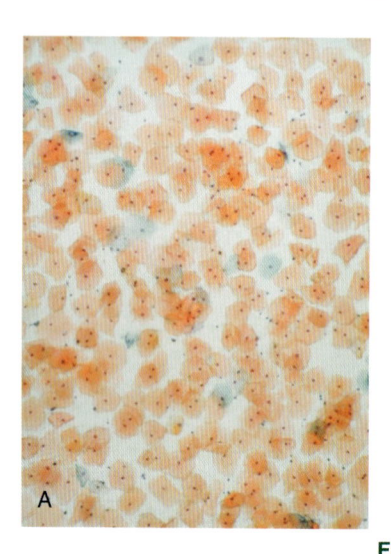

Figura 1.149
A. Citologia em meio líquido: fundo limpo, sem muco e leucócitos. Há distribuição celular regular em monocamada.
B. Pap-convencional: fundo sujo com muito muco e leucócitos.

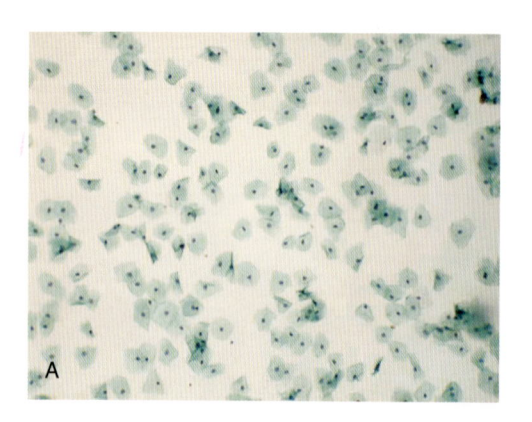

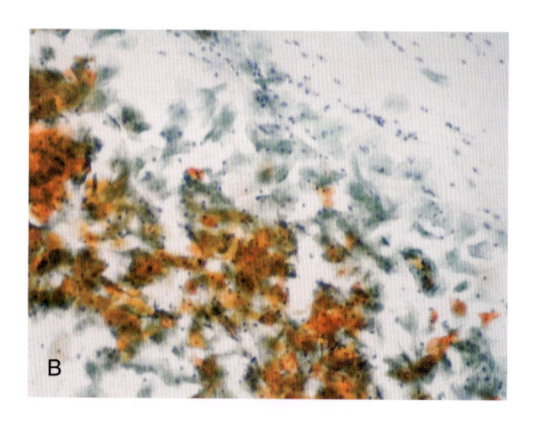

Figura 1.150
A. Citologia em meio líquido: fundo limpo, sem muco e leucócitos. Há distribuição celular regular em monocamada.
B. Pap-convencional: distribuição celular irregular e com sobreposição de células.

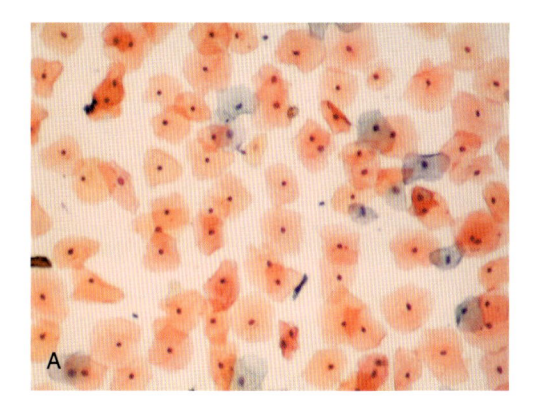
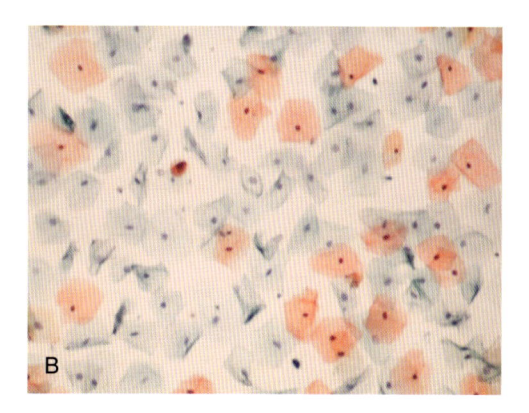

Figura 1.151
A. Citologia em meio líquido: fundo limpo, sem muco e leucócitos. Há distribuição celular regular em monocamada.
B. Gel alcoólico: fundo limpo, sem muco, sem leucócitos e células distribuídas em monocamada.

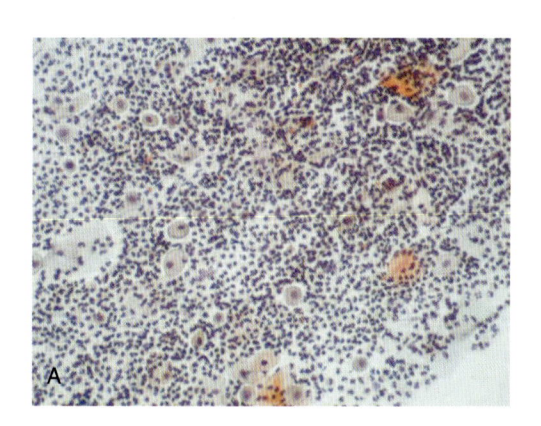
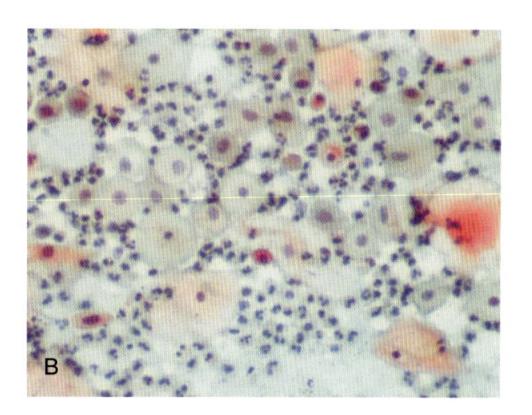

Figura 1.152
Pap-convencional: atrofia com inflamação. **A e B**. Células parcialmente dessecadas e obscurecimento parcial por
grande número de polimorfonucleares neutrófilos.

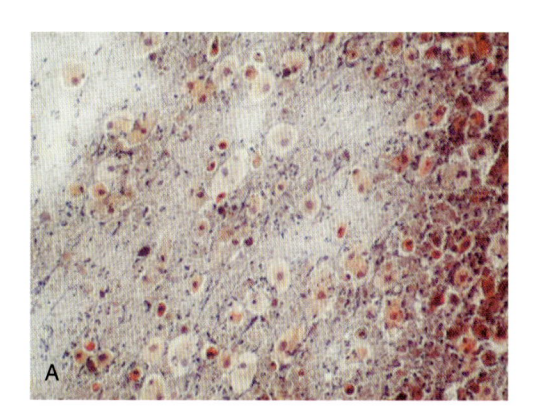
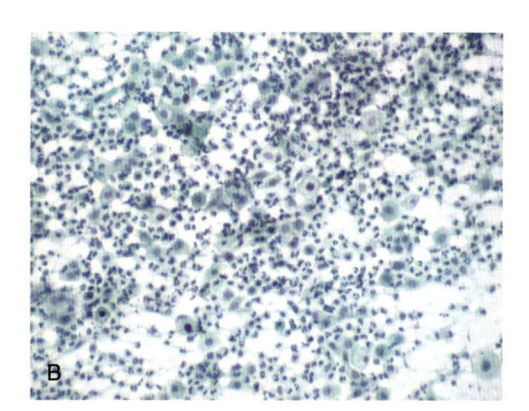

Figura 1.153
Pap-convencional: atrofia com inflamação. **A e B**. Células parcialmente dessecadas e obscurecimento parcial por
grande número de polimorfonucleares neutrófilos.

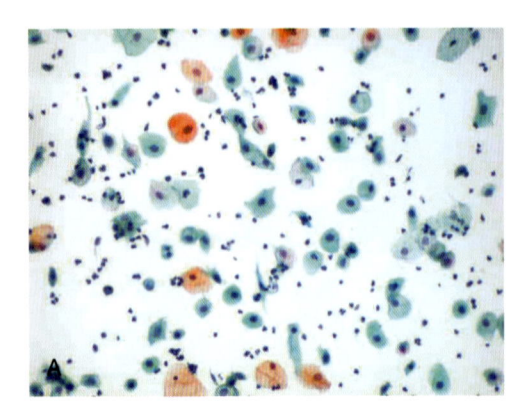
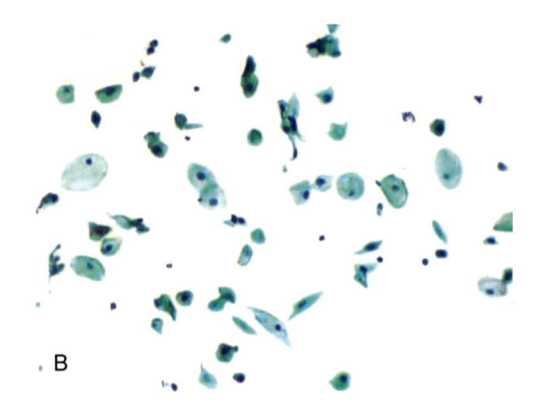

Figura 1.154

Citologia em meio líquido: atrofia com e sem inflamação. **A**. Células sem artefato de dessecamento e com fundo pouco inflamatório. **B**. Fundo limpo, não inflamatório.

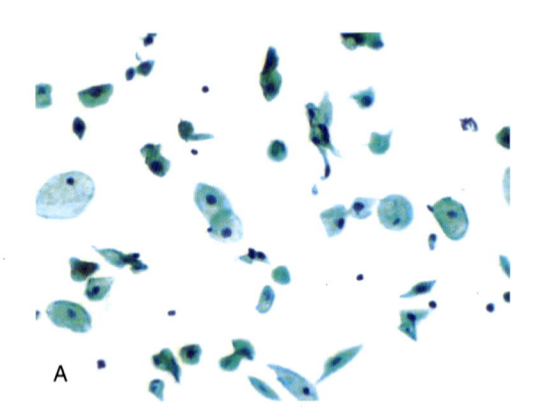
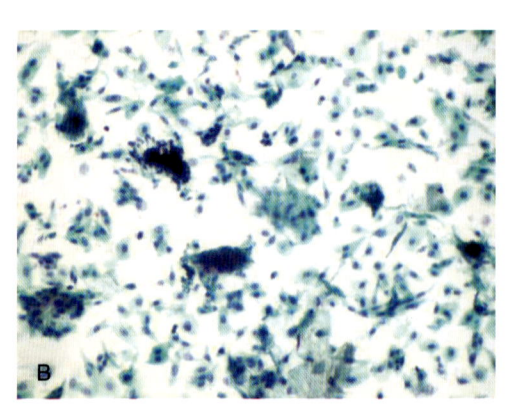

Figura 1.155

Citologia em meio líquido: atrofia. **A**. Células sem artefato de dessecamento e com fundo limpo, não inflamatório. **B**. Acentuada atrofia.

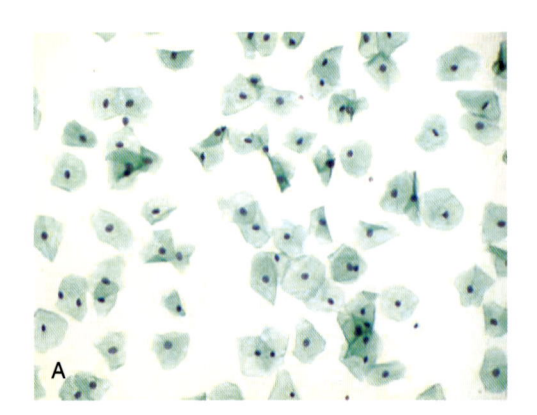
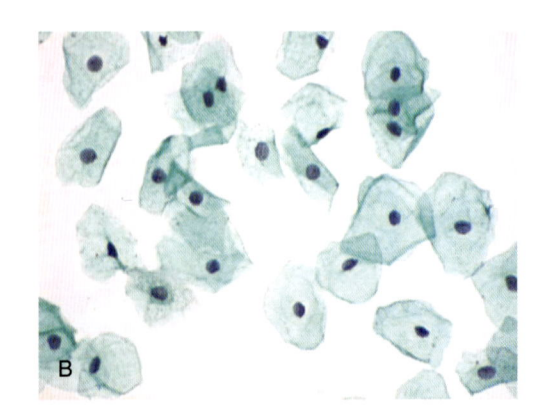

Figura 1.156

Citologia em meio líquido: células intermediárias. **A e B**. Células sem artefato de dessecamento e com fundo limpo, sem muco e leucócitos.

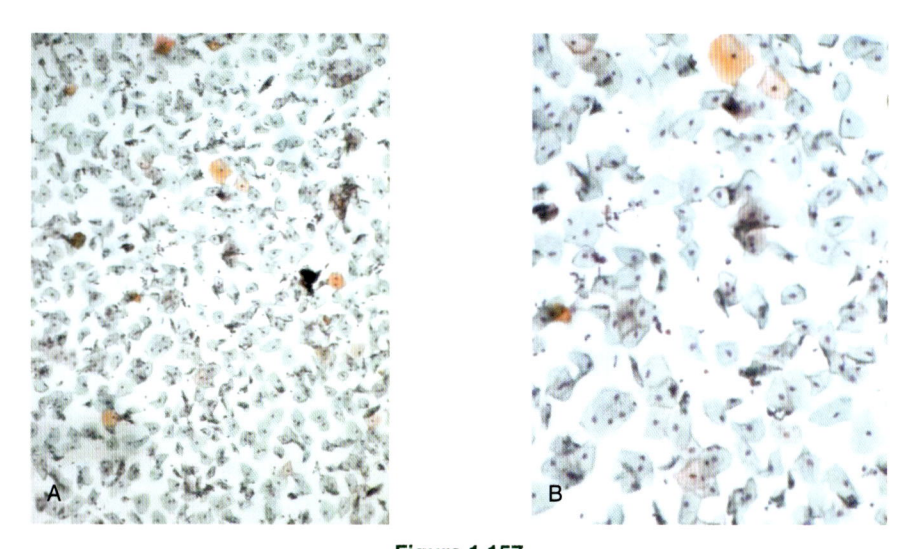

Figura 1.157
Citologia em meio líquido: gravidez – células intermediárias. **A e B**. Células sem artefato de dessecamento, com fundo limpo, sem muco e leucócitos. As células estão levemente agrupadas, distribuídas em monocamada.

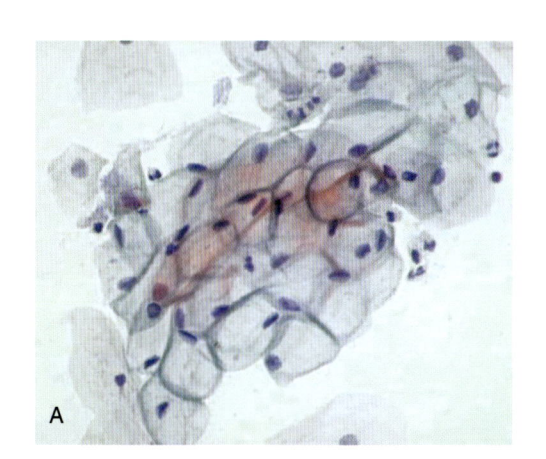 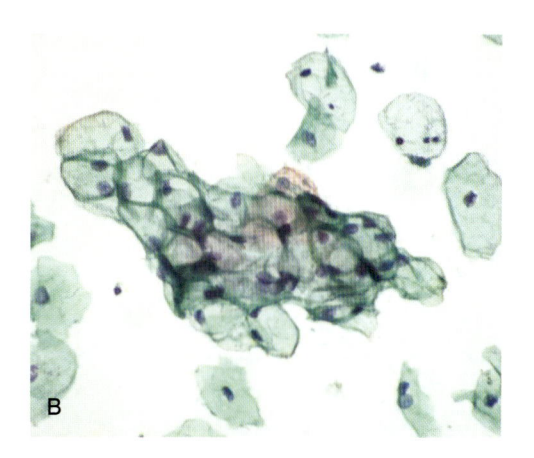

Figura 1.158
Citologia em meio líquido: gravidez – células naviculares. **A e B**. Fundo limpo, sem muco e leucócitos. As células estão levemente agrupadas, distribuídas em monocamada.

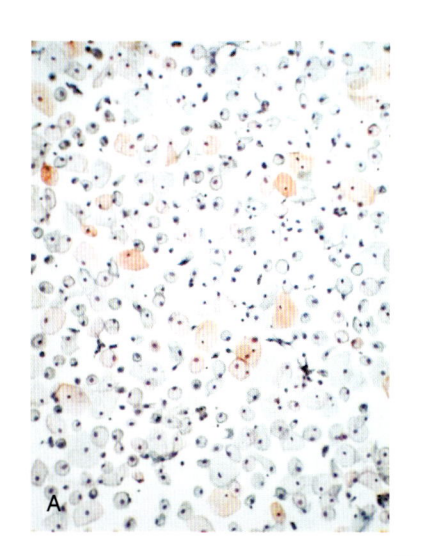 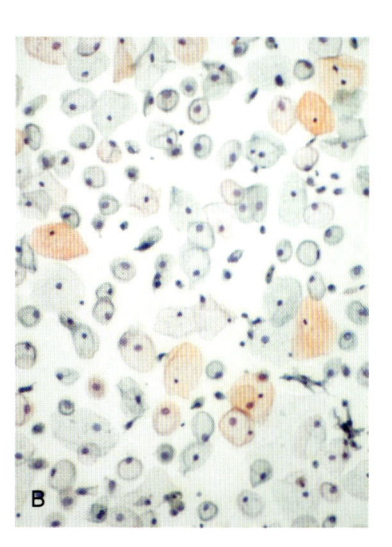

Figura 1.159
Citologia em meio líquido: pós-parto e lactação. **A e B**. Fundo limpo, sem muco e leucócitos. Células profundas arredondadas e com bordas espessadas.

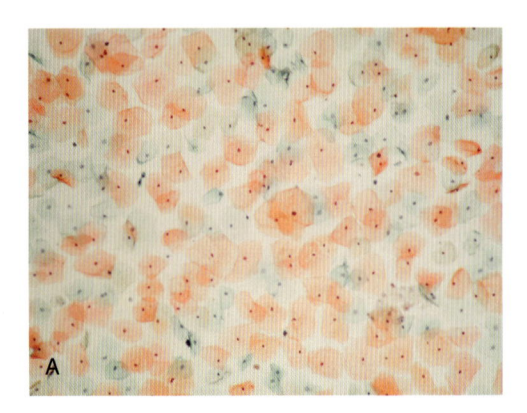
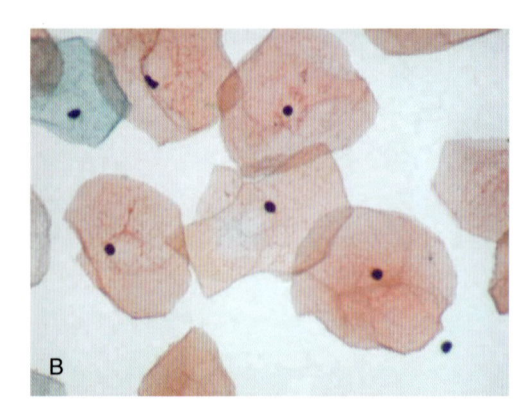

Figura 1.160
Citologia em meio líquido: células superficiais. **A e B**. Fundo limpo, sem muco e leucócitos.
As células estão distribuídas em monocamada.

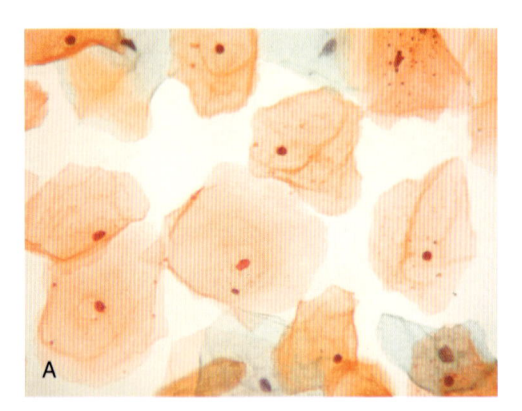
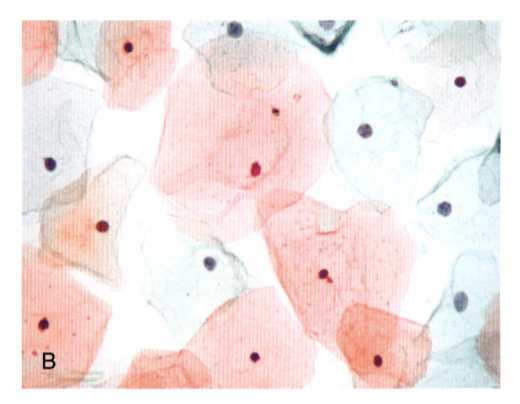

Figura 1.161
Citologia em meio líquido: células superficiais. **A e B**. Fundo limpo, sem muco e leucócitos. As células estão
distribuídas em monocamada.

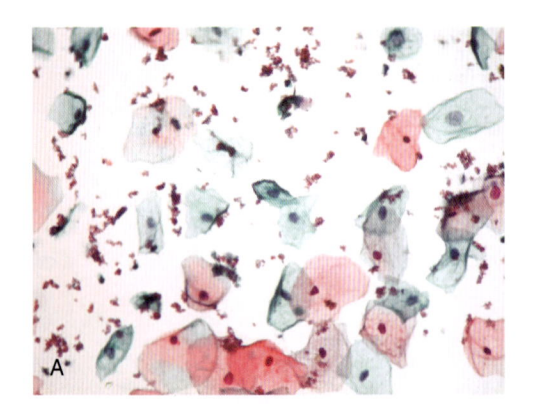
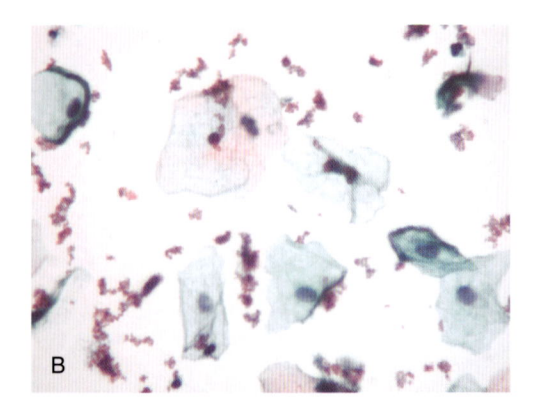

Figura 1.162
Citologia em meio líquido: líquidos hemorrágicos. **A e B**. Esta amostra é proveniente de material muito hemorrágico.
O sangue tratado no processo de preparação do sedimento apresenta-se como granulação pardo-avermelhada.
Apesar da amostra ser hemorrágica, o sedimento apresenta celularidade adequada.

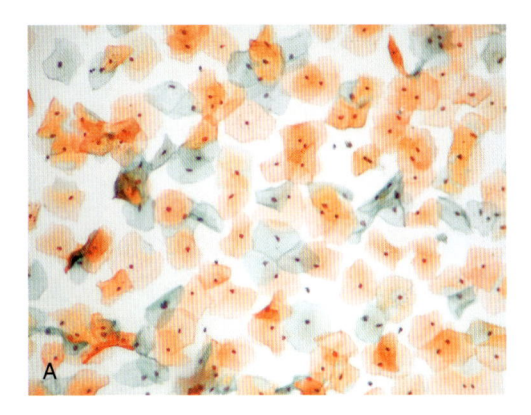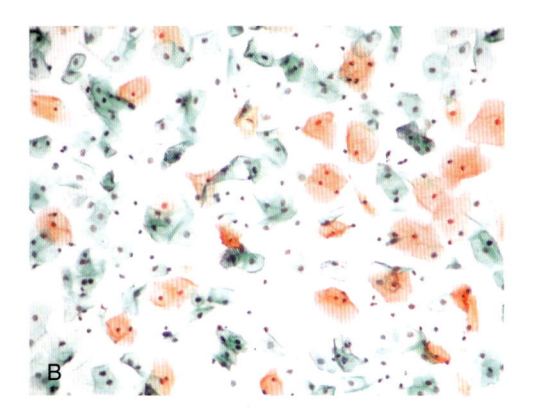

Figura 1.163

Citologia em meio líquido: líquidos hemorrágicos. **A e B.** Coleta com líquido leve/moderadamente hemorrágico. O sangue tratado foi completamente lisado, e a amostra apresenta-se livre de hemácias e de resíduo hemático. Este material iria promover amostra satisfatória mas limitada pela presença de sangue caso este não fosse tratado antes da confecção da lâmina.

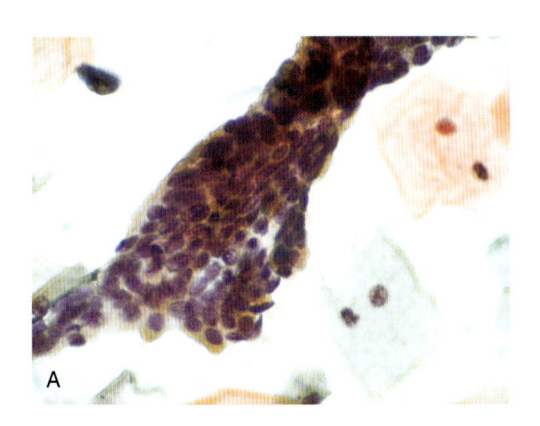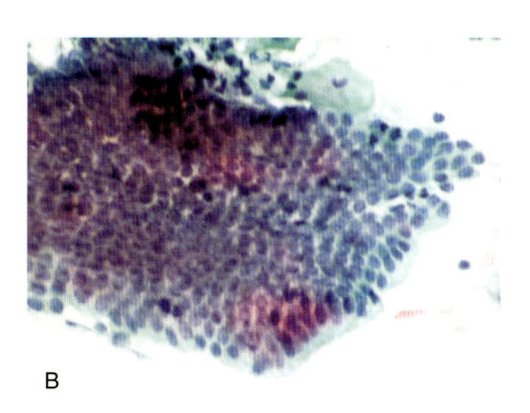

Figura 1.164

Citologia em meio líquido: células endocervicais. **A e B**. Fundo limpo, sem muco e leucócitos.
As células estão distribuídas em monocamada e com padrão "favo-de-mel".

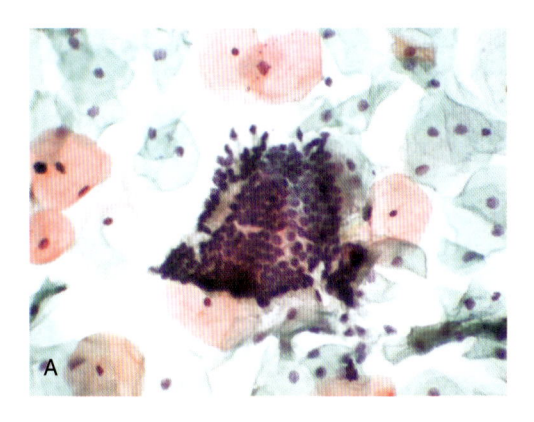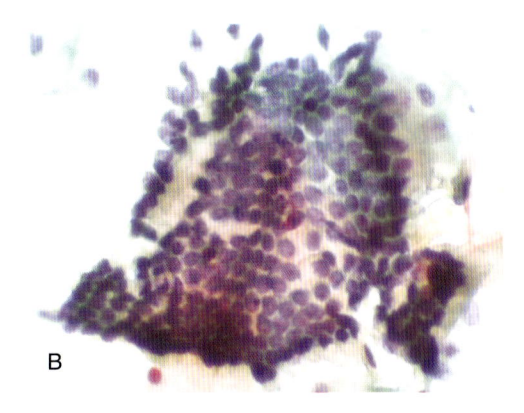

Figura 1.165

Citologia em meio líquido: células endocervicais. **A e B**. Fundo limpo, sem muco e leucócitos.
As células estão distribuídas em monocamada e com padrão "favo-de-mel".

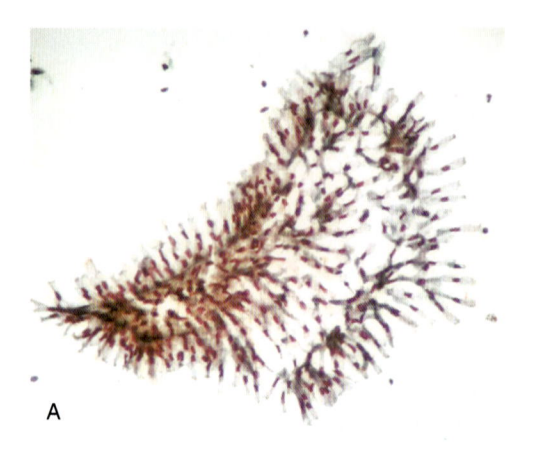
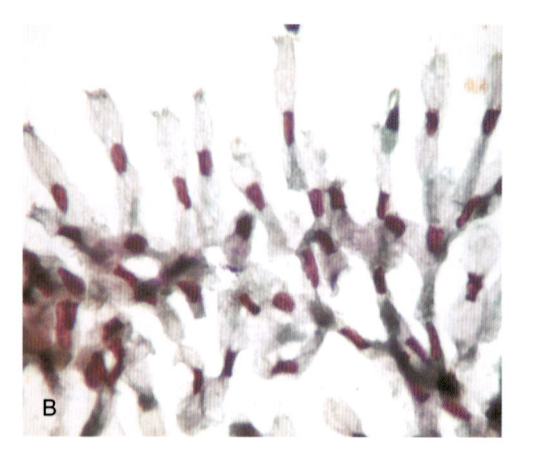

Figura 1.166
Citologia em meio líquido: células endocervicais. **A e B**. Não apresentam o aspecto clássico de "favo-de-mel" da citologia convencional. As células apresentam-se em penacho, não raro, frouxamente aderidas umas as outras.

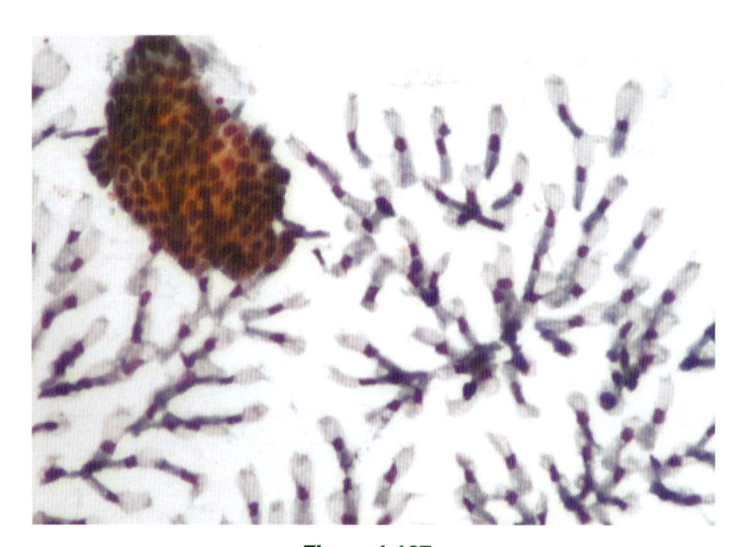

Figura 1.167
Citologia em meio líquido: células endocervicais.

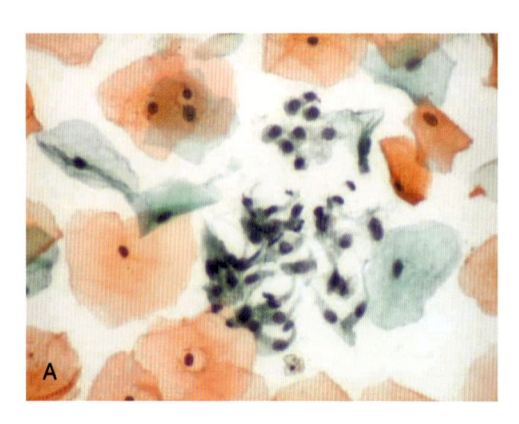
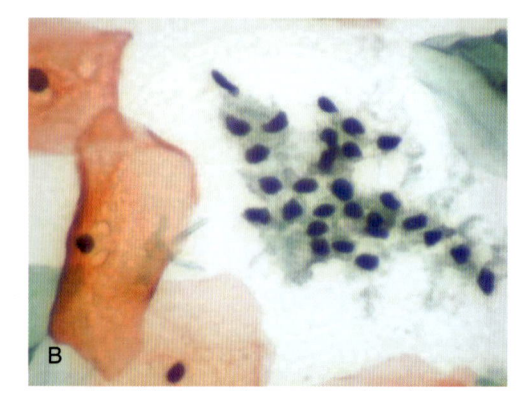

Figura 1.168
A e B. Citologia em meio líquido: células endocervicais.

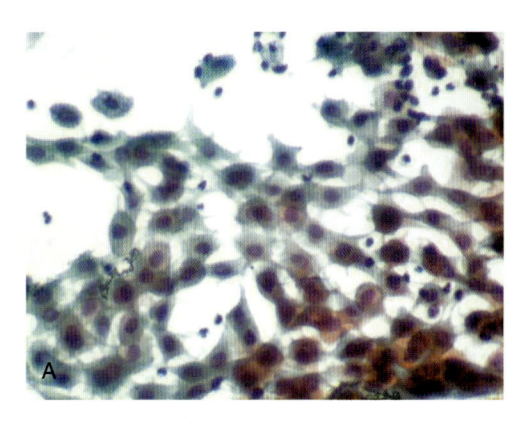

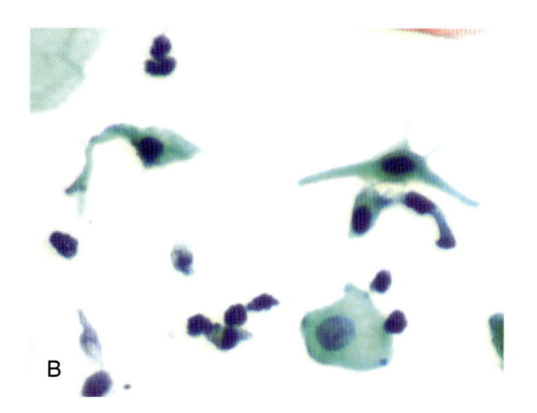

Figura 1.169
Citologia convencional e em meio líquido: células metaplásicas. **A**. Típico aspecto de células metaplásicas.
B. Células metaplásicas e leucócitos em citologia em base líquida.

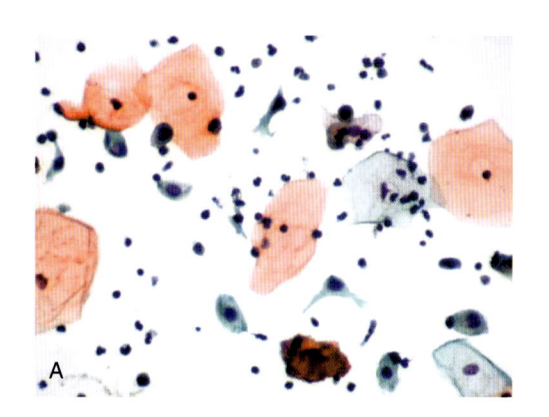

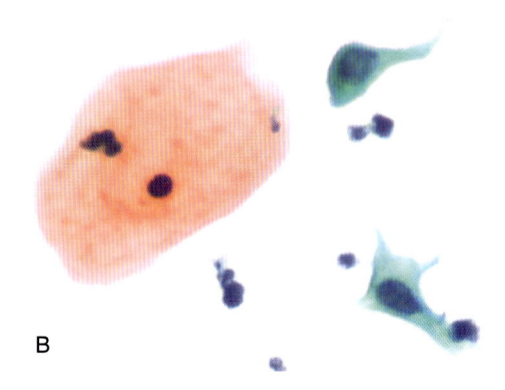

Figura 1.170
Citologia em meio líquido: células metaplásicas. **A e B**. Células superficiais do epitélio original, alguns polimorfonucleares
neutrófilos e células metaplásicas típicas.

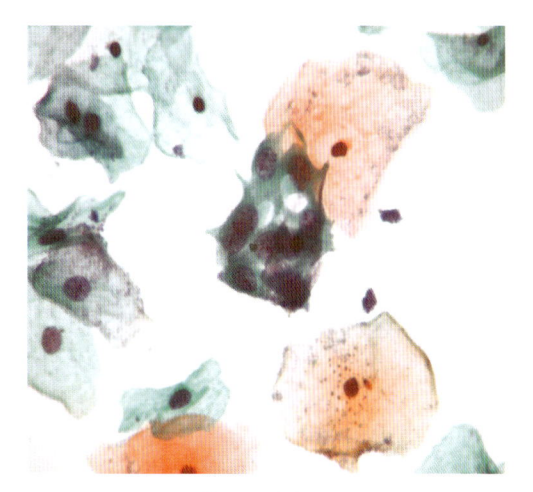

Figura 1.171
Citologia em meio líquido: células metaplásicas. Células
superficiais e intermediárias do epitélio original, alguns
polimorfonucleares neutrófilos e células metaplásicas imaturas.

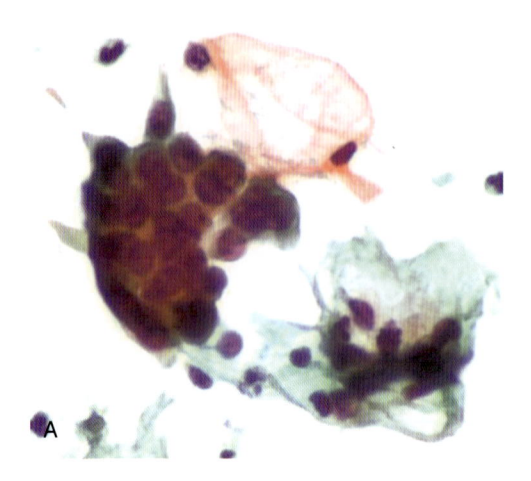
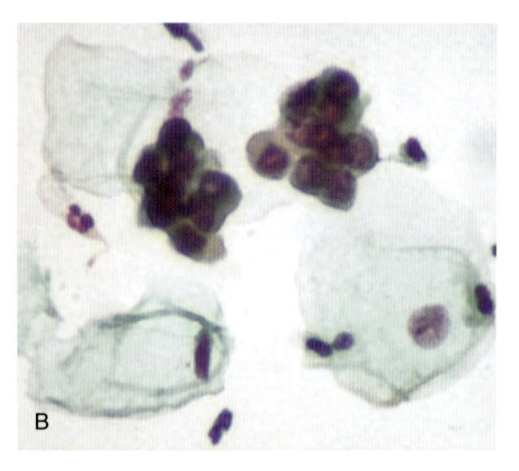

Figura 1.172

Citologia em meio líquido: células de reserva subcilíndrica. **A e B**. Células superficiais e intermediárias do epitélio original, alguns polimorfonucleares neutrófilos e células de reserva subcilíndricas agrupadas.

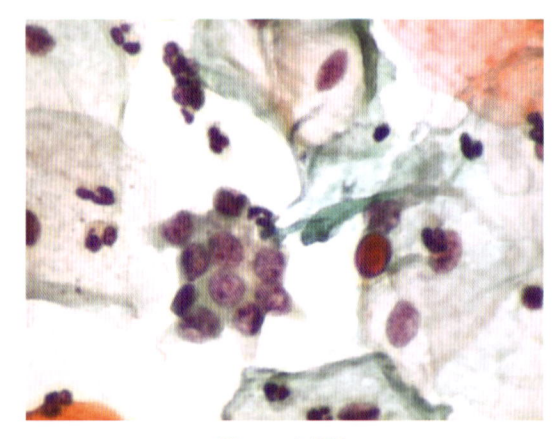

Figura 1.173

Citologia em meio líquido: células de reserva subcilíndrica. Células superficiais e intermediárias do epitélio original, alguns polimorfonucleares neutrófilos e células de reserva subcilíndricas agrupadas.

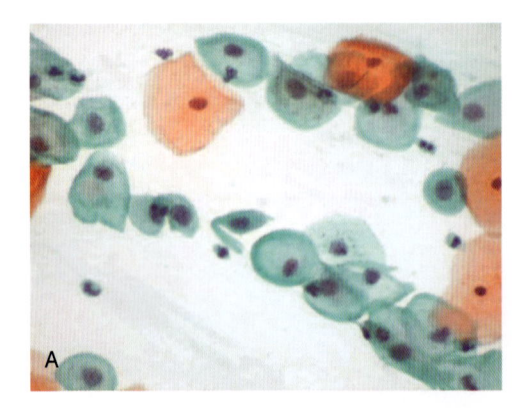
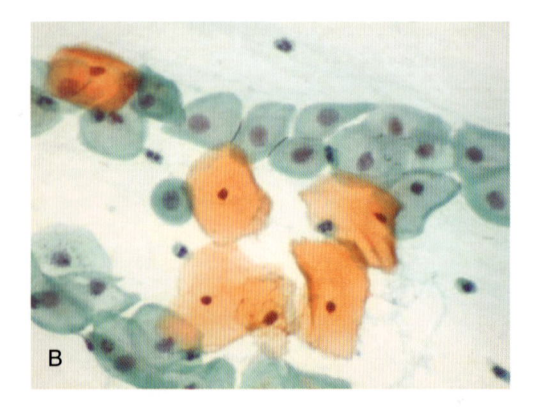

Figura 1.174

Citologia em meio líquido: células metaplásicas maduras. **A e B**. Células superficiais do epitélio original, alguns polimorfonucleares neutrófilos e células metaplásicas maduras, cianófilas. Notar que estas células apresentam citoplasma mais espesso que as suas congêneres originais.

Figura 1.175
Citologia em meio líquido: células endometriais. Células superficiais e intermediárias do epitélio original e células endometriais agrupadas.

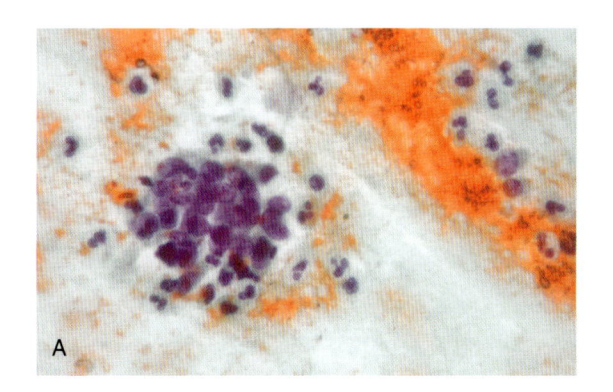 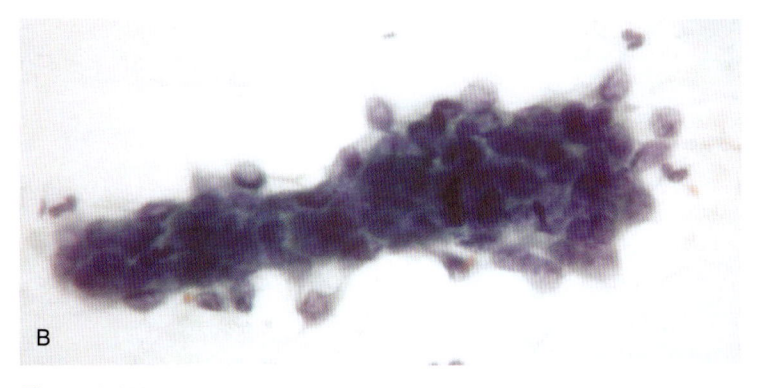

Figura 1.176
A. Pap-convencional: células endometriais. **B.** Citologia em meio líquido: células endometriais.

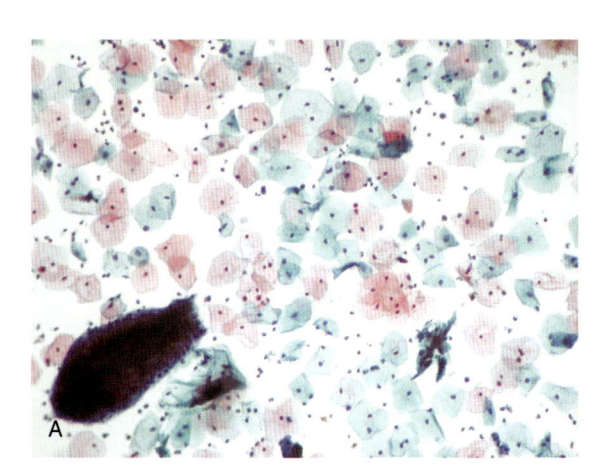 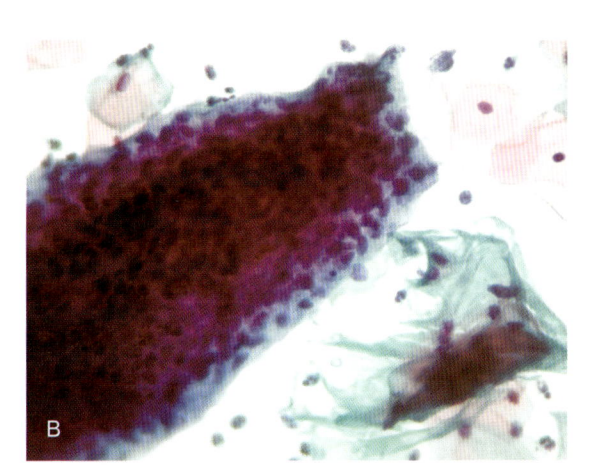

Figura 1.177
A e B. Citologia em meio líquido: células endometriais. CBL – células endometriais

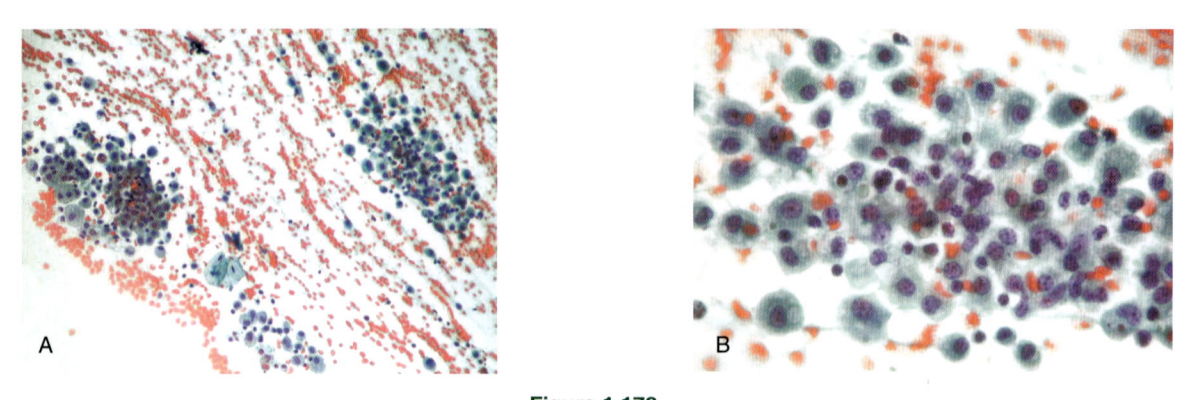

Figura 1.178
A e B. Pap-convencional: células endometriais (histiócitos endometriais, células do estroma).

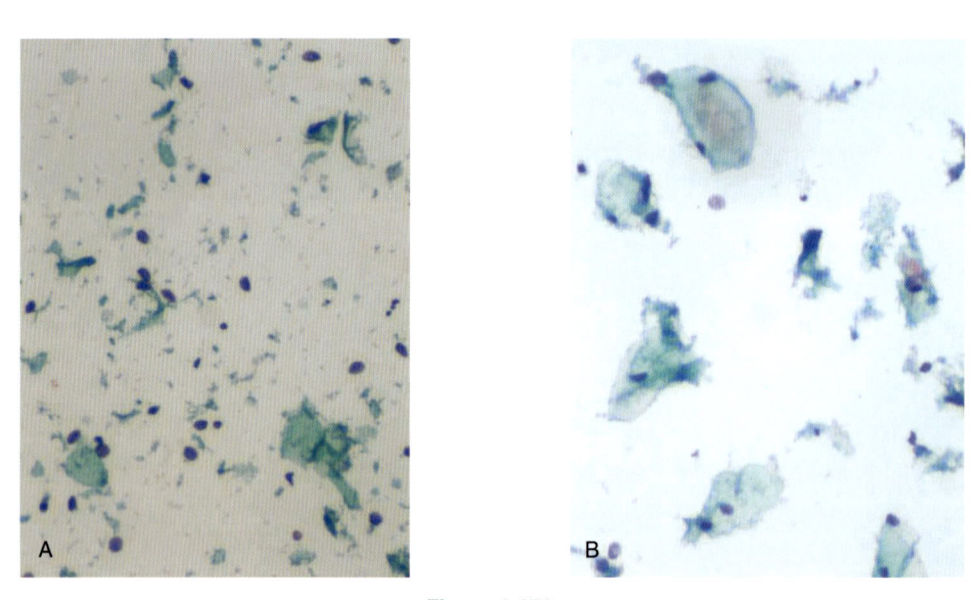

Figura 1.179
A e B. Citologia em meio líquido: citólise.

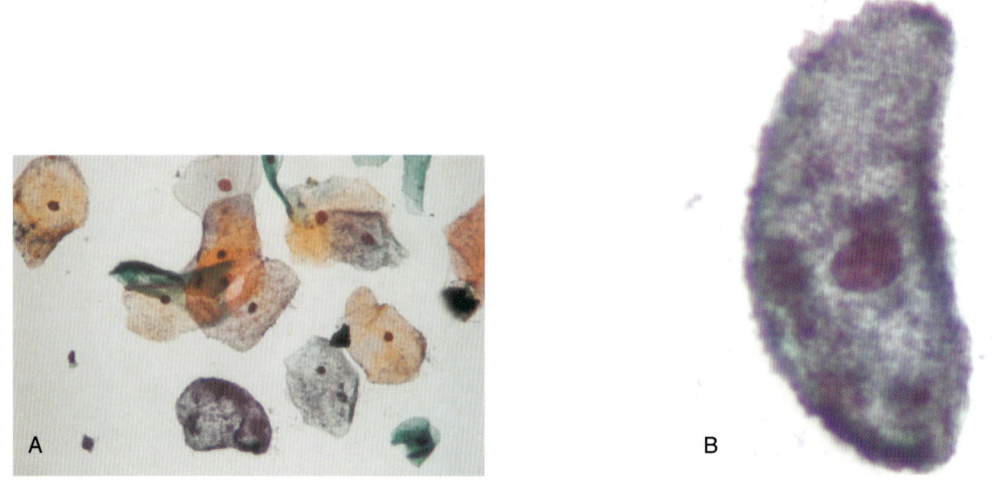

Figura 1.180
A e B. Citologia em meio líquido: *Gardnerella vaginalis*.

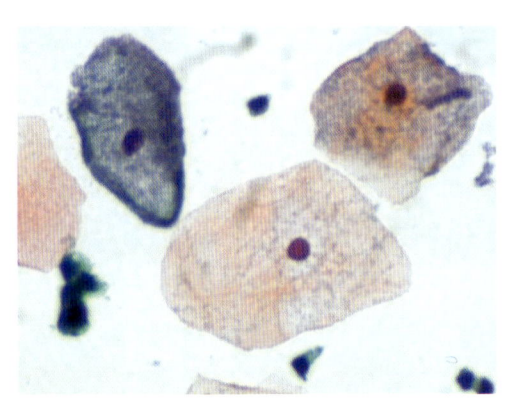

Figura 1.181
Citologia em meio líquido: *Gardnerella vaginalis*.

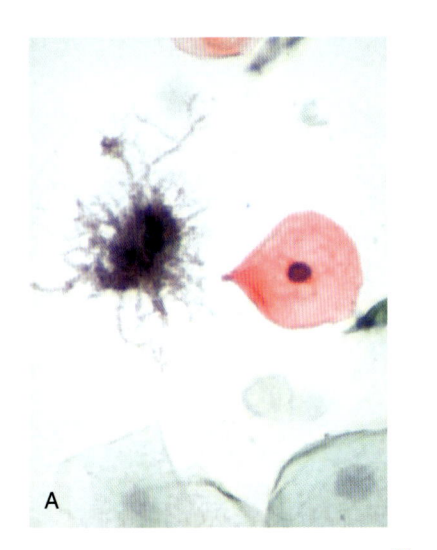
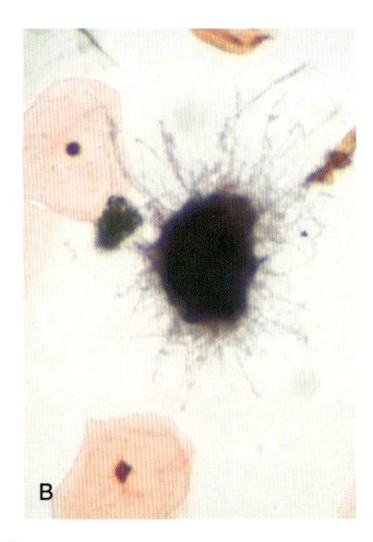

Figura 1.182
A e B. Citologia em meio líquido: *Actinomyces* spp.

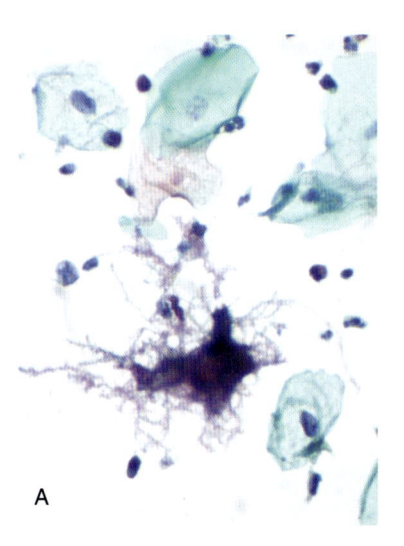
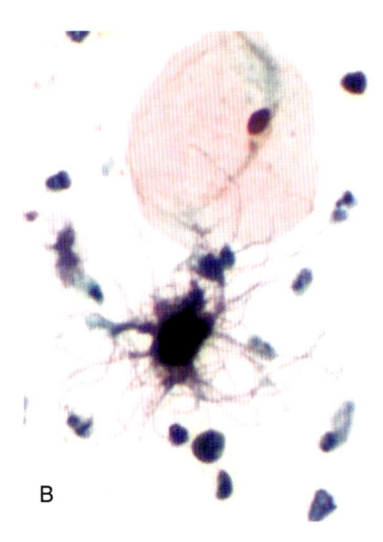

Figura 1.183
A e B. Citologia em meio líquido: *Actinomyces* spp.

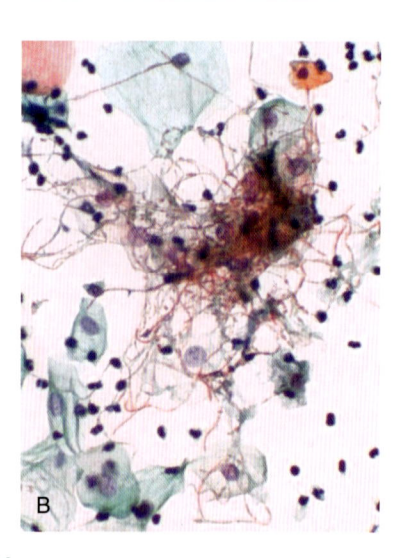

Figura 1.184
A e B. Citologia em meio líquido: *Candida* spp.

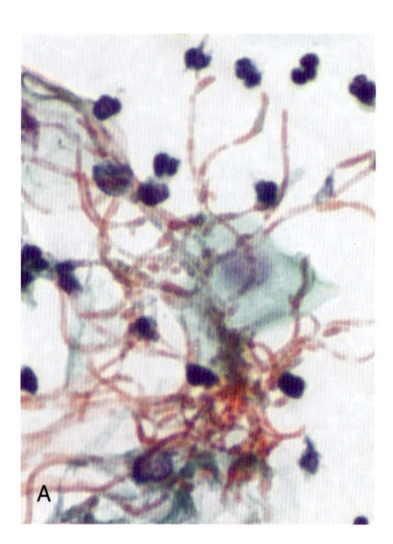
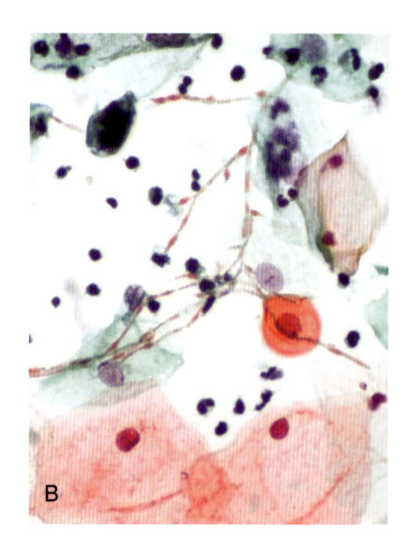

Figura 1.185
A e B. Citologia em meio líquido: *Candida* spp.

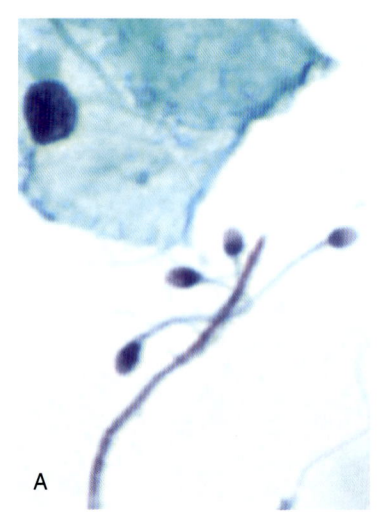
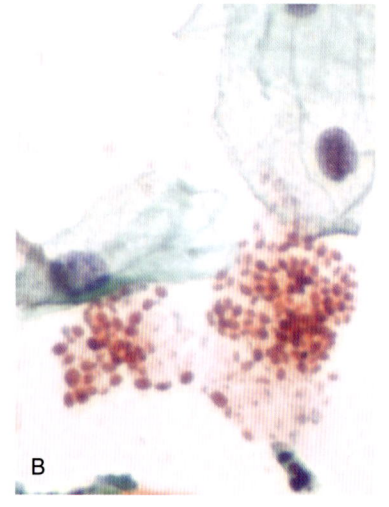

Figura 1.186
A e B. Citologia em meio líquido: *Candida* spp. + espermatozóides (**A**).

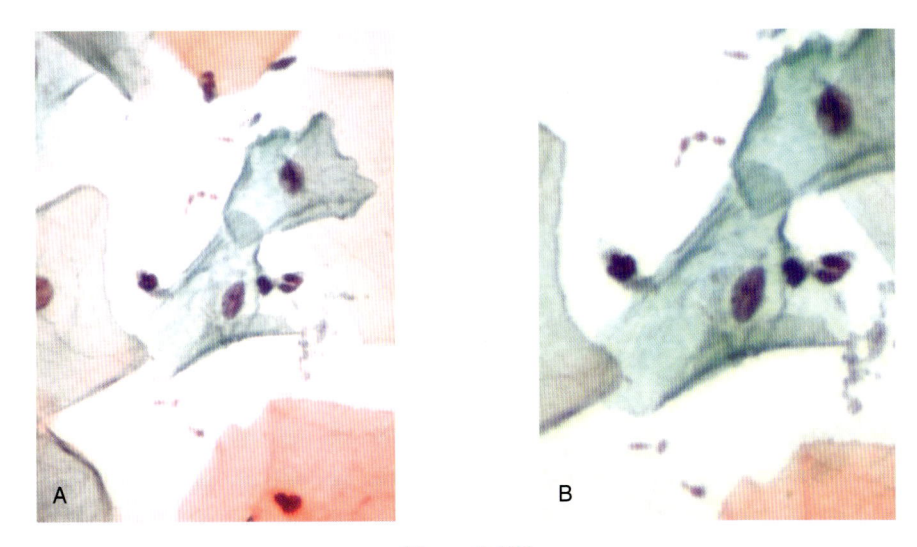

Figura 1.187
A e B. Citologia em meio líquido: *Candida* spp. e esporas de *Torulopsis glabrata*.

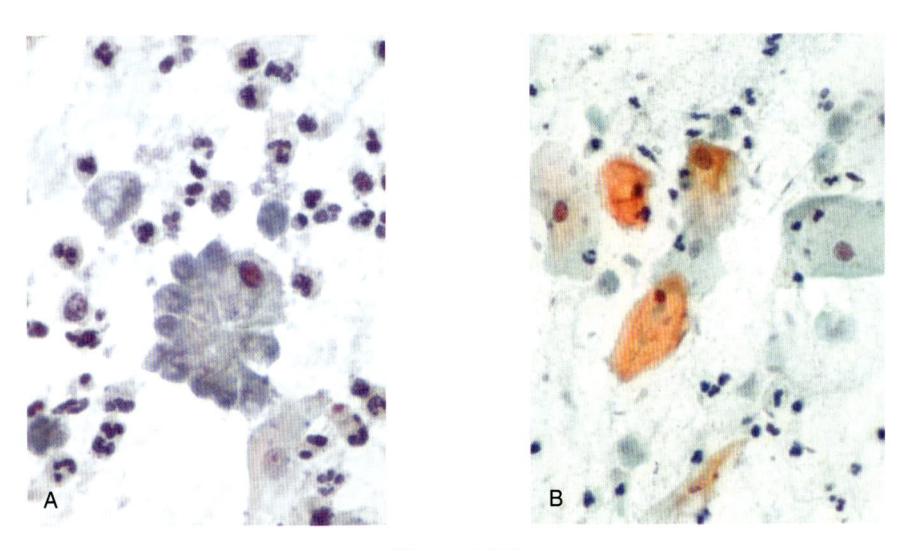

Figura 1.188
A e B. Pap-convencional: *Trichomonas vaginalis*.

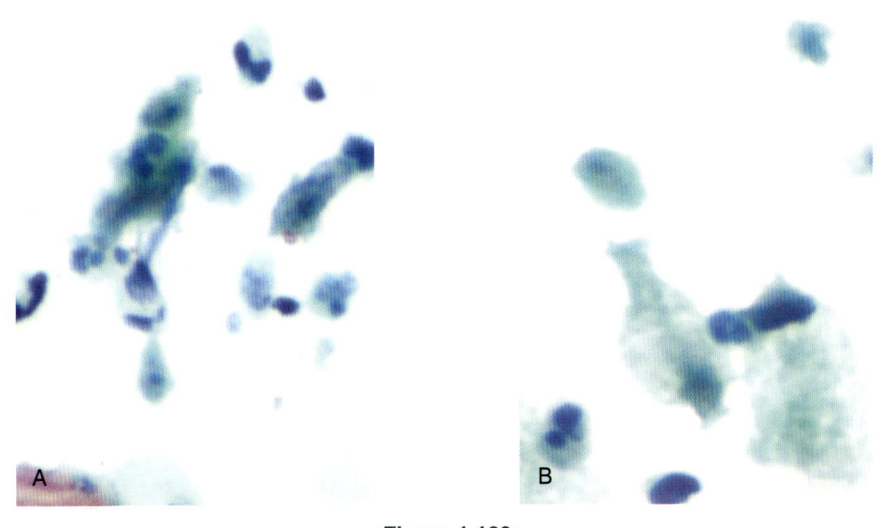

Figura 1.189
A e B. Citologia em meio líquido: *Trichomonas vaginalis*.

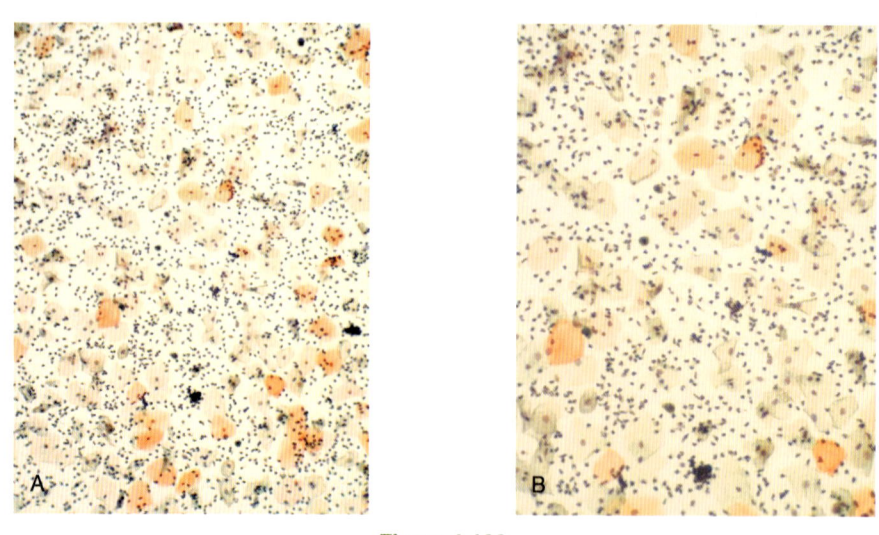

Figura 1.190
A e B. Citologia em meio líquido: sedimento inflamatório.

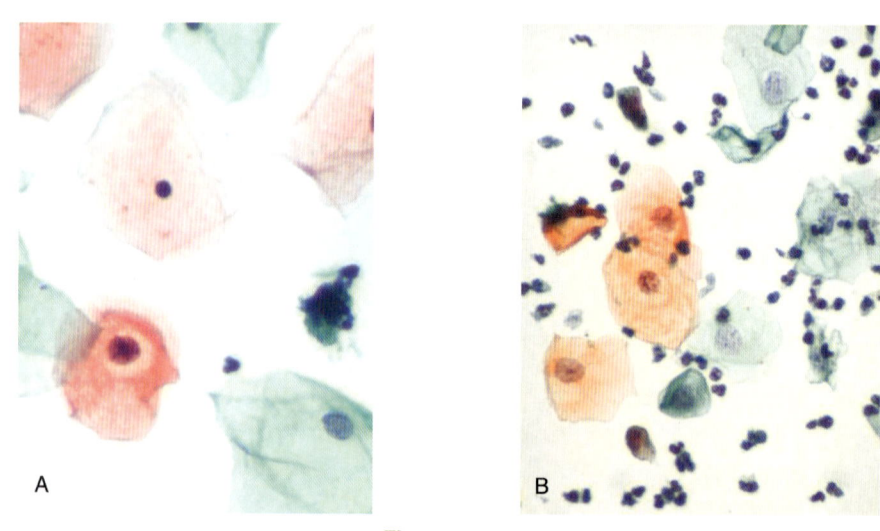

Figura 1.191
Citologia em meio líquido: inflamatório. **A e B.** Alterações celulares inflamatórias: halo perinuclear, discreta
hipertrofia nuclear, falsa eosinofilia e vacuolização citoplasmática.

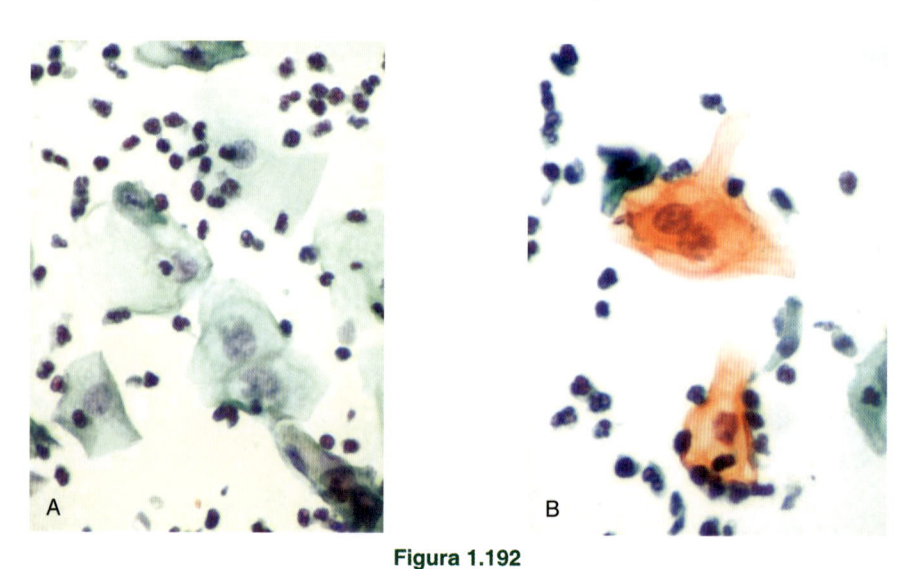

Figura 1.192
Citologia em meio líquido: inflamatório. **A e B.** Alterações celulares inflamatórias: halo perinuclear, discreta hipertrofia
nuclear, binucleação e falsa eosinofilia.

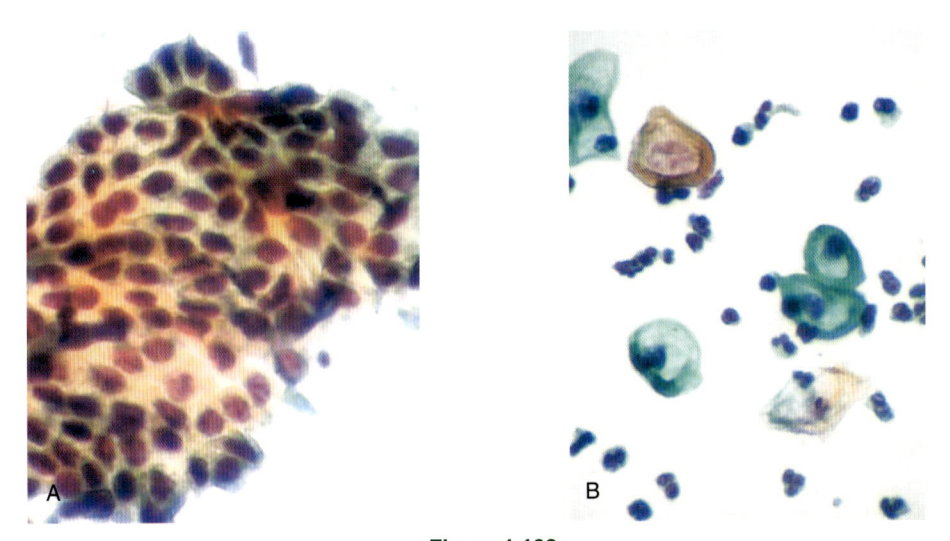

Figura 1.193
Citologia em meio líquido: inflamatório. **A e B**. Alterações celulares reacionais/inflamatórias em células
endocervicais (**A**) e metaplásicas (**B**).

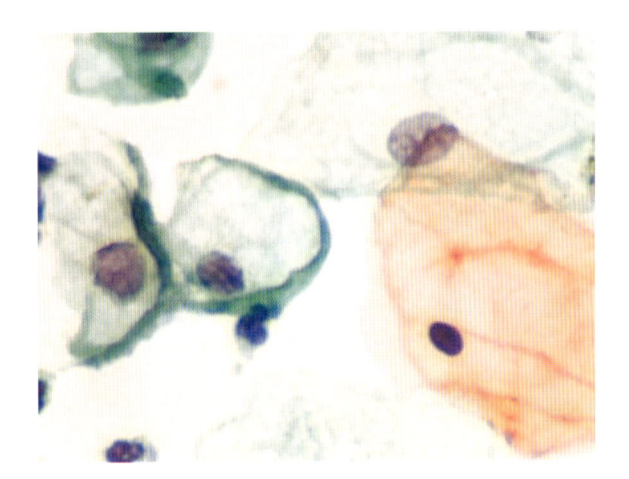

Figura 1.194
Citologia em meio líquido: inflamatório. Alterações celulares
reacionais/inflamatórias em células metaplásicas
mimetizando coilócitos.

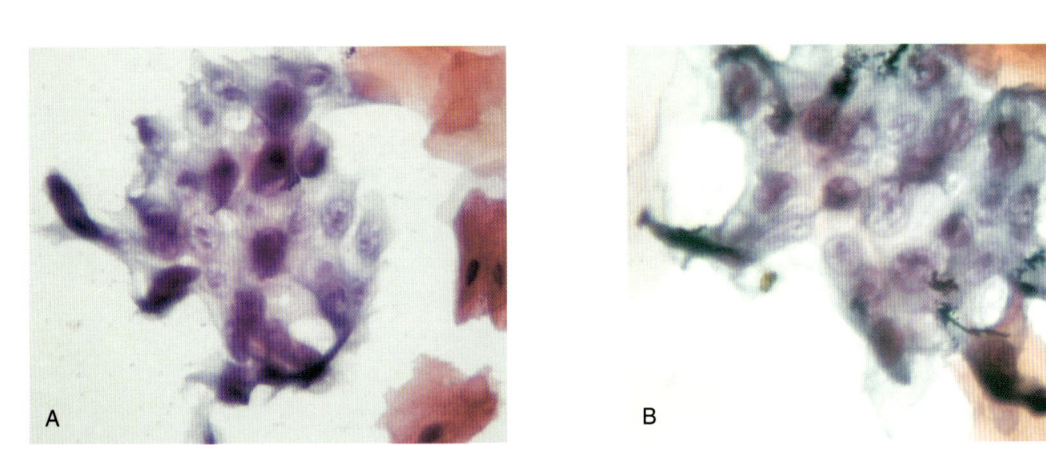

Figura 1.195
Citologia em meio líquido: inflamatório. **A e B**. Alterações celulares reacionais/inflamatórias – células de reparo.

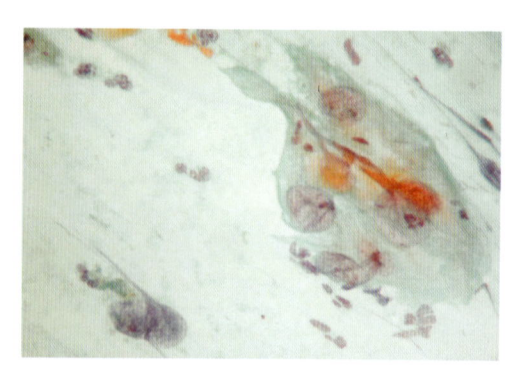

Figura 1.196
Citologia em meio líquido: inflamatório. Alterações celulares
reacionais/inflamatórias – células de reparo.

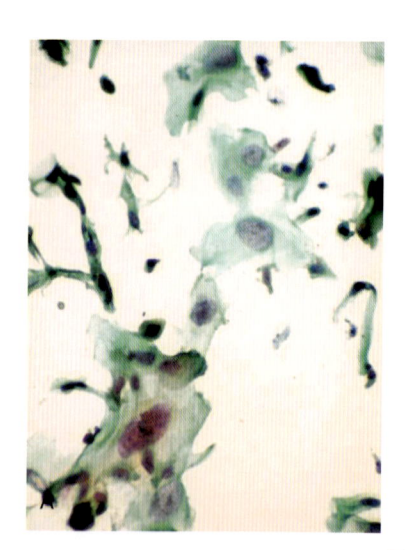 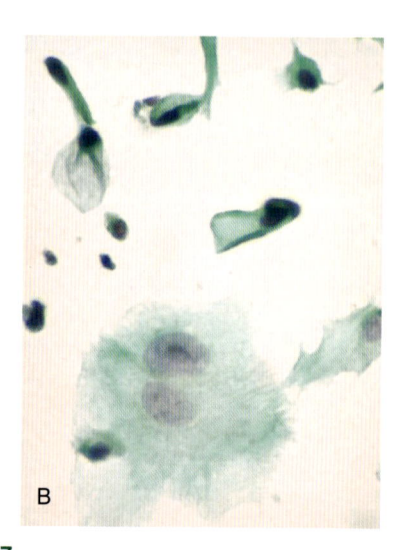

Figura 1.197
Citologia em meio líquido: efeitos da radioterapia. **A e B**. Pleomorfismo celular, gigantismo nuclear, formato celular irregular.
Notar a cromatina fina e de distribuição regular.

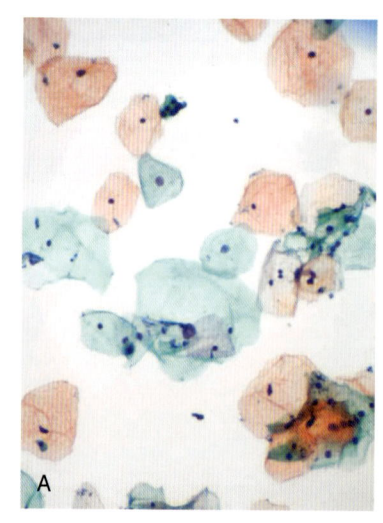 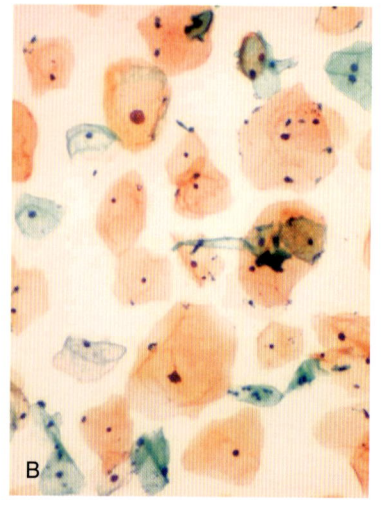

Figura 1.198
Citologia em meio líquido: efeitos da quimioterapia. **A e B**. Gigantismo celular.

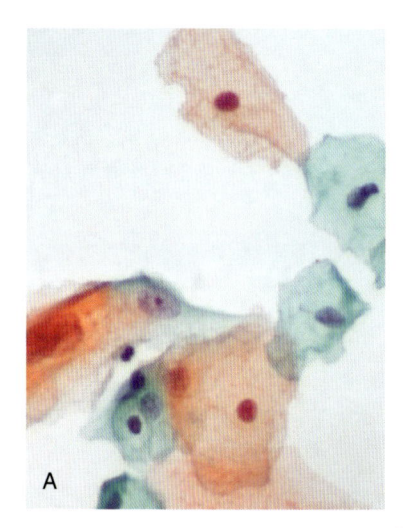
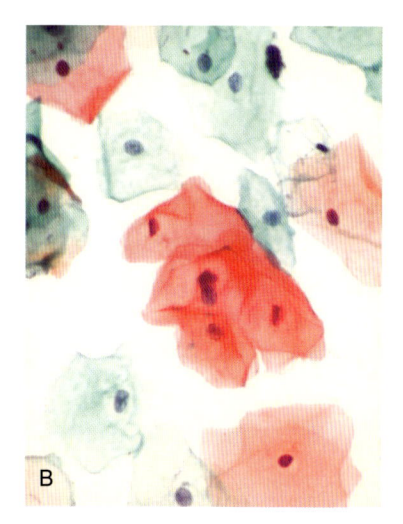

Figura 1.199
Citologia em meio líquido: ASC-US. **A e B**. Células escamosas com atipias de significado indeterminado, podendo incluir reacional/lesão intra-epitelial escamosa de baixo grau (LSIL).

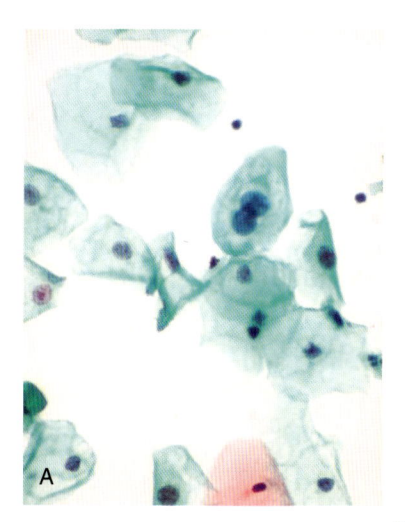
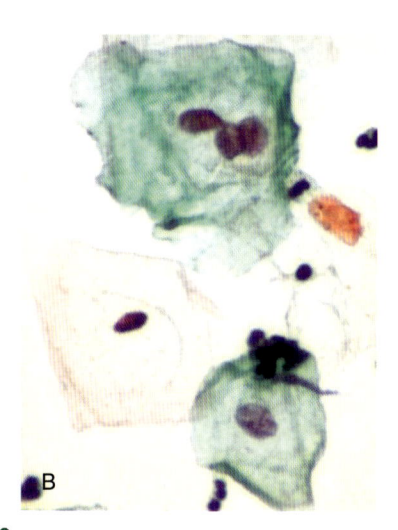

Figura 1.200
Citologia em meio líquido: ASC-US. **A e B**. Células escamosas com atipias de significado indeterminado, podendo incluir reacional/lesão intra-epitelial escamosa de baixo grau (LSIL).

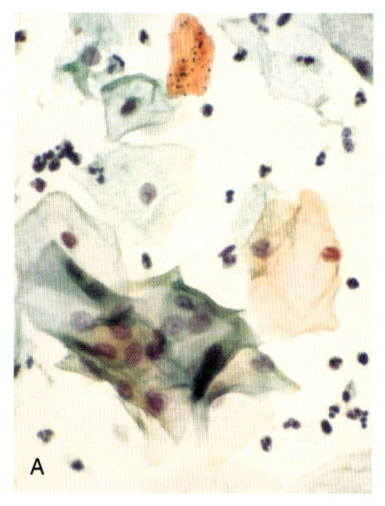
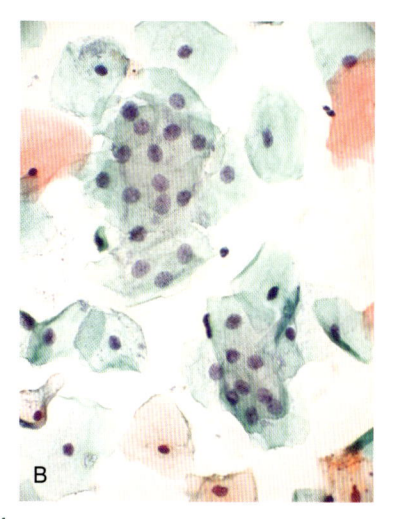

Figura 1.201
Citologia em meio líquido: ASC-US. **A e B**. Células escamosas com atipias de significado indeterminado, podendo incluir reacional/lesão intra-epitelial escamosa de baixo grau (LSIL).

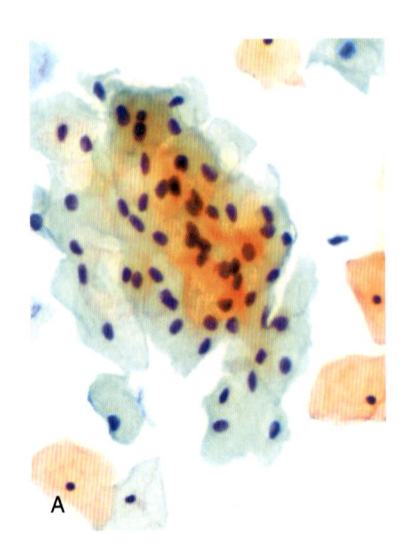 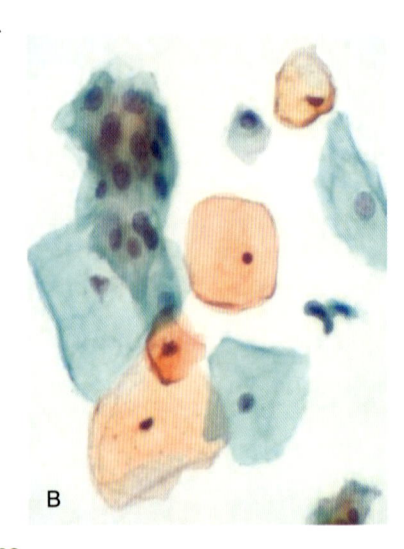

Figura 1.202
Citologia em meio líquido: ASC-US. **A e B**. Células escamosas com atipias de significado indeterminado, podendo incluir reacional/lesão intra-epitelial escamosa de baixo grau (LSIL).

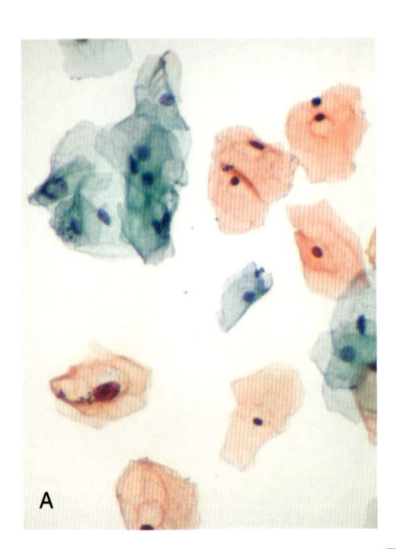 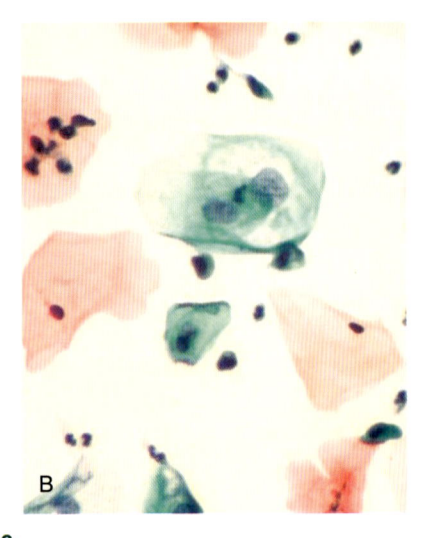

Figura 1.203
Citologia em meio líquido: ASC-US. **A e B**. Células escamosas com atipias de significado indeterminado, podendo incluir lesão intra-epitelial escamosa de baixo grau (LSIL).

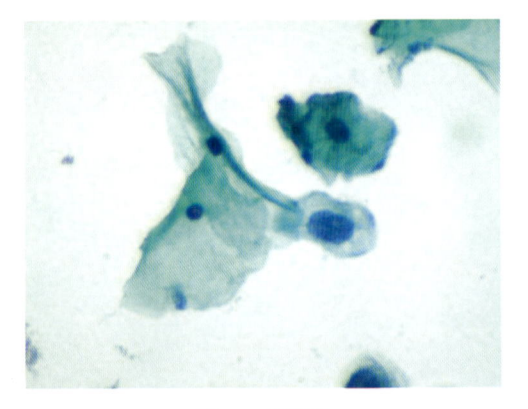

Figura 1.204
Citologia em meio líquido: ASC-H. Células escamosas com atipias de significado indeterminado, podendo incluir lesão intra-epitelial escamosa de alto grau (HSIL).

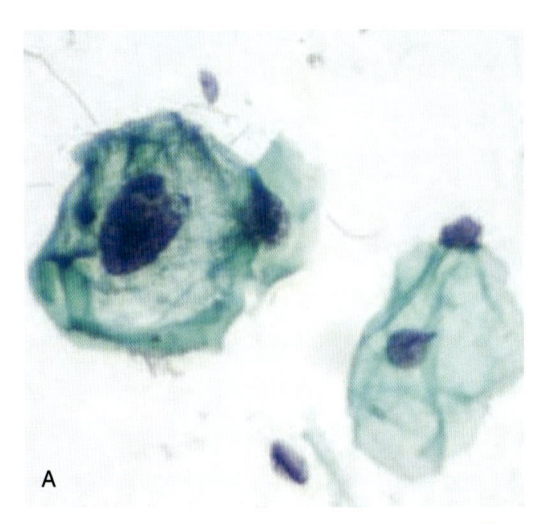
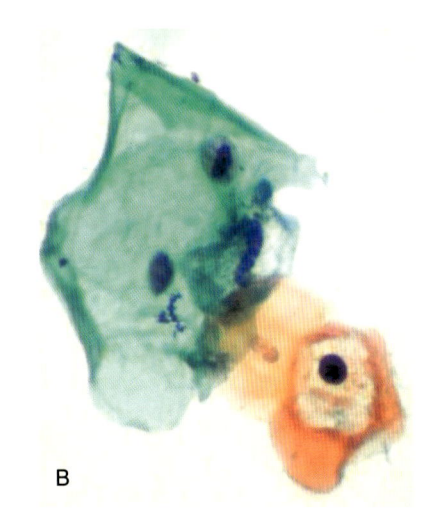

Figura 1.205

Citologia em meio líquido: LSIL – efeito citopático HPV-induzido. **A e B**. Células escamosas intermediárias com atipia nuclear (< 50% do volume celular) e halo perinuclear (coilocitose).

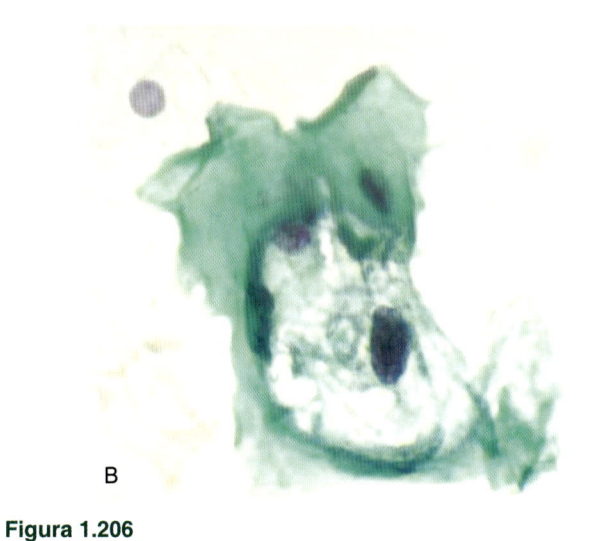

Figura 1.206

Citologia em meio líquido: LSIL – efeito citopático HPV-induzido **A e B**. Células escamosas intermediárias com atipia nuclear (< 50% do volume celular) e halo peri-nuclear (coilocitose).

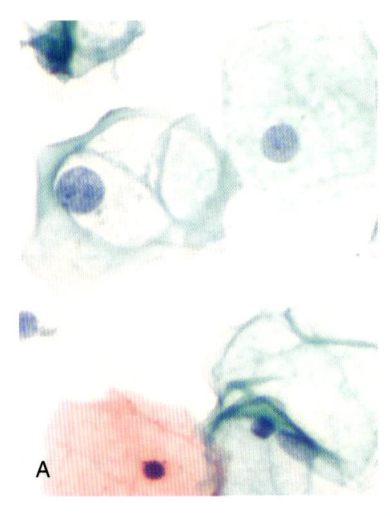
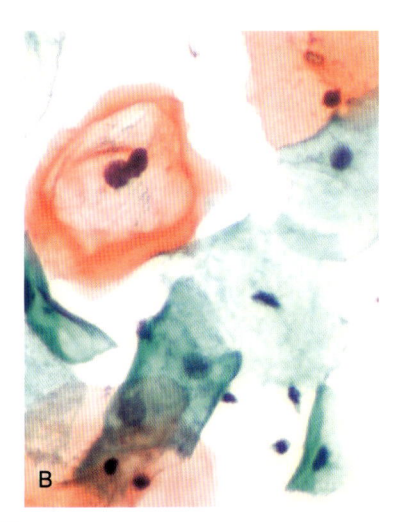

Figura 1.207

Citologia em meio líquido: LSIL – efeito citopático HPV-induzido. **A e B**. Células escamosas intermediárias com atipia nuclear (< 50% do volume celular) e halo perinuclear (coilocitose).

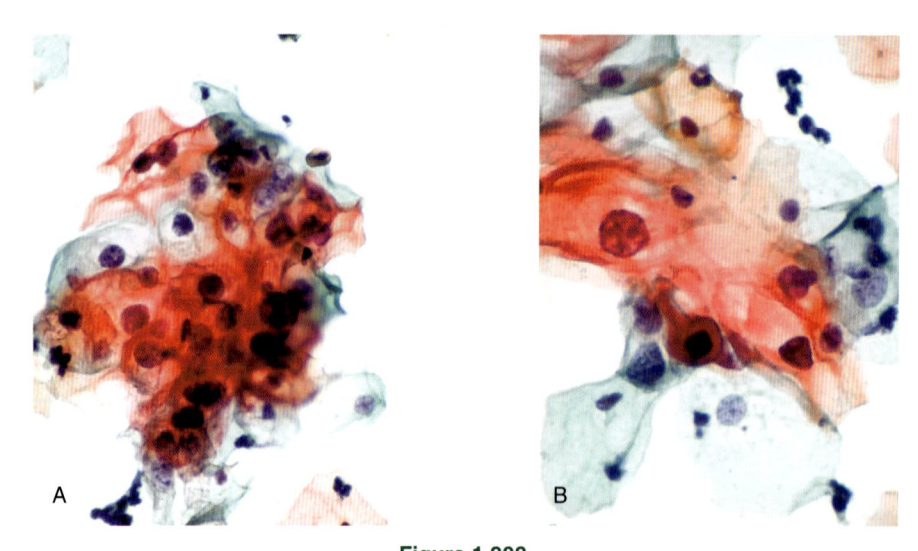

Figura 1.208

Citologia em meio líquido: LSIL (CIN 1). **A e B**. Células escamosas intermediárias com atipia nuclear (< 50% do volume celular).

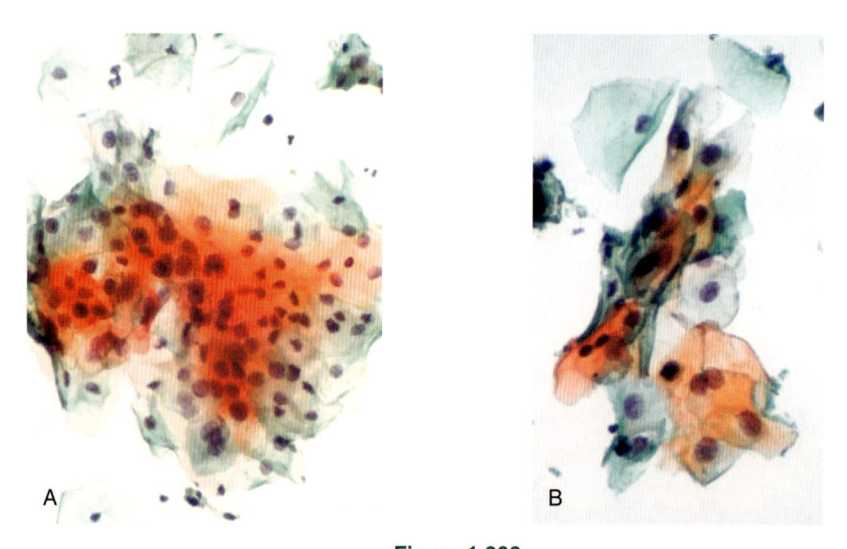

Figura 1.209

Citologia em meio líquido: LSIL (CIN 1). **A e B**. Células escamosas intermediárias com atipia nuclear (< 50% do volume celular).

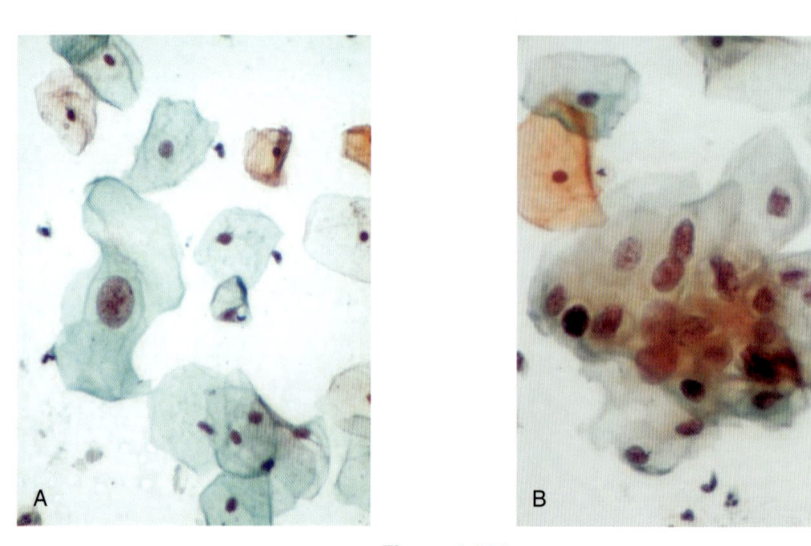

Figura 1.210

Citologia em meio líquido: LSIL (CIN 1). **A e B**. Células escamosas intermediárias com atipia nuclear (< 50% do volume celular).

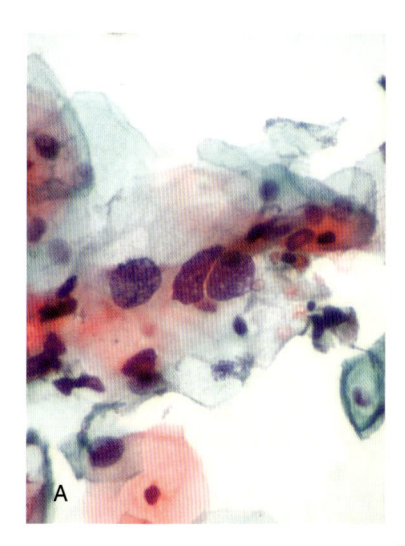
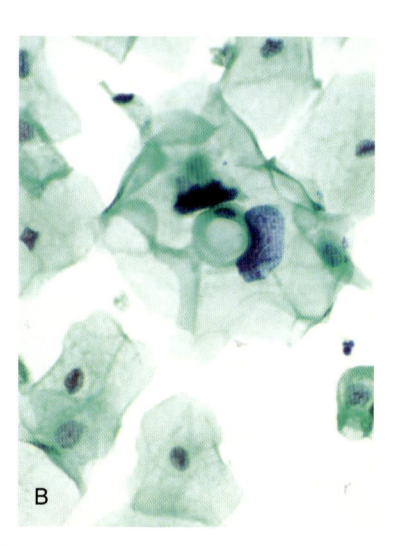

Figura 1.211

Citologia em meio líquido: LSIL (CIN 1). **A e B**. Células escamosas intermediárias com atipia nuclear (< 50% do volume celular).

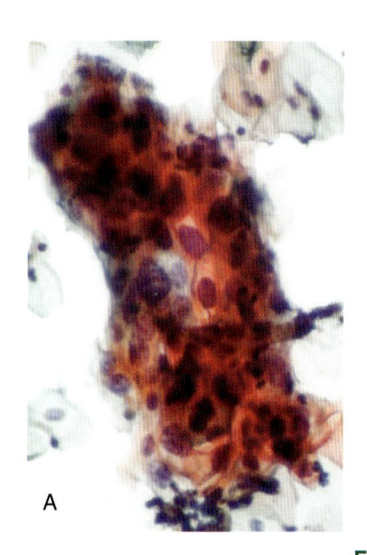
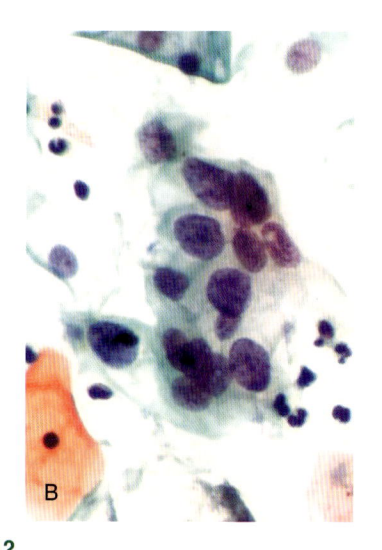

Figura 1.212

Citologia em meio líquido: HSIL (CIN 2). **A e B**. Células escamosas intermediárias/parabasais com atipia nuclear (> 50% do volume celular).

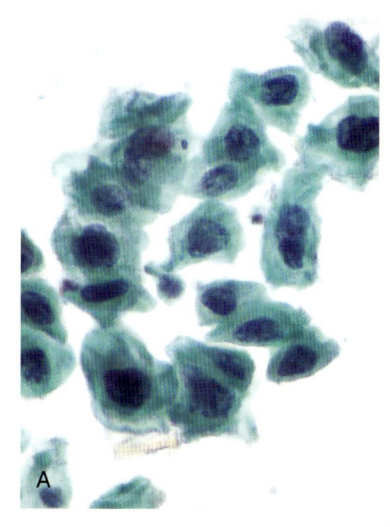
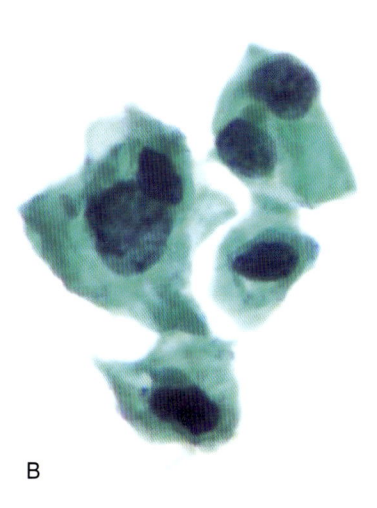

Figura 1.213

Citologia em meio líquido: HSIL (CIN 2). **A e B**. Células escamosas intermediárias/parabasais com atipia nuclear (> 50% do volume celular).

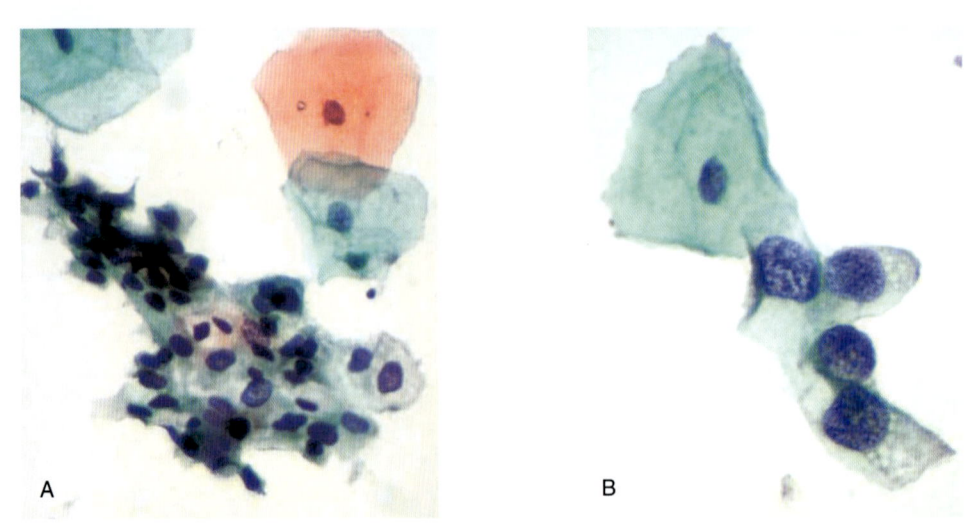

Figura 1.214
Citologia em meio líquido: HSIL (CIN 2). **A e B**. Células escamosas parabasais com atipia nuclear (> 50% do volume celular).

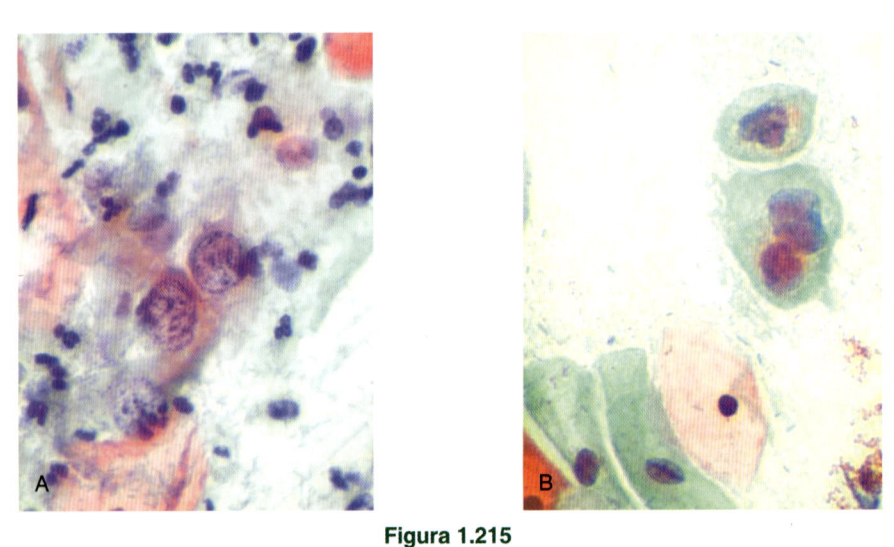

Figura 1.215
Pap-convencional: HSIL (CIN 2). **A e B**. Células escamosas intermediárias/parabasais com atipia nuclear (> 50% do volume celular).
Notar artefatos de dessecamento.

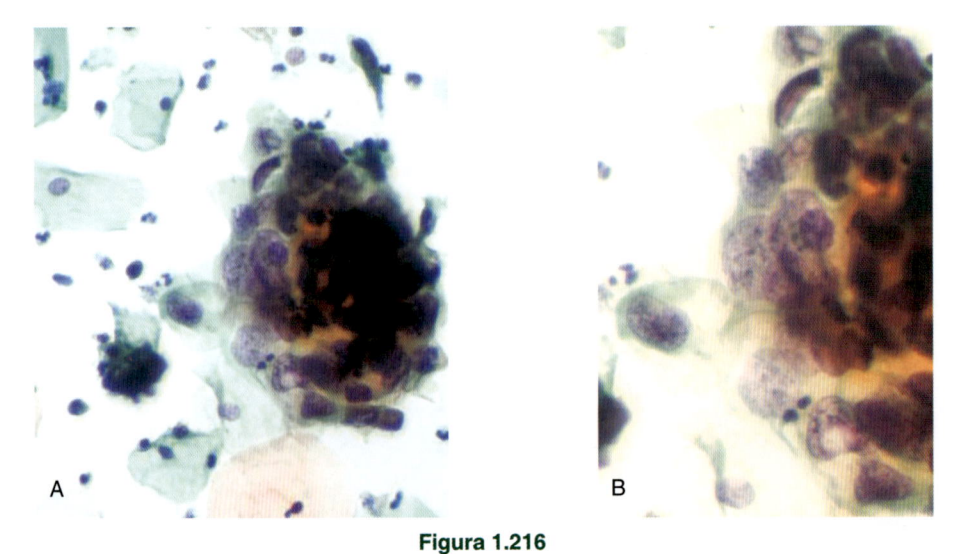

Figura 1.216
Citologia em meio líquido: HSIL (CIN 3). **A e B**. Células escamosas profundas (basais) com atipia nuclear (> 70% do volume celular).
Cromatina de distribuição granular e irregular.

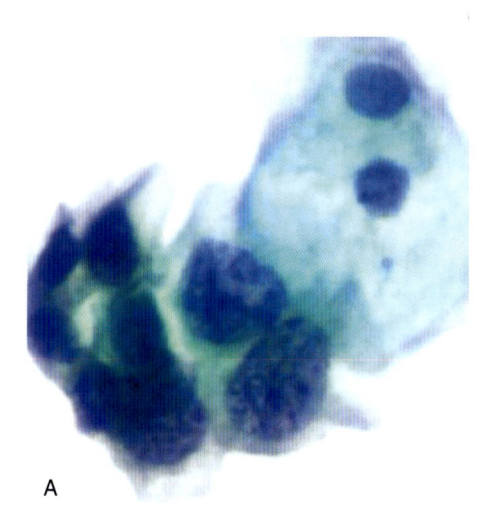

A

B

Figura 1.217
Citologia em meio líquido: HSIL (CIN 3). **A e B**. Células escamosas profundas (basais) com atipia nuclear (> 70% do volume celular).
Cromatina de distribuição granular e irregular.

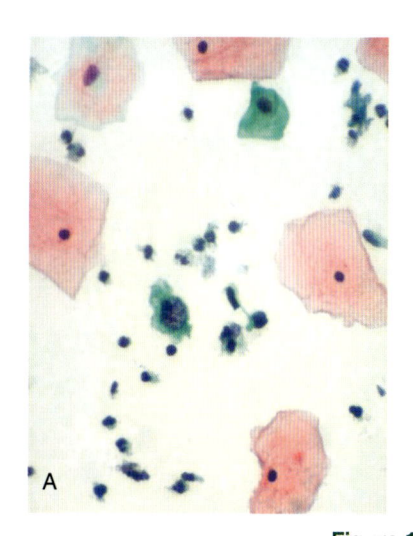
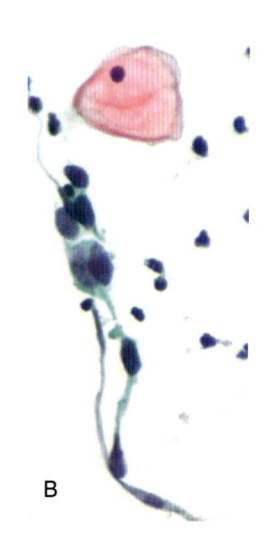

A

B

Figura 1.218
Citologia em meio líquido: HSIL (CIN 3). **A e B**. Células escamosas profundas (basais) com atipia nuclear (> 70% do volume celular).
Cromatina de distribuição granular e irregular.

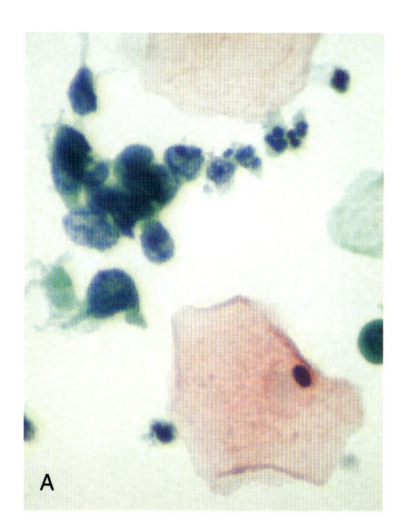
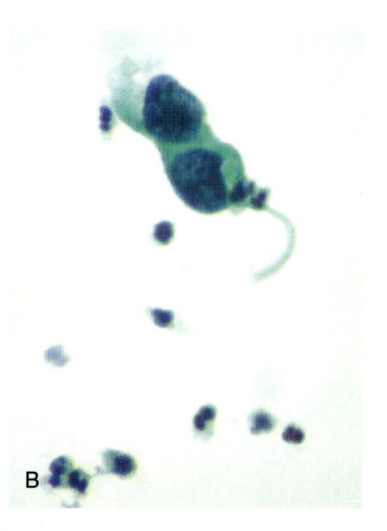

A

B

Figura 1.219
Citologia em meio líquido: HSIL (CIN 3). **A e B**. Células escamosas profundas (basais) com atipia nuclear (> 70% do volume celular).
Cromatina de distribuição granular e irregular.

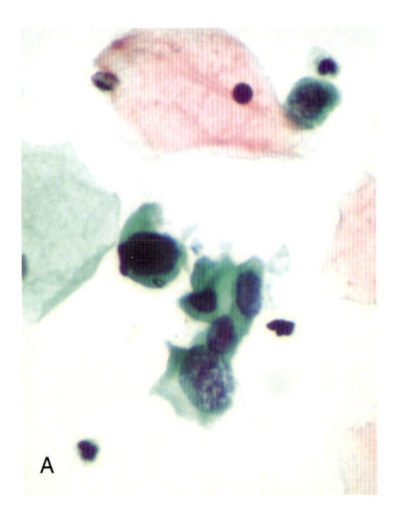
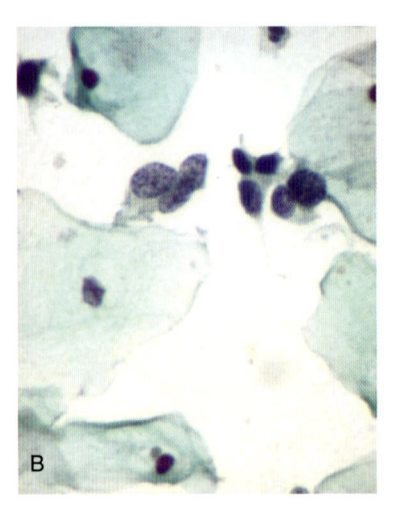

Figura 1.220

Citologia em meio líquido: HSIL (CIN 3). **A e B**. Células escamosas profundas (basais) com atipia nuclear (> 70% do volume celular). Cromatina de distribuição granular e irregular.

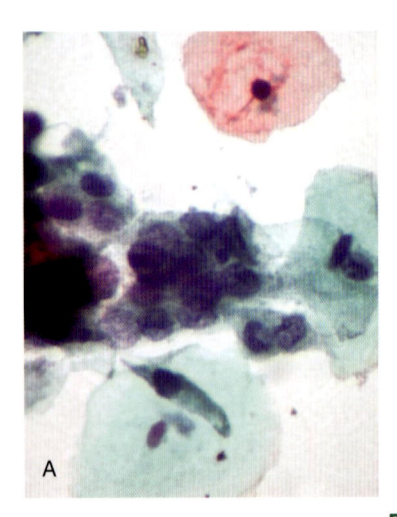
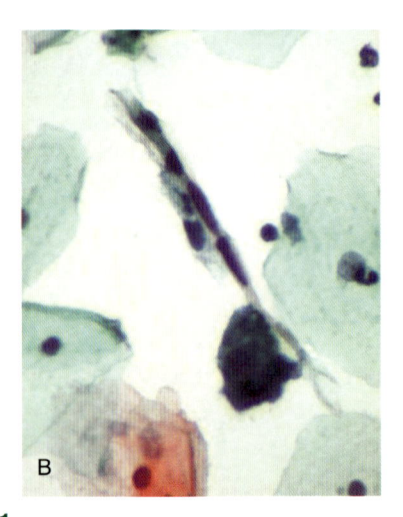

Figura 1.221

Citologia em meio líquido: HSIL (CIN 3). **A e B**. Células escamosas profundas (basais) com atipia nuclear (> 70% do volume celular). Cromatina de distribuição granular e irregular.

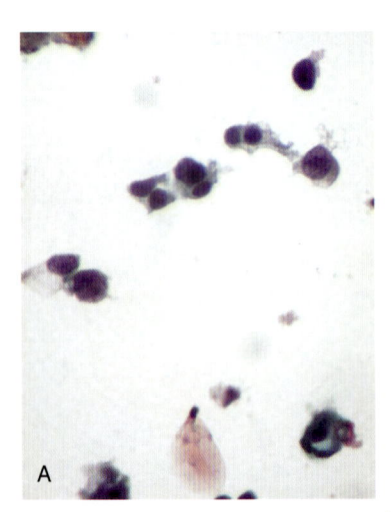
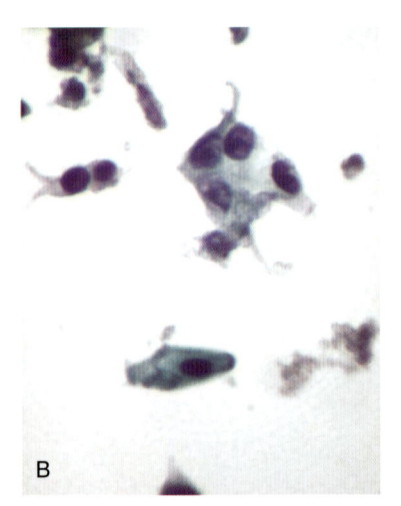

Figura 1.222

Citologia em meio líquido: HSIL (CIN 3), não podendo excluir invasão. **A e B**. Células escamosas de pequeno porte, muito atípicas, com tamanho e formato irregulares, notando-se ainda restos celulares. O sangue não aparece por causa do tratamento hemolítico dados nas amostras.

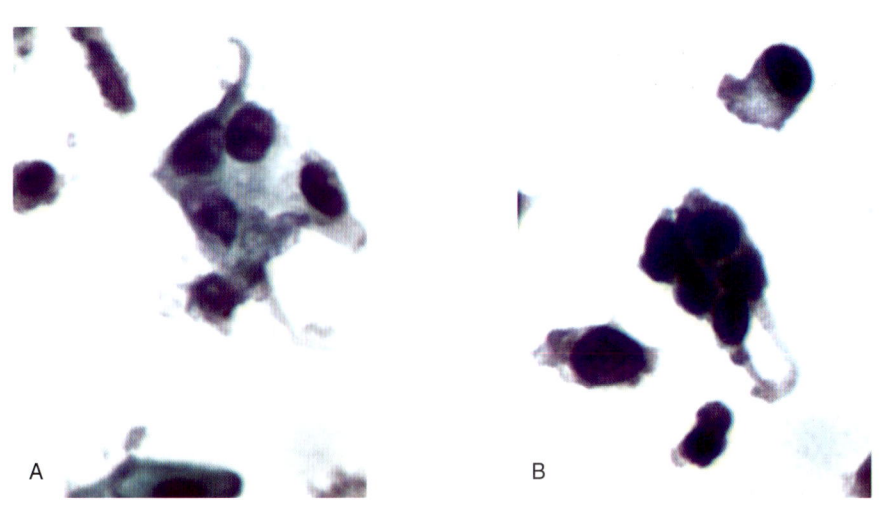

Figura 1.223

Citologia em meio líquido: HSIL (CIN 3), não podendo excluir invasão. **A e B**. Células escamosas de pequeno porte, muito atípicas, com tamanho e formato irregulares. O sangue não aparece por causa do tratamento hemolítico dados nas amostras.

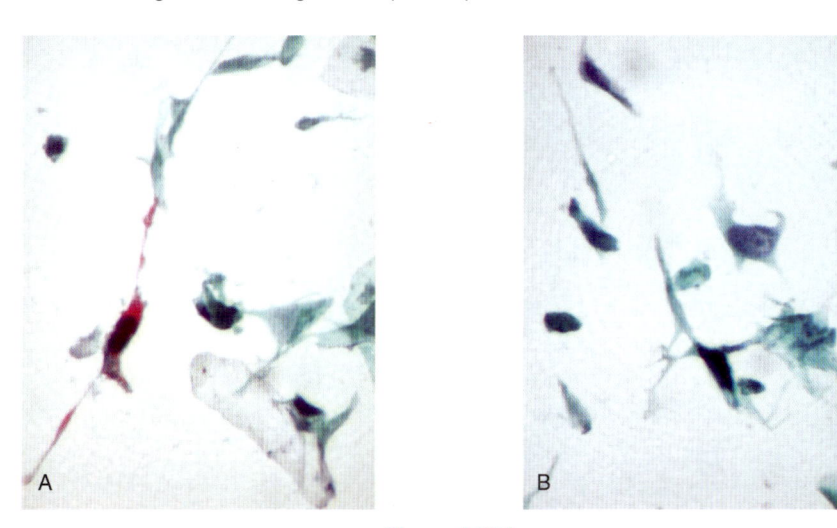

Figura 1.224

Citologia em meio líquido: carcinoma de células escamosas. **A e B**. Células escamosas de pequeno porte, muito atípicas, com tamanho e formato irregulares, inclusive de aspecto fusiforme, notando-se ainda restos celulares. O sangue não aparece por causa do tratamento hemolítico dados nas amostras.

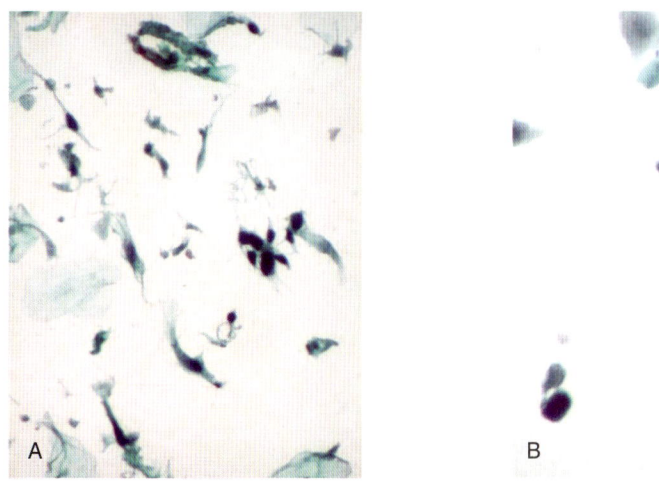

Figura 1.225

Citologia em meio líquido: carcinoma de células escamosas. **A e B**. Células escamosas de pequeno porte, muito atípicas, com tamanho e formato irregulares, inclusive de aspecto fusiforme, notando-se ainda restos celulares. O sangue não aparece por causa do tratamento hemolítico dados nas amostras.

CITOLOGIA NÃO-GINECOLÓGICA

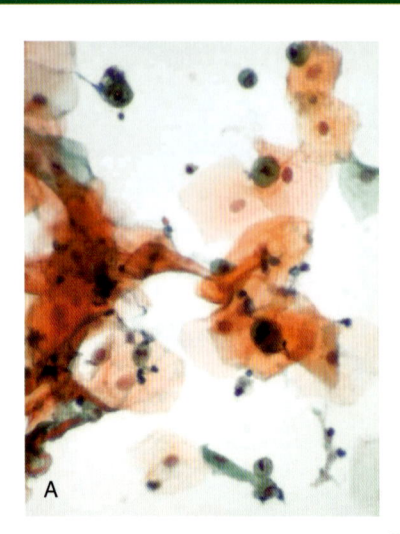
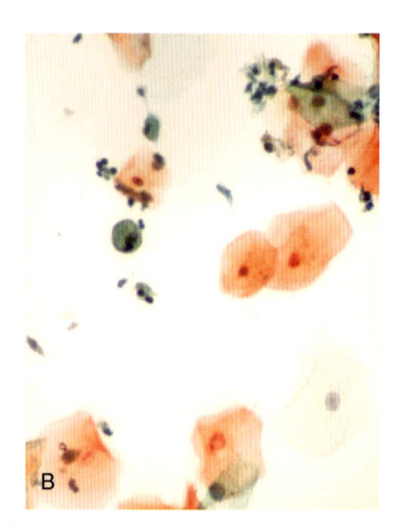

Figura 1.226
Citologia em meio líquido: escarro. **A** e **B**. Histiócitos alveolares, células metaplásicas e saliva.

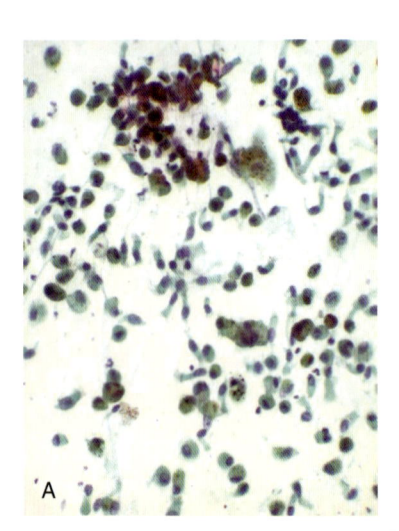
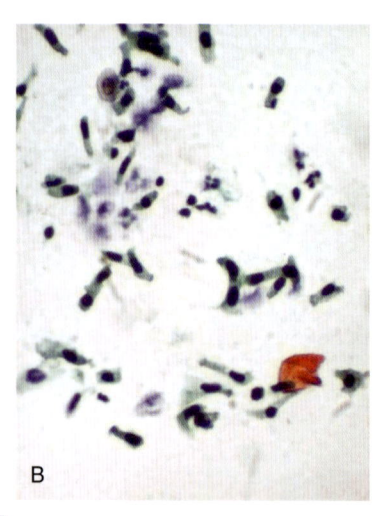

Figura 1.227
Citologia em meio líquido: lavado broncoalveolar. **A** e **B**. Células do epitélio respiratório e histiócitos alveolares.

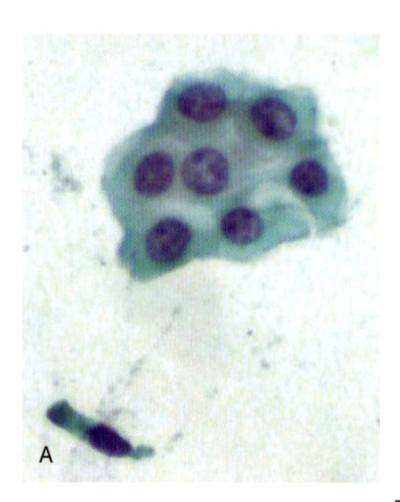
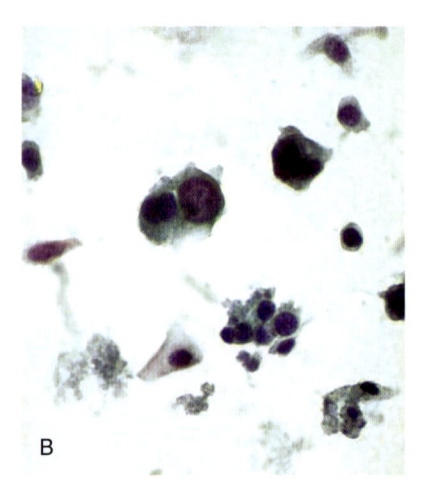

Figura 1.228
Citologia em meio líquido: lavado broncoalveolar. **A** e **B**. Células metaplásicas e célula do epitélio respiratório.
Células neoplásicas – carcinoma de células escamosas (**B**).

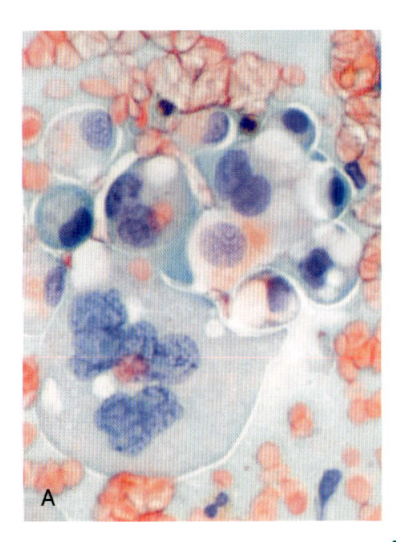 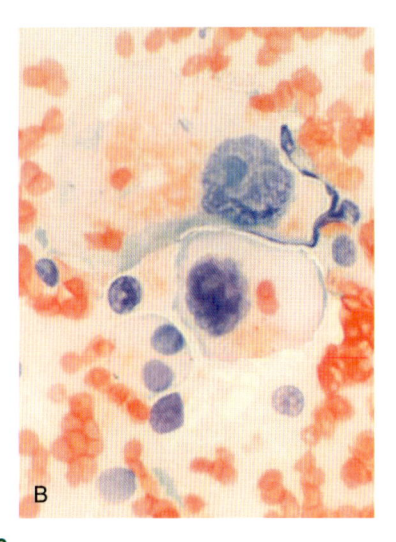

Figura 1.229
A e B. Citologia em meio líquido com gel alcoólico: líquido pleural – Adenocarcinoma.

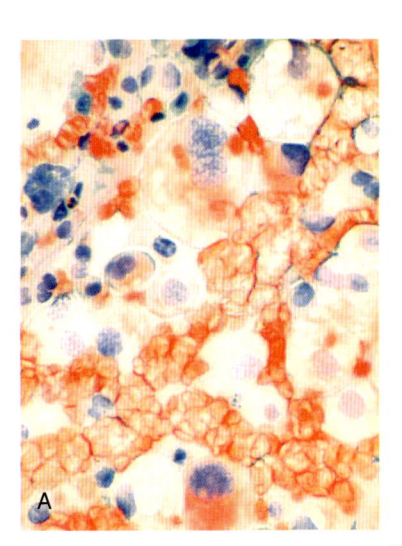 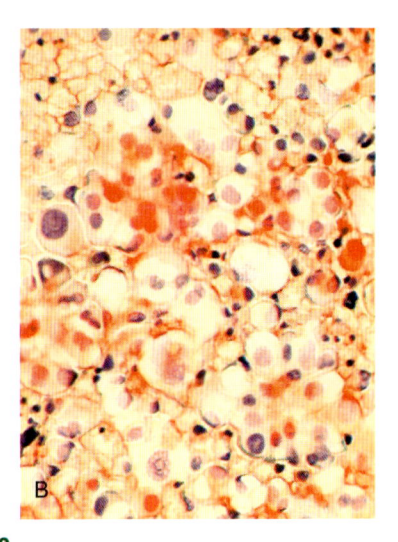

Figura 1.230
A e B. Citologia em meio líquido com gel alcoólico: líquido pleural – Adenocarcinoma.

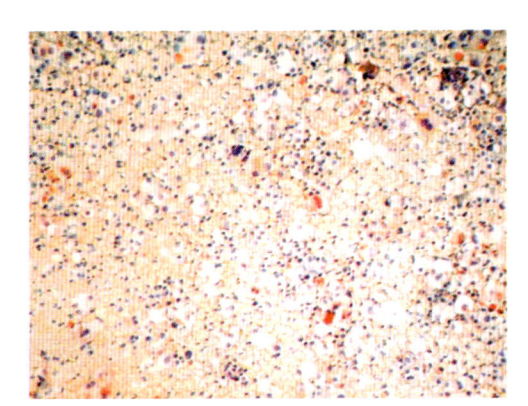

Figura 1.231
Citologia em meio líquido com gel alcoólico: líquido pleural – Adenocarcinoma.

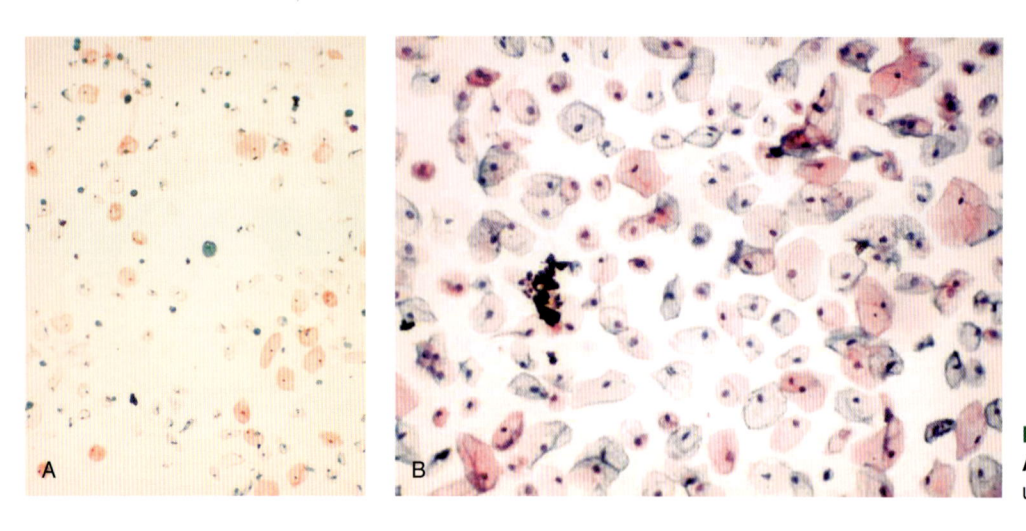

Figura 1.232
A e B. Citologia em meio líquido: urina.

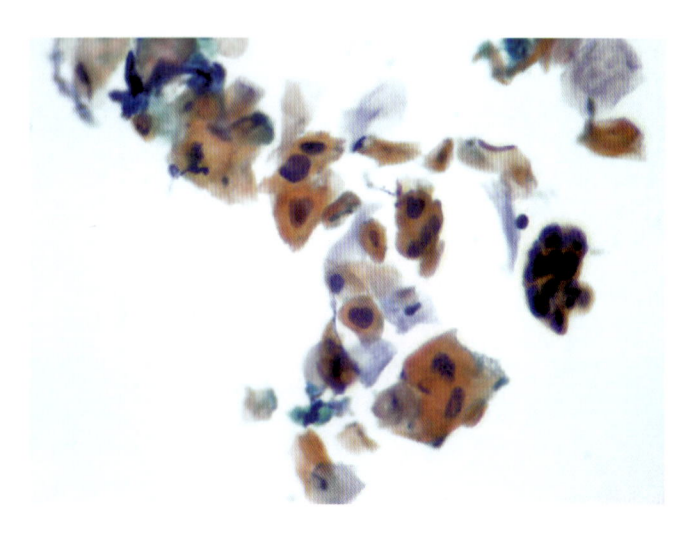

Figura 1.233
Citologia em meio líquido: pênis – HPV.

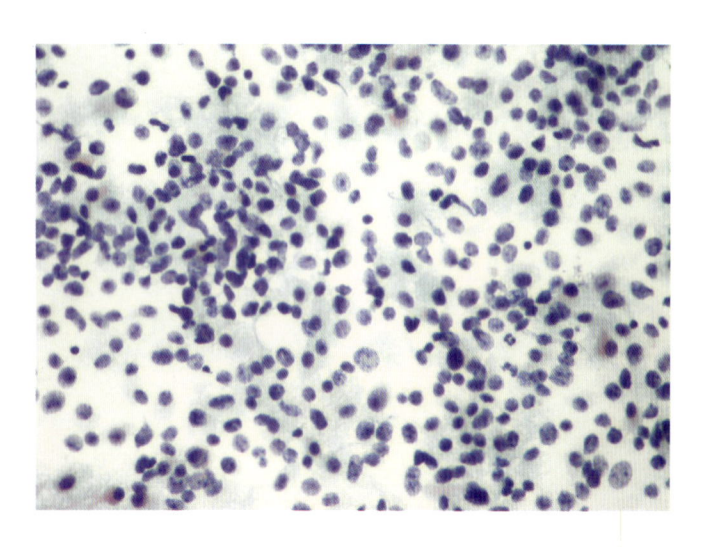

Figura 1.234
Citologia em meio líquido: SNC – Oligodendrioglioma.

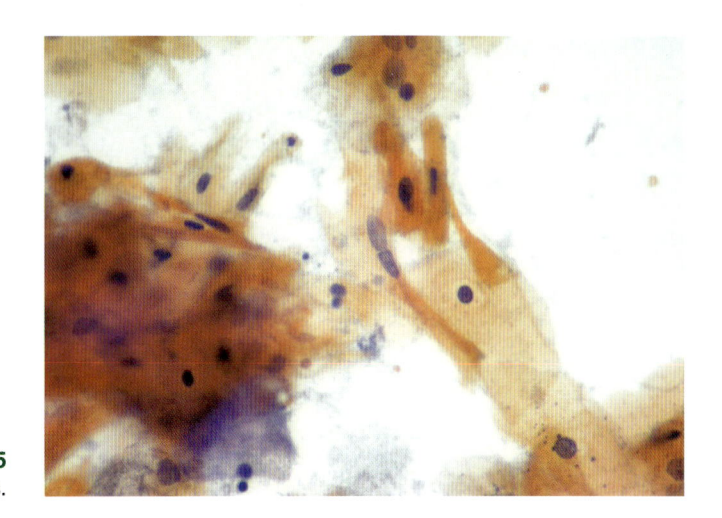

Figura 1.235
Citologia em meio líquido: boca – Carcinoma de células escamosas.

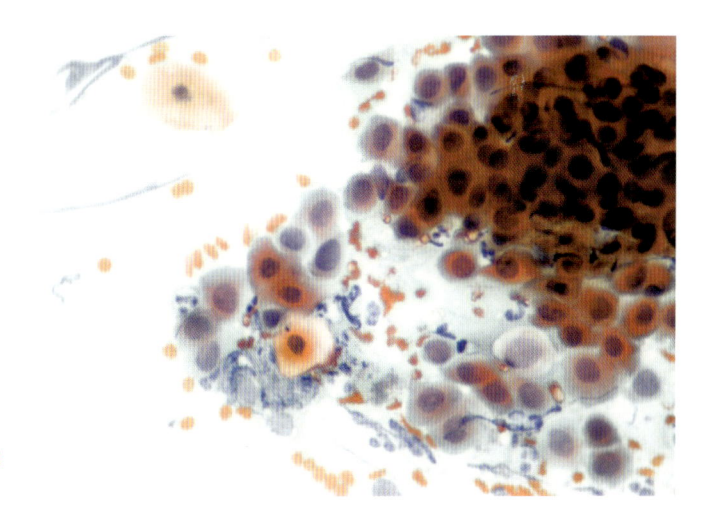

Figura 1.236
Citologia em meio líquido: boca – Pênfigo.

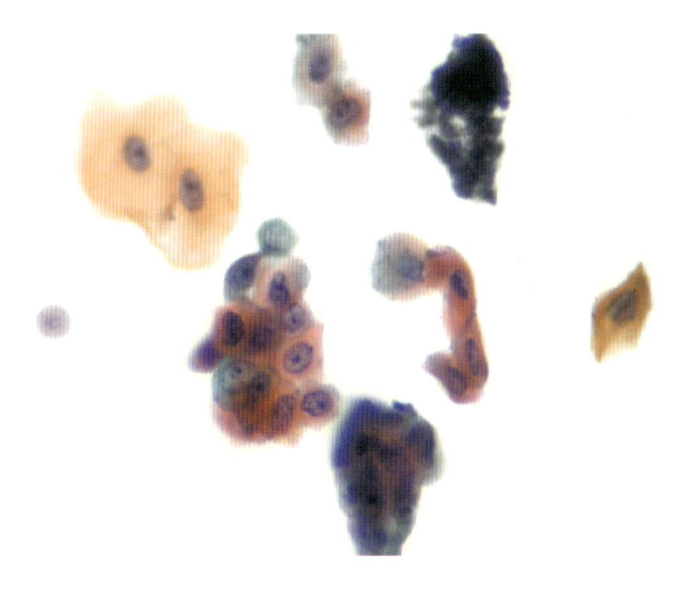

Figura 1.237
Citologia em meio líquido: boca – Pênfigo.

REFERÊNCIAS

Antonioli DA, Burke L, Friedman EA. Natural history of diethylstilbestrol associated genital tract lesions: cervical ectopy and cervicovaginal hood. *Am. J. Obstet. Gynecol.*, 137: 847, 1980.

Bachi CE, Almeida PCC, Franco M. Biópsias dirigidas do colo uterino: lesões intraepiteliais. *In:* Horta, ALM, Fonseca NM (eds.). *Manual de padronização de laudos histopatológicos da Sociedade Brasileira de Patologia.* São Paulo, Reichman & Affonso Editores. 1999:159-163.

Bachi CE, Almeida PCC, Franco M. Citopatologia ginecológica. *In:* Horta, ALM (eds.). *Manual de padronização de laudos histopatológicos da Sociedade Brasileira de Patologia.* São Paulo, Reichman & Affonso Editores. 1999:164-170.

Bamford SB, Mitchell Jr., Bardawil WA, Cassin CM. Vaginal cytology in polycistic ovarian disease. *Acta Cytol.*, 9: 322, 1965.

Barmann W. *Histologia y anatomia microscópica humanas.* 3 ed., Barcelona, Ed. Labor. 1968.

Bastos AC, Galluci J. Puberdade precoce. *Rev. Hosp. Clin. Fac. Med. São Paulo*, 28: 105, 1973.

Becker P. Exame e descrição do material do sistema genital feminino. *In:* Becker P (eds.). *Manual de Patologia Cirúrgica.* Rio de Janeiro, Guanabara Koogan. 1977:97-99.

Becker P. Requisição do exame anatomopatológico. Recepção, fixação e registro do material bióptico. Ficha nominal. Relatório do exame anatomopatológico. *In:* Becker P (eds.). *Manual de Patologia Cirúrgica.* Rio de Janeiro, Guanabara Koogan. 1977:1-12.

Blaustein's. Anatomy and Histology of the Cervix.*In:* Kurman RJ, Ferenczy A, Wright TC (eds.). *Pathology of the Female Genital Tract.* New York, Springer-Verlag. 1994:185-201.

Blaustein's. Precancerous lesions of the cervix. *In:* Wright TC, Kurman RJ, Ferenczy A (eds.). *Pathology of the female genital tract.* 4 ed. New York, Springer-Verlag. 1994:244-277.

Boglio L. Métodos de Estudo em Patologia. *In:* Filho GB, Barbosa AJA, Miranda D (eds.). *Patologia.* Rio de Janeiro, Guanabara Koogan. 1994:6-7.

Bornstein J, Yanina S, Atad J *et al.* Development of vaginal adenosis following combined 5-fluorouracil and carbon dioxid laser treatments for diffuso condylomatosis. *Obstet. Gynecol.*, 81: 896-898, 1993.

Brunori IL. Estrogenic effetc produced by digitalis preparations on the vaginal epithelium of woman of very advanced age. *Riv. Ital. Ginec.*, 49: 261, 1965.

Carvalho G. Parte oncológica. *In:* Carvalho G (ed.). Citologia do trato genital feminino. 2 ed. São Paulo, Atheneu. 1988:245-302.

Cassaguerra MA. Precocidade isossexual. *Ars Cvrandi*, 7: 48, 1974.

Charles D, Van Leeuwen L, Turner JH. Significance of cornified cells in the vaginal smear of postmenopausal women. *Am. J. Obstet. Gynec.*, 94:527, 1966.

Davis JD, Connor EE, Clark P *et al.* Correlation between cervical cytologic results and Gram stain as diagnostic tests for bacterial vaginosis. *Am. J. Obstet. Gynecol.*, 177(3): 532-535,1997.

De Brux, JA. Is the presence of a higly proliferative cell type (estrogenic type) during the second half the cycle imcompatible with normal luteal function, *Acta Cytol*, 6: 302, 1962.

De Waard F, Schwarz F. Weight reduction and postmenopausal estrogenic effect. *Acta Cytol*. 8: 449, 1964.

Dellepiane G. Vaginal cytology in abortion. *Acta Cytol.*, 3: 282, 1959.

Eugênio M, Lima GR. Puberdade Precoce: Síndrome de McCune-Albright. Apresentação de um caso. *J. Bras. Gin.*, 85(4): 165-169, 1978.

Faro S. Bacterial vaginitis. *Clin Obstet Gynecol.*, 34: 582,1991.

Ferreira CA. Vaginal cytolgy in abortion. *Acta Cytol.*, 3:283, 1959.

Gompel C. Is there a phylogical cell type which may be definied as "androgenic cell type"? *Acta Cytol.*, 1: 83, 1957.

Gonzalez-Merlo G. Citología. Generalidades. *In:* Casanova, Gonzalez-Merlo G (eds.). *Diagnostico Precoz del Cancer Genital Femenino.* Barcelona, Salvat Editores, S.A. 1981:1-22.

Gonzalez-Merlo G. Cuello normal, epitelio escamoso, epitelio cilíndrico y zona de transición. *In:* Lejarcegui JA, Gonzalez-Merlo J (eds.). *Diagnostico Precoz del Cancer Genital Femenino.* Barcelona, Salvat Editores, S.A. 1981:171-184.

Hadju SI, Melamed MR. Limitations of Aspiration Cytology in the Diagnosis of Primary Neoplasms. *Acta Cytol* 28:337-345.

Halbe HW, Ramos LO, Isaac RVC (eds.). *Tratado de Ginecologia*, 3 ed. vol. 1. São Paulo, Editora Roca. 2000:612-623.

Herbst AL, Scully RE. Adenocarcinoma of the vagina in adolescence. A report of seven cases including six clear cell carcinoma (so called mesonephromas). *Cancer*, 25: 745, 1970.

Hopman BC. *The cytologic Diagnosis of Pregnancy.* Miami, Miami Post Publishing Co., 1963.

Koss LG. Diagnostic Cytology and its Histopathologic Bases, 4th etc. Philadelphia: JB. Lippincott Co., 1992:251-281

Kurman RJ. Amostra adequada. definições, critérios e notas explicativas. *In:* Kurman RJ. Solomon D (eds.). *O Sistema Bethesda para o relato de diagnóstico citológico cervicovaginal.* Rio de Janeiro, Revinter. 1997:1-6

Kurman RJ. Diagnósticos descritivos. Definições, critérios e notas explicativas. *In:* Kurman R J. Solomon D (eds.). *O Sistema Bethesda para o Relato de Diagnóstico Citológico Cervicovaginal.* Rio de Janeiro, Revinter. 1997:7-9

Kurman RJ. The Cervix. *In:* Woodruff JD, Parmley TH (eds.). *Atlas of Gyneologic Pathology.* Philadelphia, J.B. Lippincott Company. 1988:3.2-3.4

Lee KR, Ashlaq R, Birdsong GG et al. Comparison of conventional Papanicolaou smears and a fluid-based, thi-layer system for cervical cancer screening. *Obstet. Gynecol.*, 90: 278-284, 1997.

Lencione LJ. *Pasado, presente y futuro de la citologia endocrina.* Conferencia. Citol. Latinoamericana, boletim nos 11 e 12, 1981.

Linhares E, Nahoum, JC. Fisiologia da puberdade. *GO*, 111: 10, 1969.

Lira JB, Silva APG. Metodologia manual de citologia em base líquida, de baixo custo, utilizando gel alcoólico fixador. *Revista da ABRALAPAC* (no prelo).

Lira Neto JB, Moreira RLBD. Aplicação da colpocitologia funcional na puberdade precoce e tardia. *Femina* 11(10): 823-828, 1983.

Lira Neto JB. Achados colpocitológicos em 1787 casos de vaginites. *J. Bras. Ginec.*, 95(11 e 12): 529, 1985.

Lira Neto JB. Importância clínica dos esfregaços vaginais citolíticos. *J. Bras. Ginec.*, 96(4): 171-173, 1986.

Lira Neto JB. Incidência de *Actinomyces* sp. na colpocitologia em 120 usuárias de DIU. *J. Bras. Ginec.*, 94(5): 177-181, 1984.

Lira Neto JB. Leucorréia causada por exacerbação dos bacilos de Döderlein. *J. Bras. Ginec.*, 94(3): 67-71, 1984.

Lira Neto JB. *Processos inflamatórios cérvico-vaginais. Diagnóstico e terapêutica das vaginites.* Rhodia S.A. Divisão Farmacêutica. 1984.

Lopez-Marin L. *Tecnicas de toma citológica.* Laboratorio de citologia. Instituto Dexeus, Barcelona, 1981.

Maksem JA, Finnemore M, Belsheim BL *et al.* Manual method for liquid-based cytology: a demonstratio using 1000 gynecological cytologies collected directly to vial and prepared by a smear-slide technique. *Diagn. Cytopathol.*, 25: 334-338, 2001.

Maksem JA, Weldmann J. Specialized preparative devices are not needed for liquid-based, thin-layer cytology: an alternate manual method using a metastable alcoholic gel. *Diagn cytopathol.*, *25*: 262-264, 2001.

McKee GT. Anormalidades pavimentosas de cérvix e vaginal Anormalides glandulares da cérvix e endométrio; modificações iatrogênicas. In: McKee GT, eds. *Citopatologia.* Porto Alegre, Artes Médicas. 1997:51-76.

McKee GT. Constituintes do esfregaço cervical normal. *In*: McKee GT (eds.) *Citopatologia.* Editora Artes Médicas Ltda. 1997:13-34.

McKee GT. Esfregaços inadequados. Inflamação e infecção. *In*: McKee GT. (ed.). *Citopatologia.* Porto Alegre, Artes Médicas. 1997:36-50.

Meisels A. Diagnostic cyto-hormonal durant la grossesse. *Laval Medical.*, 34: 552, 1963

Meisels A. The maturation value. *Acta Cytol.*, 11:249, 1967.

Meisels A. The menopause: Acytohormonal study. *Acta Cytol.*, 10: 49, 1966.

Meisels A. Vaginal smear in the menopause. *Acta Cytol.*, 4:151, 1960.

Montalvo L. Vaginal cytology during delivery. *Acta Cytol.*, 9: 337, 1965.

Muth H. Vaginal smear in the menopause. *Acta Cytol.*, 4: 151, 1960.

Navab A, Koss LG, LaDue JS. Estrogen-like activity of digitalis. Its effect on the squamous epithelium of the female genital tract. JAMA, 194: 30, 1965.

NG ABP, Regana MN, Greening S. Natural history of vaginal adenosis in women exposed to diethylbestrol in utero. *J. Reprod. Med.*, 18: 1, 1977.

Nomenclatura Brasileira para laudos citopatológicos cervicais e condutas clínicas preconizadas 2003. Programa Nacional de Controle do Câncer do Colo do Útero e de Mama. Ministério da Saúde, Instituto Nacional de Câncer (INCA).

Pereira, SMM, Utagawa ML, Pittoli, JE *et al.* A citologia de base líquida detecta mais lesões que a convencional e apresenta preparados de melhor qualidade técnica. Centro Diagnóstico de Citopatologia Ginecológica, Ljubljana/Eslovênia. Notícia DIGENE. http://www.digene.com.br/banco_not/top_noticias.html

Pro Onco. Nomenclatura e controle de qualidade nos programas de rastreamento do câncer cérvico uterino. Instituto Nacional do Câncer. Coordenação de Programas de Controle de Câncer (Pro-Onco). Sociedade Brasileira de Citopatologia, 1993.

Pundel JP. Vaginal cytology as prognostic method in pregnancy disorders. *Acta Cytol.*, 3: 2.311, 1959.

Rakoff AE. The vaginal cytology of gynecologic endocrinopathies. *Acta Cytol.*, 5: 153, 1961.

Robbins — The female genital tract. *In*: Cotran RS, Kumar V, Collins T (eds.). *Pathologic basis of disease.* Philadelphia, WB Saunders Company. 1999:1.047-1.053.

Rodrigues de Lima G, Inssaurralde Costa EC. Puberdade precoce constitucional. *Rev. Ginecol. Obstet.*, 3: 53, 1975.

Sellors J, Woward M, Pickard L *et al.* Chlamydial cervicitis: testing the practice guidelines for presumptive diagnosis. *CMAJ*, 158(1): 41-46, 1998.

Silva Filho AM. Colo uterino & vagina. Processos inflamatórios. Aspectos Histológicos, Citológicos e colposcópicos. Rio de Janeiro, Revinter, 2000:209.

Silva Filho, AM. Noções básicas de Anatomia Microscópica e Fisiologia da Região Cervicovaginal Colo uterino e vaginal. *In*: Silva Filho AM, Longatto Filho A (eds.). *Colo uterino & vagina. Processos inflamatórios. Aspectos histológicos, citológicos e colposcópicos.* Rio de Janeiro, Revinter. 2000:1-12

Singer A. Correlação dos métodos diagnósticos na detecção do pré-câncer escamoso cervical. *In*: Singer A, Monaghan JM (eds.). *Colposcopia, patologia & tratamento do trato genital inferior.* Porto Alegre, Artes Médicas. 1995:85-91.

Solomon D, Nayar R. *The Bethesda System for reporting cervical cytology 2004. Definitions, criteria, and explanatory notes.* 2ed., Springer.

Speroff L, Glass RH, Kase MG. *Clinical gynecology and infertility.* Baltimore, Willians & Wilkins Co. 1980.

Stafl A, Mattingly RF. Vaginal adenosis: a precancerous lesion? *Am. J. Obtet. Gynecol.*, 1974: 120-666.

Stamm A, Rawyler V, Riotton G. Vaginal cytology in abortion. *Acta Cytol.*, 3: 283, 1959.

Stone DF, Sedlis A, Stone ML, Turkel WV. Estrogen-like effects in the vaginal smears of postmenopausal women. *Acta Cytol.*, 11: 349, 1967.

Tabbara S, Saleh AD, Anderson W *et al.* The Bethesda classification for squamous intraepithelial lesions: histologic, cytologic, and viral correlates. *Obstetrics e Gynecology*, 79(3): 338-346, 1992.

Takahashi M. *Atlas em color de cotologia del cancer.* Barcelona, Ed. Científico Médica. 1982.

Takahashi M. Criterios de malignidad. Diferenciación y desdiferenciación. Discariosis y disqueratosis. Alteraciones celulares que simulan malignidad. *In*: Takahashi M, (eds.). Buenos Aires, Editorial Médica Panamericana S.A. 1982: 32-56.

Vegue JB. *Sistema Reproductor. Atlas de Histología y Organografía Microscópica.* Madrid, España, Editorial Medica Panamericana.1996:333-335.

Wachtel E. Symposium on hormonal cytology. *Acta Cytol.*, 12: 101, 1968.

Wied GL, Bibbo M. Evaluation of the endocrinologic condition of the patient by means of vaginal cytology. In: Wied GL, Koss LG, Reagan JW (eds.). *Compedium on diagnostic cytology.* 3 ed., Chicago, Tutorials of Cytology. 1975.

Wied GL, Del Sol JR, Dargan AN. Progestational and androgenic substances tested on the highly proliferated vaginal ephitelium of surgical castrates. I. Progestational substances. *Am. J. Obstet. Gynec.*, 75: 98, 1958.

Parte B

Exame Colposcópico

Garibalde Mortoza Junior e Sonia Cristina Vidigal Borges

DEFINIÇÕES

A colposcopia é um método propedêutico utilizado no rastreamento e no diagnóstico das lesões pré-cancerosas e cancerosas do trato genital inferior (TGI).

Em virtude da alta incidência da infecção pelo papiloma vírus humano e, sabendo de sua relação com o câncer (Ca) do TGI, aumentaram a importância e a necessidade de sua realização de uma forma adequada e por profissionais habilitados. Além disso, tornou-se relevante o exame de toda a genitália feminina – vagina, vulva, ânus, não só o colo uterino –, assim como o exame no homem, denominado peniscopia. É importante realizar o exame rotineiramente, pois assim podemos detectar os falso-negativos na citologia. O rastreamento somente com a citologia de Papanicolaou pode falhar em até 20% das vezes, mas, associando a colposcopia de rotina, teremos um índice de acerto na detecção precoce do Ca do TGI em mais de 95%. Nem sempre existem colposcópios disponíveis, então devemos referenciar para um serviço de colposcopia todas as pacientes com citologia anormal, com teste de Schiller positivo, com infecções virais ou outras doenças sexualmente transmissíveis, todas as parceiras de homens portadores de infecções pelo HPV, todas as pacientes que apresentam fatores de risco para o câncer do colo uterino, todas as portadoras de patologias vulvares.

ASPECTOS HISTÓRICOS

No início da década de 1920, Hans Hinselmann, diretor da Clínica Ginecológica da Universidade de Hamburgo, na Alemanha, recebeu o convite de seu chefe, Von Franqué, para escrever um capítulo sobre a evolução clínica do carcinoma do colo uterino. Preocupado em diagnosticar essa patologia em fase inicial e, discordando dos métodos propedêuticos vigentes na época, Hinselmann imaginou que os cânceres do colo uterino pudessem ser precedidos de pequenas alterações e, tentando examinar a cérvice de modo mais detalhado, entrou em contato com a Casa Leitz, criando um aparelho com uma lente que aumentava o epitélio cervical em dez vezes dotado de luz própria.

Esse autor observou e descreveu várias lesões e, mediante estudo histopatológico dessas lesões, passou-se a entender o significado das lesões pré-cancerosas, as quais ele chamou de "áreas matrizes do carcinoma", classificando-as em quatro categorias e, posteriormente, em duas: "atipias epiteliais simples" e "atipias epiteliais graves".

A colposcopia foi difundida mundialmente por Novak, Te Linde, Galvin, Meiggs, e na América do Sul, por João Paulo Rieper, Clóvis Salgado, Carlos Alberto Salvatore e Alberto Henrique Rocha, além de outros. Na Alemanha, nos EUA e em outros países de língua inglesa, o método teve pouca divulgação pelas dificuldades de aceitação das idéias de Hinselmann, pelo surgimento do teste de Schiller e da colpocitologia de Papanicolaou, além de problemas decorrentes do nazismo e da ocorrência da Segunda Guerra Mundial.

Em 1958 foi fundada a Sociedade Brasileira de Colposcopia, posteriormente denominada Sociedade Brasileira de Patologia do Trato Genital Inferior e Colposcopia, atualmente Associação Brasileira de Ginecologia. Inicialmente presidida por Clóvis Salgado, realizou o primeiro congresso organizado no mundo sobre colposcopia, o "Primeiro Congresso Brasileiro de Colposcopia", em Belo Horizonte no ano de 1964. Em 1972 foi fundada, em mar del Plata a Internacional Federation for Cervical Pathology and Colposcopy (IFCPC).

APARELHAGEM, INSTRUMENTAL E TÉCNICA

Colposcópio é um aparelho binocular, ou seja, as oculares são duplas, o que permite uma visão estereoscópica através de lentes objetivas convergentes e divergentes, favorecendo aumentos de vários graus e, de um sistema de iluminação no qual o foco de luz incide sobre o campo a ser examinado.

O aparelho ideal deve ter uma distância focal (distância entre o aparelho e o objeto a ser examinado) entre 25 e 30 cm, de modo que possa permitir a utilização de instrumentos como pinças de biópsias, de Cherron, alças diatérmicas etc.

As variações de aumento do aparelho determinarão o tamanho do campo a ser examinado, ou seja, quanto maior o aumento menor a área a ser examinada. Aumentos de cerca de cinco vezes são suficientes para fornecer uma visão panorâmica do TGI, ao passo que aumentos de cerca de 20 a 40 vezes são importantes para detalhar alterações de maior importância, como as alterações vasculares, determinando os melhores locais de biópsia.

Portanto, um bom colposcópio deve ter cinco aumentos, aparelhos que possuem somente um aumento perdem bastante sua precisão. Além disso, é necessária a utilização de filtro verde para visualizar com mais detalhes os vasos capilares.

Para que se possam registrar as imagens, os colposcópios podem ser dotados de divisores de imagens permitindo acoplar ao aparelho sistemas de fotografias e de vídeo.

Para realizar uma boa colposcopia, precisamos de:

- mesa auxiliar,
- espéculos vaginais de vários tamanhos,
- pinças de Cherron, de Pozzi e de biópsias,
- endoespéculo de Koogan ou Mencken,
- histerômetros,
- curetas endocervicais,
- cubas e vidros ou almotolias para colocação de soluções,
- seringas e ampolas de anestésico local,
- material para coleta citológicas,
- frascos com formol a 10%,
- algodão, gazinha e tamponamento vaginal,
- soluções reagentes:
  - soro fisiológico,
  - ácido acético a 5%,
  - solução de Schiller,
  - hipo ou bissulfito de sódio a 2%.

Ao iniciarmos o exame, devemos realizar uma anamnese dirigida, observando a presença ou não de fatores de risco para o câncer genital: idade da paciente, *status* hormonal, presença de infecções, tratamentos ginecológicos anteriores etc. É importante realizar o exame em pacientes que não estejam menstruadas, sem uso prévio de cremes ou pomadas ou duchas vaginais, que estejam em abstinência sexual há 3 dias, sem história recente de possível traumatismo no TGI, com biópsias, histerossalpingografia, cauterizações etc. Devemos sempre realizar a colposcopia alargada, isto é, utilizar soluções reagentes para salientar as lesões. É necessário examinar toda a genitália, podendo iniciar com a vulvoscopia ou, como preferem alguns, examinar inicialmente o colo e, a seguir, vagina, vulva, regiões perineal e perianal. Efetua-se uma inspeção da vulva, depois é aplicado ácido acético a 5%, usando *spray* para evitar macerações; observam-se intróito vaginal, lábios menores, sulcos interlabiais e regiões perineal e perianal. Introduz-se o espéculo e, se necessário, procede-se à coleta de material para exame citológico; observam-se o colo e os fundos vaginais panoramicamente, limpando com soro fisiológico; aplica-se ácido acético a 5%, que vai promover alterações bioquímicas no núcleo e no citoplasma das células e, observa-se as reações provocadas. O efeito do ácido acético é fugaz, podendo

ser necessário repetir sua aplicação por mais de uma vez. Realiza-se, então, o teste de Schiller, utilizando a solução iodo-iodetada que tem afinidade intensa pelo glicogênio, corando em marrom-escuro o epitélio escamoso normal. A embrocação com a solução de Schiller deve atingir todo o colo e as paredes vaginais. Por fim, nos casos em que é necessário reavaliar as áreas alteradas, utiliza-se o bissulfito ou hipossulfito de sódio na concentração de 1% a 5% para remover o iodo impregnado no epitélio. É possível, ainda, lançar mão de corantes nucleares como o azul de toluidina para realçar os locais de maiores alterações – teste de Collins. Ao examinarmos o colo, devemos identificar a junção escamocolunar (JEC), visualizando toda a sua extensão nos lábios anterior e posterior. Utilizando espéculos de Koogan ou Mencken, examinamos o canal cervical para tentar visualizar toda a sua extensão.

O COLO NORMAL

O colo uterino é a parte mais distal do útero, situando-se no fundo vaginal, separado do corpo uterino, na porção ístmica, onde se encontra o orifício interno. Possui um canal que comunica a cavidade uterina com a vagina, terminando no orifício externo. O canal cervical é revestido por um epitélio colunar, monoestratificado, com células ciliares produtoras de muco. Externamente, o colo é revestido por um epitélio escamoso, pluriestratificado, composto por células basais, parabasais, intermediárias e superficiais.

O epitélio cervical deriva-se do epitélio mulleriano e da placa vaginal, que está ligada ao seio urogenital, na vida fetal, sendo que o epitélio mulleriano dará origem ao epitélio colunar e o epitélio escamoso origina-se da placa vaginal. O epitélio escamoso estende-se a partir da junção do epitélio vulvar até seu contato com o epitélio colunar. Em alguns fetos, a área entre os epitélios originais escamoso e colunar é tomada por um terceiro tipo de epitélio, o metaplásico original.

A ectocérvice é a região externa do colo, que se inicia no orifício externo, indo até os fundos de sacos vaginais. A endocérvice se estende do orifício externo até o orifício interno do colo. A JEC é a linha que se situa entre os dois epitélios que revestem o colo, escamoso e colunar, podendo estar tanto na ecto como na endocérvice, dependendo do *status* hormonal da mulher. Na infância e no período pós-menopausa, geralmente a JEC se situa dentro do canal cervical. No período de menacme, quando ocorre produção estrogênica, geralmente a JEC situa-se ao nível do orifício externo ou para fora deste.

Sob ação dos estrógenos, o epitélio colunar desloca-se para fora do canal endocervical, situando-se fora do orifício externo, o que é chamado de ectopia ou eversão. Neste epitélio encontram-se as células de reserva ou subcilíndricas, caracterizadas pela sua bipotencialidade, isto é, têm a capacidade de se transformar, em um processo de evolução normal, em células cilíndricas ou, mediante um processo de metaplasia, em células de epitélio escamoso. Isto vai ocorrer em um epitélio cilíndrico evertido, sob ação do meio ambiente vaginal ácido. Esse processo de metaplasia vai originar um novo epitélio situado entre os epitélios escamoso e cilíndrico originais, chamado de terceira mucosa, ou zona de transformação. Durante o processo de metaplasia vai ocorrendo a formação de lingüetas que vão confluindo, deixando orifícios glandulares abertos que drenam secreção mucóide produzida pelas células colunares. Algumas vezes o epitélio colunar fica completamente recoberto pelo novo epitélio escamoso, dando origem à formação de cistos, chamados de Naboth. A zona de transformação é limitada caudalmente pelo último orifício glandular e, cranialmente, faz limite com o epitélio cilíndrico simples.

O epitélio metaplásico ocorre na vida fetal, na adolescência e na gravidez, correspondendo à zona de transformação fisiológica, típica ou normal. Durante os estágios iniciais da metaplasia, o epitélio pode ser vulnerável a alterações genéticas, o que pode resultar em uma população celular com potencial de transformação maligna. Dentre os principais fatores que podem levar a essas alterações genéticas, o papilomavírus humano, tem papel relevante.

Em algumas mulheres a ectopia pode estar presente congenitamente, em decorrência da incompleta substituição do epitélio mulleriano pelo urogenital. Às vezes, encontra-se a presença de ectopia nas paredes vaginais, o que é chamado de adenose. Isto geralmente leva a um processo de metaplasia extensa, às vezes ocupando até mesmo as paredes vaginais – metaplasia congênita.

CLASSIFICAÇÕES COLPOSCÓPICAS

Terminologia ou nomenclatura colposcópica significa dissertar sobre os termos que definem os vários aspectos colposcópicos de acordo com o seu provável significado histológico e clínico, com validade prática, ou seja, "uma linguagem universal", de modo que distintas definições de uma mesma lesão possam ser entendidas por diferentes observadores. Classificar significa distribuir em grupos homogêneos lesões que apresentam um mesmo comportamento biológico. No início, Hinselmann classificou as imagens em quatro categorias, posteriormente, reduzindo-as para duas somente: atipias epiteliais simples e atipias epiteliais graves. A base de todas as classificações se originou na escola alemã, que dividiu os achados colposcópicos em quatro tópicos: (1) achados normais (epitélio pavimentoso original trófico ou distrófico); (2) lesões benignas (ectopia, transformação iodo-negativa de bordas esfumaçadas ou iodo-positivas); (3) lesões suspeitas (trans-

formação iodo-negativa de bordas nítidas, mosaico, base de leucoplasia, leucoplasia, erosão verdadeira); (4) achados superpostos (pólipo, endometriose, deciduose, flogose etc.). Várias escolas definiram suas classificações. Em 1975, durante o II Congresso Mundial de Colposcopia, o Comitê de Nomenclatura da IFCPC elaborou uma classificação internacional, baseada na classificação alemã, com modificações substanciais. Introduziu novos termos como "epitélio branco ou acetobranco", "queratose" e "pontilhado". Reuniu um vasto grupo de alterações sob a denominação de "transformação atípica", mas sem conseguir fornecer elementos úteis para diferenciar o grau de atipias histológicas correspondentes. A classificação italiana se mostrou uma das mais completas, substituindo o termo "transformação típica" por, "transformação anormal", mais apropriado, já que nem sempre são encontradas atipias epiteliais correspondentes. Além disso, introduziu uma codificação de graduação das alterações.

No VII Congresso Mundial, realizado em Roma, em 1990, diante da necessidade de se dispor de uma terminologia e classificação internacional única, o Comitê de Nomenclatura da IFCPC propôs uma nova classificação na qual se aceitava a codificação de gradação, não mais se utilizava o termo "atípico", foram separados os achados colposcópicos conforme sua localização, dentro ou fora da zona de transformação, foram introduzidos entre os achados anormais a área iodoclara acetomuda e foi inserido o termo de condilomatose plana entre os achados colposcópicos anormais. Utilizada até 2003, em todo o mundo, a Classificação Colposcópica Internacional (IFCPC – Roma/1990) define:

I. Achados colposcópicos normais
   a) Epitélio escamoso original
   b) Epitélio colunar
   c) Zona de transformação normal

II. Achados colposcópicos anormais
   a) Dentro da zona de transformação:
   - epitélio acetobranco plano micropapilar ou microcircunvoluções
   - pontilhado
   - mosaico
   - leucoplasia
   - zona iodo-negativa
   - vasos atípicos
   b) Fora da zona de transformação:
   - epitélio acetobranco plano micropapilar ou microcircunvoluções
   - pontilhado
   - mosaico
   - leucoplasia
   - zona iodo-negativa
   - vasos atípicos

III. Achados colposcópicos sugestivos de câncer invasor

IV. Achados colposcópicos insatisfatórios:

- junção escamocolunar não visível
- inflamação e/ou atrofia intensa
- cérvice não visível

V. Achados/vários

- superfície micropapilar não-acetobranca
- condiloma exofítico
- inflamação/atrofia/úlcera

Especificar o grau:

- **1º Grau:**

    Epitélio branco fino
    Mosaico regular
    Pontilhado regular
    Leucoplasia fina

- **2º Grau:**

    Epitélio branco espessado
    Mosaico irregular
    Pontilhado irregular ou áspero ou grosseiro
    Leucoplasia espessa
    Vasos atípicos

Durante o Congresso Mundial de Patologia do Trato Genital Inferior, em Barcelona – Espanha, no ano de 2003, por intermédio do Comitê de Nomeclatura da IFCPC – Federação Internacional de Patologia Cervical e Colposcopia – foram promovidas mudanças na Classificação Colposcópica Roma 90, definindo com mais detalhes a zona de transformação e introduzindo as sugestões diagnósticas, conforme a seguir:

Classificação Internacional – Barcelona 2002 – IFCPC

Achados Colposcópicos Normais

- Epitélio pavimentoso original
- Epitélio colunar
- Zona de transformação

Tipo I – completamente ectocervical e completamente visível; podendo ser pequeno ou grande.

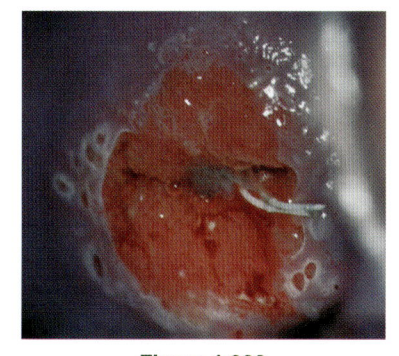

Figura 1.238

Tipo II – componente endocervical, totalmente visível, podendo ser pequeno ou grande.

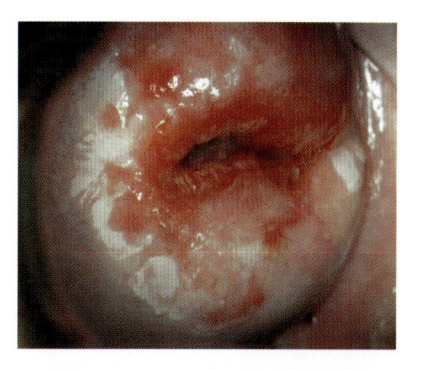

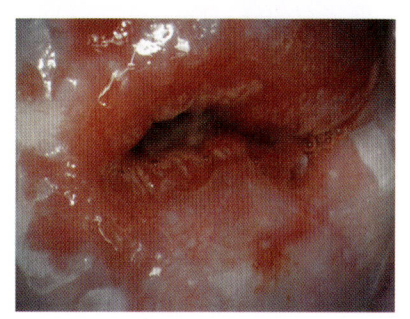

Figura 1.239

Tipo III – componente endocervical que não é completamente visível, podendo ser pequeno ou grande.

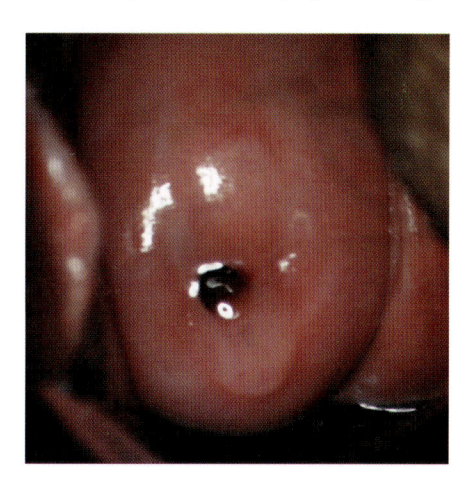

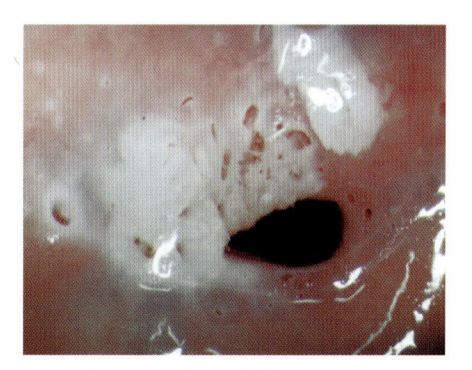

Figura 1.240

Achados Colposcópicos Anormais

- Epitélio acetobranco plano
- Epitélio acetobranco denso
- Pontilhado fino
- Pontilhado grosseiro
- Mosaico fino
- Mosaico grosseiro
- Iodo parcialmente positivo
- Iodo-negativo
- Vasos atípicos

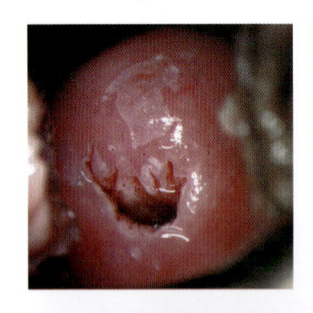
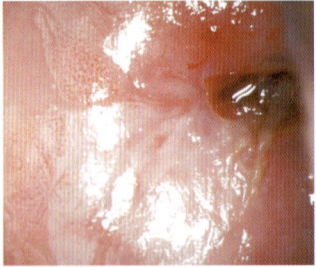
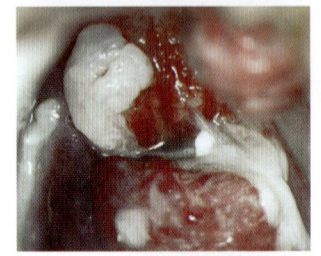
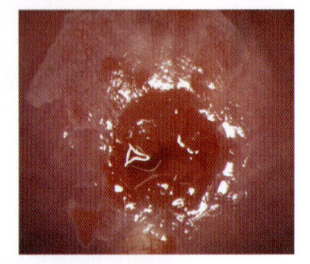
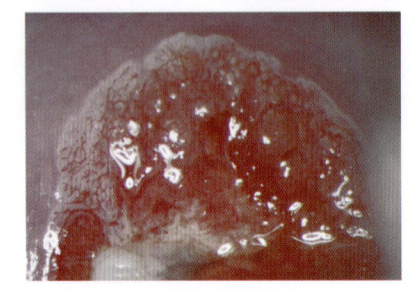

Figura 1.241

Achados Colposcópicos Sugestivos de Câncer Invasor

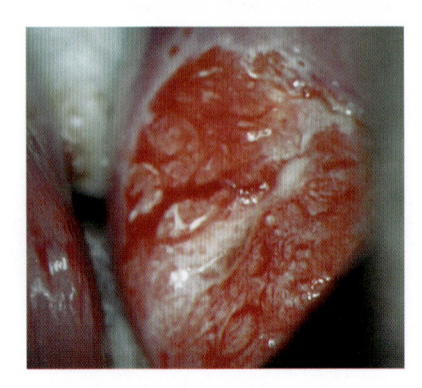

Figura 1.242

Colposcopa Insatisfatória

- JEC não visível
- Inflamação severa, atrofia severa, trauma
- Colo uterino não visível

Figura 1.243

Miscelânea

- Condiloma
- Queratose
- Erosão
- Inflamação
- Atrofia
- Deciduose
- Pólipo

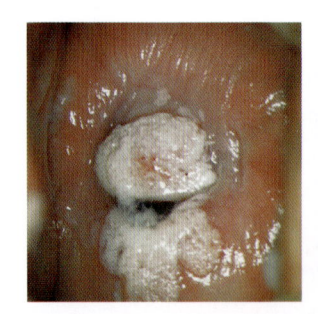
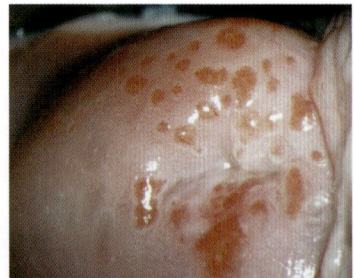
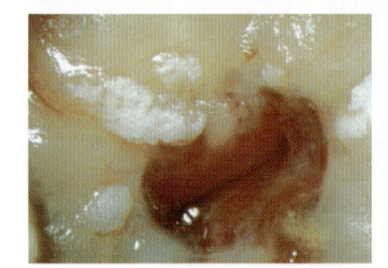
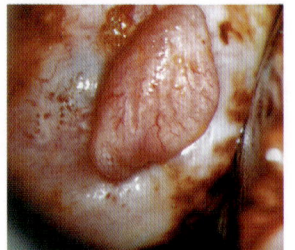

Figura 1.244

Características Colposcópicas Sugestivas de Alterações Metaplásicas

- Superfície lisa com vasos de calibre uniforme
- Alterações acetobrancas moderadas
- Iodo-negativo ou parcialmente positivo

Características Colposcópicas Sugestivas de Alterações de Baixo Grau (Alterações Menores)

- Superfície lisa com borda externa irregular
- Alteração acetobranca leve, que aparece tardiamente e desaparece rapidamente
- Iodo-negatividade moderada, freqüentemente iodo malhado com positividade parcial
- Pontilhado fino e mosaico regular

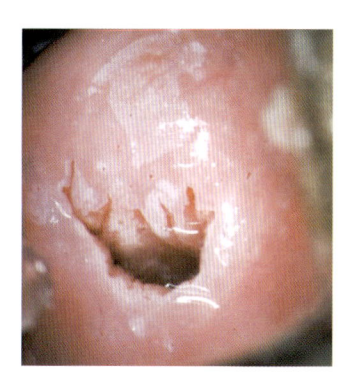

Figura 1.245

Características Colposcópicas Sugestivas de Alterações de Alto Grau (Alterações Maiores)

- Superfície geralmente lisa com borda externa aguda e bem marcada
- Alteração acetobranca densa, que aparece precocemente e desaparece lentamente, podendo apresentar um branco-nacarado que lembra o de ostra
- Negatividade ao iodo, coloração amarelo-mostarda em epitélio densamente branco previamente existente

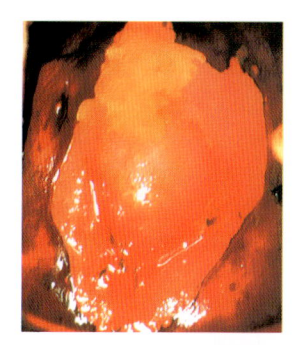
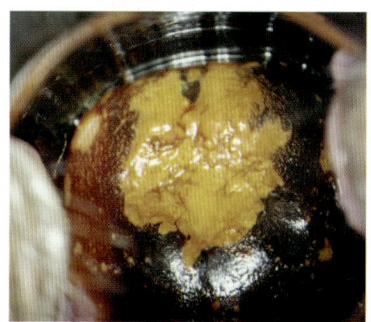
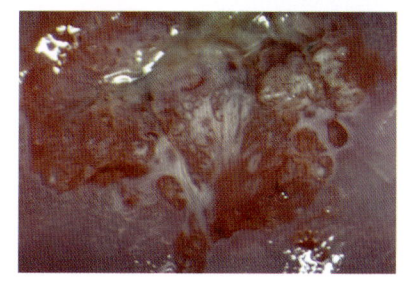

- Pontilhado grosseiro e mosaico de campos irregulares e de tamanhos discrepantes
- Acetobranqueamento denso no epitélio colunar pode indicar doença glandular

Características Colposcópicas Sugestivas de Câncer Invasor

- Superfície irregular, erosão ou ulceração
- Acetobranqueamento denso
- Pontilhado irregular extenso e mosaico grosseiro
- Vasos atípicos

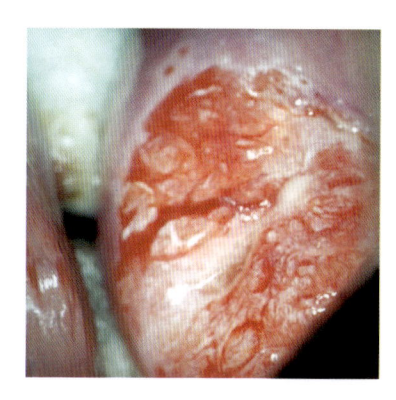

Figura 1.247

Em 1971, Broen & Ostegard criaram a *vulvoscopia*, método complementar para estudo da vulva com o objetivo e prevenção do câncer de vulva, diagnóstico da infecção subclínica pelo HPV e de minúsculos condilomas acuminados. Segundo Angelina Maia (Setor de Vulva do Serviço de Ginecologia do Hospital das Clínicas da UFPE), as suas principais indicações são: pacientes com lesões pré-malignas ou malignas do TGI; prurido, ardor e dor vulvar crônica; condilomas recorrentes; lesões vulvares macroscópicas; pacientes imunodeprimidas; crescimento tecidual anormal, ulceração, sangramentos. Até hoje a única classificação existente é a de Coppleson e Pixley (1992):

- Cor: (1) normal, (2) branca, (3) acetobranca, (4) vermelha, (5) marrom, (6) outra pigmentação
- Vasos sangüíneos: (1) ausentes, (2) pontilhado, (3) mosaico, (4) atípicos
- Configuração de superfície: (1) plana, (2) aumentada, (3) micropapilar, (4) microcondilomatosa, (5) viliforme, (6) papular, (7) hiperceratótica
- Topografia: (1) unifocal, (2) multifocal, (3) múltiplos sítios

ACHADOS COLPOSCÓPICOS

- *Epitélio escamoso original:* seu aspecto colposcópico é determinado pelo arranjo celular de suas camadas e pelo estroma subjacente, de acordo com a influência hormonal. Ao colposcópio, mostra-se com uma superfície lisa, plana, de coloração rósea e uniforme. Após aplicação da solução de Schiller, adquire a cor marrom-escura em virtude impregnação, pelo iodo, do glicogênio existente nas células da camada intermediária.

- *Epitélio colunar:* seu aspecto colposcópico é determinado por vilosidades múltiplas ou projeções do tipo uva, com coloração avermelhada. Sob ação do ácido acético, ocorre um edema fugaz das papilas salientes, quando podemos observar brotos capilares facilmente sangrantes em razão da fragilidade desse epitélio. Entre as papilas observamos sulcos pseudoglandulares sob a forma de criptas. As células colunares são desprovidas de glicogênio, por isso não se coram pelo iodo.

- *Zona de transformação:* caracterizada pela presença de epitélio metaplásico, que pode estender-se tanto na ectocérvice quanto na endocérvice. Surge na junção escamocolunar, às vezes formando lingüetas, em direção proximal, não uniforme, apresentando três estágios de desenvolvimento, depedo do tempo de evolução. No estágio inicial ou imaturo tem-se um epitélio pouco espesso para tornar-se branco ao ácido acético, desprovido de células intermediárias, não se corando pelo iodo. No estágio intermediário, o epitélio vai se espessando, contendo ainda muitas células em processo de maturação, tornando-se ligeiramente branco ao ácido acético e de cor marrom-clara ao teste de Schiller, pois já existem células com algum teor de glicogênio. No estágio final ou maduro, somente vai se diferenciar do epitélio escamoso original pela presença de orifícios glandulares e de cistos de Naboth.

Na adolescência, o colo normal, na maioria das vezes, apresenta uma ectopia com zona de transformação imatura. Na menacme, 20% das mulheres vão apresentar o que chamamos de colo padrão, isto é, presença de epitélio escamoso original e colunar, com a JEC no orifício externo. É comum a presença de ectopia com zona de transformação imatura ou madura, principalmente nas usuárias de contraceptivos hormonais. Na menopausa, pela diminuição da produção estrogênica, ocorre um adelgaçamento do epitélio, diminuído principalmente à custa da ausência de células das camadas intermediárias e superficiais, permitindo uma visualização maior do estroma. Temos, então, epitélio mais pálido, frágil, com sangramento sob a forma de petéquias ao manuseio. O teste de Schiller mostra um colo fracamente corado pelo iodo. A JEC situa-se, na maioria das vezes, dentro do canal cervical. A terapia de reposição hormonal, dá ao colo as mesmas características da menacme.

- *Epitélio acetobranco:* presença de epitélio escamoso, original ou metaplásico, de coloração branca após a aplicação do ácido acético. Isto ocorre na presença de alterações do metabolismo celular. Existem duas teorias que explicam esse processo: a primeira justifica o branqueamento pela coagulação das proteínas nucleares e citoplasmáticas; a segunda é justificada por uma alteração osmótica, retirando a água intracelular, tornando a área mais compacta. Esse epitélio acetobranco pode ser plano ou com microcircunvoluções, de intensidade variável de acordo com a gravidade da lesão. As bordas das lesões também estão relacionadas com a gravidade do processo; lesões mais brandas tendem a apresentar bordas menos nítidas, já as mais graves mostram bordas bem demarcadas. A reação ao teste de Schiller, dependendo também da gravidade da lesão, será variável.

- *Pontilhado e mosaico:* alteração da rede vascular em decorrência de proliferação anormal das células epiteliais. Normalmente a rede vascular encontra-se apenas no córion, não aparecendo no epitélio, e, em virtude de desarranjo estrutural nesse epitélio, ocorre a formação de brotos com eixo vascular entre eles, tornando-se visíveis nas áreas ou pontos em que o epitélio está mais adelgaçado. No pontilhado, o padrão dessa alteração vascular caracteriza-se por pontos espalhados em epitélio acetobranco, podendo ser fino ou mais grosso de acordo com o calibre do vaso em decorrência do grau de desarranjo epitelial. Em lesões mais graves nota-se uma distância intercapilar maior e irregular. O mosaico se caracteriza por brotos epiteliais que invaginam e se ramificam no estroma, ficando visíveis os capilares próximos da superfície, entre estes brotos, dando um aspecto de ladrilhos acetobrancos com uma orla avermelhada, formando campos poligonais. Em lesões menos graves o mosaico é regular, tornando-se mais irregular à medida que a lesão se torna mais acentuada. Geralmente as áreas com pontilhado e/ou mosaico se apresentam com teste de Schiller positivo.

- *Leucoplasia:* é a visualização de epitélio branco, antes da aplicação do ácido acético, em decorrência da formação de uma camada de queratina na superfície que impede a visualização dos vasos do estroma. Apresenta aspecto brilhante, oleoso, que pode descamar, de bordas bem definidas, de espessamento variável, em relevo, iodo-negativa. Por não termos condições de avaliar o epitélio subjacente, à colposcopia, é necessário biopsiar essas áreas leucoplásicas, principalmente em áreas extensas que podem determinar citologias falsamente negativas e esconder uma displasia ou até mesmo uma carcinoma invasor ceratinizante.

- *Zona iodo-negativa:* área Schiller positiva, sem alterações colposcópicas como acetobranqueamento, pontilhado ou mosaico, podendo ocorrer dentro ou fora da zona de transformação, ser única ou múltipla, geralmente sem significado histológico importante.

- *Vasos atípicos:* vasos capilares que se apresentam de forma bizarra, às vezes em forma de vírgula, saca-rolhas, grampos de cabelo etc., com trajetos longos que podem terminar abruptamente. São vasos terminais irregulares no formato, no curso, na densidade, no calibre e no arranjo espacial, mais bem visualizados utilizando-se o filtro verde, após aplicação de solução salina. Não têm o padrão arborescente regular, com diminuição subseqüente no diâmetro dos ramos, como ocorre nos tecidos sãos.
- *Orifícios glandulares espessados:* apresentam-se como orifícios na zona de transformação, com halo acetobranco, largo, espessado, geralmente em relevo. Denota alteração epitelial ocupando uma glândula.
- *Achados colposcópicos sugestivos de carcinoma invasor:* as lesões podem apresentar padrões de atipias vasculares variados, com pontilhado grosseiro e mosaico irregular, com distância intercapilar aumentada, mostrando áreas avasculares. Os vasos atípicos se apresentam de forma caótica, às vezes de forma paralela à membrana basal. As lesões podem ter superfície nodular ou polipóide, podendo evoluir para um crescimento exofítico ou ulcerado, de coloração vermelho-profunda até amarelo-clara, acetobranca de forma intensa. Geralmente são friáveis, sangrantes à manipulação, às vezes com úlceras em virtude da necrose, com tecido de granulação na base, com bordas indeterminadas. Nas formas infiltrantes, nas quais predominam os fenômenos fibróticos, observa-se um nódulo duro, pulsátil. Nas formas papilares é difícil fazer a diferenciação com condilomas volumosos.
- *Achados colposcópicos insatisfatórios:* a não-visualização da junção escamocolunar impede que seja feita uma avaliação adequada de toda a zona de transformação. Geralmente ocorre nas pacientes menopausadas, nas quais a JEC se encontra dentro do canal cervical. É necessário melhorar as condições tróficas do colo, com estrogenioterapia, repetindo posteriormente a colposcopia. A não-visualização da JEC também pode ocorrer após terapias (cauterização, conização, amputação etc.) realizadas no colo uterino. Os processos inflamatórios levam a uma descamação acentuada do epitélio, expondo mais facilmente os fenômenos que ocorrem no tecido conjuntivo (congestão, dilatação dos vasos, infiltração leucocitária). Nesse caso, também, para uma boa avaliação colposcópica, é necessária a terapêutica do processo antes da realização do exame colposcópico.
- *Achados vários:* a superfície micropapilar não-acetobranca se caracteriza pela presença de micropapilas no epitélio escamoso, de tamanhos vários, que não se modificam após a aplicação de ácido acético. O condiloma exofítico apresenta-se como uma formação branco-nacarada, com digitações ou papilas com eixo capilar. Às vezes se apresentam em forma de espículas de tamanhos variados, acetobrancas, em uma base única. Na vulva, é impor-

tante fazer a diferenciação com as micropapilas normais que se apresentam em forma de dedos de luva, mas cada uma com sua base. Os processos inflamatórios podem se apresentar em forma de colpite difusa ou focal. Na colpite difusa nota-se um epitélio com fundo rosa-pálido com pontos vermelhos que se estendem sob toda a cérvice e a mucosa vaginal, corando fracamente pelo iodo. A colpite focal se apresenta como manchas avermelhadas, em focos, com a presença de pontos vermelhos, não corados pelo iodo, dando um aspecto de pele de leopardo. Os processos inflamatórios do endocérvice revelam epitélio colunar hiperemiado com vascularização exuberante, facilmente sangrante, com muco espesso, opacificado, às vezes purulento. A atrofia é comum nas mulheres pós-menopausadas, nas quais se nota uma mucosa pálida, com epitélio fino que pode apresentar, ao ser manuseada, sangramento em forma de petéquias. As úlceras e as lacerações podem surgir em decorrência de infecções (HSV e sífilis), exposição a agentes químicos, no prolapso uterino, no pós-parto e após irradiação. Os pólipos apresentam-se com protuberância do epitélio colunar ou escamoso, projetando através do canal cervical. Podem ser mucosos, adenomatosos, fibrosos, vasculares, miomatosos e inflamatórios. O mais freqüente é o pólipo mucoso, que se apresenta como o epitélio colunar à colposcopia, podendo ocorrer processo metaplásico em sua superfície. A endometriose se caracteriza pela presença de focos de coloração arroxeada e facilmente sangrante na superfície do colo.

SITUAÇÕES ESPECIAIS

- *Colposcopia na grávida:* na gestante, o epitélio cervical passa por profundas transformações decorrentes das alterações hormonais e metabólicas. Ocorre proliferação intensa, sobretudo das células da camada intermediária, com aumento do volume celular, com citoplasma rico em glicogênio, corando fortemente pelo iodo. Em decorrência dessa proliferação há maior necessidade de aporte sanguíneo, conferindo uma vascularização superficial mais evidente. O epitélio colunar também apresenta hiperplasia e hipertrofia, com metaplasia. É comum a presença de ectopia, com congestão e sangramento fácil, às vezes polipóide, como se fosse uma reação decidual. No estroma surgem hipervascularização, edema e reação decidual. Tudo isso acarreta hipertrofia global do colo uterino com congestão ou cianose. A zona de transformação se apresenta aumentada em extensão, com vascularização superficial mais evidente, com vasos dilatados, calibre e ramificações regulares, geralmente com trajeto paralelo à superfície com orifícios glandulares às vezes hipertrofiados e volumosos cistos de Naboth. Às vezes a hipervascularização se torna tão exuberante ficando difícil o diagnóstico diferencial com vasos atípicos. É comum a formação de pólipos, quase sempre mucosos. É difícil a gradação dos achados colposcópicos anormais, pois estes achados podem ser acentuados mesmo na presença de lesão histológica de grau menor. O quadro mais freqüentemente encontrado é a *deciduose*, isto é, o aparecimento de modificações semelhantes àquelas que se verificam fisiologicamente ao nível do endométrio na gravidez, no estroma do colo uterino (fibroblastos perdem suas características, assumindo características deciduais). Esta reação surge por volta da 12ª semana de gestação e tende a desaparecer um mês após o parto. No epitélio escamoso original nota-se área avermelhada, congesta, às vezes ulcerada, com vascularização destacada, fracamente corada pelo iodo, com coloração branco-amarelada após aplicação de ácido acético, focal ou multifocal, plana, nodular ou vegetante pseudotumoral. No epitélio cilíndrico acentuam-se as características da ectopia, com edema das papilas, erosão e sangramento. No puerpério, os fenômenos de hipertrofia e congestão regridem, todos os aspectos exuberantes que ocorrem durante a gestação tornam-se mais regulares, porém ainda com avaliação dificultada, pois existe um estado distrófico difuso, semelhante ao que ocorre na pós-menopausa. Portanto, o momento ideal para se fazer um controle colposcópico é quando a mulher volta a apresentar ciclos menstruais regulares.

Apesar dessas modificações na gestação, o que dificulta a interpretação das imagens, além de o ginecologista encontrar muita resistência da gestante em se submeter ao exame, é importante a adequada prevenção do câncer do TGI durante o pré-natal.

- *Metaplasia congênita:* alguns autores acreditam que pode ocorrer uma forma de metaplasia escamosa imatura na vida intra-uterina, situando-se além da zona de transformação recentemente formada até os fórnices vaginais. A maturação do epitélio está incompleta, podendo ocorrer desordens de maturação, levando à formação de queratina, mosaico, acetobranqueamento e pontilhado. Histologicamente, nota-se espessamento de papilas do estroma, com rede arborescente de cristas de estroma subdividindo o epitélio em campos discretos (aspecto de mosaico), com hiperqueratose e paraqueratose (aspecto de leucoplasia), com células imaturas não glicogenadas (Schiller positivo). Às vezes, apresenta-se como uma área Schiller positiva, acetobranca, de formato triangular, que se estende até os fundos de sacos vaginais anterior e posterior, outras vezes como áreas isoladas nas cúpulas vaginais com uma conexão tênue à JEC e outras vezes atinge os fórnices vaginais laterais. Trata-se de condições benignas, mas de difícil diferenciação com epitélio anormal à colposcopia, principalmente quando há coexistência com atipias, fazendo-se necessárias múltiplas biópsias.

AVANÇOS

Em 1954, com o advento do *flash* eletrônico, tornou-se possível a fotografia do colo uterino, ocorrendo a documentação dos achados colposcópicos para se estudar o comportamento de determinadas lesões em períodos sucessivos e possibilitar a discussão desses achados, além do grande auxílio em atividades didáticas. Os aparelhos mais modernos são dotados de divisores de imagem que permitem acoplar sistemas de fotografia e de vídeo, possibilitando registros fotográficos e em fitas de videocassete. Para fotografia, o ideal é utilizar filmes coloridos de baixa sensibilidade (100 ASA), de luz diurna. Os sistemas de vídeos podem ser acoplados a um videoprinter, para imprimir a foto, sendo desnecessária a utilização do sistema fotográfico. É possível ainda, acoplar esse sistema a uma placa de captura de imagem conectada a um microcomputador, para arquivar e digitalizar as imagens, além de permitir transmitir essas imagens via Internet, o que possibilita a troca de informações rapidamente em qualquer local do mundo. É possível, também, desenvolver *softwares* capazes de analisar as imagens, permitindo uma avaliação mais pormenorizada das alterações colposcópicas. Hoje já foram desenvolvidos aparelhos que utilizam somente uma câmera de vídeo acoplada a um jogo de lentes potentes associadas à fonte de luz fria, que permite aumentos variáveis, tornando o sistema mais simples.

Em 1981, Stafl criou a cervicografia, método que consiste em obter uma fotografia de alta resolução, com aparelhagem relativamente simples com a possibilidade de documentar os casos e submetê-los posteriormente a apreciação de especialistas. Existem, hoje, aparelhos específicos para a cervicografia que podem ser manuseados por pessoas com um mínimo de treinamento para obter os cervicogramas que serão enviados aos centros de referência e analisados por colposcopistas. É um método pouco difundido nos países em que a colposcopia teve boa aceitação, mas tem sido de grande valia em países pobres, nos quais há poucos colposcópios e poucos especialistas em colposcopia.

REFERÊNCIAS

Cartier R, Cartier I. *Colposcopia Prática*, 3 ed., São Paulo: Roca, 1999.

De Palo G. *Colposcopia e Patologia do Trato Genital Inferior*. 2ed., Rio de Janeiro: MEDSI, 1996.

Dexeus S, Lopez-Marin L, Labastida R, Cararach M. *Tratado y Atlas de Patologia Cervical*, Barcelona - Salvat Editora, 1989.

Singer A, Monaghan JM. *Colposcopia, Patologia e Tratamento do Trato Genital Inferior*, 2 ed., Rio de Janeiro: Revinter, 2002.

Focchi J, Fonseca AM, Guerra DMM, Pereyra EAG, Pinotti JA. *Atlas de Colposcopia*. São Paulo: Fundo Editorial BYK, 1995.

Burghardt E, Pickel H, Girardi F. *Colposcopy Cervical Pathology*, 3 ed., Stutgart – New York: Thieme, 1998.

PARTE C

BIOLOGIA MOLECULAR

Garibalde Mortoza Junior e Sonia Cristina Vidigal Borges

DEFINIÇÃO

O prognóstico do câncer do colo uterino depende muito da extensão da doença no momento do diagnóstico, estando sua mortalidade fortemente associada ao diagnóstico tardio e em fases avançadas. Em adição ao teste de Papanicolaou, tradicionalmente usado há mais de 30 anos, novas tecnologias têm-se juntado ao arsenal diagnóstico disponível para a detecção precoce desse tipo de neoplasia, entre as quais se incluem a citologia em meio líquido e os testes para a detecção do HPV pela biologia molecular, como, por exemplo, a captura híbrida e a PCR (reação em cadeia da polimerase).

A biologia molecular é um procedimento capaz de identificar partículas de DNA no interior das células, permitindo o diagnóstico da presença de microorganismos, como vírus e bactérias. Quanto ao HPV, permite identificar sua presença e tipificar os tipos existentes, além de quantificar as cópias existentes em cada célula. Os métodos utilizados atualmente (descritos no capítulo sobre HPV) são:

- Hibridização *in situ*
- Reação em cadeia da polimerase (PCR)
- Captura híbrida

IMPORTÂNCIA DO MÉTODO – RELAÇÃO HPV/CÂNCER

A biologia molecular desempenhou um papel extremamente importante no esclarecimento da etiopatogênese das neoplasias intra-epiteliais e invasoras do trato genital inferior feminino, principalmente do colo uterino. Desde o final da década de 1970, quando Meisels e Purola relacionaram a infecção pelo HPV com o câncer cervical, identificando coilocitose nos condilomas e nas neoplasias intra-epiteliais cervicais, começou-se a estabelecer a relação do HPV com este câncer. No início da década de 1980 essa evidência foi reforçada com a ajuda dos métodos de biologia molecular, principalmente com os trabalhos de Zur Hausen.

Estudos de coorte, utilizando a biologia molecular, são consistentes em mostrar que a infecção pelo HPV precede 10 a 15 anos o desenvolvimento do câncer cervical. São importante os seguintes fatores:

- a presença do DNA-HPV é necessária para o desenvolvimento e persistência da neoplasia, porém, não é o único fator suficiente;
- o desaparecimento do DNA-HPV prediz a regressão da neoplasia;
- integração viral com a genética celular é um fator de validade;
- entender o intervalo de tempo da infecção transiente é um ponto importante para melhor estabelecer quando se usar o teste de HPV em programas de *screening*. Segundo vários autores,[1-5] esse tempo para o vírus de alto risco tem sido estimado em 8 meses e o HPV 16 pode, talvez, dobrar esse tempo.

Vários trabalhos utilizando a biologia molecular mostraram o real papel do HPV na gênese do câncer do colo uterino. Woodman, avaliando 1.075 mulheres jovens inicialmente com citologias normais e DNA-HPV negativo, que foram acompanhadas por um período de 5 anos, sendo submetidas a exames em intervalos de 6 meses, verificou que 44% delas positivaram para o HPV em 3 anos e 60% em 5 anos. Vinte e oito mulheres desenvolveram lesão intra-epitelial de alto grau. O HPV mais encontrado foi o tipo 16 (alto risco), sendo que a maioria das mulheres com este vírus desenvolve lesão intra-epitelial de alto grau em um período de 6 a 12 meses.[6]

A persistência de HPV de alto risco é fator de risco para desenvolvimento do câncer cervical.[7] Nenhuma progressão é observada quando a mulher não tem o HPV ou quando estão presentes HPV não oncogênicos.[8] Mulheres com citologias normais e HPV oncongênico têm chance 116 vezes maior de evoluir para HiSIL.[9] Mulheres com LSIL e HPV 16 evoluem para HSIL em alto percentual; infecções persistentes por HPV oncogênico com alta carga viral estão associadas à persistência da neoplasia.[10] Infecção persistente com HPV de alto risco é necessária para o desenvolvimento e a progressão de lesões primárias de CIN.[1,4] De todos os carcinomas escamosos cervicais, 99,8% são HPV positivos.[11] Somente LSIL com HPV de alto risco pode progredir para HSIL.[12,13] A evolução da infecção pelo HPV para o câncer invasor depende do tipo e da carga viral, da interação do vírus com a célula hospedeira, da resposta imunológica epitelial e da interação do vírus com certas oncoproteínas.[14]

PRINCIPAIS INDICAÇÕES

Com o aprimoramento da tecnologia e a possibilidade de utilização comercial, isto é, além do meio ambiente de pesquisas, a utilização da biologia molecular passou a ser avaliada no *screening* (rastreamento) das neoplasias intra-epiteliais e invasoras do colo uterino e no auxílio do manuseio das mulheres com citologias alteradas.

Quanto ao rastreamento, a instituição americana que regula o emprego de métodos terapêuticos e diagnósticos, a Food and Drug Administration (FDA), aprovou, em março de 2003, o uso do teste DNA-HPV para detectar o vírus como *screening* em conjunto com a citologia oncótica em mulheres com idade superior a 30 anos. A validade da predição positiva do teste para o HPV de alto risco persistente em mulheres jovens com citologias normais é de 20% e em mulheres com mais de 30 anos, de 28,9%.[15] A 5ª Conferência Internacional EUROGIN, realizada em Paris, em abril/2003, concluiu: "Testar mulheres com 30 anos ou mais para HPV de alto risco, juntamente com o exame citológico, é mais efetivo como rastreamento primário do que a prática atual do uso da citologia isolada". Em maio de 2004, a Internacional Agency for Research on Câncer (IARC), orgão da Organização Mundial de Saúde, concluiu: "Existem evidências suficientes de que o teste de DNA para HPV pode reduzir a incidência e a mortalidade pelo câncer cervical. O próximo principal desafio na prevenção desse câncer é desenvolver e utilizar um teste simples para o HPV que possa ser disponível em todo o mundo, mesmo em áreas com poucos recursos" (WHO – Press Release 151 – 3/maio/2004).

É importante reforçar que o teste DNA-HPV não deve ser utilizado, como *screening* em mulheres com idade inferior a 30 anos, em razão da percentagem de positividade para este vírus e com alto índice de regressão da infecção. Sabe-se hoje que uma alta percentagem de mulheres, ao iniciar sua vida sexual, vai entrar em contacto com o HPV; a maioria delas nem vai ficar sabendo que tem o vírus, isto é, vai apresentar uma infecção latente, sem sinais clínicos ou subclínicos da infecção e, depois de certo tempo, eliminará o vírus. O teste do DNA-HPV pode levar a sério impacto psicossocial negativo na mulher. Esse impacto pode ser estendido ao seu parceiro, à sua família e à comunidade. A falta de conhecimento é fundamental para determinar o impacto negativo da infecção pelo HPV. O uso do termo "vírus da verruga" pode exacerbar a confusão e o estigma associado ao HPV. Informar às mulheres que a infecção pelo HPV é muito comum, pode permanecer latente por um longo período e pode regredir espontaneamente pode produzir algum conforto psicológico. Informação e educação tanto para as mulheres quanto para toda a comunidade são urgentemente necessárias.[16]

Na atualidade, apenas o teste de Papanicolaou faz parte do conjunto de procedimentos cobertos pelo Sistema Único de Saúde (SUS). Um estudo exploratório sobre custo-efetividade no rastreamento do câncer cérvico-uterino no Brasil, realizado pela equipe técnica Rosângela Caetano e Cid Manso de Mello Caetano, publicado no *site* do INCA (Instituto Nacional do Câncer), em 2005, comparou a eficiência de um conjunto de tecnologias utilizadas no diagnóstico precoce do câncer do colo uterino mediante a realização de uma análise custo-efetividade.

Esta análise incluiu as seguintes estratégias de rastreamento: (a) citologia convencional (teste de Papanicolaou); (b) citologia em meio líquido; (c) teste de captura híbrida para HPV com coleta por profissional de saúde; (d) teste de captura híbrida para HPV com autocoleta pela própria paciente; (e) combinação de citologia convencional e teste de captura híbrida para HPV; (f) combinação de citologia em meio líquido e teste de captura híbrida para HPV.

Foi utilizado um modelo analítico de decisão para simular os impactos econômicos e em saúde das tecnologias de rastreamento, avaliado em um período de 1 ano. Para os custos médicos diretos de rastreamento foi utilizada a tabela da Classificação Hierarquizada de Procedimentos Médicos – AMB-2004. Como a citologia em meio líquido e a captura híbrida para HPV não fazem parte dos procedimentos reembolsados pelo SUS, procedeu-se a uma estimativa dos preços de modo a atingirem uma razão custo-efetividade equivalente à do teste de Papanicolaou. Os resultados encontrados demonstram que o teste de Papanicolaou foi aquele que apresentou a melhor razão incremental de custo-efetividade entre todas as estratégias de rastreamento analisadas.

MANUSEIO DE ASCUS E ACG

O teste do DNA-HPV associado à citologia em meio líquido tem um significativo ganho na acurácia do diagnóstico em relação ao método sozinho.[17] Alguns autores relatam que o teste tem maior sensibilidade do que repetir citologia, mas a diferença não é estatisticamente válida. O estudo KAISER Permanente, englobando 995 mulheres, mostrou: sensibilidade para HSIL: HPV teste – 89%; citologia – 76%. O estudo ALTS, com 3.488 mulheres, mostrou: sensibilidade para HSIL: HPV teste – 96%; citologia – 86%; referência para colposcopia: HPV teste – 54%, citologia – 59%. Em ambos os estudos, o teste de HPV-DNA em mulheres com citologia de ASC-US foi mais sensível, resultando em menor encaminhamento para colposcopia do que a repetição da citologia. O alto valor preditivo negativo (98%) evidencia segurança em afirmar a ausência de lesão.[18]

Não há consenso para o manuseio de pacientes com ASC-US e ASC-H. Repetir citologia e encaminhar para a colposcopia tem eficácia alta, mas com controles excessivos, alto número de biópsias negativas e dificuldade de retorno para seguimento habitual. Existe eficácia do teste captura híbrida II para HPV de alto risco (HPV-HR) na seleção de pacientes com ASCUS que terão maior risco de apresentar HSIL. O teste pode ser utilizado no manejo de pacientes com ASCUS, evitando o encaminhamento daquelas que não apresentem risco de neoplasia intra-epitelial, para os serviços de patologia cervical e a sobrecarga destes.[19]

Quanto às mulheres com citologia evidenciando atipias em células glandulares de significado indeterminado (ACG) o teste do DNA-HPV não tem utilidade. Como o risco de encontrar lesões mais graves é alto, essas mulheres devem ser encaminhadas de imediato para colposcopia.

MANUSEIO DE LSIL

Sabe-se hoje que a maioria das mulheres com citologia sugestiva de lesão intra-epitelial de baixo grau LSIL é portadora de HPV de alto risco e que o percentual de regressão é alto, chegando a 90% em mulheres mais jovens. Chris Meijer mostrou que detectar HPV em mulheres jovens com diagnóstico citológico de LSIL é limitado, por causa da alta percentagem dos vírus de alto risco (82%) em mulheres com até 25 anos de idade.[8] O estudo ALTS concluiu em razão de um alto percentual de mulheres com LSIL pela citologia e CH II positiva para vírus de alto risco, o teste apresenta um limitado potencial para direcionar decisão de acompanhamento das mulheres com LSIL.[20] Do ponto de vista prático, a utilização da biologia molecular no manuseio de pacientes portadoras de lesão intra-epitelial de baixo grau não oferece nenhuma vantagem adicional.

MANUSEIO DE HSIL

As pacientes com diagnóstico citológico de lesão intra-epitelial de alto grau (HSIL) devem ser imediatamente encaminhadas para exame colposcópico. A realização de testes de biologia molecular para identificação mostra-se desnecessária já que, essas lesões são causadas por HPV de alto risco e sua identificação em nada acrescenta à conduta.

TESTE DO HPV NO CONTROLE PÓS-TRATAMENTO

Na literatura há vários trabalhos que mostram que a utilização de teste biomoleculares para HPV é útil no acompanhamento após o tratamento das pacientes portadoras de neoplasia intra-epitelial cervical. A maioria desaes estudos conclui que:

- Os dados existentes sugerem que existe um papel importante do HPV teste no *follow-up*.
- Parece que um teste HPV positivo, mesmo na presença de citologia normal, pode detectar com mais acurácia uma falha de tratamento.
- Por outro lado, algumas falhas terapêuticas pode ter um teste HPV negativo na presença de citologia anormal.
- Uma avaliação combinando citologia e teste HPV irá incrementar significativamente a segurança.
- Um número de mulheres terá um teste HPV positivo, com citologia normal, sem eventualmente desenvolver falha ou recorrência.
- Não sendo possível distinguir em quais ocorrerá falha, nas pacientes HPV positivas é necessária uma avaliação colposcópica.[21]

A validade da predição negativa do teste para os vírus de alto risco em colos normais com citologias normais é elevada, de forma que, quando positivo, 24 meses após o tratamento de HSIL, pode ser um fator de risco para recidiva da doença. Teste positivo com citologia normal pode demonstrar mais rápida e acuradamente um tratamento falho. Teste DNA-HPV após tratamento pode ser útil no seguimento de pacientes após conização do colo uterino. Nos casos de teste DNA-HPV negativo, a freqüência das consultas de controle pode ser reduzida, particularmente nas pacientes que apresentam margens cirúrgicas livres.[22]

A maioria das recorrências de HSIL ocorre em pacientes com infecção persistente pelo HPV. Pacientes com citologia, colposcopia e teste HPV negativo apresentam baixo risco de recorrência e podem retornar para protocolo de *screening* habitual.[23]

REFERÊNCIAS

1. Ho GYF, Bierman R, Beardsley L, Chang CJ, Burk RD. Natural history of cervicovaginal papillomavirus infection in young women. *N. Engl J Med*. 1998; *338*:423-8.
2. Koutsky LA, Holmes KK, Critchlow CW *et al.* A cohort study ofthe risk of cervical intraepitelial neoplasia grade 2 or 3 in relation to papillomavirus infection. *N Engl J Med*. 1992; *327*:1272-8.
3. Franco EL, Villa LL, Sobrinho JP *et al.* Epidemiology of aquisition and clearance of cervical human papillomavirus infection in women from a high-risk area for cervical cancer. *J Infect Disease*, 1999; *180*:1.415-1.423.
4. Nobbenhuis MAE, Walboomers JM, Helmerhorst TJM *et al.* Relation of human papillomavirus status to cervical lesions and consequences for cervical cancer screeening: a prospective study. *Lancet*, 1999; 354:20-24.
5. Wallin KL, Wiklund F, Angstrom T *et al.* Type-specific persistence of human papillomavirus DNA before the development of invasive cervical cancer. *New Eng J Med*, 1999; *341*:1633-8.
6. Woodman CBJ, Collins S, Winter H *et al.* Natural history of cervical human papillomavirus infection in young women: a longitudinal cohort study. *Lancet*, 2001; *357*:1.831-1.836.

7. Nuovo J, Moritz J, Walsh LL *et al.* Predective value of human papillomavirus DNA detection by filter hybridization and polymerase chain reaction in women negative results of colposcopic examination. *Am J Clin Pathol*, 1992; *98*:489-492.

8. Meijer CJLM. The rationale for cervical cancer screening by HPV. *HPV Summit* 1999.

9. Walboomers JMM. The prevalence of HPV in a normal screeening population. *HPV Summit* 1999.

10. Ho GYF, Burk RD, Klein S *et al.* Persistent genital human papillomavirus infection as a risk factor for persistent cervical dysplasia. *J Natl Cancer Inst*, 1995; *87*:1.365-1.371.

11. Bosch FX, Manos MM, Munoz N *et al.* Prevalence of human papillomavirus in cervical cancer: a worldwide perspective. *J Natl Cancer Inst*, 1995; *87*:796-802.

12. Walboomers JMM, Jacobs MV, van Oostveen JW, van den Burle AJC, Snijders PJF, Meijer CJLM. Detection of genital papillomavirus infections and possible clinical implications. In: Gross G, Von Krogh G (eds.). *Human papillomavirus in dermatovenerology.* New York: CRC Press, Boc Raton, 1997: 341-64.

13. Koutsky L. Epidemiology of genital human papillomavirus infection. *A J Med* 1997; *102*:3-5.

14. Schneider A, Koutsky LA. Natural history and epidemiological features of genital HPV infection. *IARC Sci Publ* 1992; *119*.25-52.

15. Clavel C, Masure M, Levert M, Putaud I, Mangeonjean C *et al.* Human papillomavirus detection by the hibrid capture II assay: a reliable test to select women with normal cervical smears ar risk for developing cervical lesions. *Diag Molec Pathol* 2000; *9*(3):145-150.

16. McCaffery K, Forrest S, Waller J *et al.* Testing positive for human papillomavirus in routine cervical screening: examination of psychosocial. *BJOG* 2004; *111*:1.437-1.443.

17. Ferenczy A, Franco E, Arseneau J, Wright TC, Richart RM. Diagnostic performance of hibrid capture human papillomavirus deoxyribonucleic acid assay combined with liquid-based cytologic study. *Am J Obstet Gynecol* 1996; *175*:651-6.

18. Muñoz N, Franceschi S, Moreno V *et al.* Role of parity and human papillomavirus in cervical cancer: the IARC multicentirc case-control study. *The Lancet* 2002.

19. Roser NM, Aparici C *et al.* ASCUS, correlacion anatomopatológica. Valoracion de nuestro protocolo. Anais do XI Intern Congress of Cervical Pathology and Colposcopy – Barcelona, 2002: 272-4.

20. ALTS: triage of women with ASCUS and LSIL on Pap smear reports: management by repeat pap smear, HPV DNA testing, or colposcopy? *J Nat Cancer Inst* 2000, *92*: 397-402.

21. Paraskevaidis E, Sotiriadis A. The role of HPV DNA testing in follow-up period after treatment for CIN. Anais do XI Intern. Congress of Cervical Pathology and Colposcopy – Barcelona, 2002: 47-51.

22. Houfflin Debarge V *et al.* Value of HPV testing after conization by LEEP for high grade intraepitelial lesion. Lille, France, *Gynecol Oncol* 2003.

23. Cechini S *et al.* Persistent HPV infection as an indicator of recurrence of high grade intraepitelial lesions treated by the LEEP. *Tumori* 2004.

24. Borges SCV, Melo VH, Mortoza Jr. G, Abranches AA, Lira Neto JB. Taxa de detecção do papilovirus humano pela captura híbrida II em mulheres com neoplasia intra-eptelial cervical. *RBGO* 2004; *26*(2):105-110.

Capítulo 2

Doenças Sexualmente Transmissíveis

Garibalde Mortoza Junior e Sonia Cristina Vidigal Borges

CONCEITO

Grupo de doenças endêmicas de múltiplas causas que incluem as doenças venéreas clássicas e um número crescente de entidades clínicas e síndromes que têm como traço comum a transmissão durante a atividade sexual. Além do alto risco de disseminação, a importância dessas doenças está em poderem ocasionar graves danos à saúde do indivíduo acometido. As conseqüências podem incluir desde distúrbios emocionais, doença inflamatória pélvica (DIP), infertilidade, lesões fetais até câncer, além de facilitarem a transmissão do vírus da AIDS (HIV).

A ocorrência de casos de DST vêm aumentando nos últimos anos, sendo consideradas problemas de saúde pública. Esse aumento ocorre em conseqüência das baixas condições socioeconômicas e culturais, das péssimas atuações dos serviços de saúde, do despreparo dos profissionais de saúde e de educação, da falta de uma educação sexual adequada, principalmente voltada para os jovens. A ineficácia dos serviços de saúde é notória; a notificação inadequada faz com que as estatísticas sejam falhas, dificultando a orientação de ações necessárias para o controle dessas doenças. Além disso, a automedicação, a prescrição por pessoas inabilitadas, a promiscuidade sexual, a dificuldade de investigação dos parceiros sexuais resistência aos antibióticos, e o uso inadequado de métodos contraceptivos favorecem a disseminação destas patologias.

O risco de transmissão e aquisição do HIV é alto em uma pessoa com DST ulcerada ou não. Na África, sabe-se que em até 98% dos homens e 40% das mulheres infectados pelo HIV existe relato de presença de úlcera genital, provavelmente servindo de porta de entrada do vírus. O risco relativo de infecção por HIV segundo o tipo de DST é*:

*Fonte: Wasserheit, J. Epidemiological synergy – Inter-relationships between HIV infection and others STD. 1994.

- Tricomoníase: 2,7
- *Chlamydia*: 5,7
- Gonorréia: 8,9
- Úlceras genitais: 18,2
- Verrugas genitais: 4,1
- Herpes genital: 6,5
- Sífilis: 9,9

CLASSIFICAÇÃO

No período pós-guerra observou-se um aumento de doenças venéreas clássicas (sífilis, gonorréia, linfogranuloma venéreo, cancro mole e donovanose), além do crescimento de um novo grupo de doenças com características epidemiológicas diversas com um traço comum: a transmissão sexual. Em 1982, surgiu uma classificação relacionada à transmissão:

1. Doenças essencialmente transmitidas por contágio sexual:

- Sífilis
- Gonorréia
- Cancro mole
- Linfogranuloma venéreo

2. Doenças freqüentemente transmitidas por contágio sexual:

- Donovanose
- Uretrite não-gonocócica
- Herpes simples genital
- Condiloma acuminado
- Candidíase genital
- Fitiríase
- Hepatite B
- AIDS

3. Doenças eventualmente transmitidas por contágio sexual:
- Molusco contagioso
- Pediculose
- Escabiose
- Shigelose
- Amebíase

Hoje, em virtude da multiplicidade de quadros relacionados a um mesmo agente ou quadros clínicos semelhantes decorrentes de a agentes diversos, torna-se difícil uma classificação mais simplificada e completa destas patologias. Alguns autores adotam uma classificação baseada na etiologia e na patologia:

Vírus

- Herpes simples: herpes genital primário/recorrente, meningite asséptica, herpes neonatal, aborto espontâneo, parto prematuro.
- Vírus da hepatite B: hepatite aguda/crônica/fulminante, carcinoma hepatocelular primário.
- Vírus da hepatite A: hepatite A.
- Papovavírus: condiloma acuminado, papiloma laríngeo, neoplasia intra epitelial cervical, carcinoma do colo uterino.
- Vírus do molusco contagiso: molusco contagioso genital.
- Citomegalovírus: infecção congênita, mononucleose infecciosa.
- HIV: AIDS.

Bactérias

- *Mycoplasma hominis*: febre pós-parto, salpiginte.
- *Ureaplasma urealiticum*: uretrite, corioamnionite, baixo peso ao nascer.
- *Neisseria gonorrhoeae*: uretrite, epididimite, cervicite, proctite, faringite, conjuntivite, endometrite, peri-hepatite, ba tholinite, infecção gonocócica disseminada, salpingite, DIP, infertilidade, gravidez ectópica.
- *Chlamydia trachomatis*: uretrite, cervicite, endometrite, salpingite, DIP, infecções neonatais etc.
- *Treponema pallidum*: sífilis.
- *Gardnerella vaginalis*: bacteriose vaginal.
- *Haemophilus ducreyi*: cancro mole.
- *Calymmabacterium granulomatis*: donovanose.
- *Shigella* sp.: shigelose.
- *Salmonella* sp.: salmonelose.
- *Campylobacter foetus*: enterite, proctite.
- *Streptococcus do* grupo B: septicemia e meniginte neonatal.

Fungos

- *Candida albicans*: vulvovaginite, balanite e balanopostite.

Protozoários

- *Trichomonas vaginalis*: vaginite, uretrite.
- *Entamoeba hystolitica*: amebíase.
- *Giardia lamblia*: giardíase.

Ectoparasitas

- *Phthirus pubis*: pediculose do púbis.
- *Sarcoptes scabiei*: escabiose.

SÍFILIS

Doença sexualmente transmissível, pandêmica, causada pelo espiroqueta *Treponema pallidum*, inicia-se por um cancro de inoculação, podendo evoluir de forma crônica com período assintomático e, mais tarde, atingir todo o organismo. A sífilis é uma doença que tem no homem hospedeiro obrigatório e único. Pode ser adquirida ou congênita. A sífilis adquirida pode ser recente, na forma primária ou secundária, com duração de até 1 ano de evolução, ou tardia, com mais de um ano de duração.

Sífilis Adquirida Primária

Após um período de incubação de 10 a 90 dias (média de 21 dias), ocorre, no local de inoculação, a formação de *cancro duro* ou *protossifiloma*. O contágio pode ser direto, quase sempre genital e, mais raramente, cutâneo e bucal. Pode acontecer o contágio indireto ou iatrogênico, por transfusão sanguínea. O *cancro duro* é uma úlcera geralmente única, indolor, de fundo liso e limpo, sem bordas proeminentes que atinge o colo uterino, a vulva e o períneo, mais raramente lábios, mamilos, clitóris, vagina e conjuntiva. Dura de 10 a 20 dias, podendo chegar até 2 meses, desaparecendo sem deixar cicatriz na maioria dos casos. Após 10 dias de surgimento do cancro duro pode ocorrer reação nos gânglios linfáticos satélites, que se mostram duros, isolados, indolores, móveis, sem sinais flogísticos na pele adjacente.

Sífilis Adquirida Secundária

Quatro a 6 semanas após o desaparecimento do cancro duro podem surgir lesões secundárias. Na pele podem ocorrer máculas, roséolas, pápulas miliares ou foliculares. O exantema pode atingir todo o corpo. As roséolas das regiões palmar e plantar são consideradas patognomônicas de sífilis. Podem ocorrer alopécia, micropoliadenopatia, mialgia e leve esplenomegalia. Nos casos em que ocorre treponemia muito intensa, podem surgir sinais de neurite periférica e, menos freqüentemente, sinais de demência.

Sífilis Adquirida Tardia

Após o período de secundarismo ocorre latência, na qual o paciente não apresenta qualquer sinal ou sintoma da doença. Depois de um período variável surgem novamente as manifestações, agora de forma generalizada, que podem ser:

- *Forma cutânea*: ocorre formação de nódulos, gomas ou eritema terciário.
- *Forma cardiovascular*: atinge as paredes de vasos, levando pricipalmente a aortite, que pode complicar-se com insuficiência aórtica, aneurismas e estenose do óstio coronariano. Podem surgir gomas sifilíticas no septo interventricular ou parede do ventrículo.
- *Forma nervosa*: acarreta processos inflamatórios ou degenerativos das meninges ou do parênquima, ocasionando formação de aneurismas vasculares, demência e paralisia geral progressiva. Mais freqüentemente ocorrem são as lesões extensas nos cordões posteriores da médula, surgindo a *tabes dorsalis*, que se manifesta com perda de equilíbrio e dores às vezes intensas.

Sífilis Congênita

A contaminação do feto ocorre a partir de 4° mês de gestação, pois antes disso o epitélio trofoblástico é espesso, impedindo a passagem dos espiroquetas. Pode levar a abortamento tardio, morte intra-útero e sífilis congênita precoce ou a tardia, a qual ocorre na $2^{\underline{a}}$ infância. Podem ocorrer hepatoesplenomegalia, anormalidades ósseas, baixo peso ao nascer, pneumonia, hiperbilirrubinemia, paralisia de membros e anormalidades do SNC.

- *Diagnóstico laboratorial*: a maneira mais utilizada para pesquisar o *Treponema pallidum* é pela pesquisa de *campo escuro* em material obtido pela raspagem do fundo das úlceras após limpeza das secreções purulentas. É possível, também utilizar a coloração pelo Giemsa. Os espiroquetas são também obtidos por material de punção de linfonodos acometidos.
- *Reações não treponêmicas*: VDRL – reação de detecção de antígenos cardiolipínicos. Reação de alta sensibilidade e baixa especificidade, pois pode levar a falso-positivos. Torna-se positiva em 3 a 6 semanas após o aparecimento do cancro duro. Pode ser positiva em outras situações: espiroquetoses, mononucleose, hanseníase, leptospirose, malária, leucoses, lúpus, globulinopatias etc. Falso-negativos ocorrem em 1% a 2% dos pacientes. Usa-se a titulagem para o diagnóstico e o controle de cura.
- *Reações treponêmicas*: são utilizadas cepas de treponemas; é de alta sensibilidade e alta especificidade, pois raramente leva a falso-positivos. TPI – imobilização do *Treponema pallidum*: pode ser negativa em dois terços

de sífilis primária e um terço de sífilis secundária. O mais usado é o FTA-ABS, que pesquisa a absorção de anticorpos treponêmicos fluorescentes. Mais recentemente tem sido utilizado o FTA-ABS.IgM, que expressa a atividade da doença. O resultado dessa prova é expresso como reagente ou não reagente, sem usar titulagem; não serve para o controle de cura.

Na sífilis precoce não tratada com menos de 15 dias de evolução haverá pesquisa em campo escuro (+) em 80% dos casos, VDRL reativo em 1:8 em 60% e FTA-ABS reativo em 85% dos casos.

Na sífilis precoce não tratada com mais de 15 dias de evolução, a pesquisa de campo escuro é (+) em 30%, o VDRL em 70% e o FTA-ABS em 100% dos casos.

Na sífilis secundária não tratada, haverá pesquisa de campo escuro (+) em 50%, VDRL e FTA-ABS reagentes em 100% dos casos.

Na sífilis tardia não tratada: na fase latente, VDRL e FTA-ABS reativos em 100% dos casos. Na fase tardia propriamente dita, VDRL reativo em 60% e FTA-ABS reativo em 100% dos casos.

Nos casos tratados de sífilis primária os exames serão não reativos em 6 a 12 meses. Na sífilis secundária precoce, não reativos em 9 a 18 meses. Na sífilis tardia o FTA-ABS permanece reativo durante toda a vida e o VDRL não reativo ocorre em 40% dos casos.

O exame do liquor está indicado quando as reações sorológicas permanecem positivas mesmo após o tratamento, nos casos de neurossífilis sintomáticos ou suspeitos e para a alta definitiva. Encontramos contagem de linfócitos superior a 10 por campo, proteínas acima de 40 mg/ml e reações sorológicas reativas.

Na sífilis congênita o diagnóstico laboratorial é igual ao clássico, lembrando que o VDRL falso-positivo pode ocorrer também, igual ao da mãe, em virtude da passagem de anticorpos maternos para o feto. Devem-se fazer duas reações sorológicas para a sífilis durante o pré-natal, na primeira consulta e no final da gestação. Gestante com exames positivos deve ter sempre a placenta submetida à exame anatomopatológico.

Nas pacientes HIV positivas os testes sorológicos podem apresentar resultados anormais, às vezes variando com títulos anormalmente altos ou baixos. Nessas pacientes, quando há suspeita de sífilis recente, devem-se considerar outros testes como microscopia direta ou biópsia da lesão.

Tratamento

- *Sífilis recente* (*primária ou secundária*): 2,4 milhões UI de penicilina benzatina **IM** em dose única. Como alternativa: doxiciclina 100 mg VO 12/12 horas/14 dias ou ceftriaxona 250 mg IM/dia/10 dias. Em gestantes mesmo esquema com a penicilina e, nas alérgicas, usa-se a eritromicina estearato 500 mg VO 6/6 horas/15 dias.

- *Sífilis tardia latente ou tardia com LCR não reativo*: penicilina benzatina 2,4 milhões de UI IM/semana/3 semanas ou doxiciclina 100 mg VO/12/12 horas/28 dias. Para as gestantes alérgicas às penicilinas, usa-se a eritromicina estearato por 30 dias.
- *Na neurossífilis*: penicilina G cristalina 2,4 milhões de UI IV 4/4 horas/10 a 14 dias, ou penicilina G procaína 2,4 milhões UI IM ao dia/14 dias mais probenecida 500 mg VO 6/6 horas/14 dias. Em gestante usa-se o mesmo esquema e, nas alérgicas às penicilinas, deve-se tentar fazer a dessensibilização.

As falhas terapêuticas podem ocorrer em 5% dos casos tratados com penicilinas e mais freqüentemente com outros regimes terapêuticos.

Nas pacientes HIV positivas, o tratamento da sífilis recente, primária ou secundária, deve seguir o mesmo protocolo das pacientes não portadoras do HIV, mas alguns especialistas recomendam tratamento por tempo maior, como, por exemplo, durante três semanas. Nas pacientes HIV positivas com sífilis latente tardia ou de tempo de duração desconhecido, faz-se necessário o exame de liquor antes do tratamento. Se o exame do liquor é negativo, deve-se usar penicilina benzatina 2,4 milhões de unidade, semanalmente por três semanas. Se o exame é positivo, as pacientes devem ser tratadas como portadoras de neurossífilis.

Se a paciente portadora de sífilis, HIV positiva, for alérgica à penicilina, deve ser submetida à dessensibilização. Todas as pacientes HIV positivas devem ser tratadas com penicilina.

GONOCOCCIA

Doença sexualmente transmissível pandêmica cujo agente etiológico é a *Neisseria gonorrhoeae*, também chamada de blenorragia. Pode ser aguda, fase inicial em que ocorre abundante secreção purulenta, ou crônica, quando ultrapassa 1 a 2 meses de manifestação clínica. O período de incubação varia de 2 a 10 dias. Localiza-se preferencialmente na endocérvice e na uretra, mas pode atingir glândulas, ânus, endométrio, trompas, conjuntivas, articulações, faringe, coração, pele e fígado.

Quadro Clínico

Na fase aguda pode ocorrer corrimento amarelo-esverdeado, levando à vulvovaginite em 10% a 15% dos casos. O mais freqüente é a endocervicite que leva a um quadro menos intenso, às vezes somente com um muco cervical turvo, podendo ou não haver hiperemia do colo. Podem ocorrer ainda disúria, sangramento intermens-

trual, metrorragia, prurido anal, secreção anal mucopurulenta, sangramento uretral. Pode haver complicações como bartholinite, salpingite, doença inflamatória pélvica, abortamento, partos prematuros e oftalmia *neonatorum*. Podem ocorrer, ainda, faringite, artrite, meningite e endocardite.

Diagnóstico Laboratorial

A coloração pelo Gram de secreção é o mais utilizada, visualizando-se a presença de diplococos Gram-negativos intracelulares. É possível cultivar em meios seletivos principalmente o ágar de Thayer-Martin ou de New York City, e a identificação pode se dar pela reação de oxidação de açúcares das colônias.

Tratamento

A droga de escolha hoje, segundo o CDC – Atlanta, é a ceftriaxona 125 mg IM em dose única. Alternativas: ciprofloxacina 500 mg VO em dose única; ofloxacina 400 mg VO em dose única; cefixima 400 mg VO ou espectinomicina 2 g IM em dose única; doxiciclina 100 mg VO 12/12 horas por 7 dias; tiafenicol 2,5 g VO pode curar em 86% dos casos (não é recomendado pelo CDC, pois a droga não existe no mercado americano).

Na grávida, usa-se a penicilina G procaína 4,8 milhões IM precedida de 1 g de probenecida VO, 30 minutos antes. É possível, também usar: ampicilina 3,5 g VO mais probenecida 1 g VO 30 minutos antes; amoxicilina 3 g VO precedida de 1 g de probenecida.

Na forma faríngea: ceftriaxona 250 mg IM em dose única.

Na forma disseminada: ceftriaxona 1 g IM ou IV/dia/7 a 10 dias.

É importante lembrar que a infecção gonocóccica pode estar associada à infecção pela *Chlamydia trachomatis*, o que modifica o esquema proposto anteriormente.

As pacientes portadoras do HIV devem ser tratadas da mesma forma que as HIV negativas.

INFECÇÃO POR *CHLAMYDIA*

Chlamydia trachomatis são bactérias Gram-negativas, anaeróbias e intracelulares obrigatórias, pois necessitam da célula hospedeira para sua nutrição e reprodução, vivendo no interstício celular do meio que infectam, necessitando da energia produzida pela célula hospedeira por não ter habilidade de produzir seu próprio ATP, por isso, é pouco reconhecida pelo sistema imunitário do hospedeiro. Isto faz com que a infecção seja assintomática em cerca de 60%-70% das vezes. São consideradas bactérias porque possuem parede celular rígida, DNA e RNA, reproduzem-se por fissão binária e são sensíveis aos antibióticos. São descritos cerca de 15 sorotipos relacionados com infecção, representados por letras que variam de A a L. Os tipos A, B, Ba e C são responsáveis pelo tracoma e podem causar cegueira. Os tipos D, E, F, G, H, I, J e K são responsáveis pelas infecções genitais e estão relacionados a transmissão sexual. Os sorotipos L1, L2 e L3 causam o linfogranuloma venéreo. O diagnóstico é feito por cultura em células vivas (McCoy) e, mais recentemente, pela biologia molecular pela PCR (reação em cadeia da polimerase). Em recente estudo realizado no Brasil, envolvendo sete capitais, verificou-se a presença de clamídia em 9,3% de gestantes, 3,5% de homens trabalhadores de indústria e em 4,5% e 2,2% de homens e mulheres, respectivamente, que procuraram um serviço de doenças sexualmente transmissíveis. Pode-se calcular que teríamos, no Brasil, cerca de 2,7 milhões de casos com essa infecção na população brasileira sexualmente ativa, sendo que a grande maioria é representada por adolescentes e que cerca de 70% dos casos são assintomáticos. As repercussões dessa infecção assintomática se dão de maneira importante nos casos de esterilidade conjugal, levando a aumento significativo de gestações ectópicas, esterilidade definitiva por obstrução tubária e casos de dor pélvica crônica. Em alguns países se propõe, hoje, um rastreamento dessa infecção por métodos de biologia molecular em mulheres de risco. As vantagens consistem em diminuir complicações como doença inflamatória pélvica, complicações nas gestações, gestações ectópicas, persistência da infecção pelo papilomavírus humano (*Int J Cancer* 2005;116:110-115). O grupo de risco consiste em: mulheres com menos de 25 anos de idade; raça negra; com múltiplos parceiros sexuais; aquela que teve novo parceiro recente; com parceiro infectado; com parceiro que não usa, ou usa irregularmente, o condom; mulheres com DST prévia ou coexistente; e aquelas com suspeita clínica da infecção pela clamídia.

Quadro Clínico

A *Chlamydia* pode causar cervicite com colo hiperemiado, sangrante, friável, às vezes com ulcerações, corrimento purulento e/ou muco opacificado. Pode levar a uretrite com disúria, incontinência urinária, síndrome uretral ou secreção purulenta na uretra. Pode causar, ainda, endometrite, doença inflamatória pélvica, proctite e síndrome oculo genital.

Tratamento

A droga de escolha é a doxiciclina, na dose de 100 mg VO 12/12 horas/7 dias, ou azitromicina 1 g VO em dose única. Alternativas: ofloxacina 300 mg VO 12/12 horas/7 dias; tianfenicol 2,5 g VO 12/12 horas no primeiro dia, 500 mg VO 8/8 horas a partir do segundo dia/14 dias; eritromicina 500 mg VO 6/6 horas/7 dias. Na gestante usa-se eritromicina estearato 500 mg VO 6/6 horas/7 dias ou amoxicilina 500 mg VO 8/8 horas/10 dias. As pacientes portadoras do HIV devem ser tratadas da mesma forma que as HIV negativas.

LINFOGRANULOMA INGUINAL

Doença sexualmente transmissível causada pela *Chlamydia trachomatis*, também chamada de doença de Nicolas-Favre, bubão climático ou linfogranuloma venéreo.

Quadro Clínico

Período de incubação de 4 a 21 dias, iniciando com pequena erosão, pápula ou úlcera no local de penetração, atingindo principalmente a face interna dos pequenos lábios, mas podendo também se iniciar nas regiões anal, retal, perineal, inguinal, bucal, umbilical, axilar, submamária etc. Após essa fase ocorre o acometimento de linfonodos, geralmente na região inguinal unilateral, formando abscessos que se fistulizam em vários orifícios eliminando material purulento espesso. Podem ocorrer também vulvovaginite, cervicite, proctite, retite, vegetações polipóides e elefantíase. Se não houver tratamento adequado, poderão surgir fibrose cicatricial, focos de abcessos e fistulizações.

Diagnóstico

- *Teste de Frei*: reação que utiliza inoculação intradérmica de antígenos com surgimento de nodulação de mais de 5 mm com halo eritematoso que surge após 48 horas da inoculação.
- *Teste de microimunofluorescência*: permite a detecção de anticorpos específicos.
- *Reação de fixação do complemento*: é o método mais utilizado na atualidade. Devem ser feitas duas dosagens com intervalo de 2 semanas, considerando-se (positiva) quando ocorre elevação dos títulos em mais de quatro vezes.

Tratamento

A droga de escolha é a doxiciclina 100 mg VO 12/12/ 21 dias. Como alternativas podem ser usados sempre com duração de 21 dias de tratamento:
- Tetraciclina 500 mg VO 6/6 horas;
- Sulfixazol 500 mg VO 6/6 horas;
- Tianfenicol 500 mg VO 8/8 horas;
- Eritromicina 500 mg VO 6/6 horas.

Na gestante usa-se a eritromicina na forma de estearato na dosagem acima ou amoxicilina 500mg VO 8/8 horas/21 dias.

Nas HIV (positivas) usa-se o mesmo regime de tratamento, mas às vezes se faz necessária uma terapia mais prolongada.

CANCRO MOLE

Infecção causada por um cocobacilo Gram-negativo, o *Haemophilus ducreyi*, é também chamado de cancróide, cancro venéreo simples e, popularmente, por "cavalo". Esse microrganismo pode ser encontrado em mucosas oral e genital normais. É mais freqüente no sexo masculino, e a mulher pode ser portadora assintomática.

Quadro Clínico

Após um período de incubação de 2 a 35 dias (média 5 dias), depois de penetrar no organismo por uma solução de continuidade no epitélio, podem surgir úlceras nos lábios vaginais, na fúrcula, no intróito ou no períneo. A úlcera causa dor, não é endurecida, secretante, com bordos avermelhados e fundo sujo. Pode ocorrer infartamento ganglionar (bubão), unilateral em 75% dos casos, dolorosos, que podem supurar e fistulizar por um único orifício.

Diagnóstico

Coloração pelo Gram ou Giemsa evidencia cocobacilos curtos, Gram-negativos, com disposição em "cardume de peixe", em "impressão digital", em paliçada ou mesmo em cadeias isoladas. É grande a chance de falso-negativos. Obtém-se material do raspado da bordas da úlceras, sem limpeza, ou de aspiração do bulbão. A cultura é de difícil execução.

Tratamento

- Azitromicina 1 g VO em dose única.
- Ceftriaxona 250 mg IM em dose única.
- Eritromicina estearato 500 mg VO 6/6 horas/7 dias.
- Amoxicilina + ácido clavulânico 500/125 mg VO 8/8horas/7 dias.
- Ciprofloxacina 500 mg VO 12/12 horas/3 dias.
- Tianfenicol 5 g VO dose única.
- Tianfenicol 500 mg VO 8/8 horas/7 a 10 dias.

Na grávida usa-se a eritromicina estearato 500 mg VO 6/6 horas/7 dias, ou ceftriaxona 250 mg IM dose única.

Deve se realizar teste para sífilis e HIV em todas as pacientes, repetindo 3 meses após nas negativas. As pacientes portadoras do HIV devem ser monitoradas rigorosamente e pode ser necessária uma terapia mais prolongada.

DONOVANOSE

Causada pela *Calymmatobacterium granulomatis* (*Donovania granulomatis*), é doença usualmente transmitida por contágio sexual, mas que pode ser transmitida de outras formas, de evolução crônica, também chamada de granuloma inguinal, granuloma venéreo, granuloma tropical, granuloma esclerosante. É uma doença mais freqüente nas regiões tropicais, mais comum no sexo masculino, principalmente em negros e mestiços e pessoas de baixo nível socioeconômico.

Quadro Clínico

Após 3 dias a 6 semanas de incubação, surgem lesões em regiões cutâneas e mucosas da genitália e das regiões anais, perineais ou inguinais, iniciando como pequena pápula ou nódulo indolor que pode evoluir, ulcerando e aumentando de tamanho. Por auto-inoculação, vão surgindo lesões satélites que se unem alcançando grandes áreas. Pode ocorrer formação de massas vegetantes ou granulomatosas deformando a genitália. Raramente ocorrem sintomas gerais ou adenopatias. Na região inguinal pode ser confundido com linfogranuloma inguinal. É raro, mas podem ocorrer localizações extragenitais.

Diagnóstico

O diagnóstico é essencialmente clínico, aliado à confirmação da presença do agente causal no esfregaços ou nos exames histológicos, obtidos a partir de biópsia da lesão. Podem ser usado os testes intradérmicos e a reação de fixação do complemento.

Tratamento

O tratamento consiste em doxiciclina 100 mg 12/12 horas/21 dias. Como alternativa: tetraciclina 500 mg VO 6/6 horas/21 dias; sulfametoxazol-trimetoprim 400/800 mg 2 comps. VO 12/12 horas/21 dias; cloranfenicol 500 mg VO 6/6 horas/21 dias; tiafenicol 500 mg VO 8/8 horas/21 dias; gentamicina 40 mg IM 12/12 horas/15 dias.

Na gestante, usa-se eritromicina estearato 500 mg VO 6/6 horas até a cura clínica (cerca de 14 dias). As lesões muito exuberantes devem ser extirpadas cirurgicamente.

HERPES SIMPLES

Doença não raro transmitida sexualmente, caracterizada por crises de repetição, de incidência crescente em todo o mundo, causada por DNAvírus, que é um vírus dermoneurotrópico. A família Herpes viridae apresenta oito tipos patogênicos para o homem: herpes simples tipos 1 e 2, citomegalovírus, varicela zoster, Epstein-Barr e os tipos 6, 7 e 8. O tipo 8 corresponde ao sarcoma de Kaposi, freqüentemente encontrado em portadores de AIDS. O HSV-1 é encontrado sobretudo nos lábios, na face e nas áreas expostas ao sol, enquanto o tipo 2 acomete mais freqüentemente a região genital; todavia, é possível encontrar o HSV 1 em áreas genitais e o HSV 2 em região oral, ou os dois associados.

Quadro Clínico

Período de incubação de 1 a 3 semanas (média 7 dias). No local de inoculação surgem edema, ardor, prurido e dor. Logo após, surgem vesículas agrupadas que permanecem por 4 a 5 dias, rompem-se, surgindo, então, as úlceras. Na primoinfecção podem ocorrer sintomas gerais, mal-estar, febre, mialgia, cefaléia, raramente acometimento neurológico com rigidez de nuca, mielite transversa e radiculopatia sacra. Em 75% dos casos ocorre linfadenopatia inguinal ou femoral. A duração da primoinfecção é quase sempre de 10 a 20 dias. Após o desaparecimento dos sintomais e sinais, a doença pode nunca mais aparecer ou tornar-se recorrente. As formas recorrentes podem ser desencadeadas por tensão emocional, estresse, traumas físicos, infecções diversas, diminuição da imunocompetência. Geralmente os sinais e sintomas são os mesmos, mas com intensidade menor, mais localizados, com duração de 4 a 12 dias e com ritmo de recorrência variável.

O herpes neonatal é grave, pois tem acometimento visceral e do SNC freqüentemente, podendo ocasionar meningoencefalite com retardo psicomotor, hidrocefalia ou microcefalia e alta taxa de mortalidade.

Diagnóstico

A citologia de Papanicolaou revela células gigantes multinucleadas, mas a sensibilidade é muito baixa. O mais usado é a cultura seguida de tipagem viral com anticorpos monoclonais, de material obtido principalmente das vesículas.

Tratamento

O tratamento deve iniciar-se com medidas gerais, com drenagem das vesículas, limpezas das lesões com anti-sépticos tópicos e aplicação de éter ou clorofórmio. A fotoinativação com uso de corantes sob a ação de luz ultravioleta é de uso controverso, alguns obtendo bons resultados, outros levantando a suspeita de que tem efeito placebo, mas podendo ser oncogênica. Os imunomoduladores têm sido utilizados para aumentar a resistência

dos pacientes abreviando e espaçando as crises. São usados levamisol e BCG. O uso de vacina não se mostrou realmente eficiente.

Na primoinfecção usa-se: aciclovir 400 mg 3×/dia, 7 a 10 dias, ou aciclovir 200 mg 5×/dia, 7 a 10 dias; fanciclovir 250 mg 3×/dia, 7-10 dias; valaciclovir 1 g 2×/dia 7 a 10 dias. Se não houver melhora o tratamento pode ser prolongado por mais dias. Na infecção recorrente usa-se: aciclovir 200 mg 5×/dia ou 400 mg 3×/dia ou 800 mg 2×/dia, por 5 dias; fanciclovir 125 mg 2×/dia ou valaciclovir 500 mg 2×/dia por 5 dias. Nos casos de recorrências muito freqüentes pode se usar a terapia de supressão: aciclovir 400 mg 2×/dia; fanciclovir 250 mg 2×/dia; valaciclovir 500 mg 2×/dia ou 1 g 1×/dia. Uso por tempo indeterminado.

Usa-se aciclovir na forma endovenosa em casos de pacientes imunodeprimidos ou portadores de eczema herpético. Preconiza-se o uso prolongado para evitar a recorrência, na dosagem de 400 mg 2×/dia por anos. Após a interrupção é alta a taxa de recorrência.

Nas gestantes a indicação de parto cesáreo é fundamental na prevenção da infecção neonatal, principalmente nos casos de primoinfecção no final da gestação ou de lesões herpéticas ativas que tenham ocorrido nas últimas seis semanas, desde que a bolsa amniótica não esteja rota há mais de 6 horas. Nos casos de primoinfecção durante a gestação pode-se usar aciclovir por via oral ou endovenosa nos casos mais graves. Investigações recentes mostram que o uso do aciclovir próximo ao termo pode reduzir o número de partos via abdominal, nas mulheres que apresentam recorrência muito freqüente.

As pacientes portadoras do HIV podem apresentar lesões mais severas e com maior recorrência. Pode ser necessário o uso de dores maiores que as recomendadas acima, durante o tempo necessário para regressão completas das lesões. Algumas pacientes podem apresentar resistência ao aciclovir. Estas serão também resistentes ao valaciclovir e a maioria, ao fanciclovir.

BACTERIOSE VAGINAL

Também chamada de vaginose bacteriana, e não vaginite porque apresenta uma resposta inflamatória discreta. É caracterizada por infecção polimicrobiana, sinérgica, de bactérias anaeróbias (peptoestreptococos e *Mobiluncus*), da *Gardnerella vaginalis,* associada a uma diminuição da flora lactobacilar normal da vagina (bacilos de Döderlein). Sua frequência oscila entre 40% e 50% dos processos infecciosos vaginais.

Quadro Clínico

As vaginoses bacterianas podem ser assintomáticas ou produzir um corrimento abundante, branco-acinzentado, de odor fétido, com pequenas bolhas, que aumenta após coito e após mentruação. Pode ocorrer disúria, dispaurenia e prurido. A colpite é discreta ou às vezes inexistente.

Diagnóstico

As características clínicas são importantes, associadas à medida de pH vaginal que se mostra acima de 4,5. O exame a fresco utilizando solução salina mostra diminuição dos bacilos de Döderlein, poucos leucócitos e a presença das *clue-cells*, células vaginais ricas em bactérias no interior de seu citoplasma. O teste das aminas é realizado colocando-se secreção vaginal em uma gota de hidróxido de potássio (KOH) a 10%, positivo quando ocorre a liberação de aminas voláteis (cadaverina, putrescina e trimetilamina), que exalam um odor pútrido, semelhante ao de peixe cru estragado. A cultura praticamente não é utilizada, sendo desnecessária.

Tratamento

A droga de escolha é o metronidazol na dose de 500 mg 12/12 horas/7 dias, ou 2 g em dose única. Pode ser utilizada a clindamicina em forma de creme vaginal a 2%, durante 7 dias, ou o próprio metronidazol intravaginal. Outras alternativas: tianfenicol 500 mg VO 8/8 horas/7 dias, ampicilina 500 mg VO 6/6 horas/7 dias, amoxacilina 500 mg VO 8/8 horas/7 dias, clindamicina 300 mg VO 12/12 horas/7 dias, doxiciclina 100 mg VO 12/12 horas/7 dias, tinidazol 2 g VO em dose única. É importante salientar que o *Mobiluncus* apresenta alta taxa de resistência aos derivados imidazólicos. Na gestante devemos efetuar o tratamento mesmo com os imidazólicos, pois até hoje não se provou a possibilidade de teratogenicidade desses fármacos nos humanos, além de o tratamento visar evitar as complicações (ruptura prematura de membranas, parto prematuro, corioamniotite, endometrite pós-parto e pós-aborto). A questão do tratamento do parceiro é ainda controversa. Vários estudos mostraram que o tratamento do parceiro não afeta o índice de recidivas.

As pacientes portadoras do HIV devem receber o mesmo tratamento que as HIV negativas.

TRICOMONÍASE

Infecção que representa 10% a 15% das causas de corrimento vaginal, causada pelo *Trichomonas vaginalis*, protozoário oval ou piriforme, anaeróbio, flagelado, que se associa freqüentemente com o gonococo e com flora anaeróbia.

Quadro Clínico

Produz um corrimento abundante, amarelo-esverdeado, bolhoso, fétido, associado a prurido, disúria e dispa-

reunia. Acarreta colpite focal, que, ao teste de Schiller, mostra-se com um aspecto de couro malhado.

Diagnóstico

O pH vaginal se encontra elevado, em torno de 5 a 7; o teste de aminas pode ser positivo. O exame a fresco revela a presença dos protozoários móveis. A citologia corada pelo método de Papanicolaou pode identificar este microrganismo e pode revelar a presença de alterações celulares que simulam processos displásicos.

Tratamento

Deve ser usado o metronidazol 500 mg VO 12/12 horas/7 dias, ou seus derivados em dose única (tinidazol, ornidazol e secnidazol). O tratamento do parceiro é mandatório. Existe resistência ao derivados imidazólicos, mas é relativa e dose-dependente, bastando repetir ou prolongar o tratamento. É possível também utilizar a acidificação da vagina como medida coadjuvante.

As pacientes HIV positivas devem receber o mesmo tratamento que as HIV negativas.

CANDIDÍASE

Na maioria das vaginites por fungos está presente a *Candida albicans*, um fungo saprófita que, sob determinadas condições, multiplica-se, por esporulação, tornando-se patogênico. Por isso, hoje não é mais considerada uma DST. Pode acontecer a infecção por outras espécies (*C. glabrata, C. krusei, C. tropicalis, C. parapsilosis*). É a segunda causa mais freqüente de vaginite. Pode ser desencadeada por fatores endógenos predisponentes como gravidez, diabetes, uso de duchas vaginais, vestuário inadequado, principalmente roupas sintéticas, uso de antibióticos, de anticoncepcionais hormonais, de desodorantes íntimos, fatores climáticos (verão).

Quadro Clínico

A candidíase provoca corrimento branco, espesso, em placas, com aspecto de leite coalhado, com prurido geralmente intenso, hiperemia, maceração e escoriações em graus variados, da genitália. Os sintomas são exacerbados no período pré-menstrual. Acarreta uma colpite difusa. Podem ocorrer ulcerações e ardor vulvar durante as micções.

Diagnóstico

O exame a fresco, na maioria das vezes, já confirma o diagnóstico, revelando após a aplicação de uma gota de hidróxido de potássio ou de sódio a 10% a presença do fungo com filamentos ramificados (hifas) ou seus esporos. O pH vaginal é ácido, ficando entre 3,5 e 4,5. Pode-se utilizar a citologia de Papanicolaou ou outros métodos de coloração. A cultura quase sempre é desnecessária, mas pode ser realizada principalmente junto com antifungigrama. Utilizam-se os meios de Sabouraud ou Nickerson.

Tratamento

Recomendar medidas coadjuvantes: evitar roupas sintéticas ou justas, hábitos corretos de higiene, corrigir fatores predisponentes, alcalinização do meio ambiente vaginal, não interromper o uso da medicação durante o período menstural. O tratamento local é o mais indicado, principalmente nos casos agudos. A associação entre o uso local e oral tem valor, pois a via oral pode atingir reservatórios mais profundos. Usa-se fluconazol 150 mg em dose única VO, ou itraconazol 200 mg VO 12/12 horas/1 dia, ou cetoconazol 200 mg VO/dia/5 dias. Por via vaginal recomenda-se nitratato de miconazol, isoconazol, tiaconazol ou terconazol. No casos recorrentes pode-se usar cetoconazol 100 mg VO/dia/tempo prolongado ou fluconazol 150 mg VO/semana. O cetoconazol pode induzir à hepatite medicamentosa, embora isso raramente ocorra. Os parceiros sexuais devem ser tratados quando sintomáticos. O tratamento dos assintomáticos não se mostrou eficaz em reduzir os índices de recorrência. O papel dos reservatórios gastrointestinais na recorrência é controverso. A terapia ideal para a forma recorrente ainda não foi encontrada.

Existem poucas informações a respeito da candidíase recorrente nas pacientes HIV positivas, devendo estas receber o mesmo tratamento que as pacientes HIV negativas.

ABORDAGEM SINDRÔMICA DAS DOENÇAS SEXUALMENTE TRANSMISSÍVEIS

Sob uma ótica de Saúde Pública, o atendimento aos pacientes com DST visa interromper a cadeia de transmissão da forma mais eficaz e imediata possível e também evitar as complicações e a cessação imediata da sintomatologia. Principalmente hoje, quando se sabe da relação que existe entre essas doenças e AIDS, em que podem funcionar como porta de entrada para o HIV. As DST que se manifestam como úlceras ou com processos inflamatórios que podem causar corrimento ou prurido podem facilitar a aquisição do HIV.

Na abordagem das DST, para um diagnóstico e uma terapêutica adequada, são necessárias uma consulta inicial com impressão clínica baseada nos sintomas e sinais, a solicitação de exames complementares, a interpretação correta desses exames, a prescrição e distribuição de medicamentos adequados e, finalmente, uma consulta de retorno para controle de cura. Nos países em desenvolvimento, sobretudo nos atendimentos à população mais carente, isto é quase impossível de se realizar, pois geralmente há longas filas para o atendimento, demora nas salas de esperas, impossibilidade de acesso aos exames complementares, falta de pessoal e de equipamentos especializados.

Preocupada com o crescimento da AIDS, a Organização Mundial de Saúde (OMS) recomenda a abordagem sindrômica nos casos de DST. O objetivo principal desta abordagem é, em uma única consulta, prover o paciente de avaliação, terapêutica e aconselhamento adequados. Os exames podem ser realizados, mas a conduta não dependerá de demorados processos de realização ou de interpretação destes exames. Utilizam-se para isso três fluxogramas fundamentados em três síndromes: úlceras genitais, corrimentos uretrais ou corrimentos vaginais e desconforto ou dor pélvica. Seguindo os passos dos fluxogramas, o profissional, ainda que não especialista, estará habilitado a determinar o diagnóstico sindrômico e a implementar o tratamento efetivo e o controle adequado para a redução do risco de transmissão.

Na abordagem das úlceras genitais, deve-se verificar se há ou não a vesículas. Se estiverem presentes, considerar o diagnóstico como herpes genital. Se não, há de se pensar em sífilis ou cancro mole. Deve ser solicitado teste sorológico para sífilis.

Nos casos de corrimento uretral tratar como gonorréia ou *Chlamydia* e fazer o teste para sífilis.

Nos casos de corrimento vaginal, durante o exame ginecológico, verificar se há dor ou desconforto pélvico. Se houver sinais de irritação peritoneal, encaminhar a um hospital; se não, tratar gonorréia e *Chlamydia*. Se não houver dor ou desconforto pélvico, verificar o aspecto do corrimento e relacionar à etiologia, tratando como *Chlamydia* ou gonorréia, *Trichomonas*, *Candida* ou bacteriose vaginal.

Sempre realizar teste sorológico para sífilis e oferecer pesquisa do HIV.

REFERÊNCIAS

Centers for Diseases Control and Prevention. *Sexually Transmited Diseases – Treatment Guidelines.* Atlanta, 2002.

Passos MRL. *DST – Doenças Sexualmente Transmissíveis.* 4 ed. Rio de Janeiro: Cultura Médica, 1995.

Passos MRL, Almeida Filho GL. *Atlas de DST & Diagnóstico Diferencial.* Rio de Janeiro: Revinter, 2005.

Linhares IM, Duarte G, Giraldo PC *et al. Federação Brasileira das Associações de Ginecologia e Obstetrícia – FEBRASGO. Manual de Orientação – DST/AIDS.* São Paulo: Editora Ponto, 2003.

Naud P. *Doenças Sexualmente Transmissíveis e AIDS.* Porto Alegre: Artes Médicas Sul, 1993.

Capítulo 3

Abordagem Prática dos Corrimentos Vaginais

Alexandre Mariano Tarciso de Souza e Jose Benedito Lira Neto

MEIO VAGINAL

Ao se abordar uma paciente com corrimento vaginal, devemos pensar não só no tratamento da nosologia apresentada, mas também no impacto dessa doença na saúde da mulher.

Pensar nas DST e vulvovaginites como causa de doença inflamatória pélvica, com a conseqüente esterilidade, dor pélvica e gestações ectópicas; o HPV, levando a câncer da cérvice; e, nas gestantes, as corioamnionites, com parto prematuro, rotura prematura das membranas e pneumonias fetais congênitas.

Devemos considerar também os distúrbios psicossociais por elas causados como fator de desajustes conjugais e destruição de muitas relações estáveis até então. E finalmente, agirem como porta de entrada para infecções, como a AIDS.

Trabalhos revelam ser até dez vezes mais freqüentes as infecções por HIV na vigência de DST não ulcerativas e 300 vezes dentre as ulcerativas.

A vagina não é, no entanto, um meio estéril, porém apresenta meios de defesa próprios com barreiras às agressões mediadas por respostas imunes inespecíficas, pré-imunes e respostas imunes específicas.

A resposta imune inespecífica é promovida pela parede epitelial da mucosa, pelo muco cervical, pelos lactobacilos de Döderlein, pelo pH vaginal, pelas células fagocíticas, pela reação inflamatória (citocinas e sistema de complemento).

A resposta pré-imune é mediada por anticorpos naturais poliespecíficos, imunidade celular dos linfócitos intra-epiteliais e células *natural killer* e a resposta imune específica, por imunoglobulinas IgA, IgM, IgE, IgG e resposta imune celular.

MUCOSA VAGINAL

A barreira física da mucosa vaginal é o primeiro obstáculo a ser transposto pelo agressor. É constituída por um epitélio pluriestratificado, funcionando, quando íntegro, como um agente protetor.

Tem como estrato parabasal uma camada rica em canais intercelulares que permite a migração de líquidos, macromoléculas e células para o lúmen vaginal e vice-versa. Contém macrófagos, linfócitos, plasmócitos, células de Langerhans, eosinófilos e mastócitos que participam do processo de defesa contra microorganismos patogênicos.

A presença de imunoglobulinas IgG e IgA produzidas pelos plasmócitos e linfócitos e capazes de ascender ao lúmen vaginal sugere que a mucosa arquiteta resposta imune local inespecífica.

MUCO CERVICAL

Funciona como um tampão, obstruindo seletivamente o canal cervical mediante formação de uma fina malha protéica e produção de substâncias antimicrobianas e viricidas: mucinas, lactoferrinas, lisosinas e defensinas.

Além disso, restos celulares, microorganismos e complexos imunes são expelidos pelo fluxo do muco cervical, lento e contínuo.

Apresenta especial importância principalmente se considerarmos ser o canal cervical o único pertuito que possibilita a comunicação do meio externo com a cavidade peritoneal, através do trajeto vagina–canal cervical–cavidade endometrial–lúmen tubário–cavidade peritoneal.

LACTOBACILOS DE DÖDERLEIN

Apresentam efeito protetor direto pela produção de ácidos orgânicos, biossurfactantes e bacteriocinas, alterando o pH vaginal e adotando um perfil aeróbico mediante produção de peróxido de hidrogênio, o que dificulta muito a proliferação de bactérias anaeróbias patogênicas no meio vaginal.

Sabe-se ainda da ativação de linfócitos T (LT CD8 e LT CD4), aumento da produção do fator de necrose tumoral (NTF), ativação das citocinas e ativação do fator transcricional do NF-kB dos monócitos, atuando, talvez, na resposta imune que algumas mulheres apresentam contra o HIV.

pH VAGINAL

O aumento do glicogênio após a menarca diminui o pH vaginal (3,8 a 4,5). Estes níveis tornam a vagina um meio inóspito para um grande número de patógenos em potencial.

Existe ainda um aumento de lactobacilos na gestação, promovendo uma diminuição de anaeróbios vaginais durante a gravidez e o trabalho de parto, justificando-se, assim, as queixas freqüentes das gestantes do aumento do "corrimento" vaginal nesses períodos.

O aumento patológico no valor do pH favorece a instalação de *G. vaginalis*, *Prevotella bivia* e *Peptostreptococcus* (vaginose bacteriana), assim como elevação das proteases produzidas pela *T. vaginalis*, favorecendo lesões epiteliais.

RESPOSTA IMUNE ESPECÍFICA

Representada pelos linfócitos T *helper* (CD4), T citotóxicos (CD8) e linfócitos B, responsáveis pela resposta imune humoral e celular, através de imunoglobulinas específicas (IgG, IgM, IgA, IgE e IgD).

O conhecimento das respostas imunes do epitélio do TGI é importante para o sucesso do tratamento e principalmente para profilaxia e criação de possíveis vacinas, para prevenção, controle e possível erradicação de algumas DST.

OUTRAS DEFINIÇÕES SOBRE CORRIMENTO VAGINAL

Conceito

Consiste em aumento do fluxo vaginal fisiológico, seguido de prurido, odor desagradável, dispareunia, sensação de ardor, em conjunto ou isoladamente.

Sinonímia

Leucorréia, colporréia, fluxo vaginal, cérvico-colpite, vulvovaginite, corrimento, vaginite, colpite.

Diagnóstico

Realizado mediante anamnese, exame físico, teste de aminas (KOH), exame a fresco, colposcopia, citologia oncótica, Gram, cultura e biologia molecular.

Composição do conteúdo vaginal fisiológico:

1. Muco cervical, composto por descamação epitelial vaginal, transudação do plexo submucoso, secreção de glândulas de Bartholin e Skene, fluxos tubário e endometrial, polimorfonucleares e substâncias como uréia, ácidos graxos, carboidratos água e eletrólitos.
2. pH ácido: 3,8–4,5
3. Aumenta no período ovulatório, na gestação, no pósparto.
4. Flora bacteriana ideal – lactobacilar.

ABORDAGEM SINDRÔMICA

A anamnese e o exame físico visando ao corrimento devem conter uma abordagem sindrômica, observando os seguintes aspectos:

1. Com prurido e sem prurido
2. Aspecto bolhoso ou grumoso
3. Com odor fétido e sem odor fétido
4. pH ácido ou alcalino

Isso vai nos permitir algumas hipóteses diagnósticas, posteriormente confirmadas pelo exame a fresco, com alguma ajuda da colposcopia e de outros métodos.

Normalmente apresentam prurido os corrimento excessivamente ácidos, como a candidíase ou exacerbação de flora Döderlein normal.

A tricomoníase, por apresentar resposta inflamatória intensa e microulcerações epiteliais, por sua vez também pode apresentar desconforto vaginal semelhante.

O aspecto bolhoso estaria associado à produção de aminas, como no caso da *Gardnerella* e da tricomoníase, o que também ocasionaria o odor desagradável dessas infecções.

A candidíase e a exacerbação Döderlein provocariam odor ácido, pouco diferente do odor vaginal normal. O corrimento grumoso, floculado, estaria associado a *Candida* sp.

O aspecto purulento, com prova de aminas negativa, faz-nos pensar em gonococo ou clamídia

Enquanto cândida e Döderlein em excesso tornam o pH ácido, a vaginose bacteriana e a tricomoníase em especial, estão associadas a pH mais próximos do neutro a ligeiramente alcalino.

Esse aumento do pH acarretaria uma diminuição do complexo de defesa vaginal, responsável pela facilitação de infecções, como as DST clássicas e AIDS, por isso a importância da vaginose bacteriana como porta de entrada para infecções do trato genital inferior.

EXAME A FRESCO

O exame a fresco da secreção vaginal consiste na análise microscópica de uma gota ou pequena amostra de secreção vaginal fresca, colhida em fundo de saco sobre lâmina de microscopia, misturada a gota de solução salina e de solução de hidróxido de potássio a 10%, sob lamínula.

Pode ser realizado de duas formas: (1) exame direto (realizado durante a consulta de rotina, com secreção vaginal colocada sobre lâmina a ser examinada imediatamente ao microscópio); e (2) exame a fresco diluído (colhido em consultório ou em laboratório de patologia clínica, dissolvido em solução salina, posteriormente centrifugado e analisado microscopicamente).

É bastante aconselhável a utilização do exame a fresco da secreção vaginal na propedêutica das leucorréias.

Ao montar o seu consultório o tocoginecologista não pensa no microscópico como equipamento necessário para o seu exercício profissional, esquecendo-se de que os corrimentos vaginais são a queixa mais freqüente nas consultas e também os motivos mais urgentes de problemas terapêuticos.

Creio que a culpada por essa situação seja a própria evolução dos meios propedêuticos hoje à disposição do clínico. Chega-se a induzir o pós-graduando a empregar, na propedêutica dos corrimentos vaginais, "*kits* laboratoriais", cultura de fungos e bactérias e até biologia molecular para diagnóstico de leucorréia.

O exame a fresco realizado em consultório apresenta uma série de evidentes e inquestionáveis vantagens, das quais citamos: a execução imediata do exame, evitando-se a degeneração e a morte de protozoários por acaso existentes, a redução dos custos e do tempo gasto até o retorno da paciente com o resultado e o pronto e correto tratamento da infecção.

O aspecto principal e mais importante é a disposição do médico ginecologista em realizar o exame a fresco no consultório.

Apesar de extrema simplicidade da coleta e da técnica de execução, o exame a fresco tem sido esquecido ou mesmo ignorado.

Em primeiro lugar, a avaliação clinica do corrimento vaginal deve ser o passo seguinte à anamnese. Junto com o teste de aminas e a determinação do pH vaginal por fita (pH meter) é o exame a fresco realizado durante a consulta, com excelentes resultados diagnósticos.

Então, corrimento com prurido intenso, principalmente pré-menstrual, disúria terminal, secreção vaginal amarelada, caseosa,com processo inflamatório difuso, colpite em pontos brancos, focal e difusa, prova do KOH negativa, exame a fresco – esporos ou micélios – confirmam *Candida* sp.

Irritação, às vezes prurido ou disúria, corrimento amarelado ou esverdeado, com odor fétido, KOH positivo, teste de Schiller positivo, aspecto colposcópico de "couro malhado", colpite focal: exame a fresco, organelas ciliadas e móveis, duas a três vezes maiores que um polimorfonuclear significam tricomoníase.

Secreção vaginal purulenta, muco purulento, colo hiperemiado, friável e sangrante, prova do KOH negativa, exame a fresco – flora cocóide, grande quantidade de polimorfonucleares – sugerem clamídia ou gonococo.

Odor fétido, secreção vaginal acinzentada, fluida, bolhosa; prova do KOH francamente positiva, sem sinais flogísticos, com colposcopia normal (ausência de colpite focal ou difusa), exame a fresco – flora cocácea, presença de células indicadoras significam *Gardnerella vaginalis.* Sempre pesquisar pela citologia a presença de *Mobiluncus*, o que mudaria a conduta terapêutica.

MATERIAL NECESSÁRIO PARA REALIZAÇÃO DO EXAME

1. Microscópio: um microscópio que possua condensador, iluminação própria e objetivas de 10 a 40×. Deve ser dada preferência aos microscópios binoculares. As oculares devem permitir aumentos de 10 ou 15×. Os aumentos finais são obtidos pela multiplicação do valor de ampliação da ocular pelo da objetiva; assim sendo, ocular de 15× e uma objetiva de 10× propiciam um aumento do campo de150×.

Aumentos de 100× ou 150× são utilizados para uma visão panorâmica do preparado. Nessa ampliação observa-se a quantidade e qualidade de descamação celular, ou seja, se existe descamação normal ou aumentada. Avaliar a quantidade e qualidade de leucócitos (piócitos). Averiguar se há elementos anômalos móveis (tricomonas, espermatozóides e bactérias) e imóveis (célula-guia e fungos).

A ampliação de 400× ou 600× é utilizada na avaliação de detalhes de estruturas de pequena dimensão (flora bacteriana e leveduras, principalmente) e para eliminar dúvidas encontradas quando do aumento de 100× ou 150×.

O maior segredo de manipulação por ocasião da avaliação da secreção vaginal está na posição do condensador. Observe na Figura 3.1 (*seta*) que o condensador deverá ser utilizado em seu nível inferior.

O material utilizado durante o exame a fresco, como o próprio nome indica, é material vivo e isento de coloração, tornando-se necessário o uso de luz dispersa, de forma a melhor identificar elementos quase transparentes, somente sendo visualizados pela dispersão dos raios luminosos.

Portanto, para que se possa realizar um exame a fresco ou exame de cristalização de muco, ou, ainda, um teste pós-coito, é importante baixar ao máximo o condensador do microscópio.

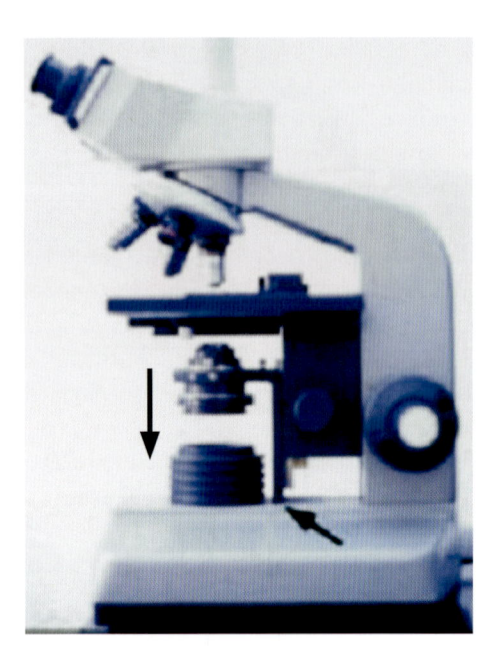

Figura 3.1
A ilustração mostra o condensador ainda elevado.
Deve ser deixado em seu nível inferior durante o exame.

2. Soluções empregadas: (a) soro fisiológico (uma gota é suficiente); (b) solução de KOH ou NaOH a 10, 20 ou 30%. Deve-se preferir KOH a 10%, pois este se presta para o teste da liberação das aminas (teste do cheiro de peixe, *sniff-test*). Uma gota é suficiente. Sempre aplicar a gota de solução antes da dispersão do conteúdo vaginal sobre a lâmina.

3. Lâminas, lamínulas e espátulas: lâminas de vidro, lamínulas para microscopia (24×40 ou 24×36mm). O exame pode ser realizado sem a utilização lamínulas, No entanto corre-se o risco de, ao se sujar a objetiva, favorecer a implantação de fungos nas lentes com sua perda definitiva.

As lâminas e lamínulas podem ser reaproveitadas após cada exame. Para isso, elas devem ser colocadas em solução de água com detergente comum; a seguir, devem ser bem enxaguadas e enxutas com um pano macio (p. ex., fralda).

A coleta deve ser feita, após introdução do espéculo, de forma regular, com espátula de Ayre. Prefere-se o fundo de saco posterior, em razão do maior depósito de restos celulares e parasitos nesse sítio.

SEQÜÊNCIA DE EVENTOS

1. Anamnese: não se esquecer de argüir sobre a presença de prurido ou odor desagradável.
2. Introdução do espéculo.
3. Avaliação clínica do corrimento.: aspecto, cor, produção de bolhas, odor frente ao KOH.

4. Preparo de duas lâminas com a colocação prévia de uma gota de solução salina na primeira e na outra, solução de KOH ou de NaOH.
5. Coleta de material dos fundos de saco laterais e posterior.
6. Aplicação de uma pequena porção do material coletado, inicialmente na lâmina contendo soro fisiológico e, a seguir, da mesma forma, na lâmina com KOH realizando movimentos circulares suaves para sua melhor homogenização.
7. Colocação da lamínula.
8. Aproveite a espátula colocada sobre o hidróxido de potássio e faça o teste do odor (*sniff-test*). *É a sua parcela de sacrifício pela ciência.*
9. Ligue o microscópio e abaixe o condensador.
10. Examine primeiramente a lâmina de solução salina. Veja a qualidade e quantidade de descamação epitelial; quantidade de leucócitos; quantidade e qualidade da flora. Procure células indicadoras e avalie a presença de tricomonas. Use inicialmente aumentos de 100× ou 150×, alternando para aumentos de 400× ou 600× para melhor visualização das estruturas encontradas.
11. Examine agora a lâmina da solução de KOH ou NaOH. A extensa alcalinidade destrói tudo que é de natureza animal, preservando apenas o vegetal, ou seja, bactérias e fungos. Às vezes sobram restos, ou sombras de células do epitélio vaginal (*ghost cells*). Nessa lâmina não deverá haver mais nada além de bactérias e fungos.
12. Despreze as duas lâminas em uma cuba com água e detergente para posterior reaproveitamento das mesmas.

EXAME A FRESCO NORMAL

O que é normal e anormal nos exames a fresco? Como avaliar um corrimento vaginal em exame a fresco normal ou levemente alterado e sem parasitos?

Devem-se associar os achados clínicos aos achados do exame a fresco. Dessa forma, a confirmação microscópica de uma candidíase, tricomoníase ou vaginose nos permite evitar associações de medicamentos, como os cremes de amplo espectro e tratar diretamente o parasito encontrado.

A exacerbação de flora cocóide com teste do cheiro negativo nos faz pensar em infecção gonocócica ou clamidial, por isso, a importância de um Gram ou biologia molecular para clamídia. O mesmo achado com *sniff-test* positivo nos leva ao diagnóstico provável de tricomoníase.

Podemos definir uma secreção vaginal normal quando, à solução salina, a flora lactobacilar não é abundante, há poucos piócitos (até 10 por campo de 400×), ausência de *Trichomonas*, fungos, células indicadoras de *Gardnerella* e não mais que 20 a 30 células epiteliais por campo de 400×.

Às vezes flora bacteriana mista (lactobacilos e outras bactérias) pode ser considerada normal, quando a paciente se mostrar assintomática e não estiver presente piocitose na solução salina.

ESPECTRO DE ALCANCE DO EXAME A FRESCO

Além de diagnosticar tricomoníase, candidíase e bacteriose, o exame a fresco pode identificar outros elementos biológicos causadores de vaginites.

Bactérias Diagnosticáveis pelo Exame a Fresco

1. Lactobacilos de Döderlein (Figuras 3.2 e 3.3): Há um tipo de corrimento por aumento do resíduo vaginal fisiológico, com exacerbação dos lactobacilos. Na solução salina há proeminente descamação de células do epitélio vaginal, principalmente agrupadas, pouquíssimos leucócitos, núcleos epiteliais desnudos e acentuada flora lactobacilar. É importante salientar que este achado microscópico é normal quando na ausência de sintomas, na gravidez, no uso de pílula ou no período perimenopáusico. E ainda mais raramente na segunda fase de um ciclo bifásico.
2. *Gardnerella vaginalis* (Figuras 3.4 a 3.6): É mais bem observada na solução salina. Há pouco ou raros piócitos, descamação epitelial abundante, proeminente quantidade de bactérias pequenas, pleomórficas, (cocobacilos), movimentando-se brownianamente, e presença de células indicadoras (*clue cell*, visualizada como célula do tipo intermediário do epitélio vaginal, con-

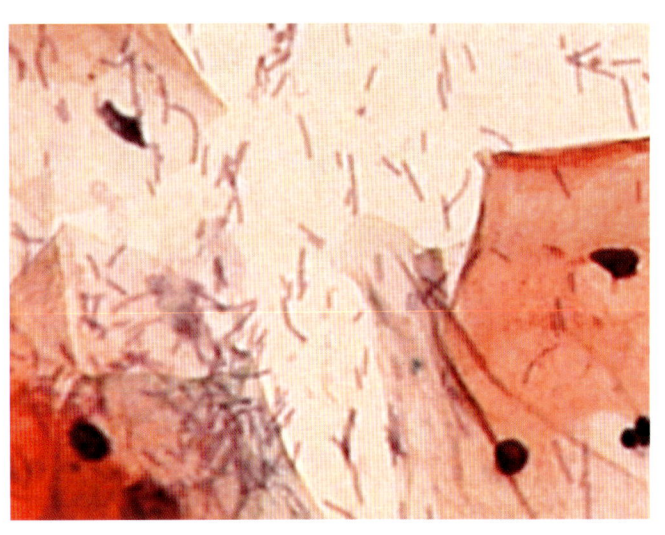

Figura 3.3
Esfregaço vaginal (Papanicolaou 400×). Numerosos lactobacilos de Döderlein.

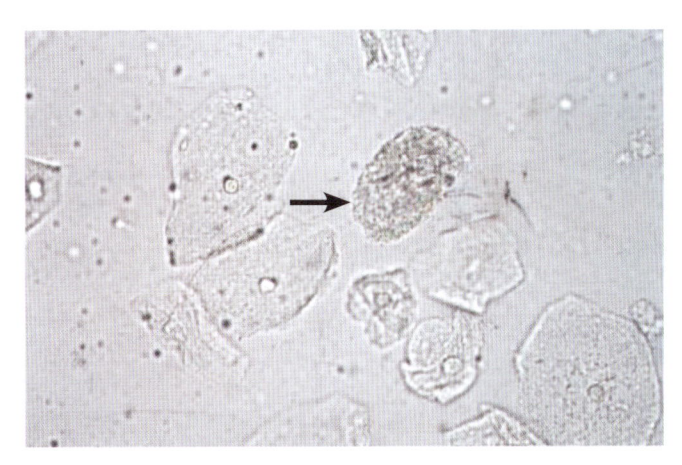

Figura 3.4
Exame a fresco de secreção vaginal (secreção salina, 160×). Célula indicadora de *Gardnerella vaginalis* (*seta*).

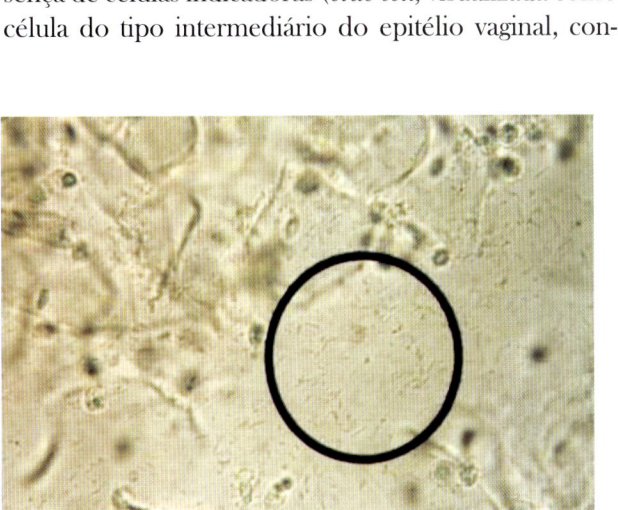

Figura 3.2
Exame a fresco de secreção vaginal (solução salina, 150×). Diagnóstico: exame a fresco normal. Células do epitélio vaginal agrupadas, raros leucócitos. No círculo observam-se numerosos lactobacilos (bacilos de Döderlein).

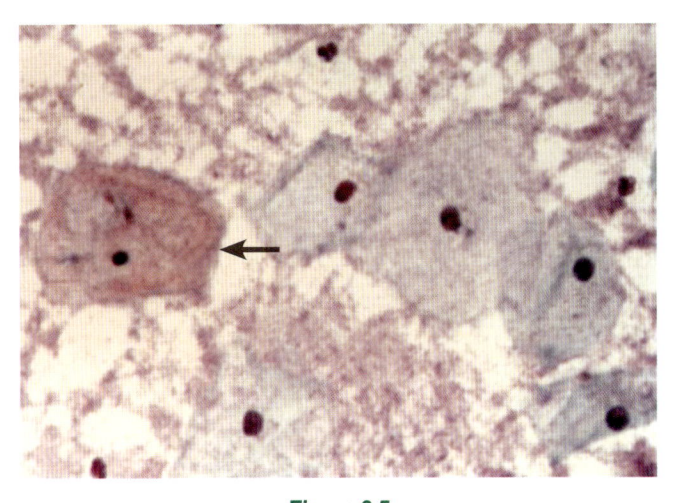

Figura 3.5
Esfregaço vaginal (Papanicolaou, 150×). Célula intermediária (*seta*) com citoplasma completamente parasitado por *Gardnerella vaginalis* (células indicadoras ou guias).

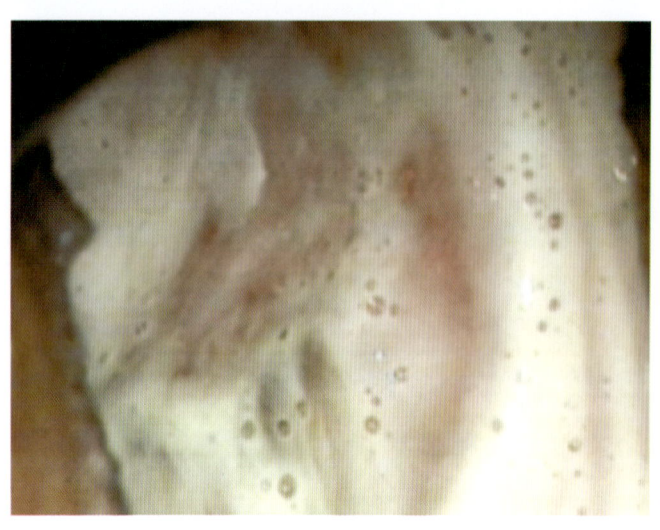

Figura 3.6
Colposcopia – bacteriose vaginal. Secreção acinzentada
com bolhas, sem sinais flogísticos. Odor fétido.

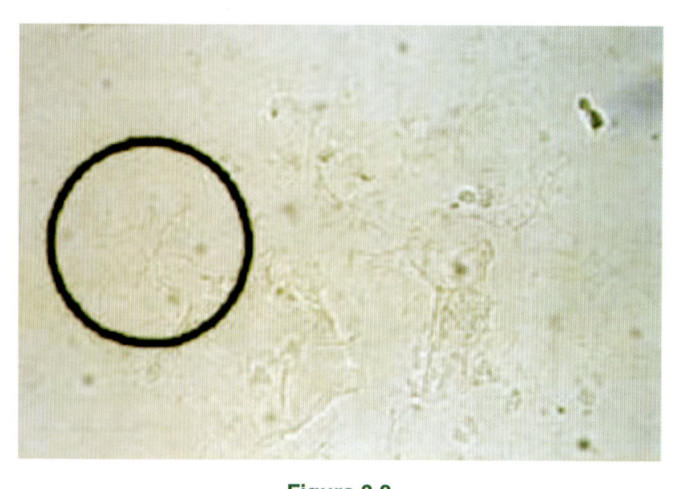

Figura 3.8
Exame a fresco de secreção vaginal (solução salina, 150×).
Fusobacterium. O conteúdo do círculo é de bacilos longos com 4
a 10 vezes o tamanho dos lactobacilos.

tendo um sem-número de bactérias no interior de seu citoplasma).

Colposcopicamente, apresenta-se pobre em achados; na maioria das vezes, a colposcopia é dada como normal.

3. *Leptothrix vaginalis* (Figura 3.7): Bacilos muito longos, cerca de 15 a 30 vezes maiores do que os lactobacilos, são caracteristicamente curvos e freqüentemente se associam a *Trichomonas vaginalis*. Não há necessariamente piocitose.

4. *Fusobacterium* sp. (Figuras 3.8 e 3.18): Bacilos longos, porém bem menores do que o *Leptothrix vaginalis*. Comparando-os aos bacilos de Döderlein, são cerca de 4 a 10 vezes maiores que estes. Podem estar associados a esporos de *Torulopsis glabrata* e não há necessariamente reação leucocitária.

5. Coliformes (Figura 3.9): São vistos preferentemente na solução salina. Nesse grupo estão incluídos *Escherichia, Proteus, Aerobacter* e *Klebsiella*. No entanto, se o teste do cheiro for francamente positivo, essas bactérias poderão corresponder a bacilos anaeróbicos, por causa de sua semelhança morfológica e tintorial com eles. Os coliformes são bacilos um pouco menores e mais robustos do que os lactobacilos e caracteristicamente se apresentam aos pares, ligados entre si por uma de suas extremidades.

6. Bacilos difteróides (Figuras 3.10 e 3.11) Podem ser observados tanto na solução salina como na solução de KOH. Mais bem visualizados em aumento de 400×. São bacilos do porte dos bacilos de Döderlein, porém caracteristicamente mostram espessamento em ambas as extremidades, conferindo-lhes o aspecto de "palito de fósforo de duas cabeças".

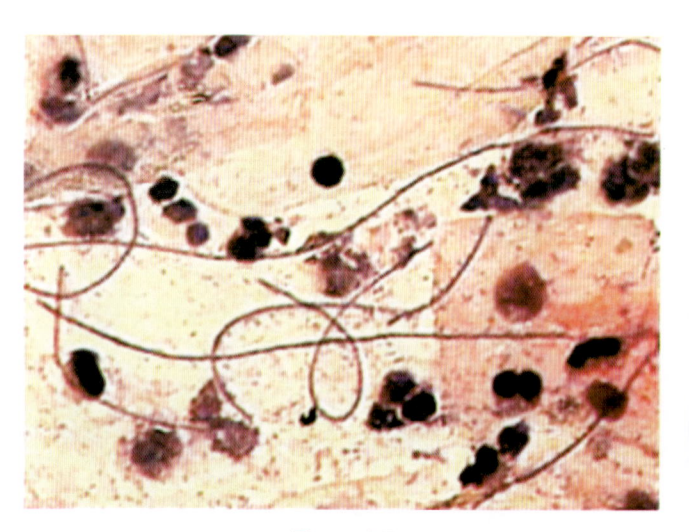

Figura 3.7
Esfregaço vaginal, corado pelo Papanicolaou, 400×.
Leptothrix vaginalis – Bacilos longos, às vezes dobrados.

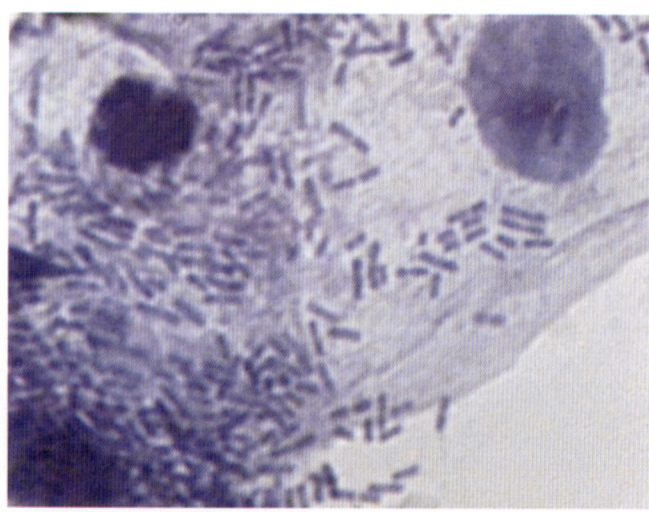

Figura 3.9
Esfregaço vaginal (Papanicolaou 1.000×). Bacilos curtos,
dispostos aos pares.

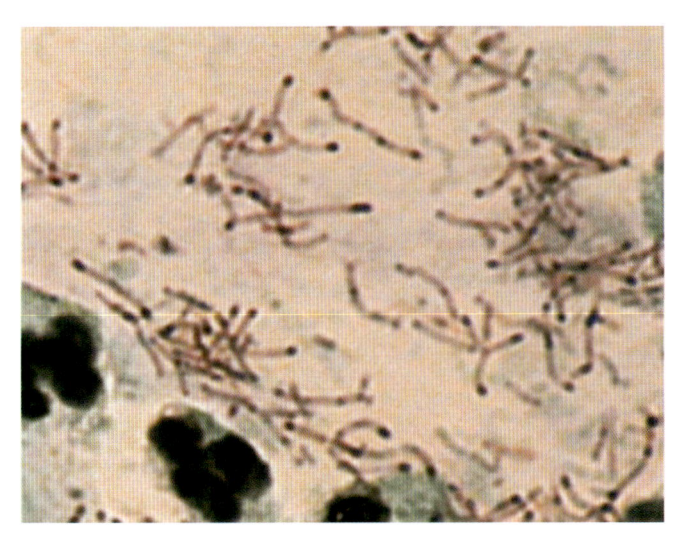

Figura 3.10
Esfregaço vaginal (Papanicolaou 1.000×). Bacilos difteróides, do porte dos lactobacilos, com o aspecto de "palito de fósforo de duas cabeças".

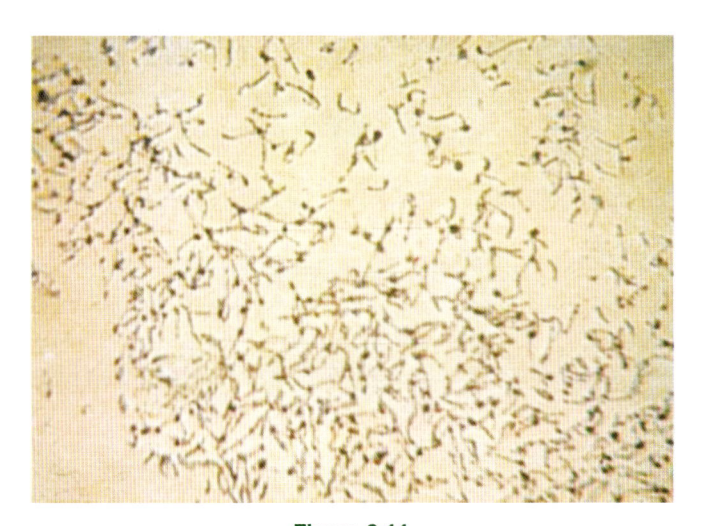

Figura 3.11
Secreção vaginal (solução salina, 400×). Bacilos difteróides.

São freqüentemente encontrados nas floras inespecíficas de pacientes menopausadas, nas quais podem levar a um corrimento de odor pouco acentuado, porém desconfortável, merecendo tratamento nessa situação.

7. Cocos (Figura 3.12): Podem ser observados nas duas soluções, porém são mais bem caracterizados em solução salina, pelo grande número de polimorfonucleares que os acompanha, preferentemente em aumentos de 400×. São bactérias arredondadas, pequenas, dispostas isoladamente, aos pares em fileiras ou cachos e móveis. Quando o teste do KOH se mostrar positivo, indicando anaerobiose, pensar em tricomoníase. Conteúdo purulento, KOH(–), deve-se suspeitar de infecção por gonococo ou clamídia.

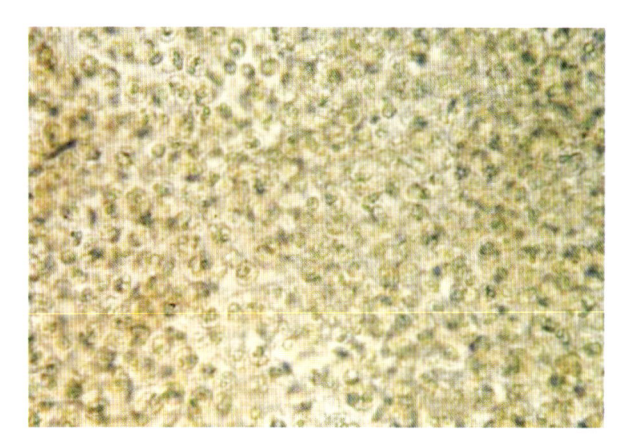

Figura 3.12
Exame a fresco de secreção vaginal (solução salina 160×). Esfregaço francamente purulento. Campos microscópicos repletos de piócitos.

Fungos Diagnosticáveis pelo Exame a Fresco

1. *Candida* sp. (Figuras 3.13 a 3.15): São observadas na solução de hidróxido de sódio ou potássio, podendo eventualmente ser vistas na solução salina. Os esporos são percebidos com nitidez e segurança nos aumentos de 400×.

As cândidas apresentam-se sob a forma de micélios, com septação mínima, porém visível, de onde brotam pequenos esporos arredondados ou ovalados, e em virtude de sua intensa refringência, mostram um brilho metalizado.

Em solução salina, é possível evidenciar moderada piocitose; a flora bacteriana algumas vezes é lactobacilar pura ou associada a outras bactérias (flora mista). Existe boa convivência entre cândida e flora lactobacilar.

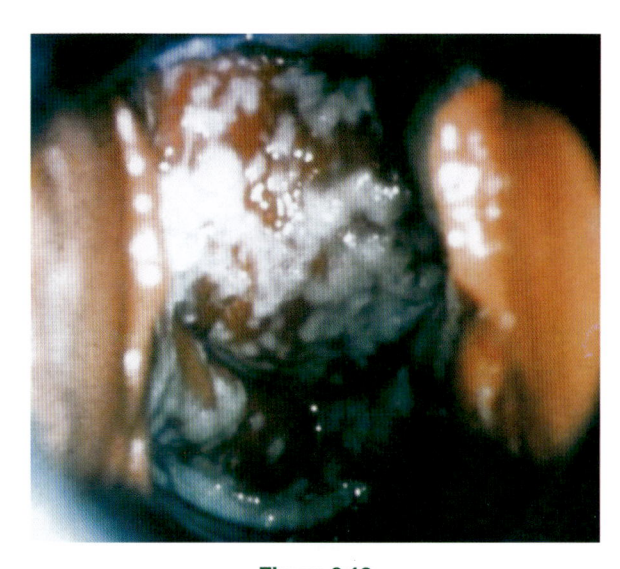

Figura 3.13
Colposcopia: Candidíase. Secreção grumosa, esbranquiçada, aderida às mucosas cervical e vaginal.

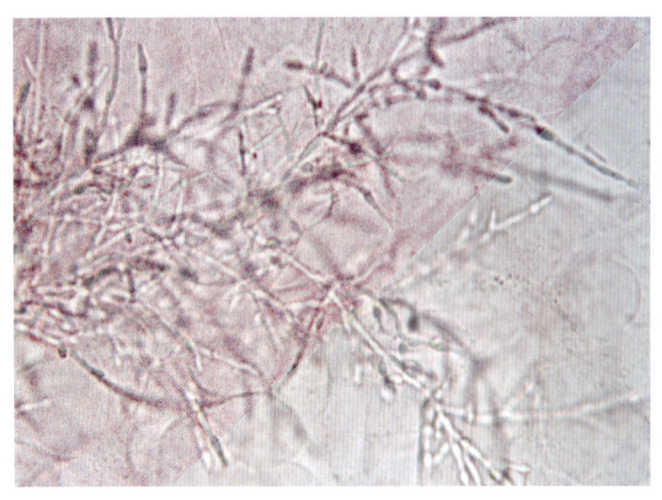

Figura 3.14

Exame a fresco de secreção vaginal (solução de KOH a 10%, 400×). Aglomerado de hifas e esporos de *Candida* sp.

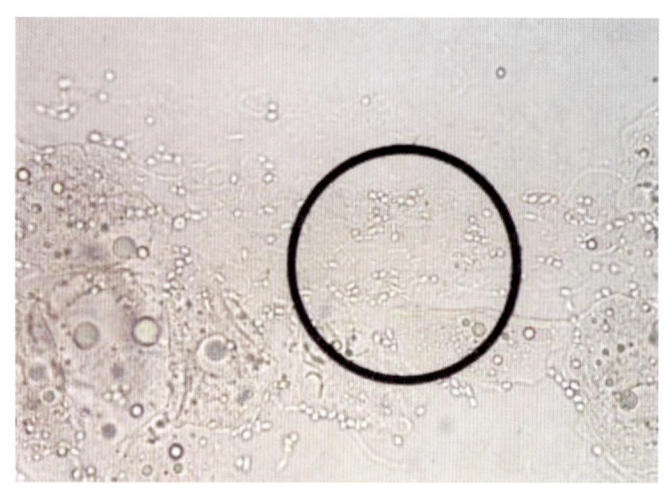

Figura 3.16

Exame a fresco de secreção vaginal (solução de KOH a 10%, 160×). *Fusobacterium* sp. e *Torulopsis glabrata*. No círculo, esporos refringentes de *Torulopsis glabrata*.

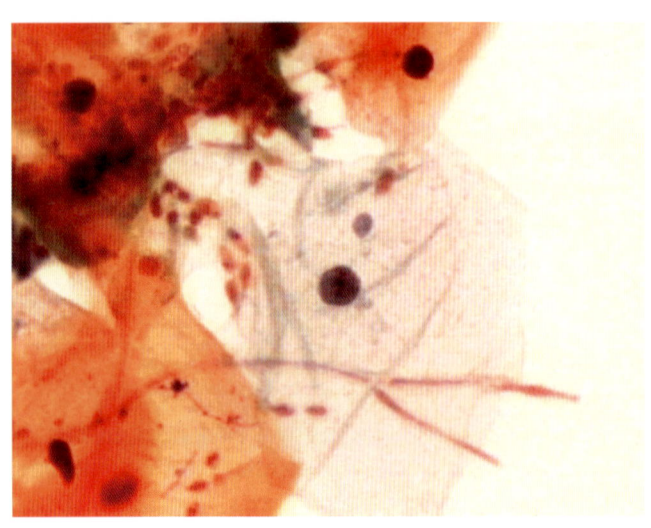

Figura 3.15

Esfregaço vaginal (Papanicolaou 400×). Hifas e esporos de *Candida* sp.

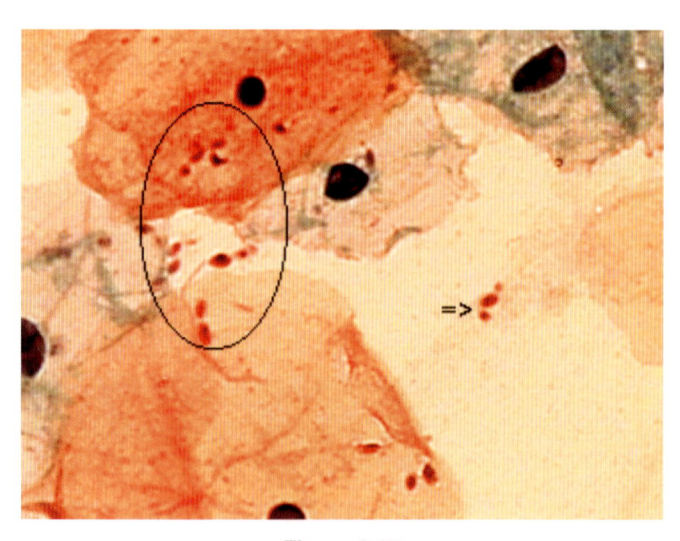

Figura 3.17

Esfregaço vaginal (Papanicolaou 400×). Diminutos esporos ovalados, freqüentemente aos pares, unidos por uma de suas extremidades (*círculo* e *seta*).

2. *Torulopsis glabrata* (*Candida glabrata*, Figuras 3.16 e 3.17): São observadas na solução de KOH ou de NaOH, podendo eventualmente ser vistas na solução salina. São um pouco difíceis de serem identificadas, pois "a fresco" se apresentam sob a forma de diminutos esporos, ovalados, freqüentemente aos pares, unidos por uma de suas extremidades, do mesmo tamanho ou um pouco menor do que os bacilos de Döderlein. São muito refringentes na solução de KOH.

Não provocam a piocitose da candidíase e não raras vezes estão associados ao *Fusobacterium* sp.

A observação deve ser cuidadosa para não se confundir, na solução salina, cabeças de espermatozóides com esporos de *Torulopsis* ou de *Candida*.

Respondem mal aos antimicóticos orais, devendo-se dar preferência aos tratamentos locais de maior duração (10 a 14 dias de aplicação vaginal).

3. *Geotrichum candidum* (*Candida geotrichum*, Figuras 3.18 e 3.19): São observadas na solução de hidróxido, podem eventualmente ser vistas na solução salina. Lembram cândida e tem o seu porte, porém seus micélios são fortemente septados sob a forma de articulações (artrosporos), não esporulam como as cândidas. São pouco freqüentes. Na dúvida entre *Candida* e *Geotrichum* é preferível diagnosticar e tratar como sendo este último.

Da mesma forma que o *Torulopsis*, o *Geotricum* responde também mal aos tratamentos orais.

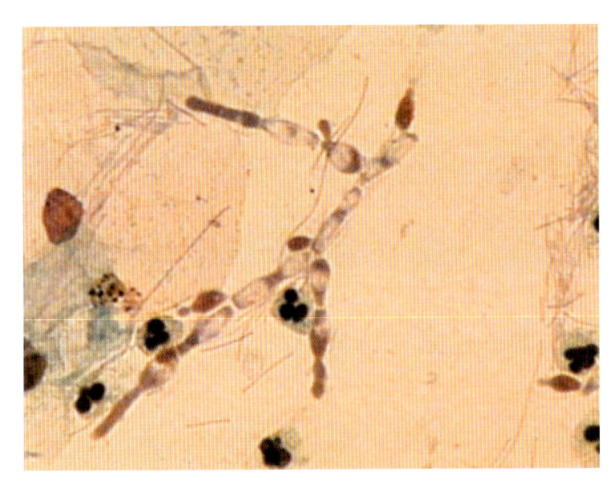

Figura 3.18
Esfregaço vaginal (Papanicolaou, 400x). Esporos miceliantes
com septação articular (artrosporos). Há ainda bactérias longas
compatíveis com *Fusobacterium*.

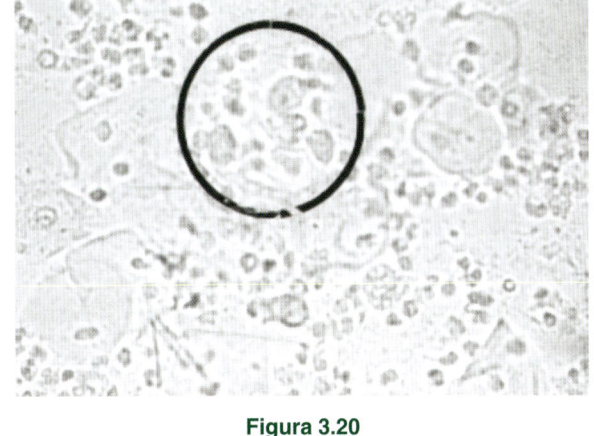

Figura 3.20
Exame a fresco de secreção vaginal (solução salina, 160×).
Trichomonas vaginalis. As *setas* mostram estruturas
arredondadas e ovaladas. Na ocasião do exame mostram-se
móveis. *No círculo*, flora bacteriana compatível com cocos.

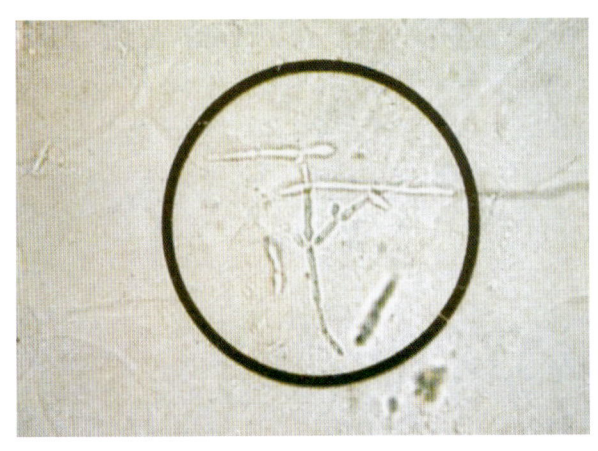

Figura 3.19
Exame a fresco de secreção vaginal (solução de KOH a 10%).
Geotrichum candidum. No círculo, esporos miceliantes com
septação artrosporadas.

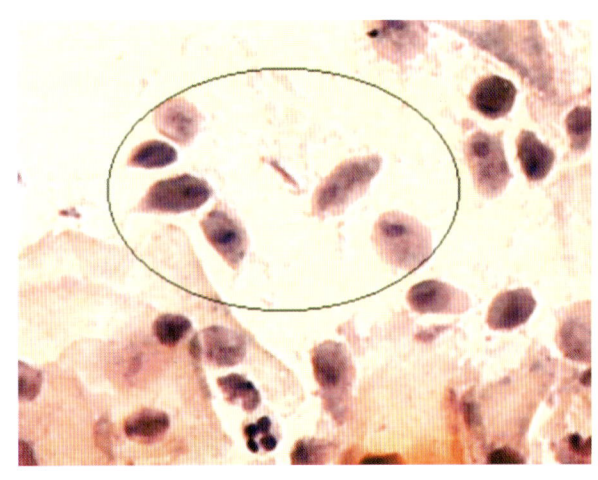

Figura 3.21
Esfregaço vaginal (Papanicolaou, 150×). *Trichomonas vaginalis*.
Formações arredondadas, ovaladas ou piriformes esverdeadas
com núcleo borrado (*círculo*).

Protozoários Diagnosticáveis pelo Exame a Fresco

1. *Trichomonas vaginalis* (Figura 3.20): São observados
   na solução salina em todos os aumentos por causa de
   sua movimentação característica. Devemos lembrar
   que, se houver pouco material entre lâmina e lamínula,
   ocorrerá uma rápida secagem e fixação do esfregaço,
   e conseqüentemente imobilização dos *Trichomonas*.
   A fixação é fatal para a visualização destes parasitos.
   Portanto, não perca tempo entre a coleta e o exame microscópico. Coletou, olhou! Inicie sempre seu exame
   pela solução salina, deixando a lâmina de KOH para
   um segundo tempo.

   Quanto ao seu tamanho, os tricomonas são, em geral, duas a três vezes maiores do que o piócito, arredon-

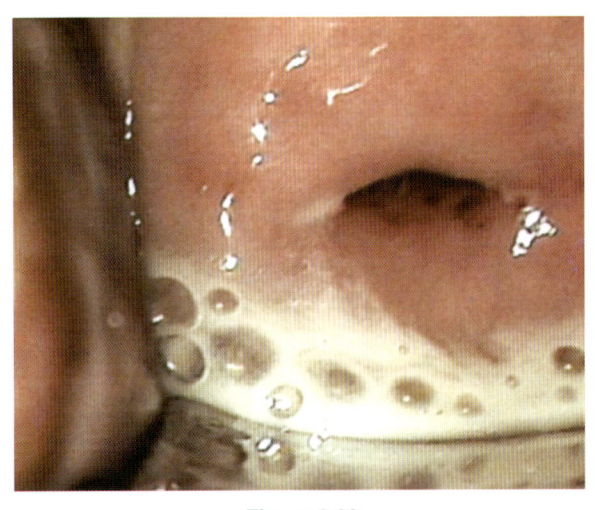

Figura 3.22
Colposcopia – secreção bolhosa – tricomoníase.

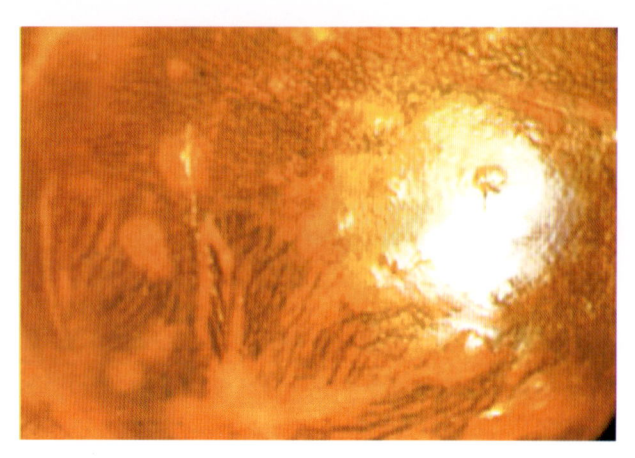

Figura 3.23
Aspecto colposcópico de *T. vaginalis*: colpite em "couro malhado".

dados ou ovalados, variando sua forma à medida que se movimenta. O conteúdo vaginal é freqüentemente purulento.

A colposcopia é rica em achados ao Shiller, mostrando o aspecto típico em "couro malhado".

TRATAMENTO

Candidíase

- Isoconazol a 1%, creme vaginal, por 7 a 14 dias.
- Miconazol creme ou óvulos por 7 dias.
- Tioconazol a 6,5%, dose vaginal única.
- Fenticonazol creme ou óvulos vaginais por 1 a 7 dias
- Terconazol creme a 0,8% por 7 dias.
- Fluconazol 150 mg via oral dose única.
- Itraconazol 200 mg, 2 cápsulas a cada 24 horas, por 2 dias.
- Cetoconazol 200 mg, 2 comprimidos VO por 5 dias.

Tricomoníase

- Metronidazol 250 mg VO, 3 vezes ao dia, por 7 dias.
- Metronidazol 2 g VO em dose única.
- Tinidazol 2 g VO dose única.
- Secnidazol 2 g VO em dose única.

- Associação miconazol + tinidazol em forma de creme vaginal por 7 dias.

Tratar o parceiro.

Gardnerella

- Metronidazol 500mg VO de 12/12 horas por 7 dias.
- Tinidazol *2 g VO dose única*.
- Clindamicina 300 mg VO 12/12 horas por 7 dias.
- Clindamicina a 2% creme vaginal por 3 dias.

Neisseria

- Ceftriaxona 250 mg IM dose única.

Chlamydia

- Azitromicina 1g VO dose única.
- Doxicilina 100 mg VO de 12/12 horas por 7 dias.
- Ofloxacin 300 mg VO 12/12 horas por 7 dias.
- Eritromicina estearato 500 mg VO de 6/6 horas, por 7 dias.

Tratar o parceiro.

Para se capacitar a realizar o exame a fresco, são necessários três procedimentos: praticar, praticar, praticar.

CONSIDERAÇÕES FINAIS

Segundo Piot e Franzen (1994), de todos os portadores de algum tipo de DST, apenas 50% apresentam sintomas suficientes para se suspeitar da infecção. Desses, a metade procuraria tratamento, 25% encontraria diagnóstico correto, sendo que 1/8 levaria seu tratamento até o final. A metade destes (1/16) ficaria curada, e, ainda, ao se considerar DST uma doença "do casal", 1/32 referenciaria seu(s) parceiro(s) para tratamento.

Portanto, observa-se a importância de nos esmerarmos para corretamente diagnosticar uma DST ou corrimento, evitando, dessa forma, sua difusão, pois nessa hora Eros conspira contra nós.

Capítulo 4

Infecção pelo Papilomavírus Humano

Garibalde Mortoza Junior e Sonia Cristina Vidigal Borges

HISTÓRICO

Há cerca de 2.000 anos já se descreviam lesões semelhantes a verrugas, relacionando o comportamento sexual. Bafverstedt encontrou referências nas literaturas grega e romana antigas de relatos de lesões condilomatosas. No final do século XIX ficou evidenciada a infectividade das verrugas, quando, em atividade experimental, foi realizado inoculação de extrato de verrugas em cobaias. Ciuffo, em 1907, foi o primeiro a publicar um informe sobre a possível natureza viral das verrugas cutâneas. Na década de 1940, mediante microscopia eletrônica, comprovou-se a etiologia virótica das verrugas. Barret e cols., em 1954, confirmaram a transmissão sexual das verrugas, relatando o aumento dessa infecção em esposas de soldados norte-americanos da Guerra da Coréia. Em 1976, Meisels e Fortin e, em 1977, Purola e Savia, estabeleceram a associação entre o papilomavírus humano (HPV) e as displasias cervicais, quando foram identificados coilócitos tanto em condilomas quantos nas lesões displásicas. Em 1983, Zur Hausen conseguiu clonar o DNA do HPV em pacientes com câncer do colo uterino. Em 1996, duas reuniões de consenso, uma promovida pelo NIH (National Institute of Health), dos EUA, outra pela Organização Mundial de Saúde, na Suíça, definiram que o HPV é o principal fator envolvido na etiologia do câncer do colo uterino. Naquele ano, Borysiewiez e cols. fizeram a primeira tentativa de produção de uma vacina contra o HPV. No final de 2003, Laura Koustky e cols. publicaram os primeiros resultados efetivos da vacina contra HPV. Em abril de 2005, Luisa Lina Villa e cols. publicaram um estudo multicêntrico, randomizado, duplo-cego controlado, evidenciando a eficácia da vacina contra os HPV 6, 11, 16 e 18 na redução da aquisição da infecção e da doença clínica causadas por esses vírus.

HPV – VÍRUS

Os papilomas vírus humanos fazem parte de um grupo de DNA vírus da família Papoviridae, juntamente com outros papilomas como os bovinos, suínos, símios, coelhos (de Shope) e outros. São vírus espécie-específicos, isto é, são específicos de cada hospedeiros, não causando lesões em outras espécies; pequenos, de cerca de 55 μm, com capsídeo icosaédrico, sem envelope, com um genoma contendo cerca de 7.500 a 8.000 pares de bases, com peso molecular de $5,2 \times 10^6$ daltons. Estes vírus não são cultiváveis e replicam em ceratinócitos diferenciados. Existem vários tipos de HPV, sendo descritos atualmente, cerca de 72 tipos. As partículas virais, denominadas *virions*, são envoltas por uma cápsula externa composta por duas porções chamadas L1 e L2. O genoma viral é composto por uma cadeia dupla circular dividida em várias porções, chamadas de *open reading frame* (ORF) (porções de abertura de leitura). A estrutura do HPV é dividida em três regiões:

- RRCC – região regulatória contracorrente ou região-controle longa (RLC), contendo os nucletídeos responsáveis pelo controle da replicação e pela expressão genética do vírus;
- Região precoce, que é composta pelas porções E1 e E2, responsáveis pela replicação e transcrição viral, controlando a transcrição e a replicação, inibindo a transcrição de E6 e E7 (responsáveis pelas alterações no genoma celular do hospedeiro), E5 que modula a divisão celular e tem uma atividade mutagênica com estimulação mitogênica pela interferência em receptores do fator de crescimento; E4 facilita a liberação de novas partículas virais, desestabilizando os filamentos de citoceratina no epitélio escamoso;
- Região tardia, formada pelas proções L1 e L2, que codificam as proteínas do capsídeo do vírus.

De acordo com as seqüências de genes do DNA do vírus, o HPV pode apresentar vários tipos. Há, já descritos, mais de 70 tipos de HPV, que podem infectar vários locais no ser humano. Os tipos de HPV variam de acordo com o tropismo tissular, a associação com distintas lesões e o potencial oncogênico. Os tipos de HPV podem ser subdivididos em: mucosos; cutâneos; cutâneos/mucosos; cutâneos/associados a epidermodisplasia verruciforme. Os tipos de HPV já descritos são:

- cutâneos: 1, 4, 41, 48, 60, 63, 65;
- mucosos: 6, 11, 13, 16, 18, 26, 30, 31, 32, 33, 34, 35, 39, 42, 44, 45, 51, 52, 53, 54, 55, 56, 58, 59, 64, 66, 67, 68, 69, 70, 73;
- cutâneos/mucosos: 2, 3, 7, 10, 27, 28, 29, 40, 43, 57, 61, 62, 72;
- cutâneos/associados com displasia verruciformes: 5, 8, 9, 12, 14, 15, 17, 19, 20/46, 21, 22, 23, 24, 25, 36, 37, 38, 47, 49, 50.

A área anogenital pode ser infectada por 34 tipos de HPV, divididos em dois grupos:

- HPV de baixo risco, isto é, vírus de baixo potencial oncogênico: 6 e 11 (mais encontrados em condilomas acuminados), 30, 34, 40, 41, 42, 43, 44, 54, 55, 61;
- HPV de alto risco, isto é, vírus com alto potencial de malignidade: 16, 18, 31, 33, 35, 39, 45, 51, 52, 56, 58, 59 62, 64, 66, 67, 68 e 69.

Em um grande estudo desenvolvido pela IARC (International Agency for Research on Câncer - Organização Mundial de Saúde), conduzido em diferentes países (Espanha, Brasil, Filipinas, Tailândia, Marrocos, Peru e Paraguai), incluindo 2.288 carcinomas invasores, 141 adenocarcinomas e 2.513 casos-controles, evidenciou-se que uma mulher portadora de HPV de alto risco apresenta um risco relativo de desenvolver câncer variável de 35 a 350, dependendo do tipo de HPV.

Mulheres HPV+: OR: 83,3

- HPV 16: 182
- HPV 18: 231
- HPV 45: 148
- HPV 52: 145,7
- HPV 59: 347,3

ONCOGÊNESE

A infecção viral ocorre nos sítios de disrupção epitelial, onde o vírus tem contato direto com as células da camada basal. Durante a infecção inicial, o vírus permanece no estado epissomal e relativamente quiescente. Não se observam modificações histopatológicas específicas nesse estágio, que é considerado como de infecção latente. A replicação viral e a expressão gênica parecem estar na de-

pendência de um desacordo na diferenciação celular do hospedeiro. Por ação de mutágenos diversos (genéticos, infecciosos, químicos, imunológicos) ou, talvez, uma nova infecção pelo HPV, a integração do genoma virótico na célula imatura infectada pode traduzir-se por alteração da função celular. A célula transformada não produz mais o vírus, guardando por vezes um grande número de cópias parciais ou totais do DNA virótico[1].

As células humanas contêm, no seu DNA, genes que são supressores de crescimento tumoral, isto é, genes que regulam o desenvolvimento da célula, fazendo com que estas tenham uma evolução natural e caminhem para a apoptose (morte celular programada). Dentre esses, têm-se: p53, localizado no cromossoma 17, e o pRB, localizado no cromossoma 13.

A indução da imortalização de queratinócitos revelou que os tipos de alto risco são positivos para este ensaio, não sendo para os de baixo risco. O processo requer os genes E6 e E7 dos tipos de alto risco. Os dois genes virais estão preferencialmente presentes e expressos nos carcinomas cervicais e linhagens de células derivadas de tumores. Ambos os genes E6 e E7 codificam proteínas multifocais. Entre essas funções, a seqüência genômica E6 liga-se e desagrega a proteína supressora de tumor — p53, enquanto a seqüência E7 liga-se à proteína supressora de tumor — pRb. E6 evita a apoptose ou morte celular programada, e leva à ativação da telomerase, um complexo de ribonucleoproteínas responsáveis pela síntese das seqüências de repetição do telômero, que está ligado com a imortalização celular característica da maior parte dos tumores[2-7]. Para que haja uma ação significativa de E6 e E7 é necessário que ocorra uma inativação ou ruptura da porção E2 e E1. Existem fatores celulares adicionais complexos envolvidos na oncogênese, ainda não totalmente esclarecidos. Fica evidente que a relação entre estes fatores celulares e os fatores virais vão determinar se uma infecção pelo HPV vai ficar no estado latente, evoluir para a formação de condilomas ou de lesões pré-neoplásicas e neoplásicas.

FORMAS CLÍNICAS

Após a exposição, o vírus coloniza todo o epitélio do trato genital inferior, podendo existir uma ampla variação individual de manifestações clínicas, que, provavelmente, são reguladas pela resposta imunológica local ou sistêmica do hospedeiro, além da presença ou ausência de co-fatores[3].

Classicamente, a infecção pelo HPV pode ser dividida em três formas distintas: clínica, subclínica e latente.

A infecção clínica é a presença verrugas, isto é tumorações únicas e múltiplas, papilares ou micropapilares com epitélio superficial ceratinizado, que surgem preferencialmente nas áreas sem pêlos. As localizações mais freqüentes são os pequenos lábios, intróito vaginal, podendo ocorrer também em áreas pilosas, onde são bem mais ceratinizadas. A localização no colo uterino é rara, devendo sempre fazer diagnóstico diferencial com carcinoma verrucoso do colo.

A infecção subclínica é a presença de lesão visualizada somente mediante colposcopia. Geralmente são lesões planas sem formações papilares ou micropapilares.

A infecção latente consiste somente na presença do vírus sem alterações morfológicas, isto é, não ocorre alterações citológicas, não são visíveis à colposcopia, são diagnosticadas somente por biologia molecular.

A grande maioria das mulheres vai adquirir HPV nos primeiros anos de início de atividade sexual, ficando na forma latente, sem manifestações clínicas ou subclínicas; uma pequena minoria desenvolverá a lesão na forma subclínica ou de verruga. Ou seja, a grande maioria apresentará uma infecção *transiente*, isto é, passageira; a minoria apresentará uma infecção *persistente*, que pode ficar anos sem manifestação, sendo desconhecido o tempo necessário para surgimento de lesões. A infecção persistente é que está relacionada com maior possibilidade de transformação maligna.

INCIDÊNCIA E PREVALÊNCIA

A literatura revela que a incidência das infecções pelo HPV vem aumentando significativamente no mundo ocidental, sendo a infecção sexualmente transmitida mais comum do trato genital feminino[3].

As estimativas verdadeiras da prevalência são difíceis, senão impossíveis, devido à fragmentação dos serviços clínicos[3]. No Brasil, os dados estatísticos são escassos e não traduzem, certamente, a verdadeira magnitude da infecção induzida por HPV; todavia, ratificam a tendência mundial de avanço da virose[1].

Pode acometer pessoas de qualquer idade, sendo mais freqüente na faixa compreendida entre 20 e 40 anos, período de maior atividade sexual. Chang, em 1984, encontrou infecção em 746 indivíduos, cuja idade variou de dois dias a 83 anos, sendo que 80% dos pacientes tinham entre 17 e 33 anos.

Mais recentemente, com o desenvolvimento da técnica da reação em cadeia da polimerase (PCR), descobriu-se que as infecções pelo HPV podem ser muito mais comuns, atingindo desde portadoras assintomáticas até pacientes com câncer cervical invasivo. A prevalência de DNA-HPV em geral, considerando diferentes populações femininas do mundo, tem variado entre 30% e 50%, segundo esta técnica[1].

No Brasil, alguns estudos utilizando a técnica de PCR encontraram diferentes taxas de prevalência em populações variadas. Em estudo caso-controle realizado em São Paulo, observou-se a presença de 17% de DNA-HPV no grupo controle e de 84% no grupo com câncer de colo uterino[8].

Não existem dúvidas de que, em alguns países, o aumento da promiscuidade sexual, a diminuição da idade da primeira relação sexual e a abolição do condom a favor da contracepção oral aumentam a freqüência de infecção pelo HPV[9].

As verrugas genitais são mais comuns em pessoas sexualmente ativas entre 20 e 24 anos, independentemente do tipo de HPV, correspondendo a período de maior atividade sexual, gestações, utilizações de anovulatórios e riscos maiores de infecções genitais[1,8].

A maioria dos estudos realizados em clínicas de DST revela que as verrugas genitais são mais comuns em homens do que em mulheres[1].

Indivíduos imunocomprometidos parecem manter o DNA-HPV de forma persistente. Em lavados cervicovaginais de dois grupos de mulheres (124 HIV-positivos e 126 HIV-negativos) a prevalência estimada do HPV foi de 42,8% no primeiro grupo e de 13,4% no segundo. Os tipos 31, 33 e 35 foram detectados mais freqüentemente em mulheres soropositivas (30,2%) do que nas soronegativas (5,6%), assim como as infecções mistas[20]. Em um trabalho recente de tese de mestrado pela UFMG, constatou-se uma prevalência de 73% de HPV em mulheres soropositivas para HIV em contraposição a 24% nas soronegativas para HIV, não se observando uma tendência nítida a um tipo de HPV[10].

Woodman e cols. (2001) acompanharam 1.075 mulheres jovens incialmente com citologias normais e biologia molecular para HPV negativa, avaliando-as a cada 6 meses por 29 meses, encontrando os seguintes resultados: 44% positivaram para o HPV com 3 anos; 60% em 5 anos; o tipo de HPV mais freqüente foi o 16; 14 mulheres desenvolveram CIN 2 e 14, CIN 3; a maioria das portadoras do HPV 16 desenvolveram lesão de alto grau em 6 a 12 meses após o primeiro diagnóstico.

O estudo do IARC mostrou a seguinte prevalência:

- HPV 16: 50% a 60% dos casos de câncer cervical de células escamosas, em muitos países.
- HPV: 10%-12%.
- HPV 31 e 45: 4% a 5% cada.
- Adenocarcinoma – tipos mais comuns:
  - HPV 16: 45%
  - HPV 18: 40%
  - HPV 45 e 59: 4% a 5%
- Freqüência do HPV em mulheres sem lesões cervicais:
  - HPV 16: 20%
  - HPV 18: 10%
  - HPV 45: 8%
  - HPV 59: 2%

Nos EUA, estima-se que cerca de 20 milhões de pessoas (15% da população) estejam, no momento, infectadas pelo HPV, 50%-75% das quais com tipos de alto risco, e cerca de 5,5 milhões de pessoas são infectadas a cada ano[11]. Existem estimativas de que cerca de 50% das pessoas (homens e mulheres) com vida sexual ativa adquirem infecção genital pelo HPV em algum momento de suas vidas (Weinstock e cols., 2000).

A prevalência da infecção pelo HPV nos homens é mais difícil de ser determinada porque não está claro em quais sítios anatômicos ou espécimes devem ser pesquisados. Alguns estudos em homens heterossexuais mostram uma prevalência de 16% a 45%. Os fatores de riscos para os homens incluem promiscuidade sexual, com grande número de parceiras durante sua vida e número de parceiras recentes, além de não terem sido circuncisados. A relação entre a idade jovem com infecção pelo HPV não é consistente nos homens como nas mulheres[12].

A maioria das infecções pelo HPV é transiente, isto é, passageira, assintomática, passando despercebida, pois não causa nenhum problema clínico. Os estudos mostram que 70% das novas infecções desaparecem dentro de um ano, 91% dentro de dois anos. O grande problema está nas infecções persistentes, que são influenciadas pela idade da paciente, HPV de alto risco, infecção por múltiplos tipos de HPV, e deficiência imunológica. A persistência da infecção pelo HPV é o fator de risco mais importante para o surgimento das neoplasias pré-invasoras e invasoras do colo uterino. Bárbara Moscicki mostrou que o risco de desenvolver lesões pré-cancerosas no colo uterino era 14 vezes maior nas mulheres que tinham pelo menos três testes positivos para HPV, quando comparado com mulheres que tiveram testes negativos. Mesmos assim, a maioria das mulheres portadoras de infecção pelo HPV não irá desenvolver lesões pré-cancerosas ou cancerosas do colo uterino[13].

VIAS DE TRANSMISSÃO

A via sexual é a modalidade de contágio mais comum, e a infecção clínica (condilomas acuminados) que tem alta carga viral é mais contagiosa do que a forma subclínica. É provável que o HPV possa ser transmitido por fomites, ou seja, por contato indireto com objetos inanimados, como toalhas, roupas íntimas, instrumentais ginecológicos, fumaça de laserterapia ou cirurgia de alta freqüência[9,14]. Embora não se saiba por quanto tempo o vírus resista fora do organismo, considera-se que essa forma de transmissão seja viável por um curto período de tempo, sendo assim mulheres e crianças sem atividade sexual comprovada também poderão desenvolver a infecção[15].

Pode ocorrer a auto-inoculação[1]. O sexo oral é o possível mecanismo de transmissão do condiloma oral[16].

O período de incubação dos condilomas acuminados (HPV 6 ou 11) varia de três semanas a oito meses; para as lesões subclínicas é desconhecido.

Infecção clínica ou subclínica pode ser encontrada em cerca 40%-60% dos parceiros masculinos de mulheres portadoras de infecção cervical pelo HPV.

Os HPV 6 e 11 podem levar à papilomatose recorrente na criança, adquirida durante a passagem do canal de parto, de mulheres portadoras desses vírus. A doença se manifesta entre o 4º e o 5º ano de vida. O risco é muito baixo (1:80 a 1:1.500), sendo a doença muito rara.

DIAGNÓSTICO

Princípios Gerais de Diagnóstico: Detecção do HPV

O exame clínico é o primeiro e o mais importante passo para o diagnóstico da lesão associada ao HPV. O sistema de diagnóstico deve compreender rastreamento citológico, colposcópico e a realização da histopatologia, por meio de biópsia colposcopicamente dirigida[15].

Mulheres com esfregaços citológicos anormais, sugestivas do vírus, tendem a ser encaminhadas para as clínicas de colposcopia, sendo que a maior parte das infecções por HPV são assintomáticas, podendo passar despercebidas pela paciente. Somente os testes virais permitirão a identificação do DNA do HPV, informando a existência da infecção, mesmo na ausência de alterações morfológicas. A identificação direta do DNA do HPV é atualmente o método de escolha para a detecção do vírus em esfregaços ou amostras de tecidos[10].

Em decorrência da estreita relação NIC e HPV, é válido supor que as técnicas que diagnosticam a presença do vírus possam se constituir em métodos rastreadores dos processos neoplásicos do colo do útero[15].

Métodos de Rastreamento para Detecção do HPV na Cérvice Uterina

A maioria das viroses patogênicas para os homens pode ser diagnosticada pelas técnicas de virologia tradicional de cultura de células ou órgãos, microscopia eletrônica ou sorologia. Nenhum desses métodos é rotineiramente aplicado para detectar papilomavírus humanos.

Atualmente, os HPV não podem ser propagados em sistemas de cultura de células. Por esse motivo, o diagnóstico da infecção pelo HPV é obtido pela detecção dos seus efeitos morfológicos sobre a citologia e histopatologia, ou do seu ácido desoxirribonucléico (DNA) ou ácido ribonucléico (RNA)[17].

Com o auxílio de um instrumento de amplificação, as lesões não latentes podem ser identificadas em diferentes sítios humanos e diferenciadas de condições fisiológicas e/ou patológicas que mimetizam lesões virais. O colposcópio é freqüentemente utilizado para examinar o colo uterino, a vagina e a genitália externa.

A citologia depende da esfoliação das células doentes que representam a lesão subjacente, sendo, portanto, útil na investigação do colo uterino e vagina[17], mas não nos dá o diagnóstico, apenas sugere a presença de alterações celulares.

Na clínica diária, o diagnóstico final é freqüentemente obtido por uma biópsia, que pode permitir a identificação de alterações histopatológicas sugestivas de infecção pelo HPV. A histopatologia permite a identificação de neoplasias intra-epiteliais cervicais, as quais podem estar associadas a viroses potencialmente oncogênicas. Entretanto, não permite a predição do tipo de HPV associado ao efeito citopático. Quando existem alterações mínimas associadas ao vírus, a interpretação histopatológica pode ser dificultada, assim como não é possível diagnosticar infecções latentes[1].

Somente testes moleculares permitem a identificação do DNA do HPV, informando o clínico da existência da infecção, mesmo na ausência de alterações morfológicas.

Não existe método ideal para identificação do HPV. Cada método é limitado pela sensibilidade, pela especificidade, pela praticidade, pelo custo e pela disponibilidade comercial[17].

Citologia

É o método de rastreamento mais barato, no qual apenas as células provenientes das camadas superiores do epitélio serão coletadas no esfregaço. A predição citológica da existência da lesão histopatológica está baseada no tipo e na quantidade de células atípicas detectadas no esfregaço[10].

A avaliação citológica da cérvice promove uma importante ligação inicial entre o ginecologista e a paciente. Nos programas de detecção, é o esfregaço cervical que oferece a chave para identificar a anormalidade dentro da cérvice e trato genital inferior. Com o resultado da informação, o médico é capaz de selecionar quais pacientes irão necessitar de mais avaliações diagnósticas, como a colposcopia[18].

A acuidade do método para o diagnóstico das CIN varia de acordo com o grau histopatológico da lesão. Assim, aproximadamente 50% dos casos de CIN 1 e CIN 2 não são detectados no esfregaço citológico, provavelmente pela pequena descamação celular. Nas CIN 3, no entanto, o método apresenta acuidade superior a 90% quando todos os rigores da técnica citológica são obedecidos. Para que índices tão elevados sejam conseguidos, é absolutamente imprescindível que se obtenha abundante e adequada amostra citológica de material endocervical, o que se consegue à custa de escovas idealizadas para este fim, principalmente devido à freqüente localização endocervical das CIN 3[15].

Colposcopia

A história da colposcopia é um exemplo de adaptação de uma técnica de observação. Foi introduzida por Hinselman, em 1925, que esperava revelar o microcarcinoma. Acreditava, em sua época, ser esta a forma de início do câncer do colo uterino. Inicialmente, foi um método de difícil aceitação e ficou durante 25 anos sendo utilizado quase unicamente nos países germânicos, sendo reintroduzido nos países de língua inglesa no início dos anos 1960[19]. Difundiu-se rapidamente, sobretudo por sua utilidade no diagnóstico das neoplasias cervicais malignas. É ainda utilizado como instrumento topográfico e técnica de rastreamento[14,18].

O teste de Schiller, inventado na mesma época da colposcopia, é muito mais difundido pela facilidade de sua realização; entretanto, não atingiu os resultados esperados, por causa de sua falta de especificidade.

Com o aparecimento da citologia esfoliativa, na década de 1940, pensou-se durante certo tempo que a colposcopia e o teste de Schiller estavam condenados a desaparecer. Aconteceu o contrário. Estes dois métodos mudaram somente de objetivo, não sendo somente métodos de prevenção, mas, também, de estudo topográfico das lesões, podendo ajudar na decisão de um diagnóstico histopatológico por meio de uma biópsia dirigida ou de uma conização[19].

Assim como acontece com o método citológico, existe correlação direta entre a exuberância das imagens e o resultado histopatológico. Portanto, lesões de pouca evidência colposcópica, denominadas menores, são mais freqüentemente representativas de discreto comprometimento epitelial, ao contrário do que acontece com as alterações colposcópicas importantes, ditas maiores. É conveniente a afirmação de que somente um quinto das colposcopias anormais guarda relação com malignidade cervical. Nos quatro quintos restantes, a biópsia sistemática das anormalidades colposcópicas demonstra alterações epiteliais de benignidade[15].

A citologia e a colposcopia são métodos que alertam o clínico para a presença da CIN, porém, para a orientação terapêutica, é necessária a configuração histopalógica do grau de atipia. A obtenção da amostra para o estudo histopatológico é sempre mais bem realizada sob a mira colposcópica[15].

Histopatologia

O diagnóstico histopatológico da infecção pelo HPV é de suma importância, pois nele se baseia a maioria das decisões terapêuticas até o momento. Além de auxiliar no diagnóstico de infecções por HPV, a histopatologia é capaz de graduar as lesões, orientando-nos sobre sua capacidade de evolução para neoplasias[17].

O HPV é um organismo exclusivamente intracelular que infecta células mitoticamente ativas para se estabelecer no epitélio. Isso explica por que tanto os carcinomas escamosos como os glandulares se originam na junção escamo-colunar e dentro da zona de transformação, pois nesse local há acesso imediato às células basais e parabasais do epitélio metaplásico[3].

A camada basal do epitélio possui uma só fileira de células em paliçada. Os processos pré-neoplásicos do colo uterino (CIN) são caracterizados pela presença de hiperplasia da camada basal com células exibindo discariose. À medida que a camada basal perde a sua capacidade de se diferenciar das demais células do epitélio escamoso, vão-se dando graus de atipias neste epitélio[20].

Métodos Moleculares de Identificação do HPV e seus Genótipos

Southern Blotting

É um dos primeiros métodos de hibridização, cujo protocolo técnico serviu à investigação do reconhecimento viral. Desenvolvido por Southern (1975), esse método baseia-se na digestão do DNA genômico por enzimas específicas de restrição: as endonucleases. Essas enzimas provocam uma clivagem do DNA cada vez que uma determinada seqüência de bases for reconhecida. A hibridização de *Southern Blotting* é utilizada para detecção do DNA do HPV no DNA de espécimes celulares, sendo testes sensíveis e altamente específicos, utilizados em pesquisa e para controle de qualidade. Não têm aplicação para rotina clínica por serem demorados e complicados. Embora considerada como uma técnica confiável, existem dificuldades em reproduzir resultados entre diferentes laboratórios[17].

Northern Blotting

Esse processo apresenta princípios semelhantes aos de Southern, visando, entretanto, ao estudo de seqüências nucleotídicas de RNA[17].

Dot Blotting

É um método rápido e pouco dispendioso para analisar amostras do DNA ou RNA do HPV, sendo utilizado principalmente para rastreamento de grande número de amostras clínicas; não pode ser utilizado para pesquisar novos tipos de HPV sob condições de baixa estringência, incluindo pequeno painel de tipos de HPV[17].

Hibridização in Situ

A hibridização *in situ* (HIS) é a única técnica que permite a localização topográfica dos ácidos nucléicos virais em tecidos celulares. Podem ocorrer perda de cortes, deterioração da morfologia ou variação da sensibilidade do método, podendo ser recomendada apenas como um adjunto na rotina histológica, em casos suspeitos de condiloma, mas não para lesões de alto grau ou doença invasiva[17].

Reação em Cadeia da Polimerase

A reação em cadeia da polimerase (PCR) foi concebida por Karty Mullis, em 1985, sendo um método capaz de amplificar quantidades mínimas de DNA. A alta sensibilidade da PCR permite a escolha de amostragem a partir de lavados, esfregaços ou escovados do orifício externo do colo uterino, ou de tecido colhido por biópsia e mantido congelado ou fixado em formol, e incluídos em parafina. O sangramento durante a coleta deve ser minimizado, pois podem gerar resultados falso-negativos, uma vez que inibidores enzimáticos endógenos, principalmente sangüíneos, podem bloquear a amplificação. O princípio das reações de PCR constitui-se de três etapas:

- a desnaturação, na qual o DNA que se encontra acoplado (fita dupla) mediante brusca elevação de temperatura para $95^{\circ}C$ é separado em fitas únicas;
- o anelamento ou hibridização, entre a cadeia original do DNA e a seqüência de nucleotídeos que se ligará à região inicial da gênica a ser amplificada (iniciadora); e
- a extensão do iniciador desempenhada por uma DNA polimerase-termostável. Esta gera fitas *filhas* de DNA que atravessam a região entre os dois iniciadores. Ambas as fitas de DNA são convertidas em quatro fitas simples, que servem de modelos para um ciclo subseqüente da PCR.

A PCR é geralmente concluída após 35 a 40 ciclos e sua amplificação é detectada após a eletroforese em gel, por meio da coloração com brometo de etídeo. A tipagem dos genomas virais, nos principais modelos, é feita com hibridização, com o uso de sondas tipo-específicas, mediante sistemas de detecção radioativos ou enzimáticos.

A alta sensibilidade deste método permite economia de amostras, sendo útil em estudos populacionais, incluindo a avaliação da prevalência de infecções com baixa carga viral. Entretanto, também permite a amplificação de contaminantes do ambiente laboratorial, ou de amostras vizinhas, além de amplificação das próprias seqüências iniciadoras. Além dos cuidados na obtenção das amostras e de seu manuseio no laboratório, o controle de cada reação se faz necessário[17].

Detecção de Antígeno para HPV

Os principais antígenos detectados e estudados até o momento são os das proteínas tardias L1 e L2 dos HPV 6, 11, 16 e 18 e os antígenos das proteínas precoces E2, E4, E5 e E7 do HPV 16 e E2 e E7 do HPV 18. Em geral, a resposta humoral às proteínas dos capsídios de HPV é avaliada por ELISA, utilizando como antígeno as proteínas virais sintetizadas em bactérias ou seus peptídeos. O método para detecção de complexo antígeno-anticorpo para HPV tem limitada sensibilidade e especificidade. Há problemas nas reações cruzadas entre antígenos heterólogos e a ligação de anticorpos marcados com fluoresceína em locais inespecíficos. Além disso, o vírus somente pode ser detectado na forma transcricionalmente ativa[17].

Captura Híbrida II

O sistema de captura híbrida II (CH II) em microplaca é uma solução hibridizadora que utiliza anticorpos na captura com amplificação de sinal, sendo detectado pela quimioluminescência. Espécimes contendo DNA hibridizam-se com o coquetel de sondas específico de RNA-HPV. O resultado dos híbridos é capturado sobre a superfície da microplaca com anticorpos específicos. A seguir, é feita a reação desses híbridos imobilizados com conjugados de anticorpos específicos para híbridos de RNA/DNA e fosfatase alcalina, que são detectados por um substrato quimioluminescente. Várias moléculas de fosfatase alcalina são conjugadas para cada anticorpo. Múltiplos anticorpos conjugados se ligam em cada híbrido capturado. A luz emitida é medida como unidade de luz relativa (RLU) no luminômetro. A intensidade de luz emitida denota a presença ou ausência do DNA-alvo nos espécimes e a quantificação do vírus. A medida RLU igual ou acima do valor do ponto de corte indica a presença da seqüência específica de DNA-HPV no espécime. RLU menor que o valor do ponto de corte indica a ausência de DNA-HPV específico ou os níveis de DNA-HPV estão abaixo do limite de detecção do ensaio. A duração de todo o teste é de quatro horas. Os controles são feitos em triplicata, sendo três negativos e três positivos. São realizados cinco controles intrateste, além do *kit* painel com seis amostras com diferentes vírus e cargas virais[8,21].

O sistema captura híbrida II utiliza sondas de RNA altamente específicas para detectar 18 tipos de HPV que mais comumente infectam o trato anogenital e que são agrupados em dois grupos. Um que contém cinco tipos não-oncogênicos (grupo A: 6, 11, 42, 43 e 44) e outro, com 13 tipos de HPV de intermediário/alto risco (grupo B: 16, 18, 31, 33, 35, 39, 45, 51, 52, 56, 58, 59 e 68). Sua sensibilidade é de 1 pg/ml de DNA-HPV, equivalente a 0,1 cópia de vírus/célula. Por essa sensibilidade, os estudos têm mostrado estreita relação entre os resultados e a evolução clínica. Esses tipos representam 95% dos vírus que infectam o trato anogenital, sendo que o do grupo intermediário/alto risco está presente em 99% dos casos. Todos os testes de captura híbrida II são, ao mesmo tempo, qualitativos e quantitativos[3].

A CH II corresponde à segunda geração de captura híbrida pela Digene, diferenciando da primeira geração (CH I), porque nela foi adicionado a pesquisa de mais quatro tipos virais de alto risco: 39, 58, 59 e 68, e o ponto de corte passou para um limite menor, de 0,2-1 pg/ml de HPV-DNA[22].

HPV NA GESTANTE

Na mulher grávida ocorre uma diminuição natural da imunocompetência, uma produção maior de hormônios esteróides, o que leva a uma proliferação celular intensa, principalmente nas camadas intermediárias e superficiais de epitélio escamoso, propiciando um ambiente muito favorável à replicação viral. É comum a formação de condilomas gigantes ou a evolução rápida para lesões neoplásicas de grau mais acentuado. No pós-parto ocorre o inverso, havendo regressão espontânea na maioria da lesões, mesmo as mais acentuadas. Devemos tratar somente as lesões verrucosas para prevenir a formação dos condilomas gigantes, podendo acompanhar as lesões de alto grau, até mesmo carcinoma *in situ* do colo uterino, optando pelo tratamento após revisão 4 a 6 meses pósparto. No tratamento das lesões condilomatosas, usamos o ácido tricloroacético ou a retirada das lesões com eletrocautério ou CAF. Nunca usar podofilina ou antiblásticos, pois são drogas comprovadamente teratogênicas.

O parto cesáreo só é indicado em casos de condilomas gigantes que obstruam o canal de parto, ou por problemas obstétricos outros. A cesárea não protege o recém-nascido da infecção, pois o vírus pode ser encontrado em líquido amniótico, secreção da nasofaringe ou lavado gástrico de recém-nascido que nasceram de parto cesáreo com bolsa íntegra. Já se identificaram partículas de DNA viral em cordão umbilical e placenta. No recém-nascido pode levar a formações de verrugas na pele e o mais temido é a papilomatose de cordas vocais, que acontece por volta do sexto ano de vida, mas que é uma doença rara.

A associação HPV-HIV ocorre com certa freqüência, sendo necessário uma vigilância maior nas HIV positivas. A recidiva das lesões é quase uma constante.

TRATAMENTO

Quanto ao tratamento do HPV, devemos salientar que o objetivo principal do tratamento não é a erradicação do vírus, pois ainda não temos drogas ou métodos capazes de conseguir este objetivo, mas sim destruir a lesão que o vírus está causando. Na verdade quem destrói o vírus é o sistema imunológico da paciente. Sabemos que a simples presença do vírus, sem ocasionar nenhuma lesão, não necessita de tratamento, além do que, por parte das lesões, principalmente condilomas pequenos e lesões de baixo grau, tem grande potencial de regressão espontânea. Devemos pensar em tratamento do HPV por vários motivos: (a) erradicar condilomas acuminados por questões estéticas, para evitar infecções secundárias e para prevenção de possível malignidade, pois, apesar de os condilomas viróticos estarem associados principalmente a vírus de baixo risco (HPV 6 e 11), em 5% dos casos podemos encontrar também vírus de alto risco[3]; (b) prevenir a evolução para malignidade, já que uma em cada lesão cervical intra-epitelial de alto grau e uma em cada 10 lesão vulvar de alto grau podem progredir para um carcinoma invasor; (c) prevenção da transmissão vertical, principalmente em condilomatose durante a gravidez, que aumenta significativamente a possibilidade de transmissão durante a passagem do canal de parto, podendo ocasionar a papilomatose juvenil recorrente, além de diminuir a possibilidade de formação de condilomas gigantes, o que poderia obstruir um parto via vaginal; (d) prevenção da transmissão horizontal, pois a infecção pelo HPV é uma DST e a destruição das lesões clínicas e subclínicas diminui a possibilidade de transmissão a outros contatos.

Como em toda infecção, devemos prescrever medidas gerais como higiene; recomendação do uso de preservativo nas relações sexuais; encaminhamento do parceiro para investigação e orientação; e tratamento das infecções secundárias.

Há três opções de tratamento: químico, cirúrgico e uso de imunomoduladores. A escolha vai depender do número, gravidade e tamanho das lesões, da disponibilidade de recursos, da eficácia e efeitos adversos, do estado imunológico da paciente, da capacidade técnica do médico e da aceitação pela paciente.

Tratamento Químico

Podofilina

A podofilina é uma resina extraída das plantas juniperus e mayapple (*Podophyllum peltatum* e *P. emodi*), que age interferindo na mitose celular com inibição da atividade mitocondrial e causando danos na microcirculação com lesão endotelial, o que leva à necrose celular. Muito empregada, durante décadas no tratamento de condilomas, foi abandonada nos últimos anos em razão da baixa eficácia e dos vários efeitos adversos. Os preparados da podofilina não são uniformes nem homogêneos. Sua composição não é completamente conhecida, sendo que 25% compõem-se de podofilina e duas substâncias sabidamente carcinogênica, quercetin e quemferol; os

75% restantes são produtos de degradação da podofilina e substâncias ainda desconhecidas. Isto faz com que esta droga tenha um alto potencial tóxico, podendo ter efeitos sistêmicos graves, como hepatoxicidade, neurotoxicidade, possível supressão da medula óssea e teratogenicidade. Além disso sua eficácia varia de 20 a 48% no tratamento de verrugas genitais, ocasionando efeitos colaterais graves. Por isso Richart Reid afirma que esta droga deveria ter sido há muito tempo relegada pela história da medicina. No tratamento de verrugas, cabe salientar que existe a possibilidade de associação de vírus oncongênico (5% dos casos), e tanto o quercetin quanto o quemferol poderiam agir como um co-fator oncogênico na evolução das neoplasias intra-epiteliais[14].

Podofilox

O podofilox (antiga podofilotoxina) é a porção ativa da podofilina, menos tóxica, que pode levar à destruição dos condilomas em cerca de 70% das vezes. É utilizado na concentração de 0,5% a 2%, com duas aplicações diárias, por três dias consecutivos, aguardando-se quatro dias sem aplicações, podendo repetir este ciclo até quatro vezes. Não se deve ultrapassar 10 cm^2 de área a ser aplicada. Deve ser usado em tratamento de verrugas externas, seus efeitos em aplicações em mucosas ainda não estão claros, havendo a possibilidade de efeitos neurotóxicos e nefrotóxicos.

Ácido Tricloroacético

Substância cáustica que atua localmente, ocasionando desnaturação protéica tanto em tecido sadio quanto nos infectados pelo HPV. Deve ser aplicado cautelosamente, sob visão colposcópica, com aplicadores de tamanho proporcional ao tamanho das lesões, evitando atingir as áreas sadias. Utilizado principalmente em lesões pequenas, recentes, pouco ceratinizadas, na concentração de 80% a 90%. Não é absorvido, não apresentando efeitos sistêmicos, mas leva à ulceração local. Pode ser utilizado com segurança em gestantes.

5-Fluorouracil

É um citostático potente com efeito antimetabólico bloqueando a síntese de DNA, o que impede a divisão celular e a síntese de RNA, dificultando a síntese de proteínas celulares, o que leva à necrose tissular. Utilizado inicialmente em altas doses citotóxicas, mostrou-se ineficiente, pouco controlável, com vários efeitos colaterais, principalmente inflamação local intensa, às vezes com necrose e até formação de adenose. A sua utilização, hoje, é bem restrita, devendo ser usado em casos selecionados, aplicando uma camada fina, uma a duas vezes por semana, por 10 semanas, com controle rigoroso, suspendendo as aplicações caso surja qualquer sinal de irritação (hiperemia ou erosão). As indicações são: pacientes imunossuprimidas; focos multicêntricos de neoplasia intra-epitelial de alto grau; coadjuvante em ablação a *laser*; falhas terapêuticas.

Imunoterápicos

Interferon

Interferons são proteínas secretadas em respostas às infecções virais, exposição a RNA de dupla cadeia e à presença de vários antígenos tumorais. Existem dois tipos: tipo I – alfa e beta; tipo II – gama. Tem ação intracelular, inibindo a multiplicação viral e tornando as células não infectadas refratárias à infecção. Os interferons tipo I são produzidos por tecnologia recombinante, envolvendo DNA, estimulação de leucócitos e células linfoblásticas e apresentam propriedades de indução antiviral, atividade antiproliferativa e de diferenciação; os tipo II são produzidos por combinação de métodos e incrementam a atividade imunológica estimulando macrófagos e linfócitos B, sem atividade antiviral ou antiproliferativa. O uso intralesional apresenta poucos efeitos colaterais, mas necessita de várias injeções nas lesões, o que torna o processo muito doloroso, além de apresentar baixa eficácia, com recidivas freqüentes. O uso tópico não se mostrou eficaz. O uso sistêmico pode ocorrer por injeções intramusculares ou subcutâneas. A intensidade dos efeitos sistêmicos são proporcionais à dose utilizada, incluindo: síndrome tipo gripal (febre, mialgia, cefaléia, astenia, fadiga, vertigens, náuseas etc.), efeitos no local da injeção; mielossupressão com leucopenia e trombocitopenia; alterações da função hepática; toxicidade neurológica, podendo levar à letargia, à confusão mental e a parestesias. Os interferons devem ser usado como adjuvantes, associados a outros tipos de tratamento, com os cirúrgicos, em baixas doses, em ciclos de tratamento, pois o uso contínuo pode fazer desaparecer sua atividade imunológica. O interferon alfa pode ser usado via intramuscular ou subcutânea na dose de 1 a 3 milhões UI/m^2, cinco vezes por semana, por quatro semanas. O interferon beta pode ser usado, também, intramuscular ou subcutâneo, na dose de 3 milhões UI ao dia, por cinco dias de segunda a sexta-feira, por três semanas; ou esta dose em dias alternados ou duas vezes por semana, exceto nos fins de semanas, por cinco semanas. A dose total deve ficar entre 30 e 45 milhões de UI. As contra-indicações são: hipersensibilidade aos ingredientes do produto; pacientes HIV-positivas com CD4 abaixo de 200 céls./mm^3; leucopenia.

Imiquimod

Substância química cuja ação ainda não é bem esclarecida mas tem o poder de induzir a produção endó-

gena de interferon alfa e outras citoquinas, como o fator de necrose tumoral alfa e a interleucina-6. *In vitro*, imiquimod induz monócitos e macrófagos a produzir uma variedade de interferons alfa, fator de necrose tumoral, fator de estimulação a colônias de granulócitos e de macrófagos. Apresenta, então, uma atividade antiviral e antitumoral, obtendo boa resposta no tratamento dos condilomas acuminados, após aplicação local. Usa-se na forma de creme, a 5%, aplicado diretamente nas lesões, à noite, por três dias alternados, por semana, até o desaparecimento das lesões, ou por um período de 16 semanas. A taxa de sucesso não é tão alta, girando em torno de 55% de resolução das verrugas, com baixa recidiva (Edwards e cols., 1955). Pode apresentar efeitos adversos: queimação no local, eritema, irritação, dor, sensibilidade e ulcerações. Seu uso esta restrito, por enquanto, a tratamento de lesões de pele, pois ainda não se conhece adequadamente seus efeitos em mucosas.

Retinóides

São compostos naturais ou sintéticos relacionados à vitamina A, com boa eficácia no tratamento e prevenção das neoplasias de pele, colo uterino e vulva, relacionados ao HPV. Têm efeito imunomodulador semelhante ao dos interferons, apresentando também uma atividade antiproliferativa, atuando na diferenciação celular, com retomada da programação celular para uma queratinização normal. São eles a tretinoína e a isotretinoína, o etretinato e o acitretin. Têm o inconveniente de apresentar potencial teratogênico alto, devendo ser usados com cautela em mulheres em idade reprodutiva. Têm alta eficácia quando associados com interferons. A isotretinoína pode ser usada em solução a 0,025%, 0,05% e 0,1%, duas vezes ao dia, por 4 a 8 semanas. Podem causar dermatite com eritema, descamação e hiperpigmentação.

Thuya ocidentallis

Substância homeopática com poder antiproliferativo, tem sido usada com algum sucesso, porém faltam estudos randomizados que comprovem cientificamente sua eficácia. Pode ser usada por via oral na concentrações CH 12 ou 30, com cinco gotas duas vezes ao dia, por 30 dias, iniciando com a concentração menor. Localmente pode ser usada:

- Tintura a 20% em óvulo vaginal (10% da tintura em manteiga de cacau qsp 100g) – um óvulo vaginal à noite, por 15 dias;
- Tintura mãe a 50% ou 100%, embebida em algodão, aplicada nas lesões duas vezes ao dia, por 20 dias (não aplicar em mucosas).

Vacinas

Estão em andamento várias pesquisas para se chegar a uma vacina ideal, isenta de risco, que possa ter efeito profilático e até terapêutico. As dificuldades iniciais foram grandes, pois o vírus é espécie-específico, tornando difícil os experimentos; a resposta imunológica do hospedeiro é celular e não humoral e a maioria das vacinas já disponíveis para prevenção de outras infecções virais atuam estimulando a imunidade humoral; existem perigos potenciais no uso de vacinas que utilizam oncoproteínas; existem vários tipos de HPV e o vírus não é cultivável. Tudo isso torna muito difícil o desenvolvimento da vacina ideal. Mesmo assim, os estudos já avançaram muito e espera-se a disponibilização dessas vacinas no ano de 2006. O principal avanço foi a criação das VLP (*virion like particules*), partículas semelhantes a vírus, desenvolvidas por meio de engenharia genética, onde utilizam partículas do HPV que podem ocasionar uma resposta imunológica em seres humanos. As vacinas que estarão disponíveis são embasadas na utilização destas VLP. Luisa Lina Villa e cols. mostraram que todas as mulheres submetidas a uma vacina quadrivalente contra HPV 6, 11, 16 e 18 desenvolveram altos níveis detectáveis de anticorpos contra o HPV e, efetivamente, preveniram-se da aquisição de infecção e doença clínica causadas pelos tipos mais comuns de HPV[23].

Duas vacinas estarão disponíveis: uma quadrivalente, utilizando VLP, que imunizarão contra os HPV 16, 18, 6 e 11, pesquisada pelo Laboratório Merck Sharp Dhome; e outra contra os HPV 16 e 18, pelo Laboratório Glaxo SmithKline. Deverão ser aplicadas em crianças na puberdade e na adolescência, antes de iniciarem a vida sexual. Os estudos mostraram ser 100% efetivas contra o desenvolvimento de neoplasias intra-epiteliais cervicais e de 95% contra o desenvolvimento de lesões vaginais e/ou vulvares. Algumas dúvidas ainda não foram esclarecidas por estas pesquisas: a imunidade se dará por quanto tempo; já que as vacinas imunizarão contra os HPV tipos 16 e 18, responsáveis por cerca de 70% dos câncer do colo uterino; como fica a proteção contra os outros tipos de HPV; qual a população a ser vacinada; os homens deverão ser vacinados; qual será a aceitação desta vacina, já que estará prevenindo uma DST; e outras.

Tratamento Cirúrgico

Os métodos cirúrgicos serão abordados no capítulo 10.

REFERÊNCIAS

1. Jacyntho C, Almeida Filho G, Maldonado P. *HPV: Infecção genital feminina e masculina*. Rio de Janeiro: Revinter, 1994:1-30.

2. Wright TC, Richart RM. Pathogenesis and diagnosis of pre-invasive lesions of the lower genital tract. *Gynecol Oncol*, 1990, *37*: 509-35.

3. Lörincz AT, Reid R. Papilomavírus humano I e II. Clínicas Obstétricas e Ginecológicas da América do Norte. Rio de Janeiro: Interlivros Edições Ltda, 1996:564p, 712-727p, 759p.

4. Duarte G, Andrade JM, Quintana SM. Imunobiologia do papilomavírus humano. *Femina* 1996; *24*(9):785-8.

5. Vernon SD, Unger ER, Reeves WC. Human papillomavirus and cervical cancer. *Obst Gynecol Fertil* 1998; *21*(4):97-124.

6. Howley PM. Role of the human papillomaviruses in human cancer. *Cancer Research* 1991; *51*(suppl): 5.019-22.

7. Phelps WC, Alexander KA. Antiviral therapy for human papillomaviruses. *Ann Intern Med* 1995; *123*:368-82.

8. Carvalho JJM, Oyakawa NI. *Consenso Brasileiro de HPV*. 1 ed., São Paulo: BG Cultural, 2000.

9. De Palo G. *Colposcopia e patologia do trato genital inferior*. 2 ed., Rio de Janeiro: MEDSI, 1996.

10. Campos RRR. Prevalência do papilomavírus humano (HPV) e seus genótipos, na cérvice uterina, em mulheres portadoras e não-portadoras do vírus da imunodeficiência humana (HIV). Belo Horizonte: Faculdade de Medicina da UFMG, 1999. 27p. (Tese, Mestrado em Ginecologia).

11. Cates WJR. Estimates of the incidence and prevalence of sexually transmitted diseases in the United States. American Social Health Association Panel. *Sex Transm Dis* 1999; *26*(4: suppl):Suppl-7.

12. Julie LG. Prevention of genital human papillomavirus infection. Center for Diseases Control and Prevention – CDC, Atlanta, 2004.

13. Moscicki B *et al*. The natural history of HPV infection as measured by repetead DNA testing in adolescent and joung women. *J Ped* 1998; *132*(2):277-84.

14. Gross GE, Barraso R. *Human papilloma virus infection. A clinical atlas*. Berlin: Wiesbaden: Ullstein Mosby, 1997.

15. Focchi J, Martins NV. Cancer do colo do útero. *In*: Abrão FS. *Tratado de oncologia genital e mamária*. 1 ed., São Paulo: Roca, 1995: 257-69.

16. Munoz N, Bosch FX, De San José S *et al*. Risk factors for cervical intraepithelial neoplasia grade III/carcinoma in *situ in* Spain and Colombia. *Cancer Epidemiol Biomarkers Prev* 1993; *2*:243.

17. Souza NST. Estudo comparativo entre a histopatologia e a reação em cadeia de polimerase (PCR) para o diagnóstico do papilomavírus (HPV) em lesões do colo uterino de mulheres infectadas pelo vírus da imunodeficiência humana (HIV). Belo Horizonte: Faculdade de Medicina da UFMG, 1999. 39p. (Tese, Mestrado em Ginecologia).

18. Singer A, Monaghan JM, *Colposcopia, patologia e tratamento do trato genital inferior*. Porto Alegre: Artes Médicas, 1995: 47-109p.

19. Cartier R, Cartier I (eds.). *Colposcopia Prática*. 3 ed., São Paulo: Roca 1999:13.

20. Lira Neto JB. *Citologia e histologia do colo uterino*. 1 ed., Rio de Janeiro: MEDSI, 2000:10-13.

21. Digene Serviços de Apoio às Classes Médica e Laboratorial (*on line*) Sonopress – Rimo Indústria e Comércio Fonográfico Ltda, 2000. ISSN – 1.045-64.

22. Clevel C, Masure M, Bory JP *et al*. Hibrid capture II – based human papillomavirus detection, a sensitive test to detect in routine high grade cervical lesions: a prelimary study on 1518 women. *Bri J Cancer* 1999, *80*(9):1.306-1.311.

23. Luisa LV *et al*. Prophylatic Quadrivalent HPV (types 6, 11, 16 and 18) L1 virus-like particle vaccine in young women: a randomised double-blind placebo-controlled multicentre phase ii efficacy trial. *Lancet Oncol* 2005; *6*:271-278.

Capítulo 5

Doenças do Trato Genital Inferior em Mulheres Portadoras do Vírus da Imunodeficiência Humana

Victor Hugo de Melo, Christine Miranda Corrêa e Neli Sueli Teixeira de Souza

A síndrome da imunodeficiência adquirida (AIDS) foi descrita como uma nova entidade clínica em 1981. Em junho daquele ano o Centro de Prevenção e Controle de Doenças (CDC) de Atlanta, nos EUA, divulgou artigo relatando cinco casos de pneumonia causada pelo *Pneumocystis carinii* (PPC) em homens jovens anteriormente saudáveis, que tinham em comum o fato de serem homossexuais. No mês seguinte, o CDC divulgou outro artigo histórico sobre a epidemia de AIDS, relatando desta vez um surto de sarcoma de Kaposi e PPC entre as comunidades homossexuais de Nova York e Los Angeles.[1]

A busca por um agente etiológico da imunossupressão, invariavelmente constatada em todos os casos, tornou-se prioridade para os pesquisadores. Foram investigados produtos inalantes à base de nitrito de amilo – utilizado como afrodisíaco entre os homossexuais – além de alguns vírus, como o citomegalovírus e alguns retrovírus.

Em dezembro de 1981, os pesquisadores do CDC concluíram que se tratava de doença infecciosa, transmitida por meio de ato sexual. Casos de imunodeficiência adquirida, semelhantes aos observados, foram então relatados em usuários de drogas injetáveis e em heterossexuais com história de hemotransfusão. Surgiu a hipótese de que a transmissão também poderia ocorrer por sangue contaminado. O aparecimento de um caso em mulher usuária de droga reforçou a idéia da transmissão parenteral da AIDS. Finalmente foi evidenciada a ocorrência da transmissão perinatal, com o surgimento de casos de crianças imunodeprimidas, filhas de mulheres usuárias de drogas.

A identificação de um retrovírus como agente etiológico da AIDS ocorreu em 1983, quase simultaneamente por cientistas franceses e americanos. Hoje é reconhecida a primazia dos franceses do Instituto Pasteur, sob coordenação de Luc Montagnier.[1]

Nos anos 1980, a Organização Mundial de Saúde (OMS) criou padrões de distribuição da síndrome na população. Três tipos foram descritos, de acordo com a categoria de transmissão mais prevalente em cada região no início da epidemia:[2]

- *Padrão I*: refere-se aos países nos quais a síndrome foi descrita mais precocemente e as categorias de transmissão predominantes foram homossexual, bissexual e parenteral, esta última em virtude do uso de drogas injetáveis.
- *Padrão II*: refere-se aos países também afetados pela epidemia desde seu início, mas com intenso predomínio de transmissão pelo contato heterossexual.
- *Padrão III*: foi utilizado para denominar regiões, como a América Latina, na qual a AIDS chegou posteriormente, apresentando inicialmente padrão tipo I e evoluindo rapidamente para o padrão tipo II.

A infecção pelo HIV é uma entidade clínica com características muito especiais, no âmbito das doenças infecto-contagiosas. Essa infecção acarreta imunossupressão progressiva que resulta um profundo desequilíbrio imunitário, levando ao aparecimento de infecções oportunistas, neoplasias e outras manifestações clínicas, como demência e caquexia. A AIDS é uma manifestação clínica avançada desta infecção.

ASPECTOS EPIDEMIOLÓGICOS DO HIV E DA AIDS NO MUNDO

A síndrome da imunodeficiência humana (AIDS) levou a óbito mais de 25 milhões de pessoas desde que foi descoberta em 1981, tornando-se uma das epidemias mais destrutivas da história. Apesar de recente, o crescente acesso à terapia anti-retroviral em várias regiões do mundo não impediu que a epidemia da AIDS acometesse a vida de 3,1 milhões (2,8-3,6 milhões) de pessoas; sendo mais de meio milhão (570.000) crianças.[3]

O número total de pessoas que vivem com o vírus da imunodeficiência humana (HIV) alcançou seu nível mais alto: estima-se que 40,3 milhões de pessoas estão atualmente vivendo com o HIV. Cerca de 5 milhões delas se infectaram com o vírus em 2005. Nada menos que 90% das novas infecções têm ocorrido nos países em desenvolvimento, resultante principalmente da transmissão heterossexual do vírus.[3]

A faixa etária mais acometida, independentemente das categorias de exposição mais prevalentes, tem sido a de adultos jovens (homens e mulheres), geralmente entre 20 e 40 anos, a faixa etária de maior atividade sexual. Um segundo grupo etário aparece em importância, o dos menores de 5 anos, decorrente da transmissão perinatal.

Estudos têm sido realizados na tentativa de esclarecer a complexa dinâmica da transmissão do vírus. Todas as pessoas portadoras do vírus são potencialmente infectantes, através de secreções. Demonstrou-se que o surgimento de novos casos entre parceiros sexuais depende do número de relações e dos diferentes tipos de prática sexual.[4]

Têm sido observados casos de parceiros de mulheres soropositivas para o HIV que não se infectaram até o momento, apesar do coito desprotegido. Esta "imunidade" tem impulsionado novas pesquisas na área. Fatores como a diferença de susceptibilidade dos indivíduos sadios e a presença de co-fatores como infecções coexistentes devem ser considerados, assim como a cepa e a carga viral transferidas. Pacientes em estágio avançado da doença apresentam maior viremia e menor CD4, quando não tratados.[5]

Epidemia no Brasil

A introdução do vírus no Brasil deve ter ocorrido na década de 1970, considerando-se o período evolutivo da doença e as primeiras notificações da doença, em 1982. Em um primeiro momento, a epidemia estava restrita aos principais centros metropolitanos da região Centro-Sul. A partir de meados da década de 1980 outras grandes regiões foram também atingidas. Apesar da expansão da epidemia por todo o território nacional, a Região Sudeste ainda ocupa o primeiro lugar de notificação de casos de AIDS.[6]

No Brasil, a AIDS tem atingido, de forma bastante intensa, os usuários de drogas injetáveis (UDI) e os homens que fazem sexo com outros homens (HSH) e, no início da década de 1980, os indivíduos que receberam transfusão de sangue e hemoderivados (hemácias, plasma, plaquetas). De acordo com o *Boletim Epidemiológico*, do Ministério da Saúde, publicado em março de 2005, a epidemia de AIDS no Brasil encontra-se em patamares elevados, tendo atingido, em 2003, 18,4 casos por 100 mil habitantes, basicamente em virtude da persistência da tendência de crescimento entre as mulheres. Observa-se entre os homens uma tendência à estabilização. Nesse grupo populacional foi registrada, em 2003, uma taxa de 22,8 casos por 100 mil homens, menor do que a observada em 1998, de 26,4 por 100 mil. Entretanto, observa-se ainda o crescimento da epidemia em mulheres, com maior taxa de incidência observada em 2003: 14,1 casos por 100 mil mulheres.[6]

Outro aspecto importante a ser discutido é que, atualmente, existem três principais tendências da epidemia de AIDS no mundo: a feminização, a pauperização e a interiorização. No Brasil a situação não é diferente. A primeira tendência, a feminização, vai ser abordada com mais detalhes neste capítulo.

Com relação à pauperização da epidemia, percebe-se que ela se tem alastrado com mais rapidez entre as camadas mais marginalizadas da população, com menor poder aquisitivo e baixo nível cultural.

Paralelamente à tendência de crescimento da epidemia, percebe-se decréscimo na morbidade e mortalidade pela doença. Esse declínio se deve à introdução das novas drogas anti-retrovirais, que têm permitido uma melhor sobrevida às pessoas infectadas, nos países em que as pessoas doentes têm acesso a esses medicamentos e aos serviços de saúde especializados para assisti-los.

A notificação de casos de AIDS é obrigatória, desde 1986, a médicos e outros profissionais de saúde no exercício da profissão, bem como aos responsáveis por organizações e estabelecimentos públicos e particulares de saúde em conformidade com a lei e recomendações do Ministério da Saúde (Lei 6259, de 30/10/1975, e Portaria nº 33 de 14/7/2005 e publicada no DOU de 15/07/2005, Seção 1 página 111).

Epidemia entre as Mulheres no Mundo

O impacto da infecção pelo HIV na população feminina talvez seja o aspecto menos estudado da epidemia, apesar da grande ameaça para a saúde das mulheres e da possibilidade de transmissão perinatal do vírus.

O aumento na proporção de mulheres acometidas pela epidemia continua. Em 2005, 17,5 milhões (16,2-19,3 milhões) de mulheres estavam vivendo com HIV – um milhão a mais que em 2003. Treze milhões e meio (12,5-15,1 milhões) dessas mulheres vivem na África Subsaariana. O grande impacto nas mulheres é também aparente nas Regiões Sul e Sudeste da Ásia – onde quase 2 milhões de mulheres têm hoje o HIV –, Leste Europeu e Ásia Central.[3]

A expansão da epidemia tem, na via heterossexual, um importante aliado: as doenças sexualmente transmissíveis (DST). Sabe-se que relações sexuais precoces se associam a múltiplos parceiros, aumentando o risco para a transmissão das DST, incluindo-se o HIV.

Outra questão importante é que alguns estudos têm demonstrado que, comparando-se homens e mulheres, estas têm menor sobrevida que os primeiros, a partir do diagnóstico da síndrome. Em estudo comparativo da taxa de sobrevida entre homens e mulheres, observou-se que as mulheres apresentam um risco relativo 1,33 vez maior que os homens para o óbito, por doenças oportunistas associadas à AIDS.[7]

Um problema complementar à transmissão heterossexual, e que expõe sobremaneira as mulheres, é o fato de vários estudos terem demonstrado que a transmissão do vírus é mais eficiente dos homens para as mulheres, na presença de relações sexuais sem proteção.

A outra diferença refere-se ao desenvolvimento da AIDS: a síndrome ocorreu mais precocemente nas mulheres e a carga viral nelas encontrada foi aproximadamente a metade da encontrada em homens com AIDS. Ainda não se sabe se essas diferenças se devem ao gênero e a possíveis variáveis biológicas ou a diferentes acessos ao sistema de saúde. Os autores recomendam iniciar terapia anti-retroviral nas mulheres mais precocemente do que nos homens, quando atingirem carga viral em torno de 5 mil cópias.[8]

O crescimento do número de casos em mulheres vem mudando o perfil epidemiológico da doença, e uma das principais conseqüências é o aumento de casos de AIDS em crianças. Em 2005, o número estimado de crianças com menos de 15 anos de idade vivendo com o HIV foi de 2,3 milhões, sendo 700 mil casos registrados apenas no ano de 2005.[3]

A epidemia entre as mulheres se reveste de significado especial, principalmente nos países em desenvolvimento, nos quais geralmente são elas as responsáveis pela organização familiar, incluindo os cuidados com os filhos. Por outro lado, a submissão e a repressão sexual das mulheres pelos homens levam à dificuldade de negociar o uso de preservativos. Além dessas, outras situações contribuem para a maior vulnerabilidade das mulheres ao HIV: o aumento do uso de drogas injetáveis, o crescimento do comércio sexual, o empobrecimento geral da população, a precariedade dos serviços de atenção à saúde.[9]

Fica evidente a importância do problema e a necessidade do engajamento de todos os profissionais de saúde que lidam com a mulher, na busca de mecanismos mais eficazes para sua maior proteção.

Epidemia entre as Mulheres no Brasil

O primeiro caso de AIDS em mulher registrado no Brasil ocorreu em 1983, em São Paulo. Em 1985 foi registrado o primeiro caso de transmissão perinatal.

A epidemia no Brasil apresenta hoje com mais de 371 mil casos confirmados de AIDS e uma estimativa de 600 mil infectados pelo HIV. Do número total de casos confirmados de AIDS, 118.520 são mulheres. Percebe-se uma mudança nas categorias de risco nos últimos anos, com uma acentuada elevação para os grupos heterossexuais.[10]

A proporção de homens e mulheres infectados pelo HIV no Brasil tem caído significativamente. Em 2004, pesquisa de abrangência nacional estimou que no Brasil cerca de 593 mil pessoas, entre 15 a 49 anos de idade, vivem com HIV e AIDS (0,61%). Deste número, cerca de 204 mil são mulheres (0,42%) e 389 mil, homens (0,80%). A mesma pesquisa mostra que quase 91% da população brasileira entre 15 e 54 anos citou a relação sexual como forma de transmissão do HIV, enquanto 94% citou o uso de preservativo como forma de prevenção da infecção. O conhecimento é maior entre as pessoas de 25 a 39 anos, entre os mais escolarizados e entre as pessoas residentes nas regiões Sul e Sudeste.[11]

Anualmente, 3 milhões de mulheres dão à luz no Brasil. Segundo estudo realizado em 2004, em uma amostra representativa de parturientes de 15 a 49 anos de idade, de todas as regiões do país, a taxa de prevalência de mulheres portadoras do HIV no momento do parto é de 0,42%, o que corresponde a uma estimativa de cerca de 12.644 mil parturientes infectadas. Diante desta situação epidemiológica e da existência de esquema profilático altamente eficaz contra a transmissão materno-infantil do HIV (transmissão vertical), torna-se de grande importância o conhecimento, o mais precocemente possível, do estado sorológico das gestantes, a fim de iniciar a terapêutica da doença e/ou profilaxia adequada da transmissão vertical do vírus. No país investe-se hoje maciçamente no incentivo à testagem anti-HIV no pré-natal.

HISTÓRIA NATURAL DA DOENÇA

Existem várias fases desde a infecção pelo HIV até o desenvolvimento da AIDS:[12]

- *Infecção retroviral aguda*: ocorre o desenvolvimento uma doença clinicamente semelhante à mononucleose em até 70% das vezes. O tempo decorrido entre a exposição e o início dos sintomas varia entre duas a quatro semanas. Principais sinais e sintomas: febre, adenomegalia, faringite, eritema maculopapular (face, tronco, palma das mãos e planta dos pés) e ulcerações mucocutâneas (boca, esôfago, genitais). Essa sintomatologia se deve à rápida disseminação e localização viral preferentemente nos tecidos linfóides, mediante a ligação do HIV aos receptores CD4 de linfócitos T auxiliares e a outras células mononucleares. A resposta imune do hospedeiro controla inicialmente a infecção pelo HIV, como em outras infecções virais, resolvendo os sintomas agudos. As seqüências genéticas do HIV parecem estar protegidas da resposta imune quando integradas ao genoma das células do hospedeiro que não estejam se replicando. No entanto, as seqüências genéticas do HIV mantêm a capacidade de reativação, estabelecendo a fase crônica da doença. Essa fase é de alta viremia, podendo durar de 1 a 4 semanas.

- *Soroconversão*: ocorre em 6 a 12 semanas após o evento responsável pela transmissão do HIV. Atualmente, utilizando-se os testes sorológicos de rotina, mais de 95% dos pacientes apresentam soropositividade no decorrer dos seis meses seguintes à exposição. Com a utilização de antígenos recombinantes do tipo Elisa imunoensaio (EIA) de terceira geração, a soroconversão pode ser observada três semanas após a transmissão viral.

- *Infecção assintomática*: as pessoas não apresentam outros achados além de linfadenomegalia generalizada e persistente em dois ou mais sítios extra-inguinais. Os linfonodos apresentam altas concentrações do vírus em estado latente, pois o tecido linfóide funciona como seu principal reservatório. No entanto, culturas plasmáticas podem não demonstrar a presença do vírus na circulação sanguínea da pessoa infectada. A replicação viral é acompanhada de destruição maciça de células CD4 (linfócitos auxiliares ou *T-helper*), levando a um incremento progressivo da perda do controle da defesa imunitária. Por isso, a contagem dessas células é indispensável para estabelecer o prognóstico e o grau de acometimento do sistema imunológico do hospedeiro. Essa fase pode durar, em média, 10 anos.

- *Infecção sintomática inicial*: (anteriormente conhecida como "complexo relacionado à AIDS", mais recentemente denominada estágio B) tipicamente se inicia com sinais e sintomas constitucionais que ocorrem em deficiências imunes de forma geral: fadiga, perda de peso, febre intermitente, sudorese noturna, diarréia. Infecções como candidíase e leucoplasia pilosa podem ocorrer. Tais manifestações precoces associadas ao HIV comumente aparecem em pacientes com contagem de linfócitos CD4 moderadamente abaixo do limite inferior da normalidade, entre 200 e 500 células/mm^3. Essa fase inclui condições clínicas existentes mas ainda não indicadoras de AIDS, tais como: candidíase orofaríngea e/ou vulvovaginal, neoplasia intra-epitelial cervical (NIC), herpes zoster, doença inflamatória pélvica e outras.

- *AIDS*: como doença totalmente manifesta, caracteriza-se por contagem de linfócitos CD4 inferior a 200/mm^3, sendo freqüentemente associada a doenças encontradas especificamente em pacientes com grave disfunção imune celular. A definição de AIDS atualmente utilizada é a proposta pelo Centers for Disease Control and Prevention (CDC) em 1993, utilizando três níveis de contagem para CD4 e uma matriz de nove categorias exclusivas (Tabela 5.1). Essa fase caracteriza-se por complicações infecciosas secundárias usualmente tratáveis, como reativação de tuberculose, pneumocistose pulmonar, candidíase esofágica e toxoplasmose. O aparecimento de câncer cervical invasivo, em mulher portadora do vírus, foi classificado como doença indicadora de AIDS.

- *Infecção avançada*: é diagnosticada em todos os casos onde a contagem de CD4 está abaixo de 50/mm^3. As doenças da fase avançada costumam ser mais refratárias ao tratamento, tais como a retinite citomegálica, micobacteriose, leucoencefalopatia multifocal progressiva, linfomas etc. Infecções recorrentes como pneumonia e sinusite podem ocorrer por perda das funções regulatórias dos linfócitos T em decorrência de anormalidades no sistema de imunidade humoral. A expectativa média de vida para essas pessoas, antes dos anti-retrovirais mais modernos, era de 12 a 18 meses.

Tabela 5.1

Definição de casos de AIDS em adolescentes e adultos, para fins de vigilância epidemiológica[9]

Contagem de células CD4	Categorias clínicas		
	A Assintomática ou infecção aguda	B Sintomática (exceto A e C)	C[#] Condição indicadora de AIDS (1987)
500/mm^3	A1	B1	C1
200–499/mm^3	A2	B2	C2
< 200/mm^3	A3	B3	C3

[#]Pacientes nas categorias A3, B3 e C1, C2 e C3 são notificadas como tendo AIDS.

A Tabela 5.1 ilustra a definição de casos de AIDS proposta pelo CDC, em 1993, ainda hoje utilizada.

ASPECTOS BIOLÓGICOS DO VÍRUS

O HIV foi descoberto cerca de três anos após a descrição da doença. É um RNA-vírus da família dos retrovírus. Estes apresentam três subfamílias: os oncovírus, os lentivírus e os espumavírus. Na família dos oncovírus, encontram-se os HTLV I e II, responsáveis por doenças como leucemia e linfoma. Na família dos lentivírus encontram-se os HIV 1 e 2, agentes etiológicos da AIDS. A terceira família, representada pelos espumavírus, está presente apenas em animais.[13]

O HIV é esférico, com aproximadamente 100 nm de diâmetro. Apresenta um envelope lipídico que contém diversas glicoproteínas estruturais (gp120, gp41, p17/18, p24/25). Esse envelope externo envolve um núcleo central *(core)* cilíndrico, que contém proteínas estruturais, duas fitas de RNA, e as enzimas transcriptase reversa e protease. A enzima transcriptase reversa é responsável pela transcrição do RNA viral para uma cópia de DNA, que pode, então, integrar-se ao genoma do hospedeiro.[14,15]

O genoma do HIV constitui-se de três genes estruturais principais: *gag, pol* e *env*, típicos dos retrovírus. No entanto, tem um maior número de genes regulatórios (*tat, nef, rev, vif, vpu, vpr*), quando comparado à maioria dos retrovírus descritos.[14]

O gene *gag* codifica um precursor que, ao clivar-se, origina várias proteínas estruturais do *core* viral, incluindo proteínas da matriz, do capsídeo e algumas associadas ao ácido nucléico. Essa clivagem requer a presença de uma protease viral que, por sua vez, é produto do gene polimerase (*pol*), também responsável pela produção das enzimas transcriptase reversa e integrase.

A proteína glicosilada do envelope viral, produto do gene *env*, é clivada por proteases celulares em glicoproteínas de superfície e transmembrana, formadoras do envelope do *virion*.

PATOGÊNESE

Os passos iniciais da patogênese viral estão sendo intensamente estudados e incluem: a ligação e penetração viral nas células-alvo; a perda do envoltório viral; a ação da transcriptase reversa; a integração ao genoma do hospedeiro; a ação da protease. Na seqüência pode haver infecção ativa, com proliferação e propagação do vírus, ou latência, com expressão limitada de seqüências do provírus na ausência de ativação nuclear.

A molécula de CD4 é o receptor celular de superfície das células susceptíveis à infecção direta pelo HIV livre circulante. Os componentes da glicoproteína 120 (gp 120) viral ligam-se ao CD4. A gp 120, durante sua interação com a superfície da célula do hospedeiro, parece facilitar a entrada do nucleocapsídeo no sistema celular (perda do envoltório). Evidências recentes sugerem que a clivagem proteolítica da gp 120 durante o momento da ligação pode modular as diferenças aparentes no tropismo celular exibido por algumas cepas do HIV.

A transcrição reversa se processa após alguns dias de infecção celular. A DNA-polimerase RNA-dependente viral (transcriptase reversa), na presença de proteínas do *core* e da RNA-ase, produz uma cópia de DNA de dupla hélice complementar a partir do RNA viral (DNA complementar). Este forma um complexo com proteínas do *core* viral que é transportado para o núcleo celular, onde vai ocorrer sua integração ao genoma da célula do hospedeiro. Após a integração do RNA viral ao genoma celular, várias proteínas regulatórias virais são produzidas. A integração dessas proteínas virais com os fatores regulatórios celulares aparentemente é o que determina se a infecção será latente ou ativa.[15]

Na infecção ativa todas as outras proteínas virais são produzidas a partir do RNA mensageiro virótico, compondo-se novos *virions* que, a seguir, são liberados na superfície celular.

A latência se estabelece quando proteínas inibitórias virais e moduladores celulares predominam, desde que não haja ativação exógena. Durante essa aparente fase latente há uma grande quantidade de células infectadas em atividade nos linfonodos e outros tecidos linfóides. Os macrófagos e as células mononucleares CD4 dos tecidos linfáticos secundários morrem, resultando em decréscimo dos níveis de interferon gama, isoleucinas (IL-2, IL-12) e outras citocinas, com conseqüente perda de suas funções tróficas sobre a ativação e maturação das células CD4. Algumas citocinas podem aumentar a expressão gênica viral.

A atividade citopática viral leva à depleção característica dos linfócitos auxiliares (CD4), acarretando imunodeficiência, com o subseqüente desenvolvimento de infecções secundárias e neoplasias.

A transcrição reversa dos retrovírus tem altas taxas de erro. Essa tendência ao erro da transcrição reversa, combinada à rápida replicação e à alta carga viral nas células mononucleares linfóides, resulta na emergência de muitas variantes virais, freqüentemente com uma simples substituição de um aminoácido. Logo, um indivíduo torna-se infectado por muitas "quase-espécies" de HIV. Esses mutantes podem ter potenciais patogênicos variados. Mutantes resistentes a inibidores da transcriptase reversa estão associados à progressão da doença.

Ciclos repetidos de infecção ativa comprometem progressivamente o sistema imune. A depleção em número e função das células CD4 auxiliares leva diretamente à proliferação de patógenos latentes, como *Pneumocystis carinii, Toxoplasma gondii, Mycobacterium tuberculosis e* herpesvírus.

Além de interferir diretamente na resposta imune celular, por meio da destruição dos linfócitos auxiliares, o HIV também pode determinar outras disfunções no sistema imunitário, induzindo a produção de auto-anticorpos contra as próprias proteínas celulares normais, levando a uma grande variedade de síndromes auto-imunes como púrpura, anemia, neutropenia, neuropatia, trombose etc.

Descobriu-se que há outros receptores na membrana celular onde o HIV pode fixar-se para penetrar nas células. Parece que eles atuam como co-receptores do vírus, facilitando não apenas sua entrada na célula, mas podendo também contribuir diretamente para a progressão da doença. Sabe-se que o HIV-1 possui vários subtipos e algumas cepas macrofagotrópicas, associadas à rápida progressão para AIDS. Pessoas portadoras dos receptores CCR5 e suas variações são mais suscetíveis ao vírus. Alguns genes alelos destes receptores são os responsáveis por esta maior suscetibilidade (alelos CCR5P1). Essa informação traduz uma possível base genética para a progressão rápida da doença.

TRANSMISSÃO DO VÍRUS

O vírus pode ser transmitido por três vias: sexual, sangüínea e, na mulher grávida, da mãe para o feto.

A transmissão sexual ocorre por sêmen ou secreções vaginais.

A transmissão sangüínea ocorre por transfusões com sangue contaminado, ou seus derivados, ou pelo compartilhamento de seringas contaminadas, quando da infusão de drogas por via endovenosa.

A transmissão perinatal é outra importante via de contaminação, e pode ocorrer no decorrer da gestação, no parto ou no período puerperal, por meio do sangue, de secreções vaginais ou do leite materno.

A transmissão por intermédio do sêmen de doadores já foi confirmada, tornando-se necessária a realização de testes sorológicos de doadores para pesquisa do HIV ou de outros retrovírus patogênicos. O HIV não é transmitido diretamente por células germinativas do hospedeiro humano.

TRANSMISSÃO SEXUAL DO HIV

Desde as primeiras investigações sobre a nova doença e seu agente etiológico, as práticas sexuais foram identificadas como importante via de transmissão do HIV.[1] A doença foi descoberta a partir de casos ocorridos em homossexuais masculinos infectados em decorrência de relações sexuais com parceiros portadores do vírus.

Os bissexuais são elementos importantes na cadeia de transmissão sendo que, atualmente, a via heterossexual está surgindo como categoria mais importante na manutenção da epidemia. A transmissão homem-mulher é de 1,9 a 2 vezes mais efetiva do que a transmissão mulher-homem.[16,17]

O sexo oral pode ser fonte de transmissão, sendo apontado como provável via de contaminação nos casais onde essa prática seja o único fator de risco a ser considerado para explicar a infecção do parceiro.[16]

Relações sexuais anais desprotegidas são consideradas de maior risco para a transmissão da doença, e alguns dados sugerem que contraceptivos orais, por causarem ectopias cervicais, também aumentam o risco de transmissão.[18]

A transmissão homossexual feminina não está confirmada.

O vírus é encontrado em maior concentração no sêmen do que nas secreções vaginais. Por outro lado, a mulher expõe uma grande superfície de mucosa bem vascularizada durante o ato sexual, tanto da cérvice uterina quanto da vagina, o que pode explicar a maior facilidade de transmissão do vírus do homem para a mulher.

As diferentes reações dos indivíduos à transmissão e infecção pelo HIV não podem ser explicadas apenas por variações no seu comportamento sexual, mas devem ser compreendidas também por variações na susceptibilidade à infecção, por mudanças no grau de infectividade do HIV ou pela presença ou não de co-fatores que facilitam a reprodução do vírus.

Estudos prospectivos realizados em diferentes países, em casais sorodiscordantes, têm mostrado eficácia de proteção à infecção em praticamente 100% dos parceiros soronegativos, quando os casais usam o preservativo em todas as relações sexuais. Essa eficácia protetora reduz-se à medida que o uso do condom se torna mais infreqüente. Estudo nacional, multicêntrico, confirmou essa assertiva.[19]

O uso de espermicidas à base de nonoxinol-9, em associação com o condom, para maior proteção da mulher, ainda permanece controverso. Seu uso leva a mudanças do pH e da flora bacteriana vaginal, com seu uso regular acarretando freqüentes vaginites bacterianas ou por *Candida* sp. Recente revisão das aplicações *in vitro, in vivo* e em modelos animais do nonoxinol-9 indicou que ele leva à rotura dos tecidos epiteliais, provocando resposta inflamatória local, que favorece a replicação do HIV.[17] Esses achados têm levado a não se recomendar seu uso rotineiro.

Tem sido demonstrado a importância de inúmeros co-fatores na transmissão heterossexual do vírus: infecções do trato genital, doenças sexualmente transmissíveis (DST), presença de úlceras genitais, ectopias cervicais, sexo durante a menstruação, atividade sexual elevada, sexo durante a infecção aguda ou avançada da infecção (pela maior viremia), sexo anal e sexo com homens de alto risco.

DOENÇAS DO TRATO GENITAL INFERIOR EM MULHERES PORTADORAS DO HIV

Estima-se que 42% de mulheres infectadas pelo HIV possuam doenças ginecológicas incluindo candidíase vaginal, doença inflamatória pélvica, verrugas anogenitais causadas pelo HPV (condiloma acuminado), além de neoplasias intra-epiteliais cervicais.[20]

Apesar de as mesmas infecções serem comuns também em mulheres não infectadas pelo HIV, aquelas infectadas têm freqüentemente infecções recorrentes que tendem a ser mais graves e mais refratárias aos tratamentos do que infecções equivalentes em mulheres imunocompetentes.

Candidíase Vulvovaginal

A candidíase recorrente é a infecção ginecológica mais comum entre mulheres infectadas pelo HIV.[21,22] Estudos têm demonstrado ser a candidíase vaginal crônica ou recorrente a primeira infecção oportunista associada ao HIV. Mulheres com história de candidíase recorrente devem ser encorajadas a fazer a pesquisa para HIV na presença de fatores de risco.

Apesar de o diagnóstico clínico ser bastante acertado, por meio do exame da vulva e vagina e, à microscopia ótica, o material coletado mostrar as hifas com esporos, às vezes é necessário realizar a cultura. A *Candida albicans* é a levedura mais comumente encontrada. Tal microorganismo atua como patógeno oportunista, freqüentemente causando alterações orais, esofágicas e vulvovaginais. Na recorrência freqüente, com resistência ao tratamento, está sempre indicada a cultura do resíduo vaginal, pois outras espécies podem estar envolvidas, como *Candida tropicalis*, *Candida parapsilosis* e *Candida glabrata*. A *Torulopsis glabrata* é particularmente comum e vem demonstrando alta resistência ao tratamento com imidazólicos.

Com a progressão da infecção pelo HIV a candidíase de orofaringe e esôfago se tornam mais prevalentes, especialmente quando a contagem de linfócitos CD4 está abaixo de 50 células/mm^3.

Um aspecto importante a ser lembrado refere-se ao uso de antibióticos para tratamento de eventuais infecções. Nestes casos deve-se avaliar a possibilidade de se realizar profilaxia para a candidíase, concomitantemente.

Para o tratamento existem várias drogas disponíveis, sendo aconselhável a associação do tratamento sistêmico ao tratamento local. Para a prevenção das recidivas, além das medidas gerais preconizadas, podem ser utilizados antifúngicos tópicos por curto espaço de tempo (2-5 dias) no período pré-menstrual. Tal medida profilática é importante para as pacientes com imunossupressão e recidivas freqüentes. As drogas utilizadas para o tratamento da candidíase podem reduzir a eficácia de alguns anti-retrovirais, se usados por um período de tempo mais prolongado.[23]

Tricomoníase

Evidências clínicas sugerem que a tricomoníase poderia facilitar a transmissão do HIV para o parceiro masculino, já que a inflamação da mucosa resultante da infecção poderia aumentar a quantidade de vírus por mililitro de conteúdo vaginal. O quadro clínico, o diagnóstico e tratamento da infecção por *Trichomonas vaginalis* em pacientes portadoras do HIV têm sido abordados, até o momento, de maneira semelhante às mulheres não contaminadas por esse vírus. Cabe lembrar que o tratamento deve ser instituído mesmo quando o parasita for detectado em pacientes assintomáticas.[23]

Vaginose Bacteriana

A vaginose bacteriana representa desequilíbrio da flora vaginal decorrente da redução dos lactobacilos e aumento da flora anaeróbia. Da mesma forma que na tricomoníase, ainda não foram descritas diferenças no curso da vaginose bacteriana em mulheres portadoras do HIV. Portanto, os procedimentos diagnósticos e terapêuticos são os rotineiramente utilizados para a doença. Por outro lado, a vaginose bacteriana pode aumentar o risco de doença inflamatória pélvica em mulheres contaminadas pelo HIV, além de aumentar a replicação *in vitro* desse vírus. Por esse motivo, é importante que se realize o tratamento correto mesmo em pacientes assintomáticas. Nos casos em que se diagnostica a concomitância de bactérias do gênero *Mobiluncus* a eficácia dos imidazólicos é comprometida, havendo indicação de drogas como o tianfenicol ou a ampicilina.[23]

Úlceras Genitais

As doenças sexualmente transmissíveis (DST) que classicamente levam ao aparecimento de úlceras genitais são sífilis (cuja ulceração é o cancro duro), linfogranuloma venéreo, cancro mole, donovanose e herpes genital.[23]

As DST têm atuado como co-fatores na transmissão do HIV. A inflamação do trato genital feminino torna a mulher mais suscetível à infecção pelo vírus, ao mesmo tempo que a torna mais infectante para os seus parceiros sexuais, caso seja soropositiva. Descreveu-se o aumento do número de leucócitos com receptores para o HIV

(CD4 e CCR5) no trato genital de pessoas soronegativas, mas de alto risco para a infecção, assim como em pessoas soropositivas para o HIV. Esta condição foi denominada leucocitose idiopática do trato genital.

A úlcera genital é fator de risco independente para a transmissão do vírus. As ulcerações facilitam a transmissão do HIV porque permitem o acesso direto aos tecidos mais profundos, à drenagem linfática e aos leucócitos sistêmicos. A infecção pelo vírus aumenta o índice de recidivas de úlceras genitais e de verrugas venéreas, especialmente nas pacientes com imunossupressão avançada. Por outro lado, o enfraquecimento das mucosas e a depressão das imunidades celular e humoral tornam essas mais suscetíveis às DST.

O diagnóstico clínico das úlceras genitais é difícil e de baixa acurácia. O adequado exame clínico da lesão, junto com informações dadas pela própria paciente podem auxiliar o diagnóstico e orientar os exames complementares. Na ausência de testes laboratoriais, justifica-se o tratamento sindrômico das úlceras genitais.[23]

Sífilis (Cancro Duro)

Pacientes com sífilis (cancro duro) parecem ser importantes reservatórios para o HIV. O comportamento da infecção pelo *Treponema pallidum* é diferente nas mulheres soropositivas. O CDC de Atlanta recomenda o tratamento com três injeções de 2,4 milhões de penicilina benzatina (duas doses de 1,2 milhão a cada semana, durante três semanas) para as mulheres com sorologia positiva. A paciente deve também ser apropriadamente rastreada para neurosífilis, por meio da punção lombar, tendo em vista que a infecção do sistema nervoso pelo *Treponema* tem se mostrado com muita freqüência nestas situações. O CDC recomenda a realização do teste para detectar anticorpos anti-HIV em toda pessoa que, atualmente, mostrar-se sorologicamente positiva para a sífilis.

Linfogranuloma Venéreo[23]

Caracteriza-se principalmente pelo bubão inguinal e tem como agente etiológico a bactéria *Chlamydia trachomatis* sorotipos L1, L2 e L3.

Após 1 a 3 semanas do contágio, tem início uma pápula, que evolui para pústula ou exulceração genital, no local de penetração da clamídia. Essa fase é, em geral, despercebida pela paciente e involui espontaneamente. Após alguns dias da lesão inicial, desenvolve-se a adenopatia inguinal dolorosa, característica maior da doença e corresponde à segunda fase da infecção. O gânglio infartado é unilateral em 70% dos casos e pode evoluir com supuração e fistulização por orifícios múltiplos quando não tratada. A terceira fase do linfogranuloma venéreo (LGV) corresponde às seqüelas da infecção clamidiana. Conseqüentemente às obstruções

linfáticas podem surgir elefantíase, fístulas e estenose retal. Na maioria dos casos de LGV, o diagnóstico é clínico, não sendo rotineira a comprovação laboratorial.

O tratamento pode ser realizado com diversos antibióticos:

- Doxiciclina 100 mg, VO, de 12/12 horas por 21 dias.
- Eritromicina (estearato) 500 mg, VO, de 6/6 horas, por 21 dias.
- Sulfametoxazol/trimetoprim (160/800 mg), VO, 12/12 horas por 21 dias.
- Tianfenicol 500 mg, VO, de 8/8 horas, por 14 dias.

A drenagem do bubão com bisturi é contra-indicada. No entanto, pode ser aspirado com agulha grossa nos casos em que a descompressão é necessária.

Cancro Mole[23]

Cancro mole, cancro venéreo simples ou cancro de Ducreyi é uma afecção provocada pelo *Haemophilus ducreyi*. Caracteriza-se por lesões em geral múltiplas ou única, que são dolorosas e têm aspecto purulento.

Após período de incubação curto, de 3 a 5 dias, surgem lesões dolorosas, de bordas irregulares com contornos elevados e base recoberta por exsudato purulento, necrótico e de odor fétido. Em decorrência da auto-inoculação, são mais freqüentes as lesões múltiplas, localizadas na fúrcula e na face interna das formações labiais.

A pesquisa microscópica do *H. ducreyi* deve ser feita no esfregaço do material obtido da base da úlcera ou por aspiração do bubão, corado pelo método de Gram. Tal método é de baixa sensibilidade (40%). Ainda para diagnóstico da infecção pelo *H. ducreyi* pode-se utilizar cultura em meios específicos e amplificação molecular (PCR).

O cancróide é mais refratário ao esquema de dose única de azitromicina ou cefriaxona, sugerindo-se esquema terapêutico de 3 dias com ciprofloxacina.

Donovanose[23]

Donovanose ou granuloma inguinal é uma doença crônica e progressiva, cujo agente etiológico – *Calymmatobacterium granulomatis* – pode produzir lesões granulomatosas e destrutivas, que se assestam principalmente nas áreas genitais e perigenitais. Apesar de extensas, as lesões são indolores, podendo ser encontrados corpúsculos de Donovan.

Após período de incubação variável de 1 a 6 meses, surge lesão nodular subcutânea única ou múltipla, cuja erosão forma ulceração com base granulosa de aspecto vermelho-vivo e sangramento fácil. Não ocorre adenite. Nas dobras das regiões genitais e perigenitais as lesões são mais freqüentes, como úlceras de bordas planas ou hipertróficas, ulcerovegetantes, vegetantes e até elefantíase. São descritas ainda lesões extragenitais e sistêmicas.

A identificação dos corpúsculos de Donovan pode ser obtida no material obtido por biópsia da borda da lesão, em estudo histológico corado pelos métodos de Giemsa, Leishman ou Wright. Os corpúsculos podem ser identificados também em esfregaços citológicos de fragmentos da lesão corados por Giemsa.

Recomenda-se o tratamento com um dos seguintes antibióticos:

- Tianfenicol granulado 2,5 g, VO, dose única no primeiro dia de tratamento. A partir do segundo dia, 500 mg, VO, de 12/12 horas por 15 dias.
- Eritromicina (estearato) 500 mg, VO, de 6/6 horas por 21 dias.
- Doxiciclina 100 mg, VO, de 12/12 horas por 21 dias.
- Ciprofloxacina 750 mg, VO, de 12/12 horas, até cura clínica;
- Sulfametoxazol/trimetoprim (160/800 mg), VO, de 12/12 horas, até a cura clínica (no mínimo 3 semanas).

Herpes Genital

O herpesvírus simples (HSV) tende a ser mais freqüente e recorrente nestas mulheres. Estudos sorológicos estimam que 77% de pacientes infectadas pelo HIV abrigam o HSV.[24,25] O herpes genital crônico ou recorrente é a manifestação mais comum. Com a evoluão da imunossupressão, os episódios se tornam mais freqüentes e prolongados, causando significativa destruião e erosão. Em mulheres imunossuprimidas pode haver disseminação visceral do herpes levando a pneumonite, bronquite ou esofagite, além da disseminação na pele.

As crises devem ser tratadas com agentes antivirais. O diagnóstico é clínico, mas a cultura pode ser realizada em lesões recentes. Pacientes soropositivas para o HIV necessitam de doses maiores de antivirais para controle da infecção por HSV. Preconiza-se o tratamento com aciclovir (400 mg), três a cinco vezes ao dia, até a resolução clínica das lesões. Nos casos de maior gravidade recomenda-se aciclovir injetável (5 a 10 mg/kg) de 8/8 horas. O famciclovir (250 mg, 8/8 h) foi aprovado para tratamento do herpes genital recorrente e apresenta a vantagem de ser mais bem absorvido por via oral. O valaciclovir está contra-indicado em pacientes imunossuprimidas pelo risco de púrpura trombocitopênica e síndromes hemolíticas.[23]

Em 1987, o CDC incluiu as lesões mucocutâneas crônicas (úlceras persistentes por mais de um mês), pneumonite, bronquite ou esofagite por HSV como doenças definidoras de AIDS.

Doença Inflamatória Pélvica

A doença inflamatória pélvica (DIP) é uma infecção ginecológica relativamente comum em mulheres portadoras do HIV. A causa, embora não bem estabelecida, deve-se ao início precoce da atividade sexual e à presença de múltiplos parceiros. Nas mulheres imunocompetentes a doença se manifesta com leucocitose, dor pélvica, febre, dor à mobilização cervical, amolecimento do útero e massa anexial. Nas mulheres infectadas pelo HIV a dor abdominal e a leucocitose podem ser menos intensas.[26,27] Visto que os sintomas dolorosos que ocorrem na DIP são resultado de resposta inflamatória pela produção de citocinas e outros produtos solúveis, as portadores do HIV não são capazes de apresentar tal resposta aos microrganismos invasores devido ao comprometimento do sistema imunológico.[23]

O diagnóstico de *Neisseria gonorrhoeae* e *Chlamydia trachomatis* nem sempre pode ser firmado. O envolvimento de agentes anaeróbios e do *Mycoplasma hominis*, que normalmente podem ser controlados pelos mecanismos imunes locais, podem apresentar maior risco para as mulheres infectadas pelo HIV. A utilização dos vários antibióticos nessas pacientes pode alterar os resultados de culturas cervicais.

A incidência de abscesso tubo-ovariano não difere entre mulheres HIV positivas e negativas. Entretanto, a paciente HIV positiva responde pior à antibioticoterapia, necessitando de intervenções cirúrgicas com maior freqüência. O CDC recomenda que todas as portadoras do HIV com diagnóstico de DIP devam ser internadas e tratadas com antibióticos injetáveis. A medicação utilizada em mulheres imunocompetentes é também preconizada para essas pacientes: cefoxitina + doxiciclina ou clindamicina + gentamicina. Estudos não tem demonstrado diferença na duração do tratamento e tempo de internação entre pacientes HIV positivas e HIV negativas.[28]

O tratamento ambulatorial deve ser reservado para as pacientes com as formas leves da doença e que possam ser facilmente monitorizadas. Os esquemas de tratamento preconizados são os mesmos utilizados em mulheres imunocompetentes:

- Ceftriaxona 250 mg, IM, dose única + doxiciclina 100 mg 12/12 horas – 14 dias.
- Tianfenicol 2,5 g, VO, dose única + doxiciclina 100 mg 12/12 horas – 14 dias.
- Outros esquemas poderiam substituir ceftriaxona por ampicilina (3,5 g) + probenecida ou ofloxacina 800 mg em dose única, entre outros, mas sempre associados à doxiciclina, 100 mg de 12/12 horas, VO, por 14 dias.[23]

Papilomavírus Humano

O papilomavírus humano (HPV) é membro da família Papovaviridae (vírus produtores de vacúolos). Seu genoma contém dupla hélice de DNA circular e a seqüência de nucleotídeos é a base do método de classificação de vários subtipos virais. O genoma do HPV é considerado como representativo de novo tipo quando suas seqüências de genes E6, E7 e L1 (isto é, um terço do genoma) diferem em mais de 10% de qualquer tipo de HPV previamente conhecido.[29]

Mulheres soropositivas para o HIV possuem maior risco para a infecção pelo HPV do que as soronegativas, e esse risco é tanto maior quanto menor a contagem de células CD4. A presença de múltiplos parceiros, a concomitância de outras doenças sexualmente transmissíveis, o uso de anticoncepcionais, o tabagismo etc. são fatores que aumentam o risco para a infecção pelo HPV, enquanto a imunossupressão causada pelo HIV inibe os mecanismos de defesa. Portanto, quanto maior a imunossupressão maior a probabilidade de detectar HPV.

Estudo realizado em Belo Horizonte detectou alta prevalência do HPV em mulheres HIV positivas (73,2%), quando comparadas a mulheres não infectadas (23,8%) (OR = 8,79; IC a 95%: 2,83 – 29,37).[30]

Co-infecção HIV/HPV

A importância da co-infecção HPV/HIV é que o HPV está associado a condilomatose vulvovaginal, neoplasias intra-epiteliais cervicais (CIN) e vulvares (NIV) e câncer invasor. Os sorotipos 16, 18, 31, 33, 35, 45 e 51, além dos tipos menos freqüentes, 39, 40, 52 e 56, estão relacionados com NIC de alto grau e carcinoma cervical invasor.

A infecção concomitante envolvendo HPV e HIV aumenta drasticamente o risco de transformação maligna. Neoplasias intra-epiteliais são mais freqüentes e graves nas mulheres infectadas pelo HIV. Em meta-análise de cinco estudos epidemiológicos publicados entre 1986 e 1990 relata-se que o risco de desenvolver CIN é cinco vezes maior em mulheres soropositivas do que em soronegativas para HIV, com os mesmos fatores de risco.[31]

A associação entre imunossupressão e gravidade da displasia cervical tem sido apontada por vários autores.[32-38] Os sorotipos oncogênicos de HPV têm também papel importante na progressão maligna das lesões cervicais.

Interações Moleculares

Estudos têm evidenciado dados a respeito da capacidade do gen *tat* do HIV modular a expressão gênica de um promotor heterólogo, com conseqüente ativação de infecção por agentes patogênicos. O valor biológico da possível interação entre HIV e HPV é encontrado em observações de que o HIV não infecta apenas células do sistema hematopoiético, expressas em receptores CD4, mas também células que podem estar infectadas pelo HPV, como células de Langerhans, células M, células dendríticas das mucosas genital e retal e células epiteliais do cólon. Estudos *in vitro* sobre interação molecular entre HIV e HPV demonstraram que a proteína *tat* é capaz de induzir expressões de E6 e E7 precocemente, transformando genes do HPV.[39,40] Esse achado sugere que a *tat* proteína tem ação potencializadora na progressão das neoplasias induzidas pelo HIV.

Métodos de Diagnóstico da Infecção por HPV

A citologia não é método confiável para o diagnóstico de CIN em mulheres soropositivas para o HIV.[38] Observou-se CIN em 41% dos casos com Papanicolaou normal. O exame colposcópico deve ser realizado de rotina, se possível, no acompanhamento ginecológico dessas pacientes, e toda lesão deve ser biopsiada. A histopatologia pode apresentar resultados falso-negativos.[41] Em outro trabalho, mediante histopatologia, encontrou-se prevalência de 45% de CIN em um grupo de 52 mulheres soropositivas para o HIV.[41] Utilizando a PCR, encontrou-se prevalência de HPV em 75,5% de 248 pacientes HIV positivas.[38]

Somente os métodos moleculares que investigam a presença do DNA do HPV (reação em cadeia da polimerase, captura híbrida e outros) permitem o diagnóstico antes mesmo de existir lesão, além de permitir a identificação do sorotipo de HPV.

Recorrência das Lesões

As lesões por HPV são tipicamente extensas e multifocais quando se desenvolvem no trato genital inferior de mulheres infectadas pelo HIV.[40,42] As taxas de recorrência de lesões após tratamentos preconizados é elevada nesse grupo de mulheres. Em 1987 foram registradas alta persistência e recorrência de neoplasias anogenitais em mulheres transplantadas ou imunossuprimidas por drogas.[43] Altas taxas de recorrência e de mortalidade foram encontradas em mulheres HIV positivas com carcinoma cervical invasor.[40,42]

Pacientes com contagem de CD4 abaixo de 500 células/mm^3 têm risco extremamente aumentado de desenvolver doença recorrente.

A presença e a gravidade da displasia estão relacionadas aos níveis de CD4;[34] a freqüência de NIC está relacionada ao grau de imunossupressão e à função qualitativa das células T;[44] a prevalência de lesões induzidas pelo HPV está relacionada à gravidade da doença pelo HIV;[36] a eficiência da imunossupressão pode ser HPV tipo-específica.[33]

Tratamento

Preconizam-se tratamentos convencionais das lesões e seguimento com contagem de CD4 nas pacientes HIV positivas portadoras de lesões intra-epiteliais.

A crioterapia não demonstrou ser eficaz no tratamento de pacientes imunossuprimidas, apesar de ser um método atrativo por não causar sangramentos, diminuindo assim o risco de transmissão iatrogênica do HIV.[45] O creme vaginal de 5-fluorouracil foi utilizado com algum sucesso em mulheres imunossuprimidas com neoplasias do trato genital[45] e a terapia com o Interferon tem sido utilizado no tratamento de neoplasias intra-epiteliais e doenças relacionadas ao HIV.[46]

As terapêuticas ablativas das lesões – e tantos outros métodos de tratamentos das lesões anogenitais –, utilizadas em mulheres imunocompetentes, podem ser empregadas em pacientes infectadas pelo HIV, associadas à terapêutica sistêmica, que pode melhorar a função imunológica da paciente. Entretanto, a vigilância cuidadosa após a terapêutica deve ser realizada com ampla utilização de colposcopia e biópsia, com o objetivo de diagnosticar precocemente a recorrência e a progressão das neoplasias.[34]

Em dezembro de 2005, o Serviço de Ginecologia do Centro de Treinamento e Referência em Doenças Infecciosas e Parasitárias (CTR-DIP) Orestes Diniz, em convênio com a Faculdade de Medicina e Hospital das Clínicas da Universidade Federal de Minas Gerais, aprovou protocolo para conduta em mulheres infectadas pelo HIV acometidas por neoplasias intra-epiteliais cervicais (Tabela 5.2).

CARCINOMA INVASOR

Os estudos têm demonstrado maior incidência de câncer cervical em mulheres soropositivas para o HIV e a observação mais importante tem sido a de que a doença ocorre em mulheres muito jovens, sem outras manifestações da AIDS.[34,42,47]

Os primeiros estudos sobre câncer cervical em mulheres soropositivas para o HIV foram realizados no início da década de 1990.[34,42] Mais importante do que a observação da maior incidência de câncer cervical em mulheres infectadas pelo HIV, comparado a mulheres não infectadas, foi a constatação de que muitas dessas mulheres eram muito jovens e não possuíam outras manifestações de AIDS. Em 88% dos casos, o câncer cervical foi a primeira manifestação da infecção pelo HIV. Uma outra observação foi a de que os tumores eram volumosos, de estágios avançados e de prognóstico desfavorável. O intervalo entre o diagnóstico do tumor e a morte foi de 9,2 meses em 68% das pacientes.

Mesmo não apresentando significativo aumento na população feminina HIV positiva, como outros tumores (Kaposi e linfomas não-Hodgkin), o câncer cervical invasivo foi classificado pelo CDC (1993) como doença indicadora de AIDS.[48]

Já se estabeleceu que, quanto maior a gravidade da imunossupressão, maior a possibilidade de agravamento das lesões cervicais. No caso do câncer cervical invasivo, verificou-se que as mulheres soropositivas que se apresentaram em estágio mais avançado da doença tinham maior taxa de recorrência após tratamento, e um intervalo mais curto entre a recidiva e a morte. O mesmo não ocorre com o câncer de mama ou outras neoplasias malignas na mulher.

Tendo em vista a maior agressividade do câncer cervical nas mulheres soropositivas, recomenda-se o exame ginecológico semestral, com coleta de material cervical para estudo citológico e, se possível, realização da colposcopia para diagnóstico de eventuais áreas alteradas passíveis de biópsia para estudo histopatológico e tratamento precoce.

O CDC destaca a necessidade de acompanhamento cuidadoso das pacientes HIV positivas, pelo significativo

---

Tabela 5.2
Conduta para neoplasia intra-epitelial cervical (CIN), com diagnóstico histopatológico, em mulheres infectadas pelo HIV

Conduta para CIN I
Com colposcopia satisfatória:
- Tratamento com técnica ablativa (cauterização elétrica)
- *Follow-up* com CO + colposcopia a cada 6 meses
- Tratamento excisional (CAF) pode ser indicado para CIN I recidivante presente após terapia ablativa prévia

Com colposcopia insatisfatória:
- Tratamento excisional é preferível (CAF).
- Seguimento é aceitável em gestantes e adolescentes

Conduta para CIN 2,3
Com colposcopia satisfatória:
- Tratamento com técnica excisional (CAF)
- Seguimento com citologia oncótica e colposcopia a cada 6 meses
- Pacientes com CIN 2,3 recidivante devem ser submetidas a novo CAF. Se ocorrer nova recidiva, avaliar novo CAF, cone clássico ou histerectomia

Com colposcopia insatisfatória:
- Tratamento com técnica excisional (CAF), com retirada obrigatória de canal
- Seguimento com citologia oncótica e colposcopia a cada 6 meses
- Pacientes com CIN 2,3 recidivante devem ser submetidas a novo CAF. Se ocorrer nova recidiva, avaliar novo CAF, cone clássico ou histerectomia

Outras recomendações
- Histerectomia é inaceitável como tratamento primário para CIN 2, 3, pela necessidade de avaliar previamente a extensão da lesão em peça cirúrgica
- Margens comprometidas em peça de CAF não é indicação de novo CAF: o seguimento deve ser semestral
- A presença de ocupação glandular em peça de CAF não é indicação de novo CAF: realizar nova avaliação com citologia e colposcopia em 3 meses
- Histerectomia deve ser considerada quando novo CAF ou cone clássico não for possível ser realizado por dificuldade técnica

aumento da prevalência de lesões pré-neoplásicas entre elas, além da melhora da sobrevida na última década pelo uso das drogas anti-retrovirais. É esperado que a incidência de câncer invasivo aumente, pois as mulheres infectadas sobreviverão por um tempo maior do que o período de latência desses tumores.[48]

PREVENÇÃO DA INFECÇÃO PELO HIV[49]

No início da epidemia, quando se pensava em AIDS, acreditava-se que era uma doença restrita aos chamados grupos de risco, como os profissionais do sexo ou os homossexuais. Entretanto, a epidemia mostrou que todos têm de se prevenir: homens e mulheres, casados ou solteiros, jovens e idosos, independentemente de cor, raça, situação econômica ou orientação sexual.

Hoje é um tempo em que os cuidados às mulheres, no que diz respeito à prevenção da AIDS, é assunto de momento, e muito urgente. A AIDS nas mulheres não é somente uma afecção individual. Em virtude de seus múltiplos papéis na sociedade e na família, a mulher soropositiva introduz uma profunda modificação nas relações sociais e familiares.

A proteção da mulher, no que diz respeito à prevenção da infecção pelo HIV, não pode ser realizada isoladamente. Devem-se levar em consideração os valores culturais, sociais e econômicos que determinam o modo de ser das relações familiares e sociais e da estrutura das relações domésticas, além do suporte da sociedade aos cuidados de saúde.

À luz do rápido incremento da infecção pelo HIV por meio do contato heterossexual e considerando-se as dificuldades de negociação das regras sexuais na presença de uma situação econômica inferior, necessita-se atualmente de novas tecnologias e métodos para a prevenção da infecção pelo HIV entre as mulheres que possam ser utilizadas sem a cooperação ou, mesmo, sem o esperado consentimento do seu parceiro.

Observa-se que, mesmo as mulheres estando informadas sobre as medidas preventivas para evitar a infecção pelo HIV, elas podem não estar aptas a praticar o sexo seguro por causa de sua baixa condição socioeconômica. Elas não têm o poder de negociar com seus parceiros o uso ou não do preservativo. A prevenção da transmissão heterossexual do HIV envolve, em parte, o desenvolvimento de métodos controlados pela própria mulher, como o condom feminino, aliados a mudanças culturais, sociais e econômicas que possam fortalecer a sua posição social.

Para serem efetivos, os programas de prevenção contra o HIV devem ser direcionados ao contexto em que vivem as pessoas. Aqueles marginalizados pela sociedade estão sob particular risco. Tais populações incluem profissionais do sexo, usuários de drogas injetáveis, presidiá-

rios e homens que fazem sexo com homem. Prevenir infecções nesse grupo pode ter um papel significante no controle da disseminação da doença em muitas partes do mundo.

Novos Métodos de Prevenção

Preservativos Femininos

Embora tenha sido demonstrado sua eficácia na prevenção de gravidez, e ser aceitável para uso durante o coito, o preservativo feminino não atingiu seu potencial máximo nos programas nacionais devido ao seu relativo alto custo. Uma nova versão do preservativo feminino (Reality®) promete ser de custo menor. É esperado que, se elevados índices de utilização desse novo produto forem atingidos, ocorrerá substancial contribuição para a prevenção de gravidez indesejada e infecções sexualmente transmitidas, incluindo o HIV. Além dos preservativos femininos, estudos estão em andamento para testar a eficácia dos diafragmas e de outros métodos de proteção da cérvice uterina para prevenção de DST/HIV.

Circuncisão

Estudo da África do Sul mostrou que homens circuncisados estavam sob risco 60% menor de se infectarem com o HIV, quando comparados com homens não-circuncisados. Esses resultados promissores poderão ser confirmados em estudos em andamento no Quênia e Uganda, antes que a circuncisão masculina possa ser promovida a instrumento específico de prevenção contra o HIV. Se comprovado sua eficiência, a circuncisão poderá ajudar a aumentar as opções comprovadas disponíveis para prevenção do HIV, mas não deve provocar o abandono de estratégias eficazes existentes, como o uso correto e permanente do preservativo, a mudança de comportamento sexual para a realização do sexo seguro, e a testagem voluntária e sob aconselhamento.[50]

Microbicidas

O uso de microbicidas surgiu como proposta alternativa para reduzir a transmissão sexual do HIV. São fármacos de uso tópico que podem auxiliar nessa redução. Eles podem ser utilizados pela via vaginal ou retal, ou aplicados no pênis antes do ato sexual. No caso das mulheres, que sempre têm dificuldades em negociar com seus parceiros masculinos o uso do condom, os microbicidas oferecem a grande vantagem de serem utilizados sem o consentimento prévio dos parceiros. A grande maioria das mulheres que estão sendo infectadas atualmente pelo HIV tem apenas um parceiro sexual: seu marido. Isto significa que é urgente o desenvolvimento de tecnologias preventivas discretas e que possam ser controladas pelas mulheres, e que tornem o seu relacionamento sexual seguro.[51]

Microbicidas seguros e eficazes ainda não foram desenvolvidos, a despeito de já existirem mais de 60 tipos diferentes com atividade *in vitro* contra o HIV. Diversos estudos multicêntricos em fase I/II de segurança, e fase II/III de eficácia, estão em andamento em diferentes regiões, envolvendo diferentes grupos populacionais. Infelizmente, o conhecido espermicida nonoxinol-9, que também tem atividade microbicida, falhou na prevenção da transmissão do HIV nos estudos randomizados de fase III. Ele seria um promissor microbicida já instalado no mercado farmacêutico. Conforme mencionado, promovendo a destruição das células da camada epitelial da mucosa vaginal, o nonoxinol-9 expôs as usuárias desse microbicida a maior risco de infecção pelo HIV.[17]

Apesar de alguns estudos já terem demonstrado a segurança com o uso de diversas outras substâncias, para a maior parte dos microbicidas que estão sendo analisados ainda não há informações concretas sobre a sua tolerabilidade, no que diz respeito aos efeitos colaterais nas mucosas vaginal, retal e peniana, e os efeitos irritativos que podem ser provocados no sistema urinário.[52]

Outro aspecto relevante em relação ao uso de microbicidas é que eles devem atuar como coadjuvantes dos preservativos, tendo em vista que não apresenta 100% de eficácia, em uma clara hierarquia:

- uso de preservativo em todas as relações;
- se, absolutamente, a pessoa não pode fazer isto, deve usar o microbicida;
- usar o microbicida junto com o preservativo, sempre que puder.

Apesar da menor eficácia dos microbicidas na prevenção da transmissão do HIV, cálculos matemáticos indicaram que, se um microbicida fosse 40% efetivo, e apenas 30% das pessoas o utilizassem, 6 milhões de vidas seriam salvas em todo o mundo em três anos.[53]

Vacinas

O desenvolvimento de vacina efetiva contra o HIV tem demonstrado ser bastante difícil. Experimentos em primatas têm ilustrado inúmeros obstáculos a serem superados, devido à capacidade de mutação do vírus. A vacina efetiva deve proteger o indivíduo contra todos os subtipos e os diversos recombinantes virais, se o objetivo é realmente atingir o controle total da epidemia. A grande diversidade de cepas recombinantes tem sido o fator mais importante para o fracasso dos experimentos com vacinas até agora realizados.[49]

PERSPECTIVAS DE CONTROLE DA DOENÇA NO BRASIL E NO MUNDO

Considerando que a maioria dos infectados vive em áreas subdesenvolvidas, e que as ações preventivas envolvem mobilização de recursos técnicos e financeiros, a universalização de informações, de serviços e recursos diagnósticos e terapêuticos – e do acesso aos métodos de proteção –, percebe-se que as perspectivas de controle da epidemia, a curto prazo, não são muito animadoras.

Assim, o Brasil e o mundo mantêm-se altamente vulneráveis ao HIV, e a pandemia continua a progredir em todas as regiões do globo. A grande probabilidade é que conviveremos mais intensamente com a AIDS nas próximas décadas.

Em junho de 2005, os membros da Joint United Nations Programme on HIV/AIDS (UNAIDS) e a sociedade civil publicaram documento com objetivo de alcançar acesso universal para a prevenção da transmissão do HIV, assim como o tratamento e o acompanhamento das pessoas infectadas. Esse documento inclui um compêndio de ações e programas que podem ser usados para diminuir o hiato que existe entre o mundo desenvolvido e os países em desenvolvimento, para evitar que cada vez mais pessoas sejam infectadas pelo vírus.[49]

RECOMENDAÇÕES PARA A TERAPIA COM ANTI-RETROVIRAIS

Apesar de não ser objetivo do presente capítulo abordar aspectos clínicos e tratamento de pacientes portadoras do HIV (aspectos discutidos nas publicações específicas), serão apresentadas as considerações gerais sobre o tema, principalmente no que se refere ao uso de anti-retrovirais.

É importante destacar que a terapia anti-retroviral tem como objetivo retardar a progressão da imunodeficiência, aumentando o tempo e a qualidade de vida da pessoa infectada.

Com o advento da terapia anti-retroviral potente (HAART), as manifestações clínicas decorrentes da infecção pelo HIV tornaram-se menos freqüentes e houve melhora significativa do prognóstico e da qualidade de vida dos indivíduos infectados. Ela suprime (ou pretende suprimir) a replicação viral, reduzindo o dano imunológico e protelando o aparecimento da AIDS. Todavia, a resistência viral, a toxicidade das drogas e a necessidade de alta adesão ao tratamento permanecem como importantes barreiras ao sucesso prolongado da terapia. Por conseguinte, a avaliação cuidadosa dos riscos e benefícios da terapia anti-retroviral no momento de sua indicação é crucial. O aumento progressivo da complexidade da terapia anti-retroviral vem exigindo contínua atualização do médico-assistente. Recomenda-se, portanto, que o tratamento seja, sempre que possível, conduzido por médico experiente no manejo de pacientes infectados pelo HIV, preferencialmente integrado em equipe multidisciplinar.[54]

O tratamento anti-retroviral é recomendado para todos os pacientes infectados pelo HIV que sejam sintomáticos, independentemente da contagem de linfócitos T-CD4+, e para aqueles assintomáticos com contagem de linfócitos T-CD4+ abaixo de 200/mm³. Quando o paciente assintomático apresenta contagem de linfócitos T-CD4+ entre 200 e 350/mm³, o início da terapia anti-retroviral pode ser considerado de acordo com a evolução dos parâmetros imunológicos (contagem de linfócitos T-CD4+) e virológicos (carga viral) e com outras características do paciente (motivação, capacidade de adesão, co-morbidades). Dentro dessa faixa, a monitorização clínico-laboratorial e a reavaliação da necessidade do início da terapia anti-retroviral devem ser mais freqüentes, já que a queda dos linfócitos T-CD4+ para menos de 200/mm³ é indesejável, por estar associada a aumento acentuado na incidência de infecções oportunistas e a resposta terapêutica menos duradoura. Procura-se retardar o maior tempo possível o início da terapia anti-retroviral devido ao risco aumentado de desenvolvimento de resistência aos medicamentos.[54]

Os esquemas terapêuticos devem ser individualizados, com base nos achados clínicos, laboratoriais e de acordo com a disponibilidade das drogas. Não mais se utiliza monoterapia. O tratamento inicial deve ser composto de pelo menos dois inibidores de transcriptase reversa (análogos de nucleotídeo), podendo associar-se uma droga de terceira geração (não análoga de nucleotídeos ou inibidora de protease), de acordo com a situação específica.

A falha terapêutica, principalmente por resistência às drogas, é fenômeno esperado. Um número crescente de pacientes já se encontra sem opções de medicamentos anti-retrovirais. Efeitos colaterais dos anti-retrovirais, muitos dos quais desconhecidos no passado, são cada vez mais freqüentes e, em grande parte, os principais responsáveis pela descontinuação da terapia. O desenvolvimento de neuropatia, hepatotoxicidade, pancreatite, lipodistrofia, diabetes, dislipidemia, osteoporose e acidemia lática estão entre as complicações que podem piorar consideravelmente a qualidade de vida do indivíduo infectado pelo HIV.

A quimioprofilaxia para infecções oportunistas, tais como pneumocistose e toxoplasmose, também deve ser indicada sempre que a contagem de linfócitos T-CD4+ estiver próxima ou inferior a 200/mm³ ou quando houver qualquer situação sugestiva de imunodeficiência associada ao HIV.

REFERÊNCIAS

1. Guerra MAT, Veras MASM, Ribeiro AF. Epidemiologia da AIDS. *In*: Veronesi R, Foccacia R (eds.). *Tratado de Infectologia*. São Paulo: Atheneu, 1996: 88-97.

2. Mann JM. The global picture of AIDS. *J Acquir Immune Defic Syndr* 1988; 1(3):201-216.

3. UNAIDS. Aids epidemic update. December 2005. Disponível na Internet: http//www.unaids.org

4. Piot P, Laga M. The global epidemiology of HIV infection: continuity, heterogeneity and change. *J Acquir Immune Defic Syndr* 1990; *3*:403-411.

5. Ho DD, Burk RD, Klein S *et al.* Persistent genital human papillomavirus infection as a risk for persistent cervical dysplasia. *J Natl Cancer Inst* 1995; *87*:1.365-71.

6. Brasil. Ministério da Saúde. Aids no Brasil [on line] novembro 2005. Disponível na Internet: *http//www.aids.gov.br*

7. Melnick JL. Survival and disease progression according to gender of patients with HIV infection. The Terry Beirn community programs for clinical research on AIDS. *J Am Med Assoc* 1994; *272*(24):1.915-21.

8. Farzadegan H, Hoover DR, Astemborki J *et al.* Sex diferences in HIV-1 viral load and progression to AIDS. *Lancet* 1998; 352:1.510-4.

9. Saglio SD. HIV infection in women: an escalating health concern. *Am Family Physician* 1996; *54*(5):1.541-8.

10. Ministério da Saúde. AIDS no Brasil. Boletim Epidemiológico, 2005. Disponível na internet: *http://www.aids.gov.br*

11. Brasil. Instituto Brasileiro de Geografia e Estatística. Pesquisa Nacional Por Amostra de Domicílios - PNAD 2004 [on line] novembro 2005. Disponível na Internet: http//:www.ibge.gov.br

12. Bartlett JG. *Tratamento clínico da infecção pelo HIV*. São Paulo: Editora Três, 1999: 381 p.

13. Abimiku AG, Gallo RC. HIV-Basic virology and pathophysiology. *In*: Minkoff H, Dehovitz JA, Dierr A (eds.). *HIV infection in women*. New York: Raven Press, 1995: 13-31.

14. Veronesi R, Foccacia R. *Tratado de Infectologia*. São Paulo: Atheneu, 1996: 83-65.

15. Greene WC. The molecular biology of human immunodeficiency virus type 1 infection. *NEJM* 1991; *324*:308-317.

16. European Study of the heterosexual transmission of HIV: comparison of female to male and male to female transmission of HIV in 563 stable couples. *Br Med J* 1992, *304*:1.664-7.

17. Hillier SL, Moench T, Shattock R, Black R, Reichelderfer P, Veronese F. *In vitro* and *in vivo*: the Story of Monoxynol 9. *JAIDS* 2005; *39*:1-8.

18. Piot P, Laga M. Epidemiology of AIDS in the developing world. *In*: De Vita Jr. VT, Hellman S, Rosenberg SA. *AIDS: etiology, diagnosis, treatment and prevention*. Philadelphia: JB. Lippincott Company, 1992.

19. Guimarães MDC, Muñoz A, Boschi-Pinto C, Castilho EA. HIV Infection among Female Partners or Seropositive Men in Brazil. *Am J Epidemiol* 1995; *142*:538-47.

20. Larkin J. HIV in women: recognizing the signs. Women's Health, 1996. [On line] Disponível na Internet *www.medscape.com*

21. Carpenter CC, Mayer KH, Stein MH *et al.* Human immunodeficiency virus infection in North American women: Experience with 200 cases and a review of the literature. *Medicine* 1991; *70*:307-25.

22. White MH. Is vulvovaginal candidiasis an AIDS-related illness? *Clin Infect Dis* 1996; *22*(suppl):S124-S127.

23. Federação Brasileira das Associações de Ginecologia e Obstetrícia (FEBRASGO). *Manual de Orientação. DST/AIDS*. São Paulo; 2004.

24. Safrin S, Arvin, A, Mills J *et al.* Comparison of the Western immunoblot assay and a glycoprotein G enzyme immunoassay for detection of serum antibodies to herpes simplex

virus type 2 in patients with AID. *J Clin Mocrobiol* 1992; *30*(5):1.312-4.

25. Siegel D, Golden E, Washington AE *et al.* Prevalence and correlates of herpes simplex infection: the population-based AIDS in Multiethnic Neighborhoods Study. *JAMA* 1992; *13*:1.702-8.

26. Hoegsberg B, Abulafia O, Sedlis A *et al.* Sexually transmitted diseases and human immunodeficiency virus infection among women with pelvic inflammatory diseases. *Am J Obstet Gynecol* 1990; *163*:1.135-9.

27. Korn AP, Landers DV, Green JR *et al.* Pelvic imflamatory disease in human immunodeficiency virus-infected women. *Obstet Gynecol* 1993; *82*:765-86.

28. Centers for Disease Control and Prevention. Sexually Transmitted Diseases Treatment Guidelines 2002. *MMWR* 2002; RR-6.

29. Cicogna C, White M. Human Papillomavirus in neoplasic disease. Infection in Urology [On line]. Disponível na Internet. *www.medscape.com*

30. Campos RR, Melo VH, del Castillo DM, Nogueira CPF. Prevalência do papilomavírus humano e seus genótipos em mulheres portadoras e não-portadoras do HIV. *Rev Bras Ginec Obstet* 2005; *27*(5):248-56.

31. Mandelblatt JS, Fahs M, Garibaldi K *et al.* Association between HIV infection and cervical neoplasia implications for clinical care of women at risk for both conditions. *AIDS* 1992; *6*:173-8.

32. Maiman M, Tarricone N, Vieira J *et al.* Colposcopic evaluation of human immunodeficiency virus – seropositive women. *Obstet Gynecol* 1991; *78*:84-8.

33. Johnson J, Burnett AF, Willet GD *et al.* High frequency of latent and clinical human papillomavirus cervical infections in immunocompromised HIV-infected women. *Obstet Gynecol* 1992; *79*:321-7.

34. Maiman M, Fruchter R, Serur R *et al.* Recurrent CIN in HIV-seropositive women. *Obstet Gynecol* 1993; *82*:170-4.

35. Feingold AR, Vermund SH, Burk RD *et al.* Cervical cytologic abnormalities and Papillomavirus in women infected with Human Immunodeficiency Virus. *J Acquir Immune Defic Syndr* 1990; *3*:896-906.

36. Spinillo A, Tenti P, Zappatore R *et al.* Prevalence, diagnosis and treatment of lower genital neoplasia in women with human immunodeficiency virus infection. *Eur J Obstet Gynecol Repod Biol* 1992; *43*:235-41.

37. Wright TC, Moscarelli RD, Dole P *et al.* Clinical significance of mild cytologic atypia on Papanicolaou smears from women infected with human immunodeficiency virus. *Obstet Gynecol* 1996; *87*:515.

38. Maiman M. Management of cervical neoplasia in human immunodeficiency virus-infected woman. *J Natl Cancer Inst Monogr* 1998; *23*:43-9.

39. Vernon SD, Hart CE, Reeves WC *et al.* The HIV-1 *tat* protein enhances E2-dependent HPV 16 trascription. *Virus Res* 1993; *27*:133-45.

40. Tornesello ML, Buonaguro FM, Giraldo BETH *et al.* Immunodeficiency virus type 1 *tat* gene enhances HPV early genes expresión. *Intervirology* 1993; *36*:57-64.

41. Maiman M, Tarricone N, Vieira J *et al.* Colposcopic evaluation of HIV-seropositive women. *Obstet Gynecol,* 1991; *78*:84-8.

42. Maiman M, Fruchter RG, Serur E *et al*. Human immunodeficiency virus infection and cervical neoplasia. *Gynecol Ooncol* 1990; *38*: 377-92.

43. Sillman FH, Sedlis A. Anogenital papillomavirus infection and neoplasia in immunodeficient women. *Obstet Gynecol Clin North Am* 1987; *14*:537-57.

44. Schafer A, Friedmann W, Mielke M et al. The increased frequency of cervical dysplasia-neoplasia in women infected with the human immunodifiency virus in related to the degree of immunosupression. *Am J Obstet Gynecol* 1991; *164*:593-9.

45. Sillman FH, Sedlis A, Boyce JG. A review of lower genital intraepithelial neoplasia and the use of topical 5-fluorouracil. *Obstet Gynecol Surv* 1985; *40*:190-220.

46. Yliskoski M, Cantell K, Syrjanen S. Topical treatment with human leukocyte interferon of HPV 16 infection associated with cervical and vaginal intraepithelial neoplasia. *Gynecol Oncol* 1990; *36*:353-7.

47. Fruchter R, Maiman M, Sedlis A *et al.* Multiple recurrences of cervical intraepithelial neoplasia in women with the human immunodeficiency virus. *Obstet. Gynecol* 1990; *87*:338-344.

48. Centers for Disease Control and Prevention. Sexually Transmitted Diseases Treatment Guidelines. *MMWR* 1993; *42*:75-81, 89-91.

49. UNAIDS. Intensifying HIV prevention: a UNAIDS Policy Position Paper. Geneva 2005. Disponível na Internet: *http//www.unaids.org*

50. Szabo R, Short RV. How does male circuncision protect against HIV infection? *Brit Med J* 2000; *320*:1.592-1.594.

51. Shattock R, Solomon S. Microbicides: aids to safer sex. *Lancet* 2004; *363*:1.002-3.

52. Mayer KH, Karim SA, Kelly C *et al.* HIV Prevention Trials Network (HPTN) (020 Protocol Team.) Safety and tolerability of vaginal PRO 2000 gel in sexually active HIV-uninfected and abstinent HIV-infected women. AIDS 2003; *17*(3):321-9.

53. Brown H. Marvellous Microbicides. *Lancet* 2004; *363*:1.042-3.

54. Ministério da Saúde. Recomendações para Terapia Anti-Retroviral em Adultos e Adolescentes Infectados pelo HIV. Coordenação nacional de DST/AIDS, Brasília. 2004. Acessado em janeiro de 2006. Disponível na Internet: *http//www.aids.gov.br*

Capítulo 6

Neoplasias Benignas do Colo Uterino

Garibalde Mortoza Junior

As neoplasias benignas do colo uterino podem apresentar-se de várias formas, sendo os pólipos as mais freqüentes. Podem ser assintomáticas ou apresentar sinais como corrimento e até sangramento pela vagina. Incluem:

- Pólipos
- Pólipo mesenquimal mesodérmico
- Leiomiomas
- Condiloma acuminado
- Tumores mistos
- Cistos
- Tumores vasculares
- Lesões tumor-símile
  - Endometriose
  - Hiperplasia microglandular
  - Endometriose
  - Metaplasia tubária
  - Deciduose
  - Resquícios mesonéfricos
  - Papiloma mulleriano
  - Pseudolinfoma

PÓLIPOS

Tumoração mais freqüente no colo uterino, os pólipos têm incidência maior entre a quarta e a sexta década de vida. Geralmente se apresentam como uma protuberância hiperplásica, focal da mucosa endocervical, incluindo epitélio e estroma. Podem ser séssil ou pediculado, na maioria das vezes exteriorizando no orifício externo do colo uterino; algumas vezes podem ficar dentro do canal.

A etiologia dos pólipos é desconhecida. Alguns autores consideram os pólipos decorrentes de processos inflamatórios; outros os consideram resultado de forma-ção vascular, secundária à congestão crônica dos vasos cervicais; outros evidenciam ainda uma relação entre o hiperestímulo estrogênico, sem anteposição progestínica, que ocorre na fase em que a mulher apresenta mais ciclos anovulatórios.

Histologicamente os pólipos pode ser:

- *Mucosos*: revestido por epitélio semelhante ao epitélio cilíndrico – representam 75% a 80% dos pólipos.
- *Fibrosos*: compostos por tecido conjuntivo revestido por mucosa delgada. Representam 4% a 20% dos pólipos.
- *Vascular*: representando 1% a 15% dos pólipos, apresentam proliferação vascular intensa.
- *Misto endometrial-endocervical*: na maioria das vezes são assintomáticos, mas podem apresentar profusa leucorréia, causada por hipersecreção mucóide, decorrente de processo inflamatório do epitélio colunar. Podem apresentar sangramento pela vagina principalmente quando ocorre ulceração do epitélio. Podem ser arredondados, alongados ou lobulados. Podem apresentar vários tamanhos, sendo, na maioria das vezes, lesões pequenas medindo cerca de 2 a 3 cm, mas podendo apresentar-se de forma gigante, exteriorizando no intróito vaginal. Na maioria das vezes o diagnóstico é feito durante exame especular, com visualização direta. A colposcopia é importante para localização da base e para verificar possibilidade de suspeita de lesões neoplásicas intra-epiteliais. A ultra-sonografia e/ou histeroscopia pode ser necessária para verificar pólipos com base próxima ao orifício interno ou, às vezes, para diferenciar de um pólipo endometrial. A histologia é de fundamental importância no diagnóstico final e no intuito de afastar um lesão cancerosa, que pode ocorrer em 0,2% a 0,5% dos pólipos. Pode ocorrer carcinoma *in situ* ou invasor, adeno ou escamoso. Às vezes é

difícil o diagnóstico diferencial entre um pólipo com transformação maligna e um adenocarcinoma. O critério mais importante para essa diferenciação é a avaliação do pedículo. A base de um pólipo com carcinoma primário é livre de doença, já no adenocarcinoma ela está acometida, além de serem encontrados vários focos da doença em outros locais no canal cervical. No carcinoma polipóide toda a massa é maligna, incluindo a base e os tecidos adjacentes. Se ocorre um foco de carcinoma no pólipo sem acometimento de sua base mas com focos semelhantes no colo uterino, a lesão é considerada secundária. Os carcinomas que atingem somente o pólipo têm excelente prognóstico.

O tratamento consiste na exérese por torção de seu pedículo, verificando se sua base foi completamente retirada. Às vezes, é necessário complementar o procedimento com uma curetagem do canal cervical, ou mesmo com a realização de histeroscopia, principalmente em pólipos com base larga.

PÓLIPO MESENQUIMAL MESODÉRMICO

Caracteriza-se colposcopicamente pela presença de lesão polipóide de inserção ectocervical.

Histologicamente a lesão é similar a um pólipo fibroepitelial, ou seja, é uma lesão caracterizada por revestimento escamoso hiperplásico, diferenciando-se deste pela presença de estroma mixóide com células fibroconjuntivas estreladas e vasos ectasiados.

O pólipo mesenquimal mesodérmico é lesão benigna, e a simples excisão é curativa.

LEIOMIOMAS

São tumores encontrados raramente e podem representar cerca de 8% de todos os miomas uterinos. Geralmente são únicos, acometendo principalmente o lábio posterior. Podem ser pediculados, fazendo protuberância no canal cervical semelhante a um pólipo endocervical. Os miomas submucosos do corpo uterino podem se exteriorizar no canal cervical. Podem localizar-se no estroma cervical, fazendo protuberância em um dos lábios do colo uterino. Histologicamente, são semelhantes aos leiomiomas miometriais. Durante a gestação podem ser responsáveis por distocia.

O diagnóstico é apontado pelo exame especular, toque e ultra-sonografia. À colposcopia, podem se apresentar como somente uma protuberância no colo, mas em casos de miomas pediculados no canal vemos como formações arredondadas, sem epitélio de revestimento, com sufusões hemorrágicas, às vezes com áreas de necrose, o que pode tornar difícil o diagnóstico diferencial com um carcinoma invasor. O tratamento, quando necessário, se faz pela excisão cirúrgica. Miomas intramurais assintomáticos, pequenos, não se justifica sua retirada.

CONDILOMAS ACUMINADOS

Os condilomas acuminados exofíticos do colo são menos freqüentes que os da vulva. Comumente são multifocais e podem envolver tanto o epitélio escamoso original como a zona de transformação, podendo haver extensão para o canal cervical. Na maioria das vezes são causados por HPV tipo 6 ou 11, mas é possível encontrar associação com vírus de alto risco.

À colposcopia, aparecem como lesões de cor esbranquiçadas, de grau variado dependendo da intensidade de ceratinização que pode ocorrer na superfície das papilas. Notam-se formações papilares com eixo vascular. Geralmente se nota associação de lesões nas paredes vaginais e vulvares. À histologia, observam-se papilomatose, acantose, paraceratose e hiperceratose, com grande número de coilócitos. A biópsia é de real importância para diferenciar do carcinoma verrucoso do colo uterino.

É freqüente a regressão das lesões, principalmente após a realização de biópsia (20%-65% pacientes). A evolução das lesões depende de vários fatores, como estados hormonal e imunológico da paciente. Durante a gestação é muito comum a recorrência, com alta taxa e regressão após o parto.

O tratamento consiste na destruição ou na remoção das lesões, por cauterização química, cauterização elétrica, *laser* ou cirurgia de alta freqüência.

CISTOS

Os cistos que ocorrem no colo incluem: cisto de Naboth, *tunnel clusters* e os cistos de inclusão.

Os cistos de Naboth são os mais freqüentes, desenvolvendo-se na zona de transformação em conseqüência do processo metaplásico que pode recobrir as glândulas do epitélio colunar, obstruindo os orifícios glandulares. À colposcopia, nota-se um cisto de cor amarelada ou brancacenta, com vascularização evidente no epitélio de sua superfície. Geralmente esses cistos são múltiplos e, raramente, atingem crescimento exagerado, acima de 20 mm. Histologicamente, suas paredes aparecem como uma camada aplainada, de epitélio colunar produtor de muco, podendo ocorrer, em algumas áreas, processo metaplásico, com conteúdo mucinoso. Não necessitam de tratamento.

Os *tunnel clusters* são coleções de glândulas endocervicais agrupadas, dando um aspecto de túnel, com conteúdo mucóide. Geralmente assintomáticos, são encontrados com freqüência, em mulheres mais idosas, em peças de conização ou de histerectomia. A importância dessas lesões é que podem ser confundidas com alterações mínimas do adenocarcinoma do colo uterino. Essas lesões não apresentam sinais de malignidade.

Os cistos de inclusão surgem em conseqüência de traumas, quase sempre cirúrgicos, com maior freqüência na vagina. Raramente acometem o colo uterino, surgindo em epitélio escamoso original. São revestido por epitélio semelhante ao da mucosa vaginal, em geral mais adelgaçado, com conteúdo branco ou amarelado, às vezes caseoso.

ENDOMETRIOSE

Presença de tecido endometrial no colo uterino. Pode acometer a ectocérvice e, mais raramente, a endocérvice. Geralmente surge após intervenção traumática no colo, como cauterizações, biópsias, cirurgia de alta freqüência etc. Alguns autores acreditam que as lesões surgem por implantação de células endometriais nas áreas desnudas após procedimentos realizados no período pós-menstrual ou após trauma durante o parto. Outros autores acreditam que possam surgir em decorrência de processo reparativo e/ou metaplásico. Essa teoria é reforçada pelo encontro de glândulas tanto com epitélio endometrial e tubário, ou misto, após traumatismo do colo. Focos de endometriose podem ocorrer em cerca 5%-15% das pacientes submetidas à cauterização do colo uterino e em cerca de 43% das pacientes submetidas à conização. À colposcopia, podemos observar cistos ou nódulos arroxeados ou avermelhados, de pequeno tamanho; áreas ulceradas desepitelizadas sangrando facilmente; ou lesões planas congestas, avermelhadas, que sangram facilmente durante a menstruação.

Geralmente não produz sintomas, mas às vezes pode ocorrer sangramento pré-menstrual ou sinusiorragia. O tratamento, nas pacientes assintomáticas, não é necessário, mas pode ser realizada a extirpação das lesões nas biópsias seguidas de cauterização.

HIPERPLASIA MICROGLANDULAR

Proliferação benigna de glândulas endocervicais que ocorre freqüentemente em mulheres em idade reprodutiva, sobretudo em usuárias de anticoncepcional oral e no pós-parto. É um achado freqüente em peças de biópsias cervicais, conização ou histerectomia. Assemelha-se a um pólipo e pode ocasionar sinusiorragia ou sangramento intermenstrual.

À histologia, podemos encontrar focos simples ou múltiplos, envolvendo a superfície do epitélio ou as partes mais profundas das criptas glandulares. Distinguem-se dois tipos:

- *Hiperplasia microglandular*: nódulos compactos formados de glândulas ou túbulos de tamanho variado, delimitados por células cubóides aplainadas com citoplasma granular eosinofílico, contendo pequena quantidade de mucina. O estroma, envolvendo as glândulas, contém infiltrado inflamatório agudo e crônico. Os núcleos das células endocervicais são uniformes, com baixa atividade mitótica, ocasionalmente com pleiomorfismo e hipercromasia. Pode ocorrer hiperplasia das células de reserva e certo grau de metaplasia.
- Hiperplasia endocervical: forma florida de proliferação microglandular em que os elementos glandulares estão arranjados de forma reticular ou sólida com áreas de hipercromasia nuclear e certo pleiomorfismo. Essas lesões parecem ser benignas pois ainda não houve relato de evolução maligna, em *follow-up* de longo tempo. Pode levar a confusão no diagnóstico diferencial do adenocarcinoma, mas geralmente tem baixa atividade mitótica e não se visualizam sinais de invasão estromal.

DECIDUOSE

O estroma cervical pode, durante a gestação, sofrer transformação decidual semelhante à que ocorre na lâmina própria das tubas uterinas e no miométrio. As células apresentam núcleo ovalado, suave, com grande quantidade de citoplasma granular eosinofílico e membranas citoplasmáticas proeminentes. Na ectocérvice pode ocorrer formação de pseudopólipos ou placas elevadas que podem ser confundidas, à colposcopia, com carcinoma invasor. Histologicamente, a diferenciação é feita pela ausência de atipias nucleares relevantes. Os pólipos que ocorrem na gestação podem também sofrer processo de decidualização.

TUMORES VASCULARES

Os tumores vasculares no colo são raros, sendo o hemangioma o mais freqüente deles. Podem ser capilares ou cavernosos, congênitos ou adquiridos, de tamanhos variáveis. Não necessitam de tratamento, a não ser que produzam sintomas como sinusiorragia. Procede-se à exérese cirúrgica.

REFERÊNCIAS

Burghardt E, Pickel H, Girardi F. *Colposcopy Cervical Pathology.* 3 ed., Stuttgart e New York: Thieme, 1998.

De Palo G. *Colposcopia e Patologia do Trato Genital Inferior.* 2 ed., Rio de Janeiro: MEDSI, 1996.

Dexeus S, Lopez-Marin L, Labastida R, Cararach M. *Tratado y Atlas de Patologia Cervical.* Barcelona: Salvat Editora, 1989.

Singer A, Monaghan JM. *Colposcopia, Patologia e Tratamento do Trato Genital Inferior.* 2 ed., Rio de Janeiro: Revinter, 2002.

Capítulo 7

Neoplasia Intra-epitelial Cervical

Garibalde Mortoza Junior

DEFINIÇÃO

Neoplasias intra-epiteliais cervicais (CIN - sigla de *cervical intraepitelial neoplasia*) consistem em lesões nas quais parte ou todo o epitélio é substituído por células com graus variados de atipias, alterando a arquitetura do epitélio sem romper a membrana basal e sem ocorrer invasão do estroma. São lesões precursoras do carcinoma invasor do colo uterino, isto é, lesões pré-neoplásicas que, se não abordadas adequadamente, podem evoluir para o câncer. Podem atingir tanto o epitélio escamoso quanto o glandular (neoplasia intra-epitelial glandular - CGIN, adenocarcinoma *in situ* - ACIS).

Schottlander e Kermauner foram os primeiros, no início do século passado, a descrever lesões não-invasoras adjacentes a áreas de carcinoma invasor no colo uterino. Em 1932, Broders sugeriu o termo *carcinoma in situ*. Em 1953, Reagan definiu o termo *displasia* para caracterizar as alterações cito-histológicas com características intermediárias entre o carcinoma *in situ* e o epitélio normal, indicando os termos *leve, moderada* e *acentuada*, de acordo com a gravidade da atipia e a espessura das mudanças celulares atípicas no epitélio.

Vários estudos, na década de 1960, avaliando as alterações ultra-estruturais, citofotométricas e de culturas teciduais, evidenciaram que a morfologia da displasia e do carcinoma *in situ* era qualitativamente similar e que as mudanças celulares observadas, tanto em graus variáveis de displasia e carcinoma *in situ*, eram simplesmente quantitativas.[1-3] Richart propôs o termo *neoplasia intra-epitelial cervical (CIN)*, abandonando a distinção entre displasia e carcinoma *in situ*, incluindo todos os graus de displasia e carcinoma *in situ*, de modo que ambos os processos constituíam um *continuum* histológico.[4] A CIN 1 equivalendo a displasia leve, a CIN 2, a displasia moderada e a CIN 3, a displasia acentuada e ao carcinoma *in situ*.

Em 1988, na cidade de Bethesda (EUA), foram apontados novos termos para as alterações citológicas, destacando o comportamento biológico destas lesões, definido em dois grupos: *lesões intra-epiteliais de baixo grau* LSIL, ou LIEBG, e *lesões intra-epiteliais de alto grau* HSIL, ou LIEAG. As lesões intra-epiteliais de baixo grau, com baixo potencial para evoluírem para câncer, equivalem a lesões relacionadas com HPV, sem alterações displásicas e as CIN 1 (displasia leve). As lesões intra-epiteliais de alto grau, com alto potencial de evolução para o câncer, equivalem as CIN 2 (displasia moderada) e CIN 3 (displasia acentuada e carcinoma *in situ*). Importante ressaltar que os termos LSIL e HSIL são definições de alterações evidenciadas na citologia. O diagnóstico histológico é, até o presente momento, relatado usando o termo CIN para as lesões escamosas e GCIN (neoplasia intra-epitelial glandular cervical) e AIS (adenocarcinoma *in situ*), para as lesões que acometem o epitélio glandular.[5]

PREVALÊNCIA

A taxa de prevalência das neoplasias intra-epiteliais varia entre 3% e 5% nas lesões de baixo grau e de 0,5% a 1% nas de alto grau, em mulheres sexualmente ativas submetidas a programas de rastreamento. A incidência máxima de carcinoma *in situ* situa-se entre 35 e 45 anos de idade, diminuindo progressivamente, sendo raramente encontrado após os 65 anos de idade. Tem-se evidenciado um decréscimo na faixa etária acometida pelas lesões de alto grau, não sendo raro o encontro em mulheres com menos de 30 anos de idade. Provavelmente isso decorra do início cada vez mais precoce das atividades sexuais e também pela ampliação da cobertura dos métodos de rastreamento.

A prevalência das neoplasias intra-epiteliais glandulares ainda não é bem conhecida, já que seu diagnóstico não é tão simples, encontrando dificuldades tanto para colpocopistas quanto para patologistas. Vários estudos mostram resultados citológicos falso-negativos prévios entre portadoras de adenocarcinoma quando comparados com portadoras de carcinoma de células escamosas. A maioria dos adenocarcinomas, tanto invasores quanto *in situ*, foi descoberta acidentalmente, após biópsia para lesões intra-epiteliais escamosas.[6] Na maioria das pacientes portadoras de neoplasia intra-epitelial glandular se encontra HPV tipo 18, diferentemente das neoplasias escamosas, nas quais o HPV mais encontrado é o tipo 16.

DIAGNÓSTICO

O diagnóstico definitivo da CIN é dado pela histologia. A suspeita inicial acontece por meio da citologia de Papanicolaou, utilizada como método de *screening*. A mulher com citologia sugestiva de CIN deverá ser encaminhada a um serviço secundário para ser submetida a colposcopia e biópsia quando necessária. Nenhum procedimento terapêutico deverá ser instituído com base somente no exame citológico, pois este pode apresentar falhas, com resultados tanto falso-negativos quanto falso-positivos. Vários autores mostraram que 20% a 40% das mulheres com alterações citológicas sugestivas de CIN 1 terão, após uma biópsia colposcopicamente dirigida, CIN 2 ou 3. Segundo Albert Singer (1984), das mulheres com citologia sugestiva de displasia acentuada, quase dois terços terão uma CIN 3; aproximadamente 20% terão CIN 2 e 10% CIN 1; menos de 5% não terão lesão detectável. O tamanho da lesão parece influenciar no resultado citológico.[7] Grandes lesões colposcópicas, que envolvem mais de um quadrante do colo uterino, praticamente não produzem resultados falso-negativos, enquanto que em lesões menores o índice de falso-negativos podem ultrapassar 50%.

Alterações Citológicas

O raspado e/ou o escovado do colo uterino pelo método convencional ou em meio líquido (teste de Papanicolaou) podem permitir a obtenção de amostras representativas de lesões epiteliais e, dessa forma, selecionar casos para estudo anatomopatológico mediante biópsias colposcopicamente dirigidas, quando colposcopicamente visíveis. Os achados citológicos anormais com exame colposcópico negativo geralmente favorecem a pesquisa de lesões cervicais de localização endocervical, vaginal e/ou vulvar. Com isso, o exame citopatológico é

de grande valia na prevenção e detecção precoce das lesões pré-invasoras do colo uterino. Nunca é demais lembrar que o exame citopatológico não permite diagnóstico definitivo, sendo ele negativo ou positivo para células neoplásicas, e deve ser analisado em contexto clínico, colposcópico, histológico e, algumas vezes, biomolecular.

Os esfregaços que permitem diagnóstico confiável devem ser obtidos de mulheres com epitélio estrogenizado, sem corrimentos vaginais e fora do período menstrual. Também é relevante que o material seja colhido da paciente com ela em abstinência sexual de pelo menos 72 horas (mesmo com preservativo), que não esteja em uso de medicamentos tópicos vaginais, 45 dias após, pelo menos, cauterização do colo uterino, sendo bem fixado e com o material ecto e endocervical bem distribuído em uma lâmina, como padronizado pelo SISCOLO.

Características Citológicas da Neoplasia Intra-epitelial Cervical (CIN) Grau 1

A alteração fundamental nas neoplasias intra-epiteliais é caracterizada pela perda progressiva do potencial que tem o epitélio escamoso original ou metaplásico em diferenciar-se nas três camadas fundamentais (basal, intermediária e superficial). Assim, na lesão de baixo grau, que inclui a CIN 1 e o efeito citopático induzido pelo papilomavírus humano, o epitélio perde a capacidade de maturar-se até o nível da camada superficial, considerando-se, um epitélio estrogenizado. Desta feita, as células que são obtidas na superfície do epitélio com esta alteração apresentarão características de células do tipo intermediário, ou seja citoplasma amplo e poligonal. Os núcleos estão alterados, apresentando-se hipertrofiados, porém ocupando menos de 50% do volume da célula, com certa variação de tamanho e formato e certo grau de hipercromasia (aumento na intensidade de coloração do núcleo). Nas lesões associadas à infecção ativa pelo papilomavírus humano associa-se grande halo perinuclear com bordas reforçadas, ao que se dá o nome de coilócitos. Tricomoníase, candidíase e vaginose bacteriana podem promover modificações celulares que podem mimetizar CIN 1.

Características Citológicas da Neoplasia Intra-epitelial Cervical (CIN) Grau 2

Na neoplasia intra-epitelial cervical grau 2, o epitélio perde a capacidade de maturar-se até o nível da camada intermediária, considerando-se um epitélio estrogenizado. Desta feita, as células obtidas na superfície deste epitélio apresentará características de células do tipo parabasal, ou seja, citoplasma de porte médio a pequeno e de contornos arredondados. Os núcleos apresentarão alterações mais pronunciadas que a CIN 1, ou seja, maior hipercromasia e hipertrofia nuclear, ocupando uma área superior a 50% do volume celular, porém deixando ainda uma ampla faixa de citoplasma visível.

Tricomoníase, candidíase e vaginose bacteriana podem promover modificações celulares que podem mimetizar essas alterações, em especial quando células metaplásicas imaturas ou epitélio atrófico estão associados.

A CIN 2, juntamente com a CIN 3, está incluída na categoria de lesões intra-epiteliais escamosas de alto grau.

Características Citológicas da Neoplasia Intra-epitelial Cervical (CIN) Grau 3

Na CIN 3 o epitélio perde sua capacidade em diferenciar-se, produzindo apenas células imaturas do tipo basal, e, assim, as células que são obtidas nos raspados destes epitélios somente apresentarão células pequenas e de citoplasma arredondado. As alterações nucleares se agravam ainda mais, com cromatina de aspecto granuloso e grosseiro, núcleos muito hipercromáticos e com contornos irregulares, ocupando mais de 80% do volume celular. Na citologia convencional podem ser observadas células com arranjo em "fila indiana". A CIN 3 inclui a antiga displasia acentuada ou grave e o carcinoma de células escamosas *in situ* (nomenclatura não mais desejada). A presença de detritos celulares (necrose) ou hemorragia associada não é visto na CIN 3 e sua presença geralmente está associada a invasão da lâmina própria (carcinoma microinvasor ou carcinoma invasor).

Tricomoníase, candidíase e vaginose bacteriana podem promover modificações celulares que podem mimetizar essas alterações, em especial quando células metaplásicas imaturas ou epitélio atrófico estão associados.

As neoplasias intra-epiteliais graus 2 e 3, especialmente esta última, têm a tendência de se localizarem mais freqüentemente dentro do canal cervical.

Características Citológicas do Carcinoma Invasor

Quando o epitélio atinge o máximo de sua incapacidade de diferenciação, passa a apresentar potencial de invadir a membrana basal e infiltrar o estroma conjuntivo. Nessa situação, as células tornam-se muito irregulares no tamanho, formato nuclear e citoplasmático, com núcleos muito irregulares, hipercromáticos e geralmente surgem nucléolos. Há necrose e hemorragia associada (diátese tumoral), um bom marcador de invasão do estroma quando associado a atipia citológica importante.

Características Histológicas da Neoplasia Intra-epitelial Cervical (CIN) Grau 1

Na CIN 1 o epitélio apresenta as células da camada basal com atipia (núcleos aumentados, sobrepostos, irregulares) e hiperplasia que no máximo ocupa o terço interno do epitélio. A grande maioria dessas lesões apresenta coilocitose. Em alguns casos, o efeito citopático promovido pelo papilomavírus humano permite apenas leve alteração na camada basal, que não preenche os critérios de CIN 1, porém, no nível da camada intermediária, podem ser vistas células binucleadas, com núcleos levemente hipertrofiados e irregulares. Essas alterações podem ser formas iniciais de CIN 1, involuírem ou, ainda, progredirem para formas acuminadas ou micropapilares, em que há espessamento do epitélio com formação de papilas e paraceratinização superficial.

Alterações inflamatórias no colo uterino podem promover alterações similares aos efeitos citopáticos induzidos pelo papilomavírus humano. Essas lesões apresentam morfologia de aspecto limítrofe entre o inflamatório e a lesão intra-epitelial escamosa de baixo grau, sendo necessário, em alguns casos, a realização de testes biomoleculares (PCR) no material biopsiado e incluído em parafina.

Características Histológicas da Neoplasia Intra-epitelial Cervical (CIN) Grau 2

A CIN 2 caracteriza-se por uma ampliação do grau de indiferenciação do epitélio quando comparado a lesão de grau 1. A camada basal incrementa o grau de atipia nuclear (hipertrofia, hipercromasia, sobreposição) e de hiperplasia, podendo, esta última ocupar todo os dois terços internos da espessura do epitélio. Coilocitose também é freqüente.

Características Histológicas da Neoplasia Intra-epitelial Cervical (CIN) Grau 3

Na neoplasia intra-epitelial cervical grau 3 toda a espessura do epitélio apresenta células de núcleos hipercromáticos, irregulares, cromatina granular e grosseira, escasso ou nenhum citoplasma, sendo freqüente a presença de mitoses (geralmente ausentes no epitélio normal e na CIN 1), inclusive na superfície do epitélio. Geralmente se associa a ocupação de espaços de glândulas endocervicais, substituindo o epitélio glandular. Quando a lesão é muito extensa e alcança espaços glandulares mais baixos, de 1,5/1,7 mm, deve-se pesquisar exaustivamente a possibilidade de microinvasão estromática.

Não raro, pode ocorrer neoplasia intra-epitelial cervical grau 3 em espaços glandulares e, na superfície do epitélio, apresentar lesão de grau menor ou mesmo ausência de atipia citológica. Este fato deve sempre estar em mente por dois motivos: (1) ao se biopsiar uma lesão cervical, a amostra deve ter profundidade preferencial de mais de 3 mm; e (2) ser causa de discrepância entre a citologia e a histopatologia.

Aspectos Citológicos das Lesões Glandulares Endocervicais

O Sistema Bethesda de classificação citológica, revisão 2001, classifica as anormalidades em células epiteliais glandulares da seguinte forma:

- Células glandulares atípicas
  - células endocervicais (sem outras especificações)
  - células endometriais (sem outras especificações)
  - células glandulares (sem outras especificações)
- Células glandulares atípicas
  - células endocervicais atípicas, provavelmente neoplásicas
  - células glandulares atípicas, provavelmente neoplásicas
- Adenocarcinoma endocervical *in situ*
- Adenocarcinoma
  - endocervical
  - endometrial
  - extrauterino
  - sem outras especificações

Células Endocervicais Atípicas (Sem Outras Especificações)

As células são caracterizadas por núcleo redondo ou oval, aumentado de tamanho (até cinco vezes o tamanho de uma célula endocervical normal), com variação em seus tamanho e forma, arranjadas desordenadamente em agrupamentos do tipo lençol, podendo ser evidenciados pequenos nucléolos e figuras mitóticas típicas.

Essas células geralmente estão associadas a alterações reacionais/inflamatórias do epitélio colunar.

Células Endocervicais Atípicas, Provavelmente Neoplásicas

A morfologia celular é quantitativa e qualitativamente insuficiente para diagnóstico de adenocarcinoma intra-epitelial ou invasivo.

As células anormais apresentam-se com núcleos densamente agregados e sobrepostos, podendo ocorrer formação de rosetas ou adquirir aspecto de penacho (*feathering*). Os núcleos estão aumentados de tamanho com exacerbação na relação núcleo/citoplasmática e os bordos citoplasmáticos são mal definidos.

As células endometriais atípicas, provavelmente neoplásicas, apresentam citoplasma vacuolizado, núcleos hipertrofiados, levemente hipercromáticos, e estão distribuídas em pequenos agregados celulares.

Quando não é possível a identificação de origem celular (se endocervical ou endometrial), descreve-se "células glandulares atípicas, provavelmente neoplásicas".

Adenocarcinoma Endocervical In Situ

Caracteriza-se por aumento do tamanho nuclear, hipercromasia, estratificação e atividade mitótica. As células distribuem-se em densos agregados de células com núcleos hipercromáticos, relação núcleo/citoplasmática aumentada e aspecto de *feathering* na periferia dos lençóis.

Adenocarcinoma Endocervical Invasor

O padrão celular é similar ao do observado na forma *in situ*, porém com maior grau de atipia e pleomorfismo celular associado a grande celularidade em fundo hemorrágico e/ou necrótico.

Aspectos Histológicos das Neoplasia Glandulares Endocervicais

Neoplasia Intra-epitelial Glandular Endocervical

Compreende a neoplasia intra-epitelial glandular endocervical de baixo e alto graus.

A neoplasia intra-epitelial glandular endocervical de baixo grau corresponde a distúrbio arquitetural e citológico da glândula endocervical, caracterizado por leve hipertrofia e hipercromasia nuclear, com tendência ao arredondamento do núcleo e disposição citoplasmática central deste em relação à membrana basal, sendo raras as figuras mitóticas. Alguns campos microscópicos podem revelar tendência a pseudo-estratificação nuclear. Citologicamente, as células descamadas apresentam critérios morfológicos que podem ser enquadrados no Sistema Bethesda com "células glandulares endocervicais, provavelmente neoplásicas".

A neoplasia intra-epitelial glandular endocervical de alto grau corresponde ao adenocarcinoma *in situ* e caracteriza-se por pseudo-estratificação, hipertrofia e sobreposição nuclear com freqüentes figuras mitóticas. Citologicamente, as células descamadas apresentam critérios morfológicos que podem ser enquadrados no Sistema Bethesda com "células glandulares endocervicais, provavelmente neoplásicas" ou como "adenocarcinoma endocervical *in situ*".

Adenocarcinoma Endocervical Microinvasor

É conceito controvertido. A FIGO (1995) omite referência específica para a lesão glandular em estágio IA, haja vista problemas práticos em identificação histológica da microinvasão. Em geral, define-se a microinvasão quando há marcante irregularidade glandular com apagamento da arquitetura glandular normal e o tumor estende-se minimamente abaixo das criptas normais. Geralmente o sítio de microinvasão associa-se a resposta estroma na forma de edema, infiltrado inflamatório crônico e reação desmoplásica. Pode ocorrer angioinvasão linfática.

Adenocarcinoma Endocervical Invasor

Tipos histológicos segundo a OMS/2003:

- Adenocarcinoma, SOE
- Adenocarcinoma mucinoso
  - Endocervical
  - Intestinal
  - Células em anel-de-sinete
  - Desvio mínimo (adenoma maligno)
  - Viloglandular
- Adenocarcinoma endometrióide
- Adenocarcinoma de células claras
- Adenocarcinoma seroso
- Adenocarcinoma mesonéfrico
- Adenocarcinoma microinvasivo
- Adenocarcinoma *in situ*

Morfologicamente, a forma invasiva do adenocarcinoma endocervical exibe estruturas glandulares com atipia citológica evidente, formação de túbulos, vilos, arranjos cribriformes, células neoplásicas com grau nuclear bem diferenciado (baixo grau) ou padrão de alto grau ou, ainda, células de citoplasma claro ou tipo anel-de-sinete que, em geral, infiltram profunda e extensamente o estroma cervical. O arranjo desses elementos classificará a neoplasia dentro de uma das variantes descritas anteriormente. Cabe lembrar que o tipo histológico mais comum é o endocervical e que a variante viloglandular é a que apresenta melhor prognóstico. O diagnóstico diferencial entre os adenocarcinomas endometrióide, de células claras, do tipo seroso e mesonéfrico de origem endocervical com os de origem endometrial pode ser feito com base na clínica (os últimos mais comuns em pacientes mais velhas) ou em avaliações imuno-histoquímicas e biomoleculares (os tumores de origem endocervical geralmente estão associados ao HPV e não expressam vimentina).

EVOLUÇÃO DAS CIN

Richart e Barron (EUA, 1968), observando mulheres portadoras de neoplasia intra-epitelial cervical, sem tratamento, verificaram que nas portadoras de displasia leve em 50,4% houve regressão espontânea; 16,6% progrediram para displasia moderada/acentuada e 1,4% para carcinoma *in situ* em 58 meses. Mulheres portadoras de displasia moderada evoluíram para carcinoma *in situ* em 38 meses; com displasia acentuada, 11,9% evoluíram até carcinoma *in situ* em 12 meses.[8] Richart mostrou que aproximadamente 80% das CIN 1 (LSIL) são causadas por vírus de alto risco e 20% por vírus de baixo risco. Mulheres com diagnóstico de LSIL que persiste por um ano ou mais têm, aproximadamente, 60% de chance de desenvolver HSIL nos próximos 10 anos, caso a lesão não seja tratada. Mulheres com lesões visíveis a colposcopia têm maior risco de persistência ou progressão da CIN, mulheres com CIN persistente causada por vírus de alto risco têm maior chance de lesão persistente ou progressão para doença mais grave.

Moscicky e cols., observando mulheres mais jovens, portadoras de CIN 1, verificaram que a regressão espontânea ocorre mais freqüentemente em adolescentes do que em mulheres adultas, sendo que na faixa etária de 13 a 21 anos a taxa de regressão espontânea foi de 90% e nas mulheres com idade superior a 21 anos, encontrou-se regressão em cerca de 50% a 80%. Observaram que 81% das mulheres jovens portadoras de CIN 1 eram portadoras de HPV de alto risco e a progressão para lesão de alto grau aconteceu em cerca de 3% delas, num período de três anos.[9]

A progressão de uma CIN de alto grau até o câncer invasor pode acontecer dentro de um período de 3 a 12 anos, segundo alguns autores.[10,11] Barron e Richart calcularam, mediante modelo estatístico, cerca de 3 a 10 anos.[8]

Östor, em 1993, realizou um revisão, nos últimos 40 anos,[12] da literatura sobre a evolução das neoplasias intra-epiteliais até a invasão. As probabilidades de evolução são mostradas na Tabela 7.1.

Não há dúvidas, atualmente, de que a maior parte dos carcinomas de células escamosas do colo uterino se origina a partir de uma neoplasia intra-epitelial. Isto

Tabela 7.1
História natural das CIN

	Regressão (%)	Persistência (%)	Progressão a Ca *in situ* (%)	Progressão a Ca invasor (%)
CIN 1	57	32	11	1
CIN 2	43	35	22	5
CIN 3	32	< 56	—	> 12

Östor, 1993.

é respaldado por dados que mostram que o carcinoma *in situ* se origina cerca de uma década antes do carcinoma invasor; estudos realizados com microscopia eletrônica, biologia molecular e citogenéticos respaldam a semelhança das alterações identificadas nos tecidos com displasia e com alterações cancerígenas; estudos epidemiológicos têm mostrando que as lesões de alto grau e o câncer invasor compartilham muitos fatores de riscos; a detecção e o tratamento precoce das lesões intra-epiteliais reduzem consideravelmente a incidência de câncer invasor.

A evolução das neoplasias intra-epiteliais glandulares parecem ter um potencial mais agressivo quanto à evolução para invasão. A maior parte dos autores concorda em afirmar que, se não for tratado, o adenocarcinoma *in situ* pode progredir para carcinoma invasor. O intervalo de tempo para a progressão pode variar de 3 a 14 anos.

TRATAMENTO

As CIN 1 (lesões intra-epiteliais de baixo grau) têm alta probabilidade de regressão espontânea e baixa potencial de evolução para neoplasia invasora. Um dos trabalhos que deixa isto claro foi realizado por Falls e cols., propondo conduta expectante para 100 mulheres que tiveram diagnóstico histológico de CIN 1, sendo que 89 concordaram e foram seguidas por mais de um ano. Setenta e cinco por cento destas mulheres apresentaram regressão espontânea em um período médio de nove meses; 20% foram submetidas a tratamento pela persistência da lesão, sendo que uma delas tinha CIN 2 na peça obtida por cirurgia de alça diatérmica; somente 5% progrediram para lesão mais grave. A conclusão foi de que a conduta expectante na abordagem das pacientes com CIN 1 é segura e de custo-efetivo em uma população confiável.[13]

Outro trabalho mostrou que a regressão espontânea de CIN 1 ocorreu em 81,1% das pacientes (n = 145), com regressão dentro de 24 meses em 4/5 dos casos. Após biópsia colposcopicamente dirigida, na ausência de lesões mais graves, é aceitável observar as pacientes por 24 meses antes de adotar um tratamento definitivo, já que a regressão espontânea é comum.[14]

Östor, acompanhando 4.504 mulheres com CIN 1, encontrou regressão espontânea em 57% destas e progressão para CIN 2 e CIN 3 ou câncer em 11%.[12]

Um importante estudo realizado pelo National Cancer Institute (EUA), ALTS (Ascus, Low Squamous Intraepitelial Lesion Triage Study), evidenciou resultados semelhantes.[15]

Até o presente momento não existe nenhum método definitvo capaz de identificar as mulheres portadoras de CIN 1 que irão regredir espontaneamente, quais irão persistir ou avançar para lesões mais graves. Alguns biomarcadores potenciais têm sido estudados, como atividade da telomerase, DNA ploidia, expressão da p16 e da Ki-67. Utilizar a identificação do tipo de HPV, pela biologia molecular, para o manuseio dessas lesões não se justifica, já que a maioria dessas lesões está relacionada com HPV de alto risco; isto é, o tipo do vírus parece não interferir na evolução das CIN 1. Os resultados do ALTS reforçam que detectar HPV para triagem de mulheres jovens com diagnóstico de LSIL é limitado em razão de uma alta percentagem dos vírus de alto risco (82%) em mulheres com idade inferior a 25 anos.[15]

Em virtude da alta probabilidade de regressão das CIN 1, a maioria dos autores recomenda seguimento, sem tratamento, das mulheres portadoras dessas lesões se a colposcopia é satisfatória, desde que essas mulheres possam ser acompanhadas, ou seja, sem riscos maiores de abandono do tratamento. Estudos prospectivos indicam que o risco de mulheres com diagnóstico de CIN 1, por biópsia, submetidas a acompanhamento, sem tratamento, de desenvolver ou de encontrar lesão mais grave é de 9% a 16%. Este é praticamente o mesmo risco de uma mulher, com resultado citológico de ASC-US ou CIN 1, de ter uma biópsia confirmando CIN 2 ou CIN 3. Estes dados sugerem que as portadoras de CIN 1, diagnosticado por biópsia, podem ser seguramente acompanhadas.[15-18] O seguimento ideal deve ser realizado com citologia e colposcopia em intervalos que variam de 6 a 12 meses. O período de acompanhamento não deve ultrapassar 24 meses, pois não existem dados que sugiram que o seguimento além desse período é seguro, e o risco de progressão é maior.

Se a colposcopia é insatisfatória, existe a possibilidade de lesão de maior grau dentro do canal endocervical. Por isso, nas mulheres com colposcopia insatisfatória, um procedimento diagnóstico excisional é mais apropriado, para as mulheres com diagnóstico de CIN 1 confirmado por biópsia. Sptizer e cols. mostraram que a incidência de CIN 2 e CIN 3 foi de 10% em pacientes com diagnóstico de CIN 1 submetidas à conização.[19]

Nas pacientes portadoras de lesões colposcópicas extensas, isto é, lesões que atingem mais de dois quadrantes do colo uterino, a possibilidade de regressão é menor. Por isso, também nessas pacientes, a melhor abordagem é a adoção de tratamento imediato.

As opções de tratamento podem ser por métodos ablativos, com cauterização elétrica, diatérmica, crioterapia ou *laser* nas mulheres que apresentem colposcopia satisfatória e a suspeita de invasão for completamente afastada. Métodos excisionais utilizando a cirurgia de alta freqüência, *laser* ou cone clássico são recomendados quando se necessita maior avaliação histológica, principalmente para afastar lesões mais graves dentro do canal cervical e para as mulheres que apresentem recorrência após tratamento ablativo. Vários trabalhos comparando métodos terapêuticos não evidenciaram diferenças significativas entre eles. Na realidade, hoje, principalmente em nosso país, o método mais utilizado é a cirurgia de alta freqüência por alça diatérmica (CAF-LEEP).

O seguimento pós-tratamento deve ser realizado com intervalos de 6 a 12 meses, com citologia e colposcopia, se possível, ou no mínimo com citologia isolada a cada seis meses.

Diferentemente das lesões intra-epiteliais de baixo grau, as lesões de alto grau devem ser tratadas, pois apresentam um risco mais significativo de evolução. Uma revisão da literatura, em 1996, concluiu que 43% das CIN 2 não-tratadas irão regredir espontaneamente, 35% irão persistir e 22% progredirão até carcinoma *in situ* ou câncer invasor. Com relação às CIN 3, 32% podem regredir espontaneamente, 56% irão persistir e 14% progredirão para invasão.[20] O tratamento destrutivo ou excisional dessas lesões reduz significativamente a incidência e a mortalidade pelo câncer cervical.

Um estudo de meta-análise, realizado recentemente, avaliando 28 *trials* realizados a partir de 1997, mostrou que não existe uma técnica cirúrgica obviamente superior para tratamento das CIN, tendo sido avaliadas técnicas ablativas (*laser* e crioterapia) e excisionais (*laser*, cone clássico e CAF).[21] As técnicas ablativas somente poderão ser adotadas obedecendo aos seguintes critérios: toda a zona de transformação (ZT) deve ser bem visualizada à colposcopia; não existe nenhuma suspeita de microinvasão ou invasão franca; não existe suspeita de acometimento glandular; e deve existir concordância dos achados citológicos e histológicos. Os métodos excisionais são mandatórios todas as vezes que ainda houver necessidade de estudo histológico, isto é, quando a colposcopia é insatisfatória, principalmente com lesões que adentram o canal endocervical, com limite não visualizado, além de alterações colposcópicas suspeitas de acometimento glandular e, obviamente, todas as vezes que existem suspeitas de invasão. Os resultados obtidos pelas várias técnicas de tratamento são muito semelhantes, conforme esta meta-análise, como se vê na Tabela 7.2.

Tabela 7.2
Neoplasias intra-epiteliais cervicais: resultados terapêuticos

Cone clássico	90%-94%
Cone a *laser*	93%-96%
CAF	95%-98%
Ablação a *laser*	95%-96%
Crioterapia	77%-93%

Martin-Hirsch PL, Paraskevaidis E, Kitchener H. The Cochrane Library, 2002.

Alguns estudos de acompanhamento de mulheres submetidas a tratamento destrutivo das lesões intra-epiteliais de alto grau têm evidenciado um número significativo de casos com diagnóstico de microinvasão e de invasão franca posteriormente, denotando falha no processo terapêutico. Pearson e cols., avaliando 3.783 mulheres que foram submetidas a procedimentos destrutivos, encontraram quatro casos de microinvasão e cinco de invasão.[22] Por isso, a maioria dos autores tem recomendado, na atualidade, as técnicas excisionais.

Historicamente, até os anos 1960, a abordagem das neoplasias intra-epiteliais de alto grau era de realização de conização nas mulheres jovens e histerectomia nas mais idosas. Esses procedimentos levavam a maior morbidade e mortalidade. Na década de 1970 e início de 1980 houve opção por procedimentos menos agressivos e mais conservadores, implicando em maior recorrência e surgimento de invasão no seguimento. Com a melhoria dos métodos diagnósticos, principalmente com a difusão da colposcopia, aprimoramento da acurácia das biópsias, além do surgimento dos métodos excisionais por alça diatérmica e a *laser*, foram obtidos resultados mais satisfatórios e significativa redução da morbidade e mortalidade.

A conização do colo uterino está indicada quando temos um diagnóstico por biópsia de neoplasia intra-epitelial de alto grau; quando temos uma lesão, mesmo de baixo grau, penetrando no canal endocervical sem limites craniais visíveis; na presença de citologia sugestiva de lesão de alto grau, persistentemente, sem alterações colposcópicas visíveis; na presença de citologia ou de alteração à colposcopia e/ou à histologia sugerindo possibilidade de invasão; citologia e/ou colposcopia sugestiva de lesão em epitélio glandular; e na presença de alterações epiteliais diagnosticadas por curetagem endocervical.

A conização é um passo importante no diagnóstico das neoplasias cervicais intra-epiteliais ou invasoras, pois somente com o exame histológico de toda a lesão e da peça cirúrgica é que se tem o diagnóstico definitivo, afastando ou confirmando a presença de microinvasão ou de invasão franca. A cirurgia com alça diatérmica (CAF-LEEP-LETZ) é o método mais utilizado na abordagem dessas lesões, em virtude da simplicidade do método, dos custos reduzidos e da eficácia. A conização a *laser* demanda a utilização de aparelhagem de alto custo, maior tempo cirúrgico e maior possibilidade de sangramento intra-operatório. A conização clássica, a bisturi frio, deve ser utilizada nas lesões com limite endocervical não visualizado, nos casos suspeitos de invasão e nos casos de adenocarcinoma. Vários estudos clínicos randomizados comparando a eficácia da conização clássica (bisturi frio) com a cirurgia de alta freqüência têm revelado taxas de sucesso e de complicações equivalentes, mas com uma diferença significativa quanto ao comprometimento das margens cirúrgicas da peça obtida. O comprometimento das margens é menos freqüente e mais facilmente avaliado quando se realiza a conização clássica.

A conização clássica, a bisturi frio, é a abordagem mais indicada nos casos de neoplasia intra-epitelial glandular, principalmente do adenocarcinoma *in situ*, pois, apesar de a maioria destas lesões se encontrarem perto da junção escamocolunar (JEC), algumas vezes pode encontrar-se em qualquer parte do canal endocervical, sendo multifocal em mais de 15% das vezes. O ideal é que se obtenha um cone com pelo menos 25 mm de comprimento, o que se consegue mais facilmente com a conização clássica, além do que a conização com alça diatérmica ou com *laser* pode levar a dificuldades de diagnóstico histológico em razão de danos térmicos no epitélio.

A histerectomia como tratamento inicial das neoplasias intra-epiteliais cervicais não é aceita, pois até a realização de estudo histológico adequado do colo uterino não se pode afastar por completo a possibilidade de invasão. Caso seja realizada uma histerectomia sem uma conização prévia, é possível ser surpreendido com diagnóstico de invasão na avaliação histológica do útero, ficando o tratamento cirúrgico incompleto, sendo necessária radioterapia de pelve total, com maior possibilidade de complicações. A histerectomia está indicada, após realização da conização, nas pacientes portadoras de patologias ginecológicas benignas preexistentes, nas lesões residuais/recorrentes e nas pacientes portadoras de neoplasia glandular de alto grau, principalmente naquelas com margens cirúrgicas comprometidas, com prole definida.

Na avaliação histológica das pacientes submetidas à conização, é de suma importância o relato do comprometimento ou não das margens cirúrgicas, principalmente nas portadoras de neoplasia intra-epitelial glandular. Nas portadoras de neoplasia intra-epitelial de células escamosas, o comprometimento das margens é um fator a mais na avaliação do prognóstico de recorrência ou persistência das lesões. Cecchini e cols. sugerem que os fatores importantes na recorrência das neoplasias intra-epiteliais cervicais são: idade superior a 40 anos, grau da neoplasia e margem endocervical comprometida. Bodner e cols. relatam a importância destes fatores, além da persistência da infecção pelo HPV de alto risco. Milojkovic, avaliando 934 pacientes submetidas à conização por alça diatérmica (CAF), encontrou 38 pacientes com margens endocervicais comprometidas; destas, 11 (28,9%) apresentaram lesão residual ou recorrente; das 896 pacientes com margens cirúrgicas livres, 8 (0,9%) tiveram doença residual/recorrente.[23] A maioria dos autores recomenda somente controles citológico e colposcópico nas pacientes submetidas à conização do colo uterino para tratamento de neoplasia intra-epitelial de células escamosas, sendo desaconselhado a reoperação de imediato. Narducci e cols. (2000), no seguimento de 505 pacientes submetidas à conização por CAF, encontraram

71 (14,1%) com margens endocervicais comprometidas; destas, 12 foram reoperadas de imediato e 59 foram submetidas a controle com citologia três a seis meses após a conização. Das pacientes reoperadas de imediato, 66,7% não apresentaram nenhuma alteração à histologia, concluindo que a citologia e a colposcopia são importantes na decisão de reoperação, evitando, deste modo, a morbidade desnecessária.[24] Em outro estudo, realizado por Dobbs e cols. (2000), foi demonstrado que a excisão ampla da ZT por CAF tem sucesso em mais de 95% dos casos; a vigilância citológica é suficiente no *follow-up* das mulheres que tiveram completa excisão da lesão; já as mulheres que tiveram excisão incompleta da CIN permanecem com maior risco de recorrência, e *follow-up* com citologia e colposcopia por longo tempo é necessário.[25] Jakus e cols. concluíram que a conduta conservadora no manuseio das margens comprometidas é possível, exceções importantes são doença microinvasora e adenocarcinoma. Os casos com margens cirúrgicas comprometidas no tratamento do adenocarcinoma *in situ* podem ser abordados, em alguma situações, com conização clássica, mas a histerectomia é a conduta-padrão.[26]

A possibilidade de persistência da lesão (lesão residual é a lesão diagnosticada já no primeiro exame de controle) e de recorrência (lesão diagnosticada após ter exames negativos nos primeiros controle) é relativamente baixa, variando de 1% a 5% dos casos. Existem poucos estudos observacionais analisando a *performance* de vários protocolos de seguimento pós-tratamento das neoplasias intra-epiteliais cervicais e nenhum estudo prospectivo, randomizado. As estratégias incluem citologia somente, citologia e colposcopia e, mais recentemente, testes moleculares para DNA HPV. A maioria dos protocolos com somente citologia usa exames a cada quatro a seis meses, por dois anos, e anualmente após. Alguns protocolos adotam citologia e colposcopia seriadas no primeiro ano, mas estudos comparativos com uso isolado da citologia mostraram que o benefício é pequeno. Vários estudos recentes têm mostrado que o desaparecimento do DNA do HPV, seis a 12 meses após o tratamento, relaciona-se a índices muito baixos de recorrência/persistência; já a persistência da infecção pelo HPV, após o tratamento, relaciona-se a altos índices de recorrência da lesão. Apesar de a recorrência acontecer nos 2-3 primeiros anos pós-tratamento, estudos longitudinais mostram que a recorrência ou surgimento de invasão podem ocorrer vários anos depois do tratamento, sendo, então, necessário o seguimento indefinidamente.[27]

NEOPLASIA INTRA-EPITELIAL E GRAVIDEZ

É consenso na literatura que a gravidez, por si, não influencia a evolução das neoplasias intra-epiteliais cervi-

Tabela 5.3
Regressão e progressão das CIN pós-parto

Gestação	Normal	CIN 1	CIN 2	CIN 3	Ca invasor
CIN 2 (82)	32 (39%)	24 (29%)	20 (25%)	6 (7%)	0 (0%)
CIN 3 (71)	26 (37%)	13 (18%)	11 (15%)	21 (30%)	0 (0%)

Yost *et al.* Postpartum regression rates of CIN. *Obstetics & Gynecology*, mar, 1999.

cais. O risco de progressão para invasão é mínimo e a possibilidade de regressão espontânea no pós-parto é significativa.[28] Yost e cols., observando 153 gestantes portadoras de CIN 2 e CIN 3, verificaram que 69% tiveram regressão espontânea no pós-parto e nenhuma das pacientes apresentou progressão para lesões mais graves.[29]

É recomendado realizar rastreamento com citologia no primeiro trimestre da gestação, sendo indicado a colposcopia, que é mais bem realizada neste período gestacional. A partir do segundo trimestre, a realização do exame colposcópico torna-se mais difícil em decorrência das mudanças ocasionadas pela gravidez, como deciduose, congestão, aumento da vascularização, invasão das paredes vaginais no campo visual e espessamento do muco cervical.

A biópsia é necessária na suspeita citológica e nas alterações colposcópicas. É segura, podendo apresentar sangramento aumentado, que na maioria das vezes cessa somente com compressão. Está indicada principalmente para confirmar ou afastar a possibilidade de invasão.

O objetivo principal no manuseio das lesões intra-epiteliais na gestante é identificar casos raros de invasão. Se não existe suspeita de invasão ou microinvasão, a conduta é expectante, realizando citologia e colposcopia a cada três meses, e definindo a conduta final, com citologia e colposcopia 4 a 6 meses pós-parto. A conização, quando indicada, deve ser realizada até a 20ª semana, por causa dos índices de complicações como hemorragia, aborto espontâneo e parto prematuro. A única indicação para conização durante a gestação é quando há a suspeita diagnóstica de microinvasão.

A presença de neoplasia intra-epitelial de qualquer grau não é indicação para parto cesáreo, podendo o parto se dar por via vaginal e a cesárea ser indicada somente por motivos obstétricos.

REFERÊNCIAS

Wilbanks GD, Richart RM, Terner JY. DNA content of cervical intra-epitelial neoplasia studied by two-wavelenght Feulgen cytophotometry. *Am J Obstet Gynecol* 1967; *98*:792-9.

Richart RM. The growth characteristics in vitro of normal epithelium, dysplasia and carcinoma in situ of the uterine cervix. *Cancer Res* 1964; *24*:662-93.

Shingleton HM, Richart RM, Wiener J, Spiro D. Human cervical intraepithelial neoplasia: fine structure of dysplasia and carcinoma in situ. *Cancer Res* 1968; *28*:695-706.

Richart RM. Natural history of cervical intraepithelial neoplasia. *Clin Obst Gynecol* 1967; *10*:748-84.

Solomon D, Davey D, Kurman R *et al*. The 2001 Bethesda System: terminology for reporting results of cervical cytology. *JAMA* 2002; *287*:2114-19.

Wilbur DC *et al*. Endocervical glandular atypia: A new problem for the cytologist. *Diagn Cytopathol* 1995; *13*:463.

Barton *et al*. An explanation for the problem of the flase negative cervical smear. *Br J Obstet Gynaecol* 1989; *96*:482.

Barron BA, Richart RM. A statistical model of the natural history of cervical carcinoma based on a prospective study or 557 cases. *J Natl Cancer Inst* 1986; *41*:1.343-53.

Moscicky AB, Shiboski S, Hills NK *et al*. Regression of low-grade squamous intra-epithelial lesions (LSIL) regression in young women. *Lancet* 2004; *364*:1678-83.

Fidler HK, Boyes DA, Warth JA. Cervical cancer detection in British Columbia. A progress report. *J Obstet Gynecol* 1968; *75*:392-404.

Way S, Hennigan M, Wright VC. Some experience with pre-invasive and micro-invasive carcinoma of the cervix. *J Obstet Gynecol* 1968; *75*:593-602.

Östor AG *et al*. Natural history of cervical intraepithelial neoplasia: a critical review. *Inst J Gynaecol Pathol* 1993; *12*:186-92.

Falls RK *et al*. Spontaneous resolution rate of grade I cervical intra-epitelial neoplasia in a private pratice population. *Am J Obst Gynecol* 1999; *181*(2):278-82.

Lee SS et al. Conservative treatment of low-grade squamous intra-epithelial lesion (LSIL) of the cervix. *Int J Gynaecol Obstet* 1998; *60*:35-40.

Guido R, Solomom D, Schiffman M, Burke L. Comparison of management strategies for women diagnosed as CIN I or less, postcolposcopic evaluation: data from the ASCUS and LSIL Triage Study (ALTS), a multicenter randomized trial. *J Lower Gen Tract Dis* 2002; *6*:176.

Naisell K *et al*. Behavior of mild cervical displasia during long-term follow-up. *Obstet Gynecol* 1986; *67*:655-9.

Solomon D *et al*. Comparison or three managment strategies for patients with ASCUS: baseline results from a randomized trial. *J Natl Cancer Inst* 2001; *93*:293-9.

Wright TC *et al*. Comparison of managment algorithms for the evaluation of women with low-grade cytologic abnormalities. *Obstet Gynecol* 1995; *85*:202-10.

Spitzer M et al. Indications for cone biopsy: pathology correlation. *Am J Obstet Gynecol* 1998; *178*:74-9.

Mitchell MF, Wright T et al. Cervical human papillomavirus infection and intraepithelial neoplasia: a review. *J Natl Cancer Inst Monogr* 1996; *21*:17-25.

Martin-Hirsch PL, Paraskevaidis E, Kitchener H. The Cochrane Library - 2002 – metanálise.

Pearson SE *et al.* Invsasive cancer of the cervix after laser treatment. *Br J Obstet Gynaecol* 1989; *96*:486-8.

Milojkovic M et al. Residual and recurrent lesions after conization for cervical intraepithelial neoplasia grade 3. *Inst J Gynaecol Obst* 2002; *76*(1):49.

Narducci *et al.* Positive margins after conization and risk of persistent lesion. *Gynecol Oncol* 2000; *76*:311-14.

Dobbs SP *et al.* Does histological incomplete excision of cervical intraepithelial neoplasia following LEEP increase recurrence rates? A six years cytological folloow up. *BJOG* 2000; *107*(10):1.298-301.

Jakus S *et al.* Status of the margins and excision of the cervical intraepithelial neoplasia: one revision. *Obstet-Gynecol Surv* 2000; *55*(8):520-7.

Paraskevaids E, Sotiriadis A. The role of HPV DNA testing in follow-up period after treatment for CIN. In Anais do XI Congresso Internacional de Patologia Cervical e Colposcopia. Barcelona, 2002.

Economos K *et al.* Abnormal cervical cytology in pregnancy: a 17 year experience. *Obstet Gynecol* 1993; *81*:915-8.

Yost NP et al. Postpartum regression rates of antepartum cervical intraepithelial neoplasia II and III lesions. *Obstet Gynecol* 1999; *93*:359-62.

Capítulo 8

NEOPLASIA INVASIVA DO COLO UTERINO

João Augusto de Oliveira Fernandes e Luciano Freitas Souza

INTRODUÇÃO

O câncer do colo uterino é definido pela alteração maligna do epitélio de revestimento que rompe a camada basal em direção ao estroma, sendo esse um processo lento e evolutivo das neoplasias intra-epiteliais (NIC).

É o segundo câncer mais comum entre as mulheres no mundo, ocorrendo, anualmente, cerca de 471 mil casos novos e óbito de aproximadamente 230 mil pacientes. Há maior prevalência nos países em desenvolvimento onde o *screening* (Papanicolaou) é deficiente. Quase 80% dos casos novos ocorrem nos países em desenvolvimento.

No Brasil, são esperados 19.260 casos novos em 2006, com um risco estimado de 20 casos para cada 100 mil mulheres.

A idade média de diagnóstico é de 52 anos, apresentando curva bimodal com picos dos 35 aos 39 anos e dos 60 aos 64 anos.

Os fatores de risco para o câncer invasivo do colo estão relacionados com aqueles que aumentam a incidência das neoplasias intra-epiteliais, como:

- papilomavírus humano (HPV);
- tabagismo;
- múltiplos parceiros sexuais;
- início precoce da atividade sexual;
- doença sexualmente transmissível prévia;
- imunodeficiência;
- multiparidade;
- contraceptivos orais.

SINTOMAS

O principal sintoma é o sangramento vaginal, que pode apresentar-se de formas variáveis, como alterações do fluxo menstrual, sangramentos intermenstruais e pós-coito, sendo este último o mais comum.

Outros sintomas estão relacionados com estágios mais avançados da doença:

- corrimento fétido promovido por necrose tumoral;
- dor por invasão do paramétrio até a parede de pelve ou provocada por metástases (p. ex., linfonodos sacrais e ossos);
- fistulas reto ou vesicovaginais, hidronefrose, obstrução intestinal e outros;

DIAGNÓSTICO

O diagnóstico do câncer de colo uterino é desafiador por três razões:

- Primeiro por ser assintomático nas fases precoces da doença.
- Segundo pela possibilidade de doença confinada ao canal cervical (impedindo sua visualização pelo exame especular, sendo necessária a avaliação pelo toque vaginal).
- Por último, em razão das taxas de falso-negativo do *screening*, mesmo em pacientes com exames regulares.

Ao exame especular, pode apresentar-se como:

- Lesão exofítica, a mais comum.
- Lesão endofítica, cuja evolução é denominada colo em forma de barril.
- Lesão polipóide ou ulcerada.

Outros achados comuns são a vascularização exacerbada na superfície e a friabilidade ao contato.

A citologia oncótica pode ser indicativa de doença infiltrativa (necrose, sangue e células inflamatórias), porém, na literatura, encontramos taxas superiores a 50% de falso-negativo nesse estágio da doença.

A biópsia é conclusiva, podendo ser realizada com auxílio da colposcopia, em busca da área com padrão invasivo. Indica-se a conização naquelas em que o resultado é inconclusivo para a invasão.

DISSEMINAÇÃO TUMORAL

O padrão de disseminação inicial é por contigüidade, com extensão para a vagina e os paramétrios, alcançando, por meio destes últimos, a parede pélvica. Pode, ainda, invadir bexiga e, mais raramente, o reto.

A metástase linfática tem possibilidade de estar presente mesmo nas fases iniciais da doença invasiva (3%-8% nas com estádio 1 a 2).

As cadeias linfonodais mais comumente comprometidas são a hipogástrica, a obturatória e a ilíaca externa.

Os comprometimentos nodais secundários em ordem decrescente de freqüência são: ilíacos comuns, paraaórtico, sacral e glúteo, sendo o comprometimento dos linfonodos paraaórticos considerado como metástase a distância (estádio IVB).

No momento do diagnóstico, quando há lesão além do colo, a vagina encontra-se comprometida em 50% dos casos. O comprometimento endometrial está presente em 2-10% naquelas tratadas com cirurgia, não há mudança no estádio da doença e ainda são necessários mais estudos para afirmar se está relacionado com queda na sobrevida.

A metástase hematogênica é incomum, principalmente no ato do diagnóstico inicial. No entanto, quando ocorre, os pulmões, o fígado e os ossos são freqüentemente comprometidos. Metástases para intestino, supra-renais, baço e cérebro são extremamente raras.

ESTADIAMENTO

O estadiamento do câncer de colo uterino é clínico. A confirmação histológica com biópsia do colo é necessária. O estadiamento deve ser realizado antes de se iniciar a terapia definitiva.

Os achados subseqüentes não alteraram o estádio inicial, e, quando há dúvida, opta-se pelo menor estádio. (FIGO, 2000).

Basicamente, a avaliação estará completa com a realização de exame físico geral, exame ginecológico criterioso – o mais importante para o estadiamento – e exames complementares. O exame físico não só busca a doença francamente metastática (p. ex., linfadenomegalia supraclavicular, hepatomegalia), como também influencia na decisão terapêutica (p. ex., paciente idosa, com risco cirúrgico elevado, mesmo em estágios iniciais, podem ser tratadas exclusivamente com radioterapia).

Exames complementares:

- Hemograma completo
- Função renal
- Radiografias de tórax e ossos
- Urografia excretora
- Função hepática e marcadores de patologia obstrutiva – sendo estes mais importantes na triagem de metástase hepática

Outros exames são utilizados com o propósito de estabelecer o plano terapêutico e seguimento apropriados, não influenciando no estadiamento:

- Ultra-sonografia, incluída por muitos serviços na investigação inicial e no *follow-up*.
- Tomografia computadorizada (TC).
- Ressonância nuclear magnética (RNM).

As avaliações urológica (cistoscopia) e proctológica (retossigmoidoscopia) serão determinadas pela avaliação inicial da doença. São exames considerados como clínicos a histeroscopia e a conização do colo uterino. O estadiamento hoje adotado foi publicado em 1995 pela Federação Internacional de Ginecologia e Obstetrícia (FIGO), possuindo correspondência com o sistema recomendado pela International Union Against Cancer (LJICC) e American Joint Committee on Cancer Staging (AJCCS).

Estadiamento – FIGO

- 0 – Carcinoma *in situ*
- I – Carcinoma confinado ao colo uterino (desconsiderar a extensão para o corpo uterino)
  - IA – Invasão diagnosticada apenas na microscopia. Invasão estromal até 5 mm de profundidade a partir da base do epitélio e seu maior diâmetro menor que 7 mm

    Esse estádio se subdivide quanto a invasão em profundidade:
    - IA1 – Invasão estromal até 3 mm de profundidade
    - IA2 – Invasão estromal entre 3 e 5 mm
  - IB – Lesão visível ao exame, limitada ao colo ou maior que IA2 à microscopia

    Estádio subdividido de acordo com o tamanho da lesão:
    - IB1 – Lesão menor que 4 cm no seu maior diâmetro
    - IB2 – Lesão maior que 4 cm no seu maior diâmetro
- II – Tumor se estende além do útero, não atingindo a parede pélvica e o terço inferior da vagina
  - IIA – Tumor se extende ao terço superior da vagina. Não há comprometimento de paramétrio

- IIB – Há comprometimento parametrial evidente, uni ou bilateral, sem atingir a parede pélvica
- III – Tumor se estende até o terço inferior da vagina e/ou alcança a parede pélvica e/ou causa hidronefrose ou exclusão renal
  - IIIA – Invasão do terço inferior de vagina, sem extensão à parede pélvica
  - IIIB – Extensão tumoral até parede pélvica e/ou hidronefrose ou exclusão renal
- IV – Tumor se estende além da pelve verdadeira e/ou invade mucosa vesical ou do reto (não sendo o edema bolhoso suficiente para classificar desta forma)
  - IVA – Estende-se para além da pelve verdadeira e/ou invade mucosas vesical e/ou retal
  - IVB – Doença disseminada

O comprometimento do espaço linfovascular não altera o estadiamento.

O estadiamento clínico tem pouca acurácia em definir a extensão da doença, no entanto não há nenhum estudo que comprove aumento da sobrevida com a utilização do estadiamento cirúrgico. Essa discussão foi alvo de muitos trabalhos e mostrou que a discordância no estadiamento aumenta com o avançar da doença (17,3-38,5% para o estádio I e 42,9-89,5% para o III). A corcodância estaria em torno de 25-52%.

A maioria das pacientes é "superestadiada" cirurgicamente, comumente por mestástases ocultas, principalmente para linfonodos pélvicos e paraaórticos, e menos comumente para o paramétrio, peritônio e omento. Cerca de 14% das pacientes serão "subestadiadas", quase sempre por comprometimento concomitante com patologias benignas, como endometriose, doença inflamatória pélvica ou miomas.

FATORES PROGNÓSTICOS

O principal fator prognóstico para o câncer do colo uterino é o estádio no ato do diagnóstico, havendo um declínio importante da sobrevida relacionado com o aumento do estádio.

- Sobrevida em 5 anos: IA - 97%; IB - 70 a 8,5%; II - 60 a 70%; III - 30 a 45%; IV - 12 a 18%.

Estão inclusos fatores que, avaliados isoladamente, podem alterar a sobrevida: volume e extensão tumoral, invasão estromal e/ou de vasos sanguíneos e linfáticos.

Outros fatores são individualmente importantes:
- Tipo histológico
- Grau de diferenciação celular
- Comprometimento linfonodal
- Comprometimento angiolinfático

De acordo com o tipo histológico, 75% das neoplasias invasivas do colo são carcinoma de células escamosas.

Outros tipos que também podem ocorrer são: adenocarcinoma, carcinoma adenoescamoso, carcinoma indiferenciado carcinoma de pequenas células, carcinóide, sarcoma, linfoma, melanoma e tumor metastático.

A diferenciação celular também tem fator prognóstico:

- Tumor bem diferenciado ou grau 1 (G1)
- Tumor moderadamente diferenciado ou grau 2 (G2)
- Tumor indiferenciado ou grau 3 (G3)

De maneira isolada, a sobrevida em cinco anos está assim distribuída: G1 = 74,5%, G2 = 63,7% e G3 = 51,4%.

O comprometimento linfonodal é uma possibilidade mesmo nos estádios mais iniciais, sendo de 2,6% no IA1. Também têm importância o número e as cadeias comprometidas. O prognóstico é pior na bilateralidade, sendo que a sobrevida em cinco anos é de 59-70%, quando o comprometimento é unilateral, e de 22-40% quando bilateral.

De forma geral, na ausência de metástase linfonodal, a sobrevida em cinco anos é de 75,2%, caindo para 45,6 % quando há linfonodos pélvicos positivos, sendo a recorrência relacionada ao número de linfonodos comprometidos. Um linfonodo positivo tem taxa de recorrência de 35%, dois ou três têm taxa de 59% e acima disso 69%. O comprometimento de linfonodo paraaórtico leva a uma queda drástica na sobrevida para uma faixa de 15 a 45%.

Outros fatores foram pesquisados: idade (que sugeriu pior prognóstico para as pacientes mais jovens, entre 35 e 40 anos, em razão da maior prevalência de tumores com G3), anemia e trombocitose (maior incidência de recorrência e diminuição da resposta à quimioterapia) e comorbidades (hipertensão, diabetes e outras), porém são dados que necessitam maiores estudos.

TRATAMENTO

As modalidades de tratamento para o câncer do colo uterino envolvem cirurgia, radioterapia e/ou quimioterapia. A radioterapia é a modalidade mais amplamente utilizada, podendo ser usada em todos os estágios da doença. A cirurgia pode ser aplicada até o estádio IIA. Acima desse estádio, o tratamento cirúrgico não traz benefício na sobrevida, quando comparado com a radioterapia e, mais recentemente, com a quimiorradiação.

O tratamento cirúrgico é uma opção atrativa, particularmente para as pacientes mais jovens. Possibilita extensa exploração da cavidade abdominal, permitindo a avaliação de maior número de variáveis prognósticas e preservação da função ovariana.

A cirurgia básica é a descrita por Wherteim e modificada por Meigs, em 1944, geralmente praticada por laparotomia mediana, podendo, entretanto, ser realizada pelas incisões de Maylard ou Cherney.

Tabela 8.1
Classificação de Piver e Rutledge das histerectomias alargadas

Classe	Descrição	Indicação
I	Histerectomia extrafacial	CIN e câncer microinvasor
II	Exérese parcial de uterossacros e paramétrios e do terço superior da vagina	Câncer microinvasor e pós-radioterapia
III (Wherteim Meigs)	Exérese completa de paramétrios e uterossacros e do terço superior da vagina	Estádios IB e IIA inicial
IV	Extirpação ampla de tecido periuretral, artéria vesical superior e ¾ da vagina	Recidiva central anterior quando é possível conservar a bexiga
V	Extirpação do ureter distal e da bexiga e/ou do reto	Recidiva central com comprometimento anterior ou posterior

Existe uma subdivisão entre as cirurgias praticadas, estipuladas por Piver e Rutledge em 1974 (Tabela 8.1).

A morbimortalidade cirúrgica aumenta com a sua amplitude, desde o encurtamento vaginal, passando pela desnervação vesical (4%), linfocistos (3%), fístulas e tromboflebites (2%), complicações de parede e até morte, que, mesmo com todo o suporte e o arsenal medicamentoso atual, encontra-se em torno de 1%.

As cadeias linfonodais que com freqüência são comprometidas e, por esse motivo, devem ser abordadas no ato cirúrgico, são a hipogástrica, a ilíaca externa e a obturatória, bilateralmente.

Durante o ato cirúrgico, o achado de comprometimento paraaórtico evidente sugere a interrupção do procedimento, pois não há, na literatura, vantagem de amplas ressecções em relação à radioterapia e, atualmente, à quimiorradiação.

A radioterapia é modalidade importante de tratamento para o carcinoma invasivo cervical pela sua ampla aplicação em todos os estádios do carcinoma invasor, independentemente do estado clínico e das co-morbidades da paciente no momento do diagnóstico.

Em virtude de sua importância no tratamento do câncer do colo, permanece fonte de muitos estudos, buscando ampliação dos seus resultados, como na associação com derivados da platina, utilizados como um "sensibilizador" tumoral, que comprovou elevar a sobrevida livre de doença.

Existem vários esquemas de multidrogas em estudo, mas eles ainda requerem comprovação. Os protocolos atuais para os estádios 1B2, IIB-IVA são de tratamento inicial com quimiorradiação, associando a cisplatina (40mg/m² semanal) a uma dose de 5.040 cGy, dividida em doses diárias de 180-200 cGy, seguida de uma a três aplicações de braquiterapia na lesão (implantação de cápsulas radioativas enriquecidas com rádio-226; césio-137; irídio-192).

No estádio IVB, a radioterapia tem íntuito paliativo, não apresentndo melhor resposta na associação a quimioterápico.

As complicações mais comuns relacionadas à radioterapia ocorrem a longo prazo pelo comprometimento tecidual: estenose vaginal (30-60%), falência ovariana, fístulas (2%), cistite actínica (3%), proctite ou obstrução intestinal (3-4%). A principal complicação a curto prazo é a perfuração uterina.

A radioterapia está indicada em toda paciente com alto risco de doença recorrente: invasão paracervical, invasão cervical profunda ou margens cirúrgicas comprometidas.

A quimioterapia é indicada isoladamente nas pacientes com estádio IVB ou nas recidivas que não são candidatas à exenteração, sendo utilizada a cisplatina, com respostas completa de 24% e parcial em 16% das pacientes, porém com taxas de sobrevida ruins em curto prazo.

Atualmente, comprovou-se o grande benefício que esta traz associada à radioterapia, como um potencializador dessa última, tendo impacto na sobrevida a longo prazo, por aumentar a ação destrutiva da radiação nas áreas hipóxicas.

O tratamento do câncer de colo por estádios pode ser assim resumido:

- Carcinoma microinvasor
  - IA1 – A histerectomia do tipo I, sem linfadenectomia, é adequada para esse estádio. Com a cirurgia, a sobrevida em cinco anos é de cerca de 100%. Na ausência de invasão linfovascular, a incidência de metástase linfonodal regional é de 0,3%. A conização pode ser uma opção nas pacientes que desejarem ter filhos, desde que possuam margens cirúrgicas livres.

    O envolvimento linfovascular eleva o risco de envolvimento linfonodal para 2,6%, sendo indicação para histerectomia tipo I mais linfadenectomia. Se linfonodos suspeitos forem achados, dever-se-á optar pela histerectomia tipo II. As pacientes sem condições cirúrgicas são adequadamente tratadas com radioterapia e braquiterapia.

- IA2 – O carcinoma microinvasivo nesse estádio apresenta linfonodos positivos em 3,9 a 8,2% dos casos. O tratamento de escolha é a histerectomia do tipo II, associada à linfadenectomia. Para as pacientes sem prole constituída existe a opção de traquelectomia radical associada à linfadenectomia. O tratamento radioterápico garante os mesmos valores de sobrevida, porém com morbidade superior ao tratamento cirúrgico adequado.
- IB1, 1B2 e IIA – A cirurgia de Wherteim Meigs e/ou a radioterapia garantem bons níveis de sobrevida livre de doença, 85% para IB e 70% para IIA.

A condução do estádio IB2 deve ser individualizada, sendo uma possibilidade a quimiorradiação prévia (neoadjuvante) e histerectomia do tipo III, seis semanas após. Essa opção tem elevado a sobrevida em 2 a 3 anos. A sobrevida é de 73-82% nas lesões maiores que 4 cm, caindo para 66% nas maiores que 6 cm.

Para muitos grupos de estudo, a cirurgia teria benefícios nos estádios IB1 e IIA, sendo indicadas para o estádio IB2 a quimiorradiação e a braquiterapia, sem perda de sobrevida para este grupo. A radioterapia isolada tem uma taxa de falha de 17,5% em lesões acima de 6 cm.

A utilização de radioterapia adjuvante fica indicada naquelas em que o risco de doença residual e recidiva for elevado (p. ex., linfonodos positivos, volume do tumor, invasão linfovascular, entre outros).

- IIB, III e IV – Para os estádios avançados, o tratamento de escolha é quimiorradiação e braquiterapia.

A sobrevida a longo prazo nas pacientes tratadas com radioterapia exclusiva varia: 70% no estádio I; 60% no II; 45% no III e 18% no IV.

Estas taxas apresentam uma importante melhora com a utilização da quimiorradiação. O estádio IVB comumente é tratado por quimioterapia isolada ou quimiorradiação (sendo a radioterapia local com intuito de minimizar sintomas), mas o prognóstico é invariavelmente ruim, mesmo com as novas opções terapêuticas.

SEGUIMENTO

As recorrências surgem, na grande maioria dos casos, nos dois primeiros anos de seguimento, 50% no primeiro ano e mais de 80% até o segundo ano. Os tumores diagnosticados com menos de seis meses após terapêutica adequada inicial são considerados persistência tumoral. Por essa razão, as consultas devem ser trimestrais nos dois primeiros anos e semestrais nos próximos três anos.

Fazem parte do seguimento: exames físico geral e ginecológico (atentar para os focos de metástases, devendo biopsiar qualquer tumoração achada no exame), citologia oncótica (cervical ou vaginal), radiografia do tórax (anualmente), rotina laboratorial (semestralmente, composta por hemograma completo, função renal e ultra-som pélvico e abdominal).

Outros exames podem ser incluídos: função hepática (análise de patologia obstrutiva), tomografia computadorizada e ressonância nuclear magnética.

CONDIÇÕES ESPECIAIS

O tratamento da doença persistente ou recorrente, assim como a doença metastática, tem modesta resposta à monoquimioterapia. A fosfamida, o paclitaxel e o vinorelbine são opções à cisplatina. Há modesta melhora na sobrevida no uso de quimioterapia combinada, de 31% para 36%.

Estas respostas não são duradouras, com intervalo de progressão livre de doença de 4,6 e 4,8 meses, respectivamente.

Nos casos de recidiva pélvica isolada, após radioterapia ou cirurgia mais radioterapia, uma possibilidade terapêutica a ser considerada é a exenteração pélvica ou histerectomia tipo V, único tratamento potencialmente curativo. No entanto, apenas 25% das pacientes enquadradas nesse grupo serão beneficiadas pela cirurgia.

Há um pequeno grupo de pacientes portadoras de pequenos tumores centrais que podem ser adequadamente tratadas por exenteração pélvica. Esta é a mais extensa cirurgia ginecológica, sendo raramente realizada na atualidade, consistindo na ressecção da bexiga, do reto e da vagina, incluindo o útero e paramétrios nas que não foram previamente operadas.

No intuito de reduzir a morbidade cirúrgica foi considerada a possibilidade de exanteração pélvica anterior ou posterior, limitando a ressecção à bexiga ou ao retosigmóide, respectivamente.

Em virtude de dificuldade de uma avaliação acurada pré-operatória, apenas metade das pacientes submetidas à laparotomia no intuito de exanteração pélvica terão tumores realmente ressecáveis e/ou ausência de doença metastática.

A sobrevida em cinco anos apresenta taxas de 30-40%.

O câncer invasivo do colo durante a gestação é outra situação especial a ser considerada. Um achado colpocitológico alterado nesta fase é indicação absoluta de avaliação colposcópica para afastar doença invasiva, que encontra taxas de 0,05% nesse grupo.

O diagnóstico muitas vezes é difícil por se delegar à gestação os sangramentos que acometem a mulher nessa fase.

O parto por via vaginal fica proscrito na doença invasiva devido à possibilidade de sangramento abundante. O prognóstico da doença parece não se alterar com a gestação.

Devem-se avaliar a extensão da doença, a idade gestacional e o desejo materno.

A abordagem do câncer do colo uterino diagnosticado na gestação pode ser assim resumida, por estádios:

- IA1 – Aguarda-se o parto ou a vitalidade fetal com rigoroso controle. Após o parto, realiza-se terapêutica definitiva.
- IA2 a IIA – Diagnóstico prévio à maturidade fetal é indicativo de histerectomia tipo III mais linfadenectomia com útero cheio. No caso de feto viável, é realizada cesariana corporal, seguida de cirurgia de Wherteim Meigs.
- IIB a IV – Antes da viabilidade fetal é indicada radioterapia, podendo aguardar o aborto espontâneo ou realizar esvaziamento uterino, complementando o tratamento, posteriormente. Com a viabilidade fetal, impõe-se a cesariana corporal e, após quatro semanas, radioterapia. Pode ser utilizada quimioterapia neo-adjuvante visando a prevenir a progressão da doença até a viabilidade fetal.

Por fim, outro grupo que merece ser lembrado é aquele composto pelas pacientes histerectomizadas por patologia benigna.

Naquelas cujo achado é de carcinoma microinvasivo IA1, não há necessidade de complementação terapêutica. Pacientes com estádio de IA2 a IIA poderão ser beneficiadas pela parametrectomia, vaginectomia superior e linfadenectomia, principalmente nas mais jovens. As indicações e os protocolos de quimiorradiação são os mesmos que os das demais pacientes.

REFERÊNCIAS

DiSaia PJ, Creasman WT. *Clinical Gynecologic Oncology*. 5 ed., St. Louis: Mosby, 1997.

Lima GR *et al. Ginecologia Oncológica*. 1 ed., São Paulo: Ateneu, 1999.

Hoskins WJ *et al. Principles and Practice of Gynecologic Oncology*. 3 ed., Lippincott Williams & Wikins, 2000.

Rock JA, Thompson JD. *Te Linde´s Operative Gynecology*. 8 ed., Lippincott-Raven, 1997.

The complete Library of NCCN Clinical Practice Guidelines is Oncology, 2005. www.nccn.org

Instituto Nacional do Cancer – INCA MS. www.inca.gov.br

Capítulo 9

Diretrizes para Manuseio de Mulheres com Colpocitologia Alterada

Garibalde Mortoza Junior, Sonia Cristina Vidigal Borges e Jose Benedito Lira Neto

INTRODUÇÃO

A colpocitologia oncótica (citologia oncótica do colo uterino) tem por finalidade a pesquisa de alterações celulares relacionadas com os diversos tipos de cânceres cérvico-uterinos, em especial as lesões intra-epiteliais que os precedem. É uma metodologia de relativa simplicidade com relação à coleta das amostras e ao preparado (coloração) das lâminas, de pouca complexidade de leitura e interpretação destas e tem-se revelado grande arma de combate às neoplasias malignas do ponto de vista de prevenção e de diagnóstico precoce.

Mueller, em 1838, foi o primeiro a ver e descrever células tumorais em efusões corpóreas. Depois disso, em 1845, 1847, 1864 até 1912, diversos outros trabalhos descrevem células tumorais em vários órgãos humanos. Em 1908, Hitschmann e Adler descrevem a existência, na mulher, de um ciclo endometrial e supuseram que a vagina deveria reproduzir também modificações similares às dos animais de experimentação. Stockard e Papanicolaou, em 1917, descreveram a existência de um ciclo vaginal, histológico e citológico em cobaias. Dierks e Puccioni, em 1927, descreveram que a vagina da mulher apresenta modificações bem definidas em relação com o ciclo ovariano. Por fim, Papanicolaou, em 1933, estabeleceu as bases definitivas do citodiagnóstico hormonal em um completíssimo trabalho que pode ser considerado o ponto de partida desta especialidade. Em 1927, Babes apresentou, perante a Sociedade de Ginecologia de Bucareste, seus trabalhos a respeito do diagnóstico citológico no Trato Genital Feminino. Em 1928, Papanicolaou divulgou seu trabalho em Battle Creek, Michigan, com relação ao encontro de alterações celulares relacionadas ao câncer e pré-câncer cérvico-uterino. Entretanto, somente em 1943, com a publicação do Atlas de Papanicolaou e Traut, foi conseguido o impacto clínico

esperado, com progressiva e drástica redução do número de casos de neoplasias invasoras do colo uterino. Em 1954, Papanicolaou descreve alterações discarióticas em células escamosas do colo uterino e vagina, demonstrando sua capacidade em prognosticar lesões displásicas histologicamente. Apesar de Papanicolaou ter descrito "a cavitação perinuclear", foram Koss e colaboradores, em 1956, que descreveram essa alteração com o nome de "coilocitose". Em 1976, Meisels e Fortin e, em 1977, Purola e Savia associaram a coilocitose a efeitos citopáticos relacionados ao papilomavírus humano (HPV). As alterações citológicas relacionadas à neoplasia intra-epitelial e invasora do colo uterino tiveram a sua etiologia ligada a infecção pelo HPV por meio dos trabalhos de Bosch e colaboradores (1995), ao observarem que 99,8% de todos os carcinomas escamosos cervicais são HPV positivos.

Em meados da década de 1980 surgiu nos EUA uma nova metodologia de confecção de amostras obtidas da cérvice uterina para estudo citológico. O sistema automatizado de leitura de lâminas vinha apresentando freqüentes dificuldades com relação a esfregaços colhidos de forma convencional. A distribuição irregular da amostra, sobreposições celulares, obscurecimento inflamatório, dessecamento celular, entre outras situações, não raro promoviam a rejeição da leitura da lâmina. Para solucionar esse problema, idealizou-se a citologia em meio líquido (CML). A CML consiste na coleta de material citológico cérvico-vaginal com escova, introduzindo-se toda a amostra em uma solução aquosa alcoólica tamponada. O material coletado desta forma permite aproveitamento de 100% dos elementos celulares (comparado com apenas 10% a 20% na citologia de coleta convencional), tratamento do muco, sangue e excesso de polimorfonucleares. As células são depositadas por *imprint* ou sedimentação em lâmina tratada com adesivo químico ou eletrostático. O resultado final é o de uma lâmina com área circular altamente celular, em geral pequena, desprovida de muco e sobreposições celulares. Alguns métodos de CML permitem sedimentos em uma única camada celular. Apesar de ter sido criada para uso automatizado, a CML passou a ser utilizada para leitura óptica manual. Hoje existem vários sistemas de CML, alguns automatizados e outros de confecção manual. A CML permite considerável redução no percentual de lâminas com adequação limitada e insatisfatória, redução dos diagnósticos de ASCUS e AGUS e aumento considerável no diagnóstico das lesões intra-epiteliais escamosas.

Apesar de ser metodologia relativamente nova, a CML tem grande aceitação por parte da clínica ginecológica nos Estados Unidos da América do Norte, chegando a 65% dos exames de Papanicolaou processados naquele país, sendo que, em alguns serviços, já representam 90% dos exames colpocitológicos solicitados. No Brasil, há quatro anos a metodologia vem sendo divulgada e realizada por alguns laboratórios. Os métodos de citologia em meio líquido mais conhecidos no Brasil são o sistema Autocyte e o sistema DNA-Citoliq.

A base líquida, além de mostrar eficiência na preservação da amostra para confecção de preparados citológicos, também permite o seu uso na pesquisa biomolecular (captura híbrida e PCR).

Com relação à extensão do material fixado na lâmina, o sistema Autocyte promove área circular de 1,3 cm de diâmetro e o sistema DNA-Citoliq uma área de 2,5 cm.

Por fim, indubitavelmente, a CML apresenta uma série de vantagens em relação ao esfregaço convencional, como a possibilidade de preparo de mais lâminas do mesmo caso sem a necessidade de coleta de um novo material, e a obtenção de amostras de fundo mais limpo (sem muco, sangue, sobreposições ou número elevado de leucócitos). Há redução dos custos pela diminuição do número de amostras insatisfatórias, bem como do de amostras satisfatórias com fatores limitantes, não havendo necessidade de recoleta. Outro aspecto inovador está relacionado ao tempo de leitura das lâminas por essa metodologia. O tempo gasto para leitura de um esfregaço convencional equivale àquele para a leitura de até três lâminas com a metodologia de CML Autocyte, o que representa ganhos substanciais ao patologista. Assim, avaliações preliminares mostram resultados de excelente qualidade técnica na CML sobre o exame convencional. (Ver atlas de citologia em meio líquido na Parte A do Capítulo 1.)

Tanto a citologia convencional quanto a citologia em meio líquido apresentam limitações. Os exames falso-negativos podem ser observados em até 25% dos casos e a possibilidade de falso-positivos (menos de 4%) mostram uma evidente limitação de teor método. Portanto, o exame de Papanicolaou, como um exame limitado, é método de *screening* e deve sempre ser acompanhado de colpos-

copia, tornando necessário a confirmação pela histologia das alterações daquele exame. Assim, nenhum exame colpocitológico alterado pode indicar conduta radical, necessitando sempre de confirmação pela histopatologia.

Os principais fatores limitantes da citologia são: lesões pequenas, localizações inacessíveis, presença de poucas células anormais, presença de células inflamatórias e/ou sanguíneas.

Como melhorar a qualidade da amostra cervical nos esfregaços de Papanicolaou ou na citologia em meio líquido:

- Não colher no período menstrual.
- Não usar duchas 48 horas antes.
- Evitar relações sexuais 48 horas antes.
- Não usar medicamentos intravaginal 48 horas antes.
- Atrofia epitelial acentuada e processos inflamatórios intensos prejudicam a qualidade da amostra.

CLASSIFICAÇÕES CITOLÓGICAS

1. Classificação de Papanicolaou

A classificação de Papanicolaou, de 1943, parece ter sido claramente mudada. Inicialmente, sua classificação considerava cinco rubricas, descritas em algarismos romanos:

- Classe I – Negativo para células neoplásicas. Ausência de anormalidades citológicas.
- Classe II – Atípico, mas sem células neoplásicas. Incluíam-se alterações inflamatórias, metaplasia escamosa, efeitos citopáticos e displasias leve, moderada e acentuada.
- Classe III – Citologia suspeita de malignidade. Incluíam-se todas as atipias com critérios morfológicos de malignidade, porém insuficientes para diagnóstico seguro.
- Classe IV – Citologia fortemente sugestiva de malignidade. Nesta rubrica incluíam-se um baixo número de células malignas ou casos de carcinoma de células escamosas *in situ*.
- Classe V – Citologia positiva para malignidade.

No final dos anos 1970, início dos 1980, surgiu uma variante dessa classificação, em especial com relação às rubricas II e III.

- Classe II – Citologia relacionada a processos reacionais e inflamatórios, apenas.
- Classe IIIa – Citologia compatível com neoplasia intra-epitelial cervical grau I (CIN 1).
- Classe IIIb – Citologia compatível com neoplasia intra-epitelial cervical grau II (CIN 2).
- Classe IIIc – Citologia compatível com neoplasia intra-epitelial cervical grau III (CIN 3).
- Classe IIId – Citologia suspeita de malignidade.

2. Classificação da OMS/OPAS

Nos anos 1970 a OMS/OPAS publicou, na série dos "livros azuis", uma classificação cito-histológica meramente descritiva. Tornou-se uma classificação problemática, haja vista a impossibilidade de um exame citológico afirmar padrões morfológicos exclusivos da histopatologia, e rapidamente entrou em desuso.

3. Sistema Bethesda de Classificação Citológica

Em 1988 um seminário do Instituto Nacional de Câncer realizado em Bethesda, Maryland, EUA, resultou no desenvolvimento de um sistema de classificação citológica (Sistema de Bethesda). Nesse sistema de classificação as amostras são avaliadas quanto à qualidade do esfregaço (Satisfatório, Insatisfatório e Satisfatório mas limitado) e quanto à presença ou não de atipia citológica (em células escamosas e em células glandulares). Foram também introduzido alguns conceitos novos de diagnóstico de atipias celulares que incluíam não só as alterações morfológicas mas também uma sugestão de prognóstico das mesmas (lesões de baixo e alto graus). A descrição para o carcinoma de células escamosas invasor, nessa classificação, perde a qualificação dos tipos histológicos. Outra inovação citológica são as atipias celulares (escamosas e glandulares) de significado indeterminado, haja vista as dificuldades morfológicas de estabelecer-se lesões limítrofes entre o inflamatório e o neoplásico. Estabelece quais os microorganismos consensualmente diagnosticados pelo método e exclui o diagnóstico funcional em amostras obtidas de ectocérvice com finalidade oncótica. Essa classificação inicial de 1988 foi reavaliada em 1991 e, posteriormente, em 2001, estando descrita a seguir.

I. Adequação da amostra:
- Amostra satisfatória para avaliação
- Amostra insatisfatória para avaliação
  - Ausência de identificação
  - Componente epitelial insuficiente
  - Presença de sangue, inflamação, áreas densas, fixação deficiente (> 75% dos campos microscópicos)

Nota explicativa: amostra satisfatória apresenta boa representatividade celular (celularidade em citologia convencional: 8 a 12 mil células. Celularidade em citologia em base líquida > 5 mil), presença de células endocervicais e/ou células de metaplasia escamosa, sendo aceitável certo grau de dessecamento, inflamação, presença de sangue e sobreposição celulares desde que seja inferior a 50-75% dos campos microscópicos. O item "satisfatório mas limitado por" foi abolido pela baixa taxa de aceitação, e ausência de difereças estatisticamente significativas no en-contro de atipia citológica quando comparada a amostras "satisfatórias". Qualquer espécime com células anormais é, por definição, satisfatório para avaliação.

II. Diagnóstico geral:
- Negativo para lesões intra-epiteliais e malignidade.

    Nota explicativa: neste item estão incluídos os itens anteriormente descritos como "dentro dos limites da normalidade" e "alterações celulares benignas" (inflamação, atrofia com ou sem inflamação, associadas com radiação, associadas com DIU).
- Anormalidades em células epiteliais:

A. Em células escamosas
1. ASC (*Atypical Squamous Cells*) – Células escamosas atípicas de significado indeterminado. Subdividido em ASC-US (significado indeterminado sem outras especificações, pode incluir alterações reacionais e no máximo CIN 1), ASC-H (provável neoplasia)
2. LSIL (*Low grade Squamous intraepitelial lesions* = Lesões intra-epiteliais escamosas de baixo grau): estão incluídos condilomas, efeito citopático por HPV, CIN 1.
3. HSIL (*High grade Squamous intraepitelial lesions* = Lesões intra-epiteliais escamosa de alto grau): inclui neoplasia intra-epitelial cervical graus 2 e 3.
4. HSIL (*High grade Squamous intraepitelial lesions* = Lesões intra-epiteliais escamosa de alto grau), não se podendo excluir invasão: inclui os casos com CIN 3 e áreas focais, no esfregaço, contendo hemácias degeneradas, restos celulares em meio a células atípicas mais pleomórficas.
5. Carcinoma de células escamosas. Implica em estado invasor.

B. Em células glandulares:
1. Células endometriais, benignas fora do período menstrual em mulheres com mais de 40 anos e na menopausa.
2. AGUS: Células glandulares atípicas (endocervicais/endometriais/outras.

    Com subdivisão em (1) provavelmente não neoplásico e (2) provavelmente neoplásico.
    Lembrete – Possíveis causas de AGUS:
    - Pólipo endocervical ou endometrial.
    - Deciduose.
    - Reação de Arias-Stella.
    - Hiperplasia microglandular endocervical.
    - Metaplasia tubária.
    - Alterações reacionais no uso de DIU.
    - Infecção clamidial.
3. Adenocarcinoma endocervical
4. Adenocarcinoma endometrial e extra-uterino

III. Infecção: *Candida* spp., *Trichomonas vaginalis, Gardnerella vaginalis* (distúrbio da flora compatível com bacteriose vaginal), *Leptothrix, Actinomyces,* herpes.
Nota explicativa: é excluído o diagnóstico de clamídia, haja vista um alto índice de falso-positivo.

4. Nomenclatura Brasileira para Laudos Citopatológicos Cervicais

Com a atualização do Sistema de Bethesda em 2001 e considerando a necessidade de incorporar as novas tecnologias e conhecimentos clínicos, morfológicos e moleculares, o Instituto Nacional de Câncer e a Sociedade Brasileira de Citopatologia promoveram o "Seminário para discussão da nomenclatura brasileira de laudos de exames citopatológicos – CITO 2001". Com o apoio da Sociedade Brasileira de Patologia, Sociedade Brasileira de Patologia do Trato Genital Inferior e Colposcopia e FEBRASGO, foi elaborada uma proposta de nomenclatura, amplamente divulgada por correio e internet, estimulando-se contribuições e sugestões. Em um segundo encontro, ocorrido em agosto de 2002, representantes da Sociedade Brasileira de Citopatologia, Sociedade Brasileira de Patologia, Sociedade Brasileira de Patologia do Trato Genital Inferior e Colposcopia, Secretarias Estaduais de Saúde, IBCC, Hospital A.C. Camargo, INCA, UNICAMP, ANVISA, Núcleo Estadual Rio de Janeiro do Ministério da Saúde e Sociedade de Ginecologia e Obstetrícia do Rio de Janeiro aprovaram a nova nomenclatura brasileira para laudo dos exames citopatológicos.

Assim, a nomenclatura brasileira para laudos citopatológicos cervicais – 2002 contempla aspectos de atualidade tecnológica, e sua similaridade com o Sistema Bethesda – 2001 facilita a equiparação de resultados nacionais com aqueles encontrados nas publicações científicas internacionais. São introduzidos novos conceitos estruturais e morfológicos, o que contribui para o melhor desempenho laboratorial e serve como facilitador da relação entre a citologia e a clínica. Sua estrutura geral facilita a informatização dos laudos, o que permite a monitorização da qualidade dos exames citopatológicos realizados no Sistema Único de Saúde. Além disso, a anuência das sociedades científicas envolvidas com a confirmação diagnóstica e o tratamento das lesões torna possível o estabelecimento de diretrizes para as condutas terapêuticas.

Nomenclatura Brasileira

I. Tipo da amostra:
Citologia: ❑ Convencional ❑ Em meio líquido
Nota explicativa: com a introdução da citologia em meio líquido é indispensável que seja informada a forma de preparado, uma vez que a adequacidade do material é avaliada de forma diversa para cada meio.

II. Avaliação pré-analítica:
- Ausência ou erro de identificação da lâmina e/ou do frasco
- Identificação da lâmina e/ou do frasco não coincidente com a do formulário
- Lâmina danificada ou ausente
- Causas alheias ao laboratório (especificar);
- Outras causas (especificar)

III. Adequabilidade da amostra:
- Satistatória
- Insatisfatória para avaliação oncótica devido ao:
- Material acelular ou hipocelular (< 10% do esfregaço)
- Leitura prejudicada (> 75% do esfregaço) por presença de:
  - sangue
  - piócitos
  - artefatos de dessecamento
  - contaminantes externos
  - intensa superposição celular
  - outros (especificar)
- Epitélios representados na amostra:
  - Escamoso
  - Glandular
  - Metaplásico

Nota explicativa: deve-se considerar *satisfatória* a amostra que apresente células em quantidade representativa, bem distribuídas, fixadas e coradas, de tal modo que sua visualização permita uma conclusão diagnóstica, levando-se em consideração as condições próprias de cada uma (idade, estado menstrual, limitações anatômicas, objetivo do exame). *Insatisfatória* é a amostra cuja leitura esteja prejudicada pelas razões anteriormente expostas, todas de natureza técnica e não de amostragem celular.

IV. Diagnóstico descritivo:
- Dentro dos limites da normalidade, no material examinado
- Alterações celulares benignas
- Atipias celulares

Nota explicativa: a expressão "no material examinado" visa estabelecer, de forma clara e inequívoca, o aspecto do momento do exame, significando que naquela amostra não foram observadas atipias celulares (neoplasia intra-epitelial e malignidade).

- Alterações celulares benignas:
  - Inflamação
  - Reparação
  - Metaplasia escamosa imatura
  - Atrofia com inflamação
  - Radiação (especificar)

Nota explicativa: a introdução da palavra "imatura" em metaplasia escamosa, buscando caracterizar que é esta a apresentação que deve ser considerada alteração. A metaplasia escamosa madura não deve ser considerada "inflamação".

- Atipias celulares:
  Células atípicas de significado indeterminado:
  - Escamosas:
    - Possivelmente não neoplásicas
    - Não se pode afastar lesão intra-epitelial de alto grau
  - Glandulares:
    - Possivelmente não-neoplásicas
    - Não se pode afastar lesão intra-epitelial de alto grau
  - De origem indefinida:
    - Possivelmente não-neoplásicas
    - Não se pode afastar lesão intra-epitelial de alto grau

Nota explicativa: a categoria "de origem indefinida" corresponde àquelas situações em que não se pode estabelecer com clareza a origem da célula atípica.

A. Em células escamosas:
- Lesão intra-epitelial de baixo grau (compreendendo efeito citopático pelo HPV e neoplasia intra-epitelial cervical grau 1).
- Lesão intra-epitelial de alto grau (compreendendo neoplasias intra-epiteliais cervicais graus 2 e 3).
- Lesão intra-epitelial de alto grau, não podendo excluir microinvasão.
- Carcinoma de células escamosas invasor.

Nota explicativa: a terminologia "lesão intra-epitelial" substitui o termo neoplasia e displasia, estabelecendo dois níveis (baixo e alto graus), separando as lesões com potencial morfológico de progressão para neoplasia daquelas mais relacionadas com o efeito citopático viral, com potencial regressivo ou de persistência.

B. Em células glandulares:
- Adenocarcinoma *in situ*
- Adenocarcinoma invasor:
  - Cervical
  - Endometrial
  - Sem outras especificações
- Outras neoplasias malignas
- Presença de células endometriais (na pós-menopausa ou acima de 40 anos, fora do período menstrual).

Nota explicativa: o item "sem outras especificações" refere-se exclusivamente a adenocarcinomas de origem uterina. Os achados de células endometriais nos primeiros 12 dias do ciclo menstrual é considerado normal.

Essas células têm significado apenas quando observadas além desse período acima de 40 anos ou menopausadas.

V. Microbiologia:
- *Lactobacillus* sp.
- Bacilos supracitoplasmáticos (sugestivos de *Gardnerella/Mobiluncus*).
- Outros bacilos
- Cocos
- *Candida* sp.
- *Trichomonas vaginalis*
- Sugestivo de *Chlamydia* sp.
- *Actinomyces* sp.
- Efeito citopático compatível com vírus do grupo Herpes.
- Outros (especificar).

Nota explicativa: foram mantidas as informações de clamídia, cocos e bacilos por ser considerada a oportunidade, por vezes única, em um país continental e com grandes dificuldades geográficas e econômicas, de estabelecer uma terapêutica antimicrobiana baseada exclusivamente no exame preventivo.

PROTOCOLO DE CONDUTAS NAS CITOLOGIAS ALTERADAS

Rastreamento

Início

Três anos após o início da vida sexual. É possível iniciar mais tarde em mulheres com menos de 21 anos de idade. As evidências mostram baixo risco para CIN nos três primeiros anos de exposição ao HPV e existe possibilidade de sobretratamento quando realizado antes. Desnecessário realizar rastreamento quando ainda não iniciou vida sexual ativa completa.[2]

Importante Salientar Alguns Dados

- A regressão de LSIL em adolescentes é mais freqüentes que em mulheres adultas (13 a 21 anos: 90%; acima de 21 anos: 50-80%). Em mulheres jovens com LSIL, encontra-se HPV de alto risco em 81%, sendo que cerca de 3% delas irão progredir para HSIL em três anos. Em adolescente com citologia de LSIL, somente 1,7% terá um diagnóstico histológico de HSIL.[3]
- O tempo de progressão de CIN 2 para Ca *in situ* ou invasor: em mulheres com idade inferior a 25 anos é de 54 a 60 meses; idade entre 26 e 50 anos, de 41 a 42 meses, e idade superior a 51 anos, de 70 a 80 meses.[4]

Quando Interromper

Em mulheres de idade superior a 70, com colos uterinos normais com três ou mais citologias satisfatórias sem alterações ou com citologias sem alterações nos últimos 10 anos. Deve-se manter em mulheres que nunca fizeram citologia; mulheres com passado de neoplasia cervical; mulheres com história de exposição ao DES; e mulheres imunocomprometidas.[5,6]

Em mulheres histerectomizadas não está indicada continuação do rastreamento em casos de doenças benignas do útero. Deve-se manter em mulheres submetidas à histerectomia subtotal. Quando não foi possível descartar a possibilidade de CIN previamente: realizar três rastreamentos consecutivos – interromper se normais sem história prévia de citologias alteradas nos últimos 10 anos. Mulheres submetidas à histerectomia por CIN 2/3: citologias a cada 4-6 meses; com três citologias consecutivas normais e satisfatórias, desde que com citologias negativas, 18 a 24 meses após a cirurgia, é possível interromper o rastreamento.

Um estudo de coorte de 5.862 coletas vaginais após histerectomias por doenças benignas mostrou 79 mulheres (1,1%) com células anormais, com tempo médio de seguimento de 19 anos, tendo um valor preditivo positivo igual a zero. Em outro estudo retrospectivo de 10 anos, com 697 mulheres histerectomizadas por doenças benignas, obtendo 663 citologias vaginais, encontrou-se 1 (0,29%) caso de VAIN. Outro estudo com 44 mulheres histerectomizadas por CIN 2/3, foram encontrados dois (4,5%) casos de VAIN II.

Intervalo de Coleta

As evidências mostram que o risco absoluto de câncer invasor, com acompanhamento realizado a cada três anos, com três ou mais citologias sem alterações, é de 5/100.000 mulheres/ano.[7-9]

A coleta citológica para rastreamento pode ser anual, quando se usa a citologia convencional de Papanicolaou e, a cada dois anos, quando se realiza citologia em base líquida. Mulheres após os 30 anos, apresentando três citologias normais e satisfatórias, anuais ou bianuais, podem ser rastreadas a cada 2/3 anos, exceto nas expostas ao DES, nas HIV positivas e nas imunossuprimidas. Não existem dados suficientes quanto ao benefício de aumentar a freqüência do rastreamento nas fumantes acima de 30 anos de idade.[10]

Protocolo

As recomendações desse protocolo seguem o grau de evidência científica, conforme a seguir:

- Classe A: *trial* controlados, randomizados
- Classe B: estudo prospectivo de coorte; estudo de caso-controle englobado dentro de estudo prospectivo de coorte

- Classe C: *trial* não randomizado com controle histórico ou concorrente; estudo caso-controle (exceto o referido acima); estudo restrospectivo de coorte; estudo de sensibilidade e especificidade de um teste de diagnóstico; estudo descritivo base populacional
- Classe D: estudo transversal; série de casos; relato de caso
- Grau de evidência 1: forte evidência
- Grau de evidência 2: evidência limitada
- Grau de evidência 3: sem evidência/exclusão

I. ASCUS (*atypical squamous cells of undetermined significance* = células escamosas atípicas de significado indeterminado). São anormalidades, em células epiteliais escamosas, mais severas do que modificações inflamatórias e/ou regenerativas, porém menos do que necessárias para um definitivo diagnóstico de lesão intra-epitelial escamosa. A reprodutibilidade de diagnósticos de ASCUS interobservadores é baixa. Cerca de 30% das mulheres com câncer invasivo do colo uterino apresentaram esfregaços com ASCUS. Neoplasia intra-epitelial pode ser observada em até 36,3%.[1] Bethesda – revisão 2001: substituiu ASCUS por ASC (*atypical squamous cells*), com dicotomização em ASC-US e ASC-H.

Uma mulher com diagnóstico citológico de ASC tem uma chance de 5% a 17% de apresentar CIN 2 ou CIN 3, confirmado por biópsia. Se o diagnóstico é de ASC-H, essa probabilidade varia de 24% a 94%.[11-13]

1. ASC-US. Inclui alterações sugestivas mas não definitivas para, no máximo, lesão de baixo grau.
   - Associado a processo inflamatório e/ou atrofia: corrigir as alterações – repetir a citologia quatro semanas após.
   - Sem processo inflamatório e/ou atrofia: encaminhar para a colposcopia.
   - Colposcopia anormal – biopsiar.
   - Colposcopia, com vaginoscopia, sem achados anormais – solicitar revisão de lâmina:
     a. Revisão mantendo o diagnóstico
        a.1. realizar biologia molecular (BM) quando disponível:
        - BM (+) para vírus de alto risco: repetir citologia e colposcopia a cada seis meses, dois controles subseqüentes negativos – controle habitual.
        - BM (+) para vírus de baixo risco ou (–): controle habitual.
        a.2. citologia e colposcopia a cada seis meses (quando biologia molecular não disponível). Dois controles subseqüentes negativos: controle habitual
     b. Revisão mostra citologia sem alterações: controle habitual.
        Observação: (grau de evidência A.1).

2. ASC-H. Inclui alterações sugestivas mas não conclusivas para lesão de alto grau (HSIL).

- Associado a processo inflamatório e/ou atrofia: corrigir as alterações – repetir a citologia quatro semanas após. (Nada refere com relação ao manuseio baseando-se em captura híbrida positiva ou negativa.) Sobre o uso de captura híbrida: "Os dados atuais indicam que os testes para DNA de HPV podem ser úteis para a triagem de mulheres que têm um diagnóstico de ASCUS.[14] A análise de efetividade de custo do teste de HPV para triagem deste grupo paciente está ainda sendo avaliada e inclui comparações relativas a *follow-up* com repetição da citologia. Os dados mais limitados sugerem uma possível utilidade do teste de DNA- HPV em múltiplas outras situações clínicas, inclusive o manuseio de mulheres que têm um diagnóstico de AGUS,[15] *screening* primário em mulheres mais velhas; garantia de qualidade da citologia; monitorização pós-tratamento de cura/recorrência etc. Estudos adicionais são necessários para investigar-se a utilidade dos testes de DNA-HPV nestes argumentos. O teste de HPV mostrou ser de pouca utilidade na triagem de mulheres que têm LSIL[16] ou diagnóstico de HSIL. No entanto, o teste de HPV em mulheres que têm LSIL ou HSIL podem ser defendidos em circunstâncias individuais (por exemplo, uma mulher que tem HSIL e biópsias negativas). Dados atuais mostram que o *screening* para HPV de baixo risco não tem nenhuma utilidade.

  Portanto, considerando-se os dados atuais, a recomendação clínica do uso de testes de DNA-HPV devem estar limitadas a mulheres com diagnóstico de ASCUS."
- Sem processo inflamatório e/ou atrofia: encaminhar para a colposcopia (grau de evidência A.2)
  - Colposcopia anormal - biopsiar
  - Colposcopia, com vaginoscopia, sem achados anormais - solicitar revisão de lâmina (grau de evidência C.3).
  - a. Revisão mantendo o diagnóstico
    - a.1. realizar biologia molecular (quando disponível)
      - BM (+) para vírus alto risco repetir citologia e colposcopia em três a seis meses.
      - BM (+) para vírus de baixo risco ou (–) repetir citologia e colposcopia seis a doze meses.
    - a.2. revisão mostra citologia sem alterações: repetir citologia em 6 meses

  - b. Revisão mostra citologia sem anormalidades: repetir citologia três a seis meses (biologia molecular não disponível)
  - Colposcopia insatisfatória - JEC não visualizada
  - a. Revisão mantendo o diagnóstico - realizar biologia molecular
    - BM (+) para vírus alto risco repetir citologia e colposcopia em três a seis meses.
    - BM (+) para vírus de baixo risco ou (–) repetir citologia e colposcopia 6 a 12 meses.

II. AGUS (*atypical glandular cells of undetermined significance*) = células glandulares atípicas de significado indeterminado). Compreendem espectro morfológico que vai da possibilidade de um processo reativo benigno até o adenocarcinoma *in situ*. Condições benignas tais como endometriose cervical, deciduose, metaplasia tubária, ductos de Gartner, hiperplasia microglandular endocervical, pólipo endocervical e endometrial, reação de Arias-Stella e infecção clamidial podem ser causas de dificuldades diagnósticas. Segundo a revisão Bethesda 2001, deve ser excluído o "favorável a reacional", permanecendo apenas o AGUS, favorecendo neoplasia. É importante relacionar no laudo citológico se a AGUS é em células endocervicais ou em células endometriais ou em "outros" (origem tubária, ovariana etc.), para que a propedêutica seja direcionada. Pacientes com AGUS apresentam significantes achados histológicos (patológicos) em até 45% dos casos, segundo a literatura. O acompanhamento dessas lesões mostram uma alta incidência de lesões malignas e pré-malignas. A revisão de Bethesda 2001 não indica uso de biologia molecular.

A conduta consiste em fazer revisão de lâmina sempre.[17]

1. Endocervical.

- Associada a processo inflamatório e/ou atrofia – tratar e repetir em 45 dias
- Associado a DIU: retirar o DIU e repetir em 45 dias
- Manutenção do diagnóstico: encaminhar para colposcopia
  - Colposcopia com JEC e canal bem visualizado
  - a. Sem anormalidade: escovado de canal ou curetagem de canal
    - a.1. curetagem com diagnóstico de neoplasia intra-epitelial: cone clássico
    - a.2. com resultado negativo para neoplasia: repetir citologia e colposcopia em três meses
      - a.2.1. negativos: quatro resultados trimestrais subseqüentes negativos passar a controle habitual

a.2.2. qualquer resultado positivo: cone clássico[14]

b. Alterada: biopsiar

– Colposcopia insatisfatória

a. escova ou curetagem de canal

a.1. diagnóstico de neoplasia intra-epitelial: cone clássico

a.2. esultado negativo para neoplasia: repetir citologia e colposcopia em três meses

a.2.1. negativos: quatro resultados trimestrais subseqüentes negativos passar a controle habitual

a.2.2. qualquer resultado positivo: cone clássico

2. Endometrial. Propedêutica da cavidade endometrial (ultra-sonografia – histeroscopia – curetagem uterina).

3. Outros mesmo esquema para os casos anteriores. Presença de células endometriais fora do período menstrual (a presença de células endometriais em esfregaços cérvico-vaginais é considerada achado anormal após o 12º dia do ciclo em mulheres acima de 40 anos de idade e achado anormal no pós-menopausa sem TRH): propedêutica da cavidade endometrial (ultra-sonografia – histeroscopia – curetagem uterina)[18].

III. LSIL (*low grade squamous intraepitelial lesions*) = Lesões intra-epiteliais escamosas de baixo grau)

Compreende um grupo de lesões escamosas com baixo índice de progressão para o carcinoma invasor e considerável grau de regressão espontânea. São consideradas lesões de baixo grau a neoplasia intra-epitelial cervical grau 1 (CIN 1), o efeito citopático HPV-induzido e o condiloma virótico exofítico e variantes. São lesões determinadas pelos papilomavírus humano (HPV) de baixo e alto risco. HPV de alto risco (16, 18, 56 etc.) pode ser encontrado em até 86% dessas lesões, mesmo assim, apresenta alto índice de regressão espontânea.[19]

- associado a processo inflamatório e/ou atrofia: corrigir as alterações – repetir a citologia quatro semanas após
- sem processo inflamatório e/ou atrofia: encaminhar para a colposcopia

a. Colposcopia anormal – biopsiar

a.1. biópsia mostrando LSIL

– Lesão na ectocérvice: acompanhar ou tratar com métodos destrutivos

– Lesão adentrando o canal:

- limite endocervical visível: acompanhar ou fazer excisão ampla da ZT com CAF.
- limite endocervical não visualizado: excisão ampla da ZT com CAF.

a.2. biópsia mostrando HSIL (vide conduta item VI)

b. Colposcopia, com vaginoscopia, sem achados anormais – solicitar revisão de lâmina

b.1. Mantém diagnóstico: controle semestral

b.2. Sem alterações: controle habitual

c. Colposcopia insatisfatória sem anormalidades visíveis: repetir citologia e colposcopia 3-6 meses.[20]

IV. HSIL (*high grade squamous intraepitelial lesion* = Lesão intra-epitelial escamosa de alto grau)

São lesões de maior probabilidade evolutiva para a neoplasia invasora, sendo, portanto, verdadeiros precursores do câncer do colo uterino, apresentando menores taxas de regressão espontânea. Estão incluídos as neoplasias intra-epiteliais cervicais graus 2 e 3 (displasia acentuada/carcinoma *in situ*). São determinadas por papilomavírus humano de alto risco (16, 18, 56 etc.).

- associado a processo inflamatório e/ou atrofia: corrigir as alterações – repetir a citologia quatro semanas após
- sem processo inflamatório e/ou atrofia: encaminhar para a colposcopia

a. Colposcopia anormal – biopsiar

a.1. biópsia mostrando LSIL – rever citologia/ colposcopia e anatomopatológico

– Revisão da citologia mostra LSIL: conduta item III

– Revisão da citologia mantém diagnóstico de HSIL – procedimento excisional com CAF.

a.2. biópsia mostrando HSIL: cirurgia de alta freqüência

b. Colposcopia, com vaginoscopia, sem achados anormais – revisão de lâmina

- Mantém diagnóstico: realizar cone clássico ou por CAF.
- Sem alterações: controle habitual.

c. Colposcopia insatisfatória: revisão de lâmina

- Confirmado diagnóstico: realizar cone clássico.
- Citologia sem anormalidades: controle habitual.

Exame da peça confirma HSIL, ou menor, com margens livres ou comprometidas: controle com citologia e colposcopia com intervalo de três a seis meses por dois anos; controle habitual após.

Exame da peça mostra invasão: estadiar.

REFERÊNCIAS

1. Lachman & Cavallo-Calvanese. *Am J Obstet Gynecol* 1998.
2. Fink DJ. Change in American Cancer Society Checkup Guidelines for detection of cervical cancer. *CA Cancer J Clin* 1988; *38*:127-8.

3. Moscicky AB, Hills N, Shiboski S. High regression rate of LSIL in adolescents. Abstract. Pediatric, Academic Society Annual Meeting, Baltimore MD (5/4-5/7-02).

4. Nasiell,K, Nasiell M, Vaclavinkova V. Behavior of moderate cervical dysplasia during long-term follow-up. *Obstet Gynecol* 1983; *61*:609-64.

5. Van Wijngaarden WJ. Duncan IF. Rationale for stopping cervical screening in women over 50. *BR Med J* 1993; *306*:967-71.

6. Sawaya GF, Grady D, Kerlikowske K *et al.* The positive predictive value of cervical smears in previously screened postmenopausal women: The Hart and Estrogen/rogestin Replacement. Study (HERS). *Ann Intern Med* 2000; *133*:942-50.

7. Pearce KF, Haefner HK, Sarwat SF *et al.* Cytopathological findings on vaginal Papanicolaou smears after hysterectomy for benign gynecologic disease. *N Engl J Med* 1996; *335*: 1559-62.

8. Piscitelli JT, Bastian LA, Wilkes A *et al.* Cytologic screening after hysterectomy for benign disease. *Am J Obstet Gynecol* 1995; *173*:424-30; discussion 430-2.

9. Videlesfsky A, Grossl N, Denniston M *et al.* Routine vaginal cuff smear testing in post-hysterectomy patientes with benign uterine conditions: When is it indicated? *J Am Board Fam Pract* 2000; *13*:233-8.

10. Frame PS, Frame JS. Determinants of cancer screening frequency: The example of screening for cervical cancer. *J Am Board Fam Pract* 1998; *11*: 87-95.

11. Wright TC Jr, Lorincz A, Ferris DG *et al.* Reflex human papillomavirus deoxyribonucleic acid testing in women with abnormal Papanicolaou smears. *Am J Obstet Gynecol.* 1998; *178*: 962-6.

12. Solomon D, Schiffman M, Tarrone R. Comparison of three management strategies for patients with atypical squamous cells of undetermined significance. *J Natl Cancer Inst.* 2001; *93*:293-9.

13. Quddus MR, Sung CJ, Steinhoff MM, Lauchlan SC, Singer DB, Hutchinson ML. Atypical squamous metaplastic cells. *Cancer* 2001; *93*:16-22.

14. Solomon DJ Câncer de Natl Inst 2001;93:293-9, Bergeron C. *Obstet Gynecol* 2000; *95*:821-7, (15) 15. Manos MM. *JAMA* 1999; *281*:1605-10).

15. Ronnett BM. *Zumba Pathol* 1999; *30*:816-825.

16. ALTS Group. *J Natl Câncer Inst* 2000; *92*:397-402.

17. Stoler MH, Schiffman M. Interobserver reproductibility of cervical cytologic and histologic interpretations. *JAMA* 2001; *285*:1500-05.

18. Wright TC, Cox JT, Massad LS, Twiggs LB, Wilkinson EJ. 2001 Consensus Guidelines for the Management of Women With Cervical Cytological Abnormalities. *JAMA* 2002; *287*(16).

19. Ferris DG, Wright TC Jr. Litaker MD *et al.* Triage of women with ASCUS and LSIL on Pap smear reports. *J Fam Pract.* 1998; *46*:125-34.

20. Kirby AJ, Spiegelhalter DJ, Day NE *et al.* Conservative treatment of mild/moderate cervical dyskaryosis: long-term outcome. *Lancet* 1992; *339*:828-31.

21. Maksem JA, Weldmann J. Specialized preparative devices are not needed for liquid-based, thin-layer cytology: an alternate manual method using a metastable alcoholic gel. *Diagn Cytopathol* 2001; *25*:262-4.

22. Maksem JA, Finnemore M, Belsheim BL, Roose EB, Makkapati SR, Eatwel L, Weidmann J. Manual method for liquid-based cytology: a demonstratio using 1000 gyenecological cytologies collected directly to vial and prepared by a smear-slide technique. *Diagn Cytopathol* 2001; *25*:334-8.

23. Lee KR, Ashlaq R, Birdsong GG, Corkill ME, Mcintosh KM, Inhorn SI. Comparison of conventional Papanicolaou smears and a fluid-based, thi-layer system for cervical cancer screening. *Obstet Gynecol* 1997; *90*:278-84.

24. Pereira, SMM, Utagawa ML, Pittoli JE *et al.* A citologia de base líquida detecta mais lesões que a convencional e apresenta preparados de melhor qualidade técnica. Centro Diagnóstico de Citopatologia Ginecológica, Ljubljana/Eslovênia. Notícia DIGENE http://www.digene.com.br/banco_not/top_noticias.html

25. Lira JB, Silva APG. Metodologia manual de citologia em base líquida, de baixo custo, utilizando gel alcoólico fixador. *Revista da ABRALAPAC* (no prelo).

26. Sistema Bethesda — livro 2003

27. Nomenclatura Brasileira para Laudos Citopatológicos cervicais e Condutas Clínicas Preconizadas 2003. Programa Nacional de Controle do Câncer do Colo do Útero e de Mama. Ministério da Saúde, Instituto Nacional de Câncer (INCA).

Capítulo 10

ASPECTOS TERAPÊUTICOS NO COLO UTERINO: PROCEDIMENTOS CIRÚRGICOS

Garibalde Mortoza Junior e Sonia Cristina Vidigal Borges

INTRODUÇÃO

O colo uterino é a parte do útero que se situa dentro da vagina e se comporta como um verdadeiro órgão, tal é o seu dinamismo no decorrer das alterações que acontecem durante toda a vida da mulher, do nascimento até o período pós-menopausa. Anatomicamente, o colo uterino compreende a parte mais distal do útero, separado do corpo, na porção ístmica, onde se encontra o orifício interno. Possui um canal que comunica a cavidade uterina com a vaginal. Esse canal é revestido por um epitélio colunar, monoestratificado, com células produtoras de muco. Externamente, é revestido por epitélio escamoso, pluriestratificado, composto por células basais, parabasais, intermediárias e superficiais. O epitélio colunar origina-se dos ductos de Muller e o escamoso do seio urogenital, placa vaginal. Estes dois epitélios se encontram numa linha, a junção escamocolunar (JEC), que pode situar-se dentro ou fora do canal cervical, dependendo do *status* hormonal da mulher. Na vida fetal a JEC se encontra desde o orifício externo até o terço superior da vagina. Na infância e no período pós-menopausa, geralmente a JEC situa-se dentro do canal cervical. No período de menacme, quando ocorre produção estrogênica, geralmente a JEC situa-se no nível do orifício externo ou fora deste, expondo o epitélio cilíndrico à vagina. O epitélio cilíndrico exteriorizado, denominado ectopia, sob ação da acidez vaginal, sofre um processo de transformação, a partir de células de reserva, subcilíndricas, chamado metaplasia, originando um novo epitélio escamoso. Este novo tecido formado corresponde à zona de transformação (ZT), que vai da JEC até o último orifício glandular, na junção escamo-escamosa (encontro do tecido escamoso original com o metaplasiado).

O colo uterino apresenta duas porções: a ectocérvice, ou exocérvice, e a endocérvice. A ectocérvice é a região externa do colo que se inicia no orifício externo, indo até os fundos de sacos vaginais. A endocérvice estende-se do orifício externo até o orifício interno do colo. Ectocérvice não é sinônimo de epitélio escamoso nem endocérvice é sinônimo de epitélio cilíndrico. Nessas duas porções é possível encontrar tanto um epitélio como o outro, dependendo do *status* hormonal da mulher.

Esse órgão pode ser sede de uma série de patologias, desde simples processos inflamatórios até neoplasia invasora. O carcinoma cervical é um dos cânceres mais freqüentes na mulher principalmente em países em desenvolvimento. No Brasil ocupa o segundo lugar nas grandes cidades e o primeiro nas regiões menos desenvolvidas. Do ponto de vista da sua prevenção, o ideal é a descoberta e tratamento adequado das lesões precursoras, as neoplasias intra-epiteliais. Para tal, utilizamos a citologia de Papanicolaou, a colposcopia e o estudo anatomopatológico. Podemos lançar mão, ainda, da pesquisa de vírus por métodos de biologia molecular, como a captura híbrida ou a reação em cadeia da polimerase (PCR).

Na abordagem cirúrgica do colo uterino podemos realizar biópsias, cauterizações, excisão ampla da zona de transformação e conização por cirurgia de alta freqüência (CAF) ou por *laser* e a conização clássica ou a bisturi frio.

BIÓPSIAS

Consiste na retirada de um ou mais fragmentos do colo uterino, tendo por objetivo o diagnóstico histológico dos processos patológicos, principalmente a neoplasia intra-epitelial e da existência ou não de neoplasia invasora. Deve ser sempre realizada sob visão colposcópica, procurando localizar as áreas de maior gravidade. No passado eram utilizadas variantes inadequadas, tais como múltiplas biópsias aleatórias, biópsias em quatro quadrantes, biópsias dirigi-

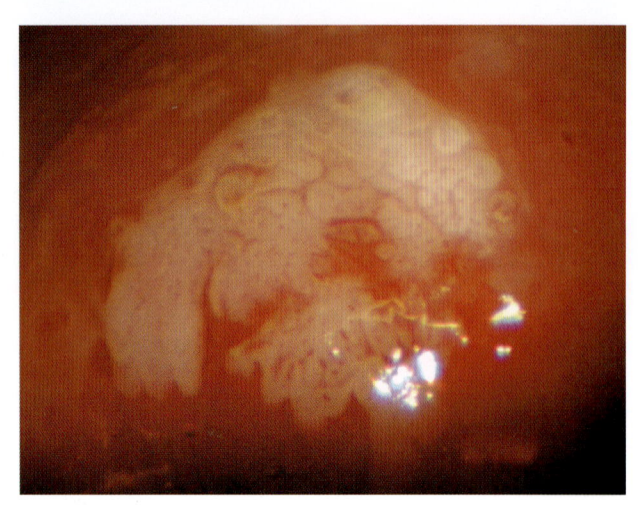

Figura 10.1
Zona de transformação anormal com alterações importantes à
colposcopia, entre as 9 e 1 hora – local indicado
para ser biopsiado.

das pelo teste de Schiller e a retirada ampla das bordas do orifício externo do colo. Essas práticas devem ser proscritas na atualidade por serem ineficazes, correndo o risco de não se biopsiar devidamente as áreas de maior gravidade.

É possível realizar as biópsias com pinças do tipo saca-bocado, do tipo *punch* e com alças de ressecção, pela cirurgia de alta freqüência. Essas pinças devem ter bom fio de corte para evitar esmagamentos. Ao se utilizar a ressecção por alça, deve-se ter o cuidado para não causar dano térmico importante ao tecido, prejudicando o estudo histológico. Os fragmentos obtidos devem ter no mínimo 5 mm de diâmetro e, óbvio, atingir o estroma adjacente, com pelo menos 3 mm de profundidade. O número de fragmentos deve ser aquele suficiente para o diagnóstico adequado.

Em caso de biópsias múltiplas, iniciar pela retirada de fragmentos do lábio posterior para que o sangramento não dificulte a visualização de outras áreas afetadas. Quando ocorre dificuldade no acesso do colo pela pinça em virtude de deslizamento, recomenda-se o emprego de uma pinça de Pozzi fina ou pequenos ganchos, aplicando ao lado do local a ser biopsiado, fazendo uma prega de mucosa, o que facilita o abocanhar da pinça de biópsia. Outra alternativa é realizar a biópsia com alça diatérmica, pela cirurgia de alta freqüência. Esta também é indicada quando se faz necessário retirar um fragmento mais largo e mais profundo, principalmente em lesões com acometimento glandular importante, lesões papilares em que o epitélio é muito espesso e lesões de difícil acesso.

O material obtido deve ser colocado em um frasco contendo solução fixadora, como o formol, identificado adequadamente e acompanhado de um pedido com identificação e anamnese sucinta da paciente.

A complicação mais freqüente é o sangramento, que pode ser resolvido com uma simples compressão do local ou com utilização de substâncias hemostáticas como o nitrato de prata, o metacresol-sulfônico, o percloreto férrico (pasta de Monsel). Raramente é necessária a utilização de um tampão hemostático ou de suturas.

CURETAGEM ENDOCERVICAL

Quando não se consegue realizar uma biópsia dento do canal, principalmente em colos com orifício externo estreitado, deve-se fazer uma curetagem do canal. Utiliza-se uma cureta fina, retangular, tipo a de Kervokian, após limpeza e assepsia da vagina e colo. Se necessário, pode-se realizar a anestesia subepitelial em quatro quadrantes do colo, com seringa de Carpule (seringa utilizada pelos dentistas). Essa seringa utiliza tubetes com 2 ml de anestésico, na qual se acopla uma agulha muito fina, o que produz menor sangramento no ponto de injeção. Geralmente utiliza-se a xilocaína a 2% sem vasoconstritor, injetando cerca de 0,5 ml às 12, 3, 6 e 9 horas do ectocérvice. Os riscos de complicações são praticamente nulos.

As indicações da curetagem do canal cervical são muito controvertidas. Alguns autores acham necessário a realização sistemática, outros relatam que o material obtido por escova de canal oferece um resultado melhor, com sensibilidade e especificidade maior que a da curetagem. A curetagem pode ser muito útil, principalmente em citologias que mostram presença de lesão importante não localizada pela colposcopia, antes de se decidir por uma conização. Muito útil também na reavaliação do canal após tratamento de uma lesão precursora onde o orifício externo ficou estenosado, dificultando a avaliação colposcópica. É importante salientar que é impossível fazer o diagnóstico de invasão no material obtido por curetagem do canal.

CAUTERIZAÇÃO

Método de tratamento destrutivo que pode ser realizado por aplicação de substâncias cáusticas, como o ácido tricloroacético (50 a 90%), por eletrocauterização, criocauterização ou por vaporização a *laser*. Por esses métodos é possível tratar desde uma simples ectopia até lesões pré-neoplásicas graves. Para isso, tem-se de atentar para algumas condições:

- A paciente deve ser examinada, avaliada e tratada com colposcopia.
- Toda a lesão e toda a zona de transformação devem ser claramente visualizadas pelo colposcopista.
- Não pode haver suspeita de invasão na citologia.
- A amostra endocervical excluiu doença do canal incluindo neoplasia glandular.

- Não deverá ocorrer discrepância entre citologia, colposcopia e histologia.
- É necessário ter certeza de que a paciente fará seguimento a longo prazo.

Cabe salientar que essa modalidade de tratamento apresenta um índice de falha alto, variando de 5 a 30%, podendo ocorrer recidiva em períodos de 3 a 24 meses, na maioria das vezes. Todas as pacientes devem ser seguidas com citologia e colposcopia. Além disso, deve-se ter em mente que, se existe acometimento glandular, a destruição deve atingir pelo menos 1 cm de profundidade, pois as glândulas podem atingir até 7 mm de profundidade.

CAUTERIZAÇÃO QUÍMICA

Consiste na aplicação de ácido tricloroacético na concentração de 50 a 90%, cautelosamente, com um cotonete, protegendo o fundo vaginal com uma gaze. Esta aplicação deverá ser semanal por cerca de 5 a 10 semanas. Deve ser utilizada somente em tratamento de processos menos graves como ectopia extensa, pois promove uma destruição superficial, conseqüentemente com grande chances de falhas em abordagem de processos displásicos.

Criocauterização

Processo que utiliza um transdutor manual conectado a uma fonte de gás ou nitrogênio líquido que promove uma temperatura muito baixa na ponta do transdutor congelando superficialmente a ectocérvice, resultando em morte celular. Realiza-se a técnica do congelamento-descongelamento-congelamento, isto é, congela-se a superfície epitelial por cerca de 3 a 5 minutos; espera o descongelamento e torna-se a congelar por mais 5 minutos. Ao final do ciclo, o transdutor é descongelado e retirado delicadamente. Esse processo promove uma destruição tecidual de cerca 6 mm de profundidade. Forma-se uma crosta que se desprende por volta do décimo dia podendo ocorrer um sangramento. Acontece, então, a cicatrização com o epitélio escamoso adjacente recobrindo a área necrosada.

A paciente deverá ser informada acerca de que pode surgir um aumento do fluxo vaginal, com secreção aquosa, que pode persistir por até 4 semanas, prescrevendo abstinência sexual por esse período.

As complicações são raras, mas podem ocorrer sangramento abundante, em geral controlado ambulatorialmente, e infecção secundária com fluxo purulento, e JEC quase sempre se situará dentro do canal cervical, dificultando o controle colposcópico após o tratamento.

Eletrocauterização

Técnica que utiliza um eletrodo de esfera conectado a um eletrocautério que promove a coagulação e destruição tecidual por calor. Geralmente pode haver dor durante o procedimento, o que pode ser aliviado com anestesia subepitelial em quatro quadrantes com seringa de Carpule. O colo deve ser corado pela solução de Schiller e aplicado o eletrodo, tentando-se atingir uma detruição tecidual de pelo menos 7 mm de profundidade, se houver acometimento glandular, pois as criptas podem atingir até essa distância. Se a área afetada apresentar cistos, a liberação de muco poderá afetar a destruição em profundidade em virtude de seu efeito isolante e, conseqüentemente, impedindo que se atinja a profundidade de destruição desejada. A aplicação de calor deve ser continuada até a destruição total do muco.

A paciente deve ser orientada a abster-se de relações sexuais e do uso de tampões vaginais. Apresentará secreção vaginal por 3 a 4 semanas, podendo ocorrer sangramento em torno do 10º dia por desprendimento da crosta cicatricial.

As complicações podem ocorrer, mas são raras: infecção secundária, estenose do canal cervical, JEC não visualizada após a cicatrização. Se o processo atinge área extensa até os fórnices vaginais, pode haver formação de um anel de constricção no fundo vaginal dificultando a posterior exposição do colo uterino.

CIRURGIA DE ALTA FREQÜÊNCIA

Raoul Palmer e René Cartier, na França, desenvolveram a técnica de ressecção com alça das lesões cervicais, realizando biópsias e tratando as neoplasias intra-epiteliais, utilizando uma alça de 5 por 7 mm de diâmetro conectada a um eletrocautério comum. Cartier, na década de 1970, ressecava a lesão em múltiplos fragmentos. Em 1981, Cartier apresentou seus resultados no IV Congresso Mundial de Colposcopia e Patologia Cervical. Este método passou a sofrer críticas por causar efeitos térmicos importantes, às vezes impedindo uma correta avaliação histopatológica.

Em 1989, Prendeville, na Inglaterra, modificou o eletrodo, aumentando seu tamanho, conseguindo ressecar a maior parte das lesões em uma só passada da alça, conseguindo excisar toda a ZT, sem destruir a superfície epitelial. Conectou o eletrodo a um aparelho que emitia uma onda de freqüência bem maior que a do eletrocautério comum, combinando corte com hemostasia, produzindo discreto efeito térmico nos tecidos. Denominou essa técnica *large loop excision of the transformation zone* (LLETZ). Os americanos passaram a chamá-la de *loop electrosurgical excision procedure* (LEEP). No Brasil, essa técnica recebeu o nome de cirurgia de alta freqüência (CAF).

Utiliza-se um aparelho emissor de uma onda de freqüência de 2 a 4 MHz, diferente do eletrocautério comum, que utiliza onda de freqüência de cerca de 350 a 500 kHz. Essa onda de alta freqüência, ao atravessar uma célula, perde parte de sua energia em virtude da impedância do tecido. Isso faz com que a água intracelular entre em ebulição, levando à ruptura da membrana citoplasmática, que promove o corte do tecido. A ebulição da água produz vapor que aquece os tecidos adjacentes, produzindo, assim, a hemostasia. Conectam-se a esse aparelho alças de ressecção que podem ter forma e tamanhos variados, compostas por material resistente, como tungstênio, de espessura máxima de 0,2 mm, revestida de silicone em sua base.

Durante a cirurgia de alta freqüência, deve-se aspirar a fumaça produzida no procedimento. Ao causar ebulição da água intracelular, ocorre a formação de intensa quantidade de fumaça, impedindo a visualização do colo. Para que isso não ocorra, utiliza-se um espéculo com cânula conectado a um aspirador potente. Esse espéculo deve ser revestido de material isolante para proteger as paredes vaginais contra possíveis acidentes durante o ato cirúrgico. Pode-se, também, revesti-lo por um condom cortado na ponta, o que ajudaria a isolar e afastar as paredes vaginais, principalmente em pacientes obesas.

É possível realizar os seguintes procedimentos no colo uterino: biópsia, vaporização, excisão ampla da zona de transformação e conização. As biópsias podem ser realizadas com uma alça pequena, tendo o cuidado para não causar dano térmico, o que pode dificultar o diagnóstico histopatológico. A vaporização é um procedimento semelhante à eletrocauterização comum.

Para a realização da excisão ampla da zona de transformação e a conização:

- assepsia vaginal
- delimita-se a ZT, sob visão colposcópica, com solução de Schiller
- realiza-se a anestesia com lidocaína a 2%, injetando cerca de 0,5 ml a uma profundidade de 0,5 cm nas posições 12, 3, 6 e 9 horas do colo uterino, com seringa de Carpule
- escolhe-se a alça adequada de acordo com o tipo do colo e do tamanho da lesão
- introduz-se a alça que faz o corte e hemostasia retirando-se um fragmento que engloba a ZT e parte do canal
- faz-se a vaporização da cratera e de sua borda, atingindo cerca de 5 mm da área sadia ao redor da cratera, na tentativa de evitar o entropiamento, isto é, permanecendo a JEC fora do canal cervical
- para a realização da conização, procede-se da forma descrita anteriormente, completando-se a retirada do

canal restante com uma alça retangular, após a medida deste canal com um histerômetro, deixando cerca de 5 mm de canal residual
- se possível, realiza-se a colposcopia da peça excisada e do canal restante
- faz-se a hemostasia com eletrodo de esfera e aplicação da solução hemostática de Monsel (percloreto férrico)

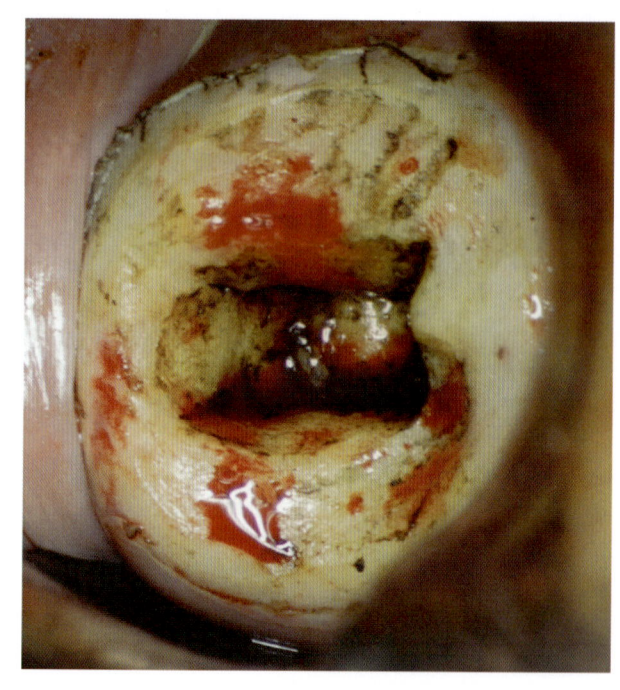

Figura 10.2
Conização com CAF – aspecto final.

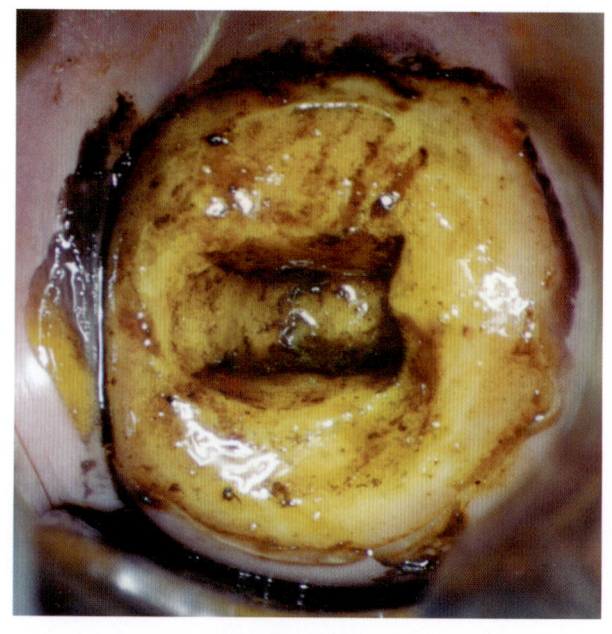

Figura 10.3
Após o término do procedimento, aplica-se a pasta hemostática de Monsel.

A paciente irá apresentar secreção vaginal por cerca de 30 a 40 dias, no início mais espessa, amarelada, às vezes sanguinolenta, depois mais aquosa, mais clara. Se a secreção se tornar purulenta e com odor fétido, significa presença de infecção secundária. Deverá ser examinada 15 e 30 dias após o procedimento.

As vantagens desse método, em comparação com a cirurgia clássica (amputação a bisturi), são enormes:

- Pode ser realizada em ambulatório, sob anestesia local, com pequeno desconforto para a paciente.
- É exeqüível em colos atróficos.
- Menor tempo cirúrgico.
- Possibilita retorno rápido da paciente à suas funções.
- Tem baixo índice de morbidade.
- JEC permanece visível na maioria das vezes, facilitando o controle.
- Possibilita novo procedimento se houver recorrência da doença.
- Tem custo cerca de seis vezes menor que o da conização clássica, e menor ainda que a conização a *laser*.
- Requer breve e simples treinamento do cirurgião.

Alguns trabalhos mostram que não existem diferenças significativas entre os resultados diagnósticos e terapêuticos entre a conização clássica, com bisturi, e a com cirurgia de alta freqüência.

As complicações que podem ocorrer não são freqüentes: hemorragia per ou pós-operatória, estenose de canal com dismenorréia e/ou hematometra, infecção e JEC não visível. A hemorragia peroperatória pode ser controlada com compressão local, uso de tamponamento e, às vezes, com sutura, principalmente com pontos nas laterais do colo. O sangramento que acontece no pós-operatório geralmente cede com nova aplicação da solução de Monsel (percloreto férrico).

As contra-indicações do procedimento incluem:

- suspeita de invasão
- distúrbio de coagulação
- gravidez
- menos de 3 meses de pós-parto
- cervicite grave
- paciente exposta ao DES (dietilbestrol)

LASER

O *laser* (*light amplification by stimulated emission of radiation*) pode ser utilizado na cirurgia do colo uterino para a realização de tratamento ablativos (vaporização) ou excisionais (excisão ampla da ZT ou conização). Existem vários tipos de *laser*: anidrido carbônico (CO_2), nodímio, YAG, argônio, rubi. No colo uterino, o mais usado é o de CO_2. O *laser* produz um feixe delgado, luminoso, com radiação contendo um único cumprimento de onda. A luz, ao atingir o tecido, transforma-se em energia térmica, que eleva a pressão intracelular. Com temperatura a 45-50°C ocorre a destruição celular. A 100°C ocorre ebulição da água intracelular e vaporização, ocasionando corte e hemostasia.

O procedimento pode ser realizado em regime ambulatorial com anestesia local semelhante à preconizada para a cirurgia de alta freqüência. A taxa de cura para as neoplasias intra-epiteliais cervicais varia de 85 a 95%. As vantagens são:

- precisão da exérese
- possibilidade de intervenção em áreas restritas
- possibilidade de intervenção em tecidos infectados
- oclusão de vasos sangüíneos e linfáticos
- escassa perda sangüínea
- bom resultado estético
- tratamento em regime ambulatorial
- focalização do raio coincidindo com campo colposcópico

As maiores desvantagens são: custo do equipamento e maior grau de treinamento e experiência necessários para o uso correto.

Para a vaporização do colo uterino são necessários os seguintes critérios:

- diagnóstico prévio adequado
- zona de transformação e área lesada bem identificadas
- citologia, colposcopia e anatomopatológicos concordantes
- lesão limitada à ectocérvice, ausência de acometimento endocervical
- certeza de não haver sinais suspeitos de microinvasão ou invasão franca ou de adenocarcinoma *in situ*

Utiliza-se a técnica do *cowboy hat*, destruindo toda a zona de transformação com profundidade adequada para atingir todas as glândulas, formando uma cratera no colo semelhante a um chapéu de vaqueiro. Isto se faz promovendo uma destruição mais superficial na borda externa da lesão e um aprofundamento junto ao canal cervical.

Indicações para a realização da conização incluem:

- lesão que se estende para o canal
- suspeita de invasão ou de adenocarcinoma *in situ*
- presença de lesão na endocérvice
- disparidade entre citologia e anatomopatológico
- colposcopia insatisfatória

Para esses procedimentos, utiliza-se a anestesia subepitelial semelhante a utilizada para a cirurgia de alta freqüência.

A principal contra-indicação é a distorção anatômica, do colo, o que pode aumentar o risco de lesões em órgãos vizinhos.

As complicações e os cuidados pós-operatórios são os mesmos descritos para a cirurgia de alta freqüência. Cabe salientar que nenhum dos dois métodos compromete a função reprodutiva da paciente, sendo raro o achado de incompetência istmocervical como complicação tardia.

CONIZAÇÃO CLÁSSICA

A conização clássica, ou a bisturi frio, foi antes do advento do CAF e do *laser*, a terapia-padrão para as neoplasias intra-epiteliais cervicais. Tem o objetivo inicial de fechar o diagnóstico da CIN, afastando ou confirmando uma microinvasão ou invasão franca, e de tratamento, quando se consegue extirpar toda a neoplasia intra-epitelial. Na atualidade, é um recurso pouco utilizado em razão de técnicas mais simples como a cirurgia com alça diatérmica (CAF-LEEP) ou com *laser*, porém ainda com indicações precisas, sobretudo nos casos de CIN cujo limite endocervical da lesão não é visualizado e nas lesões glandulares. O objetivo da conização é remover toda a zona de transformação com extensão do canal cervical, buscando retirar todas as lesões.

Em recente revisão, por meio de metanálise, a Cochrane Library concluiu que: não há técnica cirúrgica superior para erradicação das CIN; o tratamento excisional é obrigatório para pacientes com colposcopia insatisfatória, suspeita de invasão ou alteração glandular; há uma tendência em utilizar métodos excisionais de baixa morbidade como conização a *laser* ou CAF em lugar de métodos destrutivos, pois os métodos excisionais oferecem como principal vantagem a possibilidade de definir a exata natureza da lesão; a escolha do método deve ser fundamentada no custo, na morbidade e se tal método vai oferecer mais material para comparar com o da biópsia dirigida pela colposcopia; a ablação a *laser* parece causar mais dor forte no peroperatório e talvez mais sangramentos primário e secundário quando comparada com CAF; a conização a *laser* requer mais tempo para aquisição de habilidade, o equipamento é mais caro, produz mais dor no peroperatório e mais artefato térmico que o CAF; a conização com bisturi ainda tem lugar se há suspeita de invasão ou doença glandular, pois nesses casos a adequada avaliação das margens é importante para o prognóstico e para a conduta; e o CAF ou cone a *laser* podem dificultar a avaliação adequada das margens.

As principais indicação para se optar pela conização clássica são as situações nas quais o estudo histológico adequado se faz necessário para afastar uma invasão franca:

- lesões dentro do canal de limites não visualizados
- biópsia mostrando presença de microinvasão
- biópsia mostrando adenocarcinoma *in situ*
- gestantes com lesões dentro do canal

- gestantes com suspeita de carcinoma microinvasor
- abordagens das CIN quando as novas técnicas existentes, como *laser* ou CAF, não estão disponíveis.

Técnica

Paciente em posição de litotomia, anestesia preferencialmente por bloqueio raquidiano ou peridural, assepsia da vagina e do colo uterino, marcação do colo com solução de Schiller para evidenciar bem a base e a extensão da lesão, exposição do colo com valvas ou espéculo, tração do colo com pinças de Pozzi ou suturas de Guy, colocação de pontos nas laterais do colo uterino visando bloquear os ramos descendentes das artérias cervicais para obter-se hemostasia adequada. Alguns preferem, para obter hemostasia, a aplicação de vasopressores, mediante injeções intracervicais de associação de anestésico local com epinefrina (20-30 ml de carbocaína com epinefrina 1/200.000 ou neosinefrina 1/10.000).

Faz-se incisão na ectocérvice na área considerada sadia (Schiller negativo), englobando toda a zona de transformação. Delinea-se o cone fazendo tração no colo, de forma que a base seja o ectocérvice e o ápice a porção mais craneal do canal endocervical, procurando retirar o máximo de canal que possa englobar toda a lesão. O tamanho da amostra do cone é determinado mediante a extensão da lesão dentro do canal. Verificam-se a posição do útero e a direção do canal cervical. O vértice do cone deve ser retirado com tesoura, evitando-se manipular a superfície epitelial. A cicatrização pode acontecer de forma "aberta", sem utilização de pontos de sutura, após revisão da hemostasia, ou com aplicação de suturas do tipo Sturmdorf. Para que se obtenha uma sutura adequada, disseca-se a mucosa na área sadia, descolando-a do estroma antes da ressecção da amostra em forma de cone. Após revisão da hemostasia, faz-se a sutura com aplicação de pontos na mucosa do lábio posterior, pela técnica de Sturmdorf, sem aplicação do nó; então, aplicam-se pontos de sutura na mucosa do lábio anterior, com nós nos dois pontos. Utilizam-se fios de sutura absorvíveis. Na técnica aberta pode-se deixar um tamponamento, visando à hemostasia, por 24-48 horas.

As complicações mais freqüentes são: hemorragia, estenose do canal cervical, dismenorréia, infertilidade, principalmente por incompetência istmocervical, lesão intraoperatória de órgãos adjacentes e hematométrio.

REFERÊNCIAS

1. Manual de Normas e Rotinas em Patologia do Trato Genital Inferior e em Colposcopia, da Sociedade Brasileira de Patologia do Trato Genital Inferior e Colposcopia. Rio de Janeiro, 1998.

2. Cartier R, Cartier I. *Colposcopia Prática*. 3 ed., São Paulo: Roca, 1999.

3. Mongesen ST *et al*. Cytobrush × endocervical curetagge. *Acta Obst Gynec Scand* 1997; *79*:69-73.

4. Singer A, Monaghan JM. *Colposcopia, Patologia e Tratamento do Trato Genital Inferior*. Porto Alegre: Artes Médicas, 1995.

5. Dores GB. *HPV na Genitália Feminina – Manual e Guia Prático de Cirurgia de Alta Freqüência*. São Paulo: Multigraf Editora, 1994.

6. Wright TC, Richart RM, Ferenczy A. *Eletrosurgery for HPV-Related Diseases of the Lower Genital Tract*. New York: Arthur Vision Incorporated, 1992.

7. Lorincz AT, Reid R. *Clínicas Obstétricas e Ginecológicas da América do Norte*. Vol. 4, Rio de Janeiro: Interlivros, 1996.

8. Duggan BD, Felix JC, Muderspach LI *et al*. Cold-Knife conization versus conization by loop electrosurgical excision procedure: A randomized, prospective study. *Am J Obstet Gynecol* 1999; *180*:276-82.

Capítulo 11

Casos Clínicos

Garibalde Mortoza Junior e Jose Benedito Lira Neto

1. Ectopia

AMBF, 20 anos de idade, nuligesta, usuária de anti-concepcional oral há cerca de 4 anos, início de vida sexual aos 15 anos. Veio para consulta de rotina, sem queixas, com citologia oncótica recente sem anormalidades. Apresentou a seguinte colposcopia:

A biópsia foi realizada às 12 h.

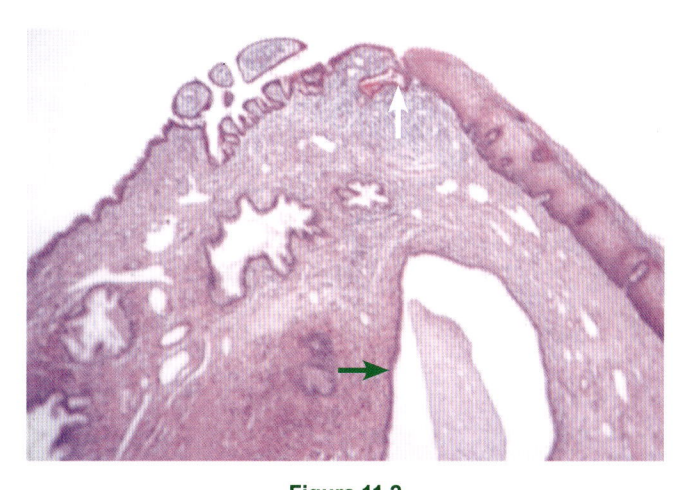

Figura 11.2
Biópsia de colo uterino: O corte histológico mostra JEC (*seta branca*), metaplasia escamosa e um cisto de Naboth (*seta verde*).

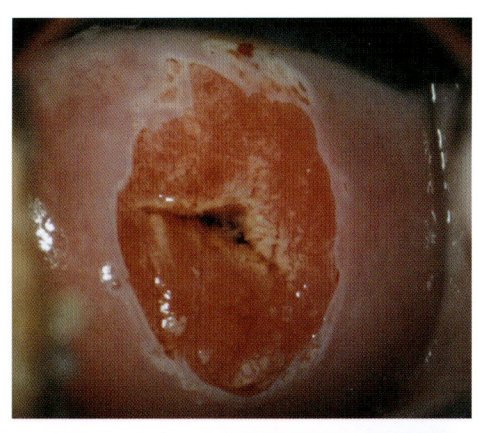

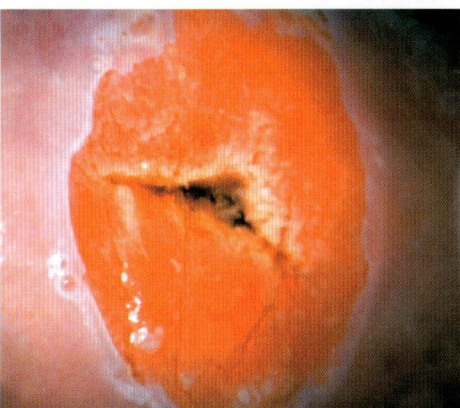

Figura 11.1
Achados colposcópicos anormais, com epitélio escamoso normal, zona de transformação com acetobranqueamento tênue, próximo da JEC e epitélio colunar exteriorizado, sem anormalidades, com JEC −2. Esses achados anormais são sugestivos de processo metaplásico jovem.

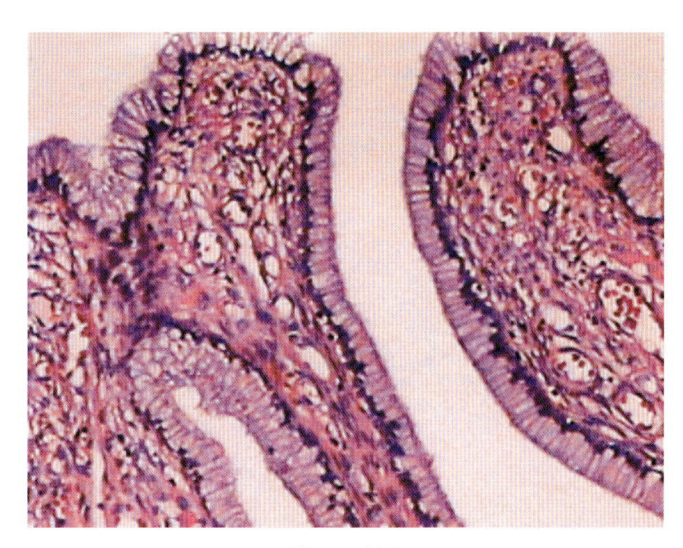

Figura 11.3
Corte histológico de mucosa glandular de padrão endocervical foveolar. O epitélio é colunar simples.

Trata-se de um caso de ectopia simples ou ectrópio, assintomático. As ectopias são extremamente comuns nas adolescentes e mulheres jovens, principalmente nas usuárias de anticoncepcionais hormonais e após gestações. Caracteriza-se pela exteriorização do epitélio colunar, com junção escamocolunar situando-se para fora do orifício externo do canal cervical. Para localizar corretamente a JEC, deve-se fechar parcialmente as valvas do espéculo, puxando-o um pouco para fora da vagina, evitando-se assim, uma eversão da endocérvice artificial.

Com citologia dentro da normalidade, esses achados colposcópicos tênues não significam processo patológico, sendo desnecessária a biópsia. A ectopia é um estado anatômico temporário que vai se resolver, com o tempo, mediante processo de transformação espontânea chamado metaplasia escamosa. A ectopia acontece em função de atividade estrogênica aumentada, tal como no início da maturação da função ovariana, na chegada da adolescência, na gestação, no uso de anticoncepcionais que contêm estrógenos e em decorrência de laceração traumática do parto.

O tratamento das ectopias está indicado quando passa a ser sintomática, com produção de mucorréia, às vezes abundante, que pode alterar o meio ambiente vaginal, com aumento do pH, o que facilita a aquisição de infecções. Também está indicado quando ocorre sinusiorragia. O tratamento com o objetivo de prevenção do câncer cervical não tem sentido, tendo sido utilizado no passado com o intuito de prevenir uma metaplasia atípica, diminuir a incidência do câncer cervical; não se mostrou eficaz. Nas jovens, com ectopia extensa, deve-se pensar na possibilidade de tratamento, na perspectiva de poder evitar infecções, já que o epitélio colunar exposto pode ser uma porta de entrada para bactérias, por ser monoestratificado. Essa proposição não é consenso entre vários autores.

O tratamento, quando indicado, pode ser realizado mediante eletrocauterização, vaporização por cirurgia de alta freqüência ou por *laser*. Nas ectopias extensas, que chegam a atingir os fórnices vaginais, pode-se realizar a cauterização química com ácido tricloroacético, 50% a 90%, em várias sessões realizadas parcialmente, evitando-se assim a possibilidade de fibrose do fundo vaginal.

2. METAPLASIA ESCAMOSA

JFCP, 22 anos de idade, nuligesta, solteira, usuária de anticoncepcional oral, início atividade sexual aos 18 anos, três parceiros sexuais até o momento. Sem queixas. Citologias anuais desde os 18 anos dentro da normalidade. Colposcopia realizada na primeira consulta:

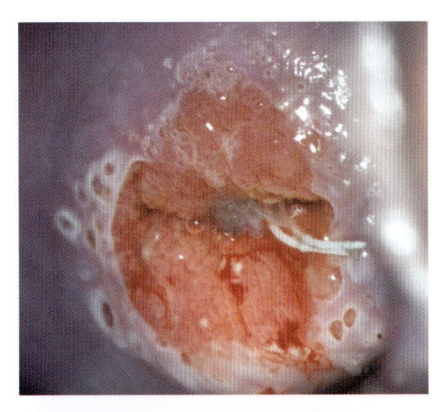

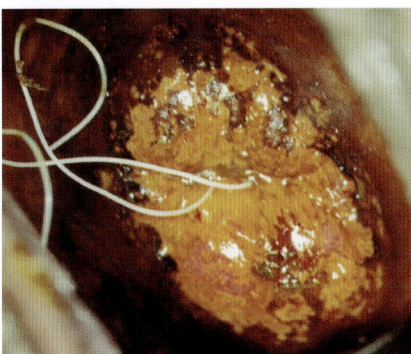

Figura 11.4
Achados colposcópicos anormais dentro da ZT, Schiller positivo, epitélio acetobranco tênue e pontilhado fino às 12 h, epitélio acetobranco grau I ao redor de orifícios glandulares em todo o colo, JEC –2, ZT tipo I, muco claro, fio de DIU exteriorizando no OE. Achados anormais sugestivos de processo metaplásico ou, no máximo, de lesão intra-epitelial de baixo grau.

Foi colhido material para exame citológico:

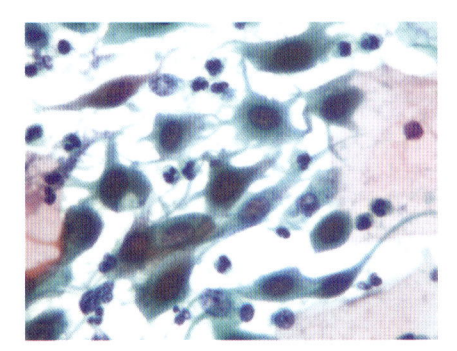

Figura 11.5
Citologia convencional: numerosas células metaplásicas imaturas (células cianofílicas, com múltiplos prolongamentos citoplasmáticos lembrando a estrutura de um neurônio), alguns polimorfonucleares neutrófilos e células escamosas superficiais sem atipias.

Foi, também, submetida a biópsias às 9 e 12 h.

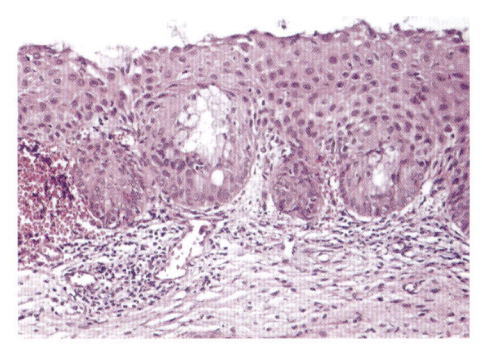

Figura 11.6
Epitélio escamoso imaturo envolvendo a superfície e parcialmente fendas glandulares, notando-se ainda remanescentes celulares glandulares endocervicais. O cório apresenta vasos ectasiados e infiltrado inflamatório linfocitário.

O diagnóstico é de processo de metaplasia escamosa. Esse processo significa a substituição do epitélio colunar por epitélio escamoso, mediante crescimento e formação progressiva de camadas (estratificação) das células de reserva (hiperplasia), seguidas de sua transformação em epitélio escamoso. À colposcopia, podemos identificar modificações que mostram três fases deste processo (Coplesson e Reid, 1967):

- Primeira: verifica-se uma palidez no extremo da vilosidade tipo racino;
- Segunda: produz-se uma fusão progressiva das vilosidades adjacentes, com desaparecimento da estrutura vilosa, dando formação a orifícios glandulares ou cistos de Naboth, quando persistem resquícios de epitélio colunar na profundidade das criptas.
- Terceira: após a fusão das vilosidades, surgem nódulos lisos de epitélio escamoso, que se tornam aceto-brancos com parcial captação da solução de Schiller.

Esses processos podem estar presentes simultaneamente em um colo uterino, em localidades diferentes, representando processos evolutivos variados da metaplasia. É um processo fisiológico, decorrente da exposição do epitélio colunar ectropiado, exposto ao pH vaginal ácido. Com o passar do tempo, esse processo pode levar a um epitélio escamoso maduro, com todas as características de epitélio escamoso original, mas com resquícios que denotem a presença anterior de epitélio colunar (orifícios glandulares e cistos de Naboth). Algumas vezes esse processo não se completa, isto é, teremos uma metaplasia imatura, com células escamosas pobre em glicogênio; outras vezes, essa maturação é tão escassa que podem surgir anomalias em sua estrutura, levando a imagens colposcópicas com epitélio acetobranco com padrão de mosaico e pontilhado finos.

Por ser um processo fisiológico não necessita de tratamento, mas, algumas vezes, da realização de uma biópsia para afastar um processo pré-neoplásico.

3. Metaplasia Congênita

A. IAB, 30 anos de idade, casada, veio à consulta de rotina, sem queixas. Relata ser portadora de "mancha no colo do útero", tendo sido proposta sua cauterização. Até a presente data nunca apresentou nenhuma anormalidade no exame citológico, o último realizado há 30 dias. Nunca foi biopsiada.

À colposcopia:

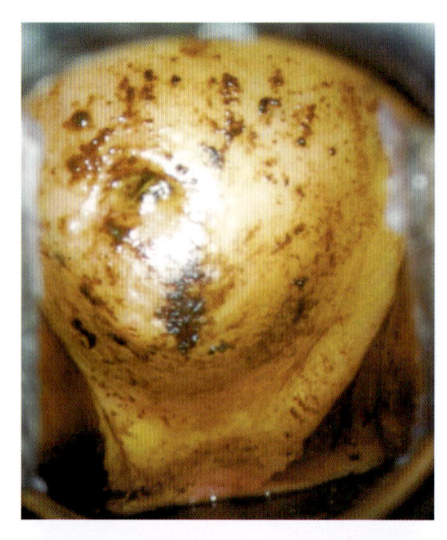

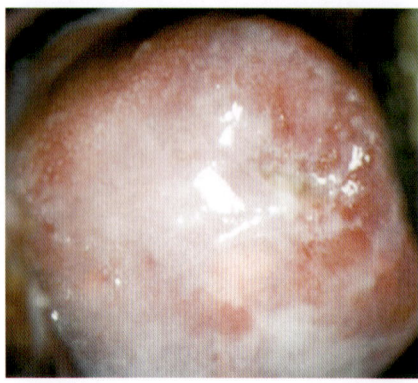

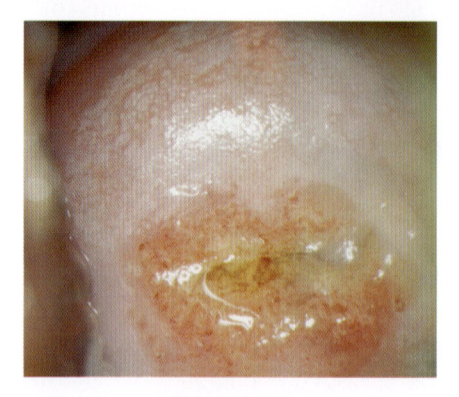

Figura 11.7
Achados colposcópicos anormais atingindo todo o colo uterino, da JEC aos fórnices vaginais, com Schiller positivo, epitélio acetobranco grau I, mosaico fino, regular, JEC zero, ZT tipo I. Os achados dão um aspecto homogêneo, não se destacando nenhuma área.

A biópsia mostrou:

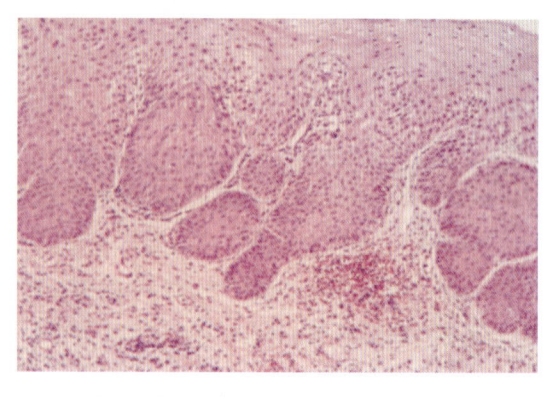

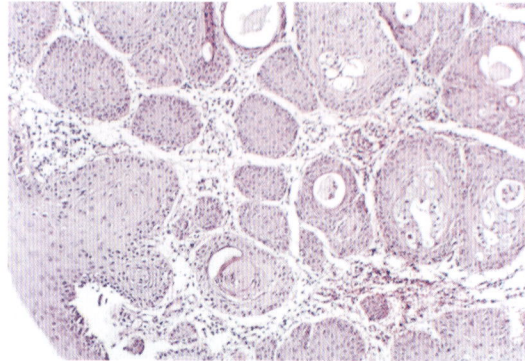

Figura 11.8
Biópsia de colo uterino (dois campos microscópicos): epitélio metaplásico com proeminente formação de brotos epiteliais (metaplasia escamosa florida).

B. LRC, 18 anos de idade, solteira, nuligesta. Citologia recente dentro da normalidade. Assintomática. Usa condom.

Colposcopia:

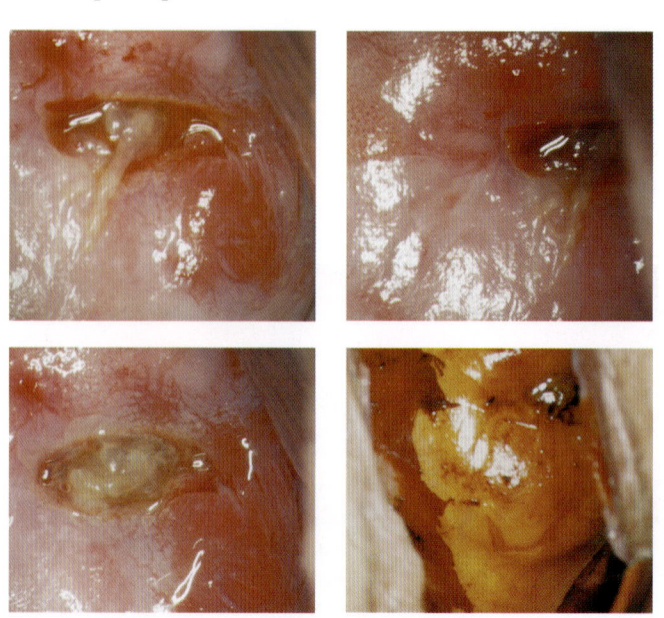

Figura 11.9
Quadro semelhante ao caso anterior, mostrando achados colposcópicos anormais, aspecto difusamente homogêneo.

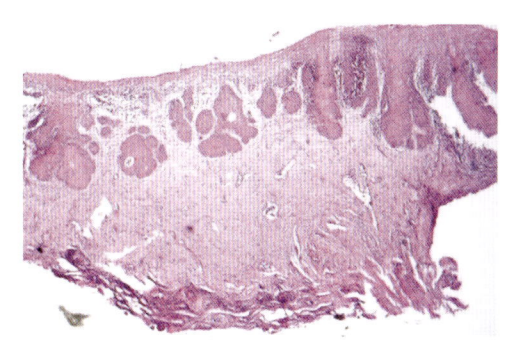

Figura 11.10
Biópsia de colo uterino: metaplasia escamosa, sem atipia citológica, ocupando espaços glandulares (brotos epiteliais).

Neste caso ocorre um processo metaplásico, com distúrbio da maturação, sem correr atipias celulares, epitélio não glicogenado (Schiller positivo), acantose pronunciada e, às vezes, epidermização (surgindo leucoplasia). Erich Bughardt denomina essa alteração epitélio acantótico; Renzo Barroso chama de metaplasia florida; outros preferem metaplasia congênita ou zona de transformação congênita, pois tal processo parece originar-se no fim da vida intra-uterina (Linhartova, 1970; Pixley, 1976; Coplesson e Reid, 1986; Borgno, 1988). Na verdade, a origem desse processo não é bem esclarecida. Foi encontrado em colos de virgens e também em colo de fetos. Pode apresentar padrões variados: forma triangular, trapezóide, que se estende para dentro dos lábios anterior e posterior do colo e da vagina; áreas isoladas nas cúpulas vaginais anterior e posterior com uma conexão tênue da JEC; área irregular que se projeta transversalmente do colo aos fórnices vaginais laterais. Os achados colposcópicos freqüentemente confundem o colposcopista, levando a pensar em processo pré-neoplásico, mas trata-se de processo não-patológico, mas que pode, por ação do HPV, levar à formação de uma neoplasia intra-epitelial, como se vê no caso a seguir.

C. SDM, 29 anos de idade, G2 P2, usa condom, veio à consulta com citologia sugerindo lesão intra-epitelial escamosa de alto grau.

À colposcopia:

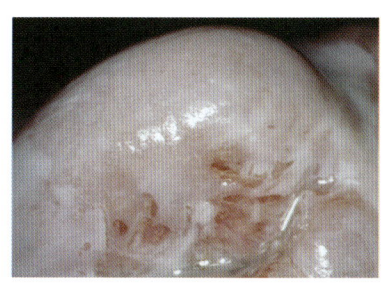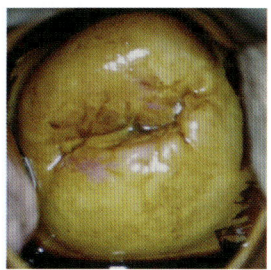

Figura 11.11
Achados colposcópicos anormais em extensa área atingindo os fórnices vaginais, com Schiller positivo, epitélio acetobranco grau I, sendo em algumas áreas de grau II próximo a JEC, pontilhado e mosaico grau I difusamente em todo o colo. JEC em zero no LA e +1 no LP.

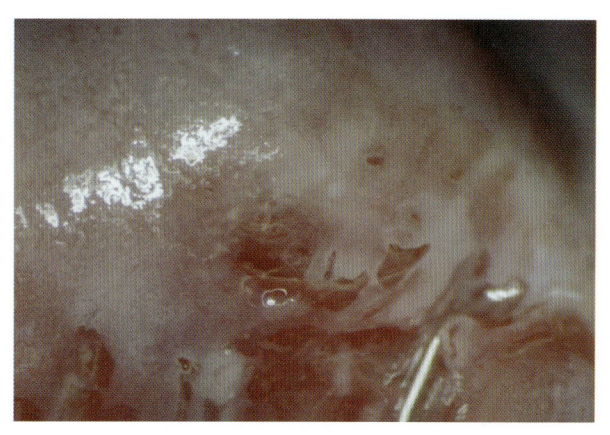

Figura 11.12
Achados colposcópicos anormais em extensa área atingindo os fórnices vaginais, com Schiller positivo, epitélio acetobranco grau I, sendo em algumas áreas de grau II próximo a JEC, pontilhado e mosaico grau I difusamente em todo o colo. JEC em zero no LA e +1 no LP.

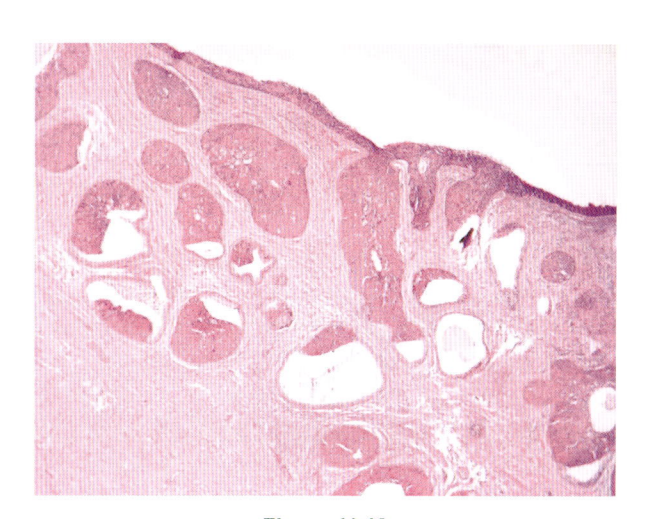

Figura 11.13
Colo uterino: NIC 3. Epitélio escamoso com atipia envolvendo toda a sua espessura e ocupando espaços vasculares e formando brotos epiteliais com atipias.

A paciente foi submetida à conização do colo uterino por CAF. Apresentou, no peroperatório, hemorragia acentuada, sendo necessária hemostasia com pontos paracervicais. Controles posteriores com citologias sem anormalidades e colposcopia insatisfatória por JEC não visualizada.

Os aspectos colposcópicos do colo uterino sugerem processo de metaplasia congênita, exceto nas áreas em que existe uma acentuação do acetobranqueamento. Isso significa que a metaplasia congênita não imuniza contra neoplasias, ou seja, as pacientes estão sujeitas aos mesmos riscos que as pacientes com colo colposcopicamente normais, sendo necessária atenção redobrada para excluir um processo neoplásico intra-epitelial.

4. Alterações em Células Escamosas de Significado Indeterminado

A. MRFM, 22 anos de idade, nuligesta, solteira, três parceiros sexuais em toda a sua vida, início de atividade sexual aos 15 anos, citologias anuais sem anormalidades. Atualmente assintomática, veio para consulta de rotina.

Citologia em meio líquido:

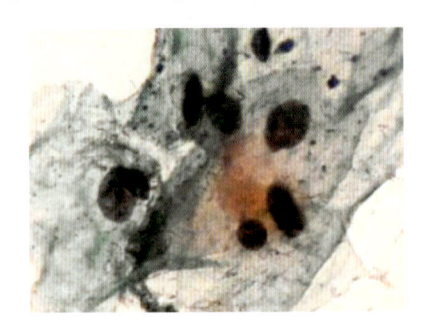

Figura 11.14
Citologia convencional: ASC-US (provavelmente benigno). Células intermediárias com núcleos hipertrofiados e hipercromáticos, porém com contornos regulares e sem irregularidades cromatínicas. Há um pequeno halo perinuclear.

Diante de uma paciente com citologia sugerindo ASC-US, a conduta preconizada pelo Ministério da Saúde é repetir a citologia em 6 meses. Já a ASCCP (American Society for Cervical Câncer Prevention) preconiza a realização da pesquisa do DNA do HPV, por captura híbrida, encaminhando para colposcopia as portadoras de HPV de alto risco. Em nosso meio a realização da colposcopia tem um custo muito menor, então, se possível, a paciente deve ser encaminhada para um serviço de atenção secundária para a realização da colposcopia. A utilização da captura híbrida deve ser limitada à seleção das pacientes com citologia sugestiva de atipias em células escamosas de significado indeterminado, com dificuldades para encaminhamento para a colposcopia, o que não é a realidade de nosso país. Caso seja realizada a captura híbrida e não seja constatada a presença de HPV de alto risco, a paciente retorna ao controle habitual.

Nesse caso a colposcopia foi realizada:

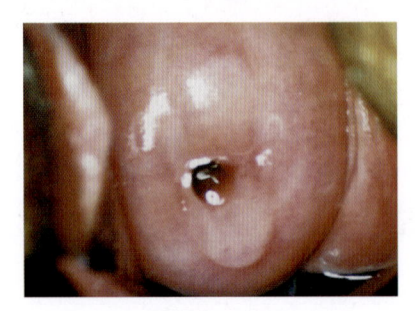

Figura 11.15
Colopadrão: epitélio escamoso original, JEC em zero, muco cristalino, epitélio cilíndrico sem anormalidades – achados colposcópicos normais.

Diante dessa colposcopia, que não evidencia nenhuma anormalidade, a conduta é repetir a citologia em 6 meses.

B. LPDM, 25 anos de idade, veio à consulta com queixa de corrimento vaginal amarelo-esverdeado, com odor, há cerca de 20 dias. Relata início de vida sexual aos 16 anos, tendo tido vários parceiros sexuais. Usa anticoncepcional oral. Nuligesta. Sua citologia:

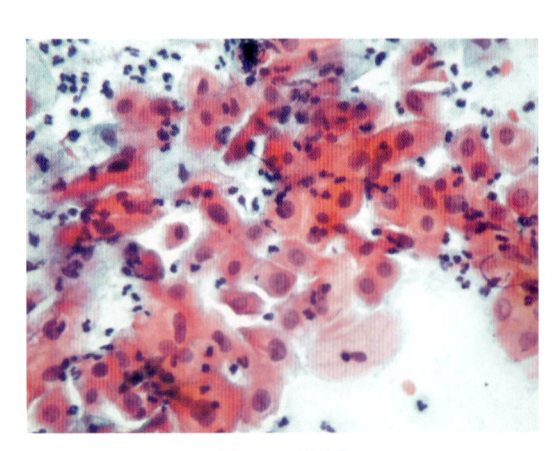

Figura 11.16
Citologia convencional: ASC-US (provavelmente benigno). Células escamosas do tipo metaplásico com falsa eosinofilia, núcleos aumentados, levemente hipercromáticos e irregulares, porém com contornos regulares.

Colposcopia:

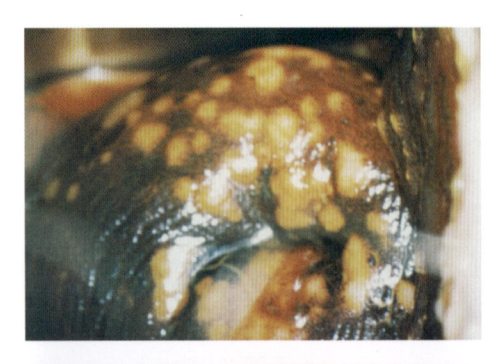

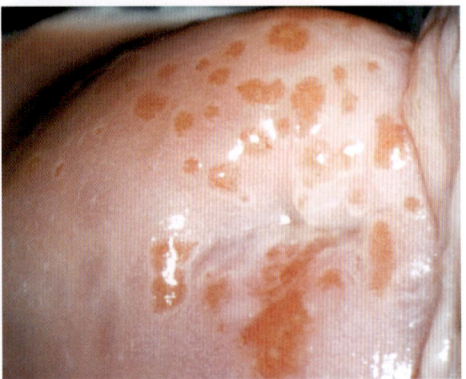

Figura 11.17
Achados colposcópicos insatisfatórios: JEC não visualizada, processo inflamatório – focos de colpite difusa, com teste de Schiller com aspecto de couro malhado.

Foi realizada biópsia com intuito de verificar os aspectos histológicos:

Colposcopia:

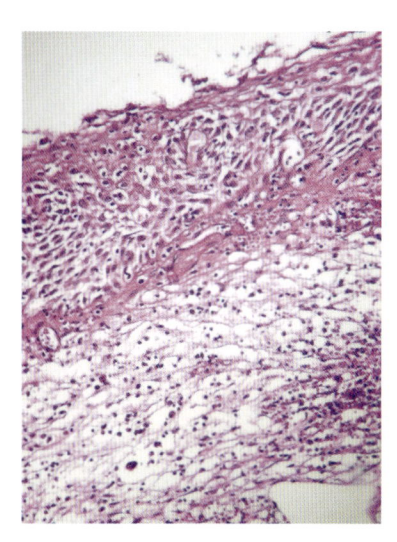

Figura 11.18
Biópsia de colo uterino: epitélio metaplásico com acentuadas alterações inflamatórias caracterizadas por espongiose e exocitose de polimorfonucleares. Nó cório há edema e infiltrado inflamatório mononuclear.

Nas mulheres que apresentam citologia ASC-US e são portadoras de processo infeccioso, como neste caso em que as evidências sugerem infecção por *Trichomonas vaginalis*, a conduta é efetuar o tratamento e repetir a citologia 6 meses após o tratamento. No caso acima a biópsia ou a cultura específica não se fazem necessárias, pois as evidências clínicas de tricomoníase são fortes. Foi realizada somente como ilustração.

C. RAMS, 34 anos de idade, um único parceiro sexual, nuligesta, sem métodos anticoncepcionais, veio à consulta para investigação de infertilidade.
Citologia:

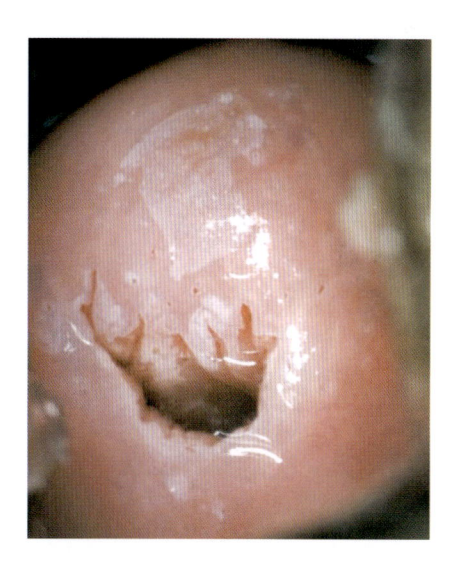

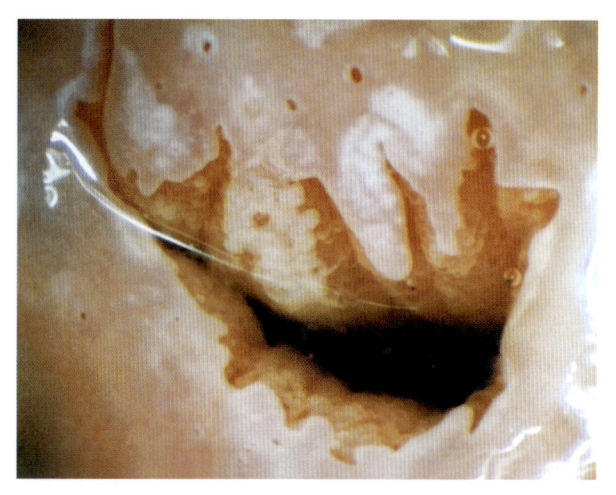

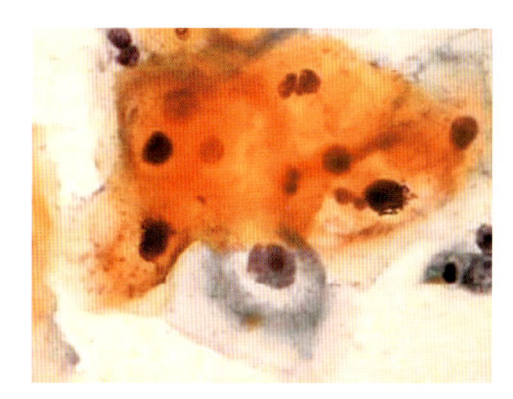

Figura 11.19
Citologia convencional: células escamosas intermediárias/superficiais com falsa eosinofilia, núcleos hipertrofiados e hipercromáticos, halos perinucleares compatível com ASC-US provavelmente benigno.

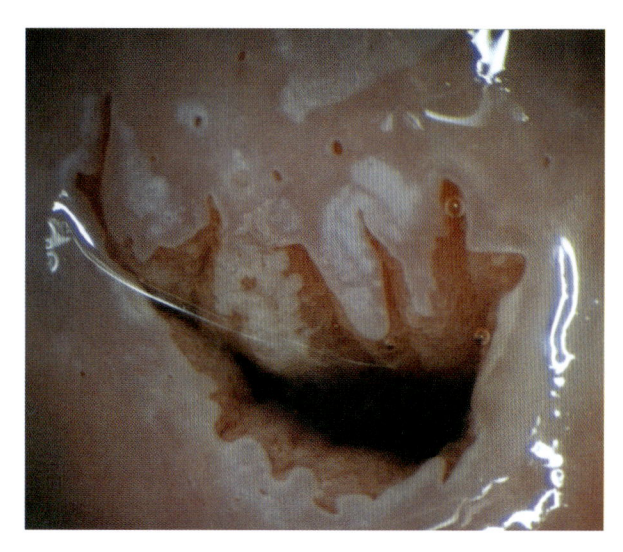

Figura 11.20
Achados colposcópicos anormais, dentro da ZT. ZT tipo I, com JEC em zero, epitélio acetobranco discreto, grau I no LA, com áreas mais acentuado próximo da JEC às 10 e 1 h, além de EAB em epitélio cilíndrico às 11 h. Os achados são sugestivos de lesão intra-epitelial de baixo grau.

Paciente com citologia sugerindo atipias em células escamosas de significado indeterminado, provavelmente reacional, com achados colposcópicos anormais, deve ser submetida à biópsia:

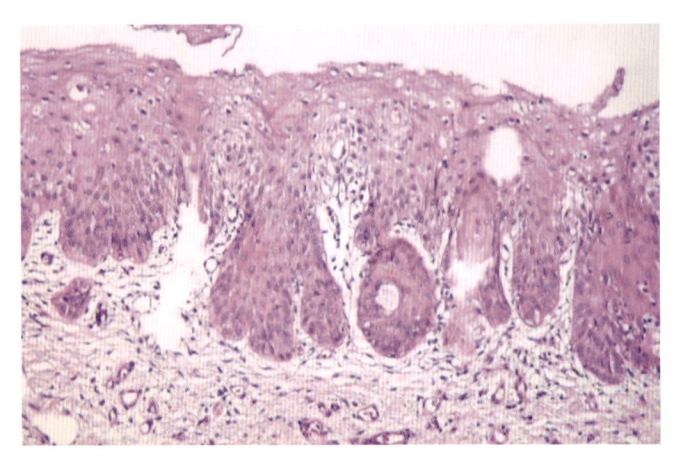

Figura 11.21
Biópsia de colo uterino: epitélio metaplásico com brotos epiteliais e alterações reacionais (hiperplasia basal e halos perinucleares).

D. TCG, 30 anos de idade, casada, G1P1, usa anti-concepcional oral, veio à consulta para controle do uso de anticoncepcional. Sem queixas.

Citologia:

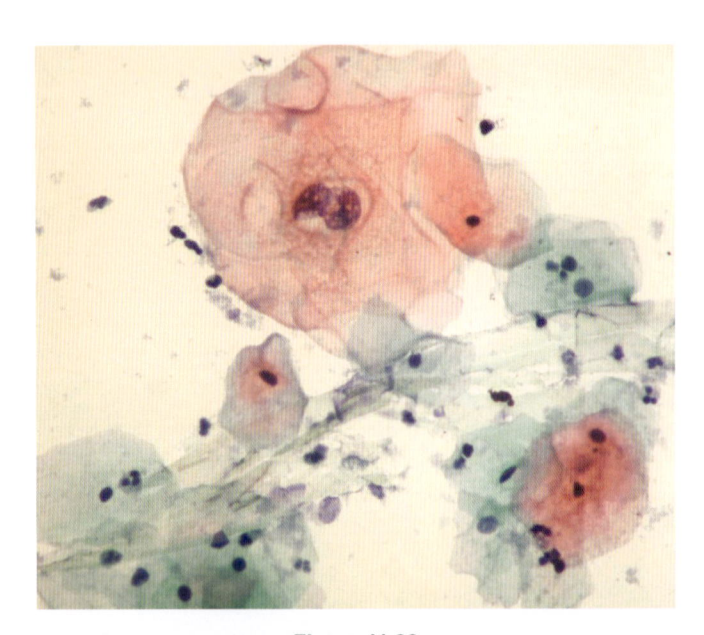

Figura 11.22
Citologia convencional: ASC-US.
Esfregaço contendo células intermediárias e superficiais com alguns polimorfonucleares neutrófilos e muco, notando-se uma célula escamosa de grande tamanho (megalocitose), binucleação, núcleos hipercromáticos e com halo perinuclear.

Colposcopia:

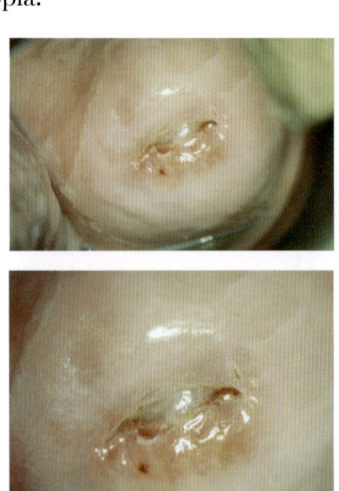

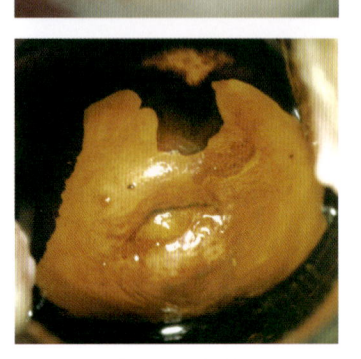

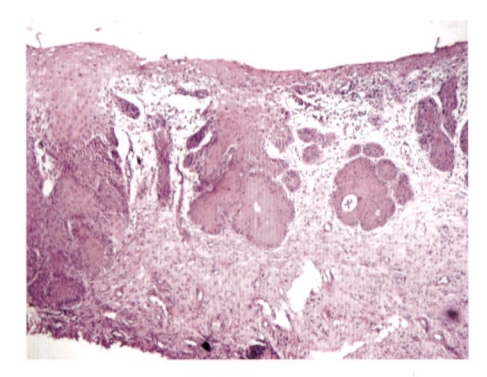

Figura 11.23
Achados colposcópicos anormais na ZT, Schiller positivo, epitélio acetobranco grau I, mosaico fino, aspecto homogêneo difuso, monótono, com JEC em zero, ZT tipo II. Esses achados sugerem metaplasia congênita ou lesão intra-epitelial de baixo grau.

Diante da citologia ASC-US, com achados colposcópicos anormais, foi realizada biópsia:

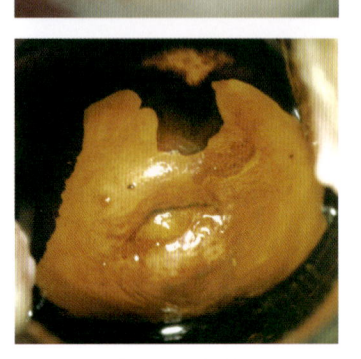

Figura 11.24
Epitélio metaplásico maduro com depleção glicogênica e freqüente formação de brotos epiteliais no estroma, sem atipias (esse achado é muito comum nos quadros de metaplasia congêntia ou metaplasia florida).

Esse quadro não necessita de tratamento. Seis meses após, a paciente foi submetida à nova citologia, que se mostrou sem anormalidades.

E. MFFB, 59 anos de idade, divorciada, G5P4A1, nunca fez uso de reposição hormonal, veio à consulta de rotina, assintomática. Relata submeter-se a citologias anuais até há cerca de 5 anos, sem anormalidades.

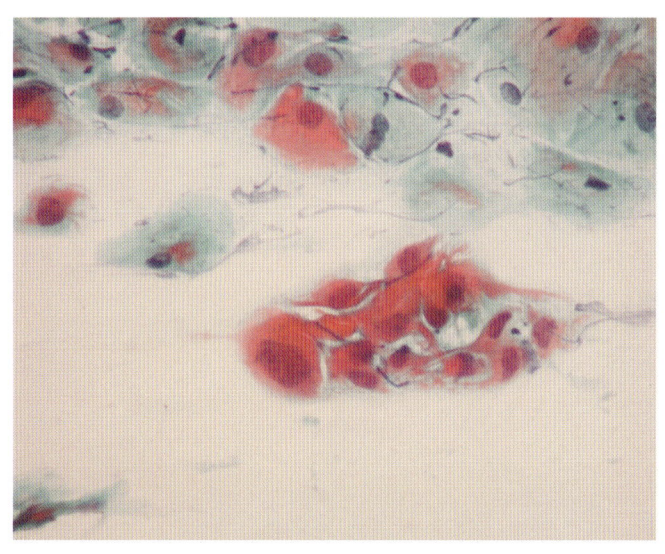

Figura 11.25A

Papanicolaou 200× (citologia convencional).
Células escamosas com atipias de significado indeterminado em contexto de esfregaço atrófico.
A atrofia epitelial prejudica, em geral, a avaliação dos critérios citomorfológicos de malignidade, especialmente a relação núcleo/citoplasmática. Células com atipias de baixo ou alto grau são muito similares quando acontecem em células do tipo basal/parabasal (atrofia).

Realizada colposcopia:

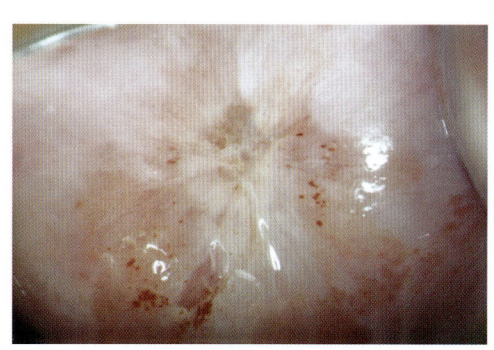

Figura 11.25B

A colposcopia é insatisfatória, com JEC não visualizada, sinais de atrofia.

Este caso mostra uma paciente na pós-menopausa, sem reposição hormonal, apresentando citologia com atipias em células escamosas de significado indeterminado, com colposcopia insatisfatória, sinais evidentes de atrofia. A conduta nesses casos é melhorar as condições do trofismo cérvico-vaginal, mediante estrogenoterapia por qualquer via (oral, transdérmica, vaginal) ou, caso haja contra-indicações à estrogenoterapia, usar promestriene local por cerca de 21 dias e repetir os exames citológico e colposcópico até 3 dias após. Se os exames forem negativos, deverão ser repetidos cerca de 4-6 meses por mais duas vezes. Mantendo-se negativos, a paciente passa a fazer controle habitual. No caso apresentado, foram realizados novos exames após utilização de promestriene na forma de creme vaginal. A citologia mostrou-se sem anormalidades e a colposcopia manteve insatisfatória por JEC não visualizada. Seis meses após, repetiram-se os exames, após uso prévio de promestriene, e estes se mostraram inalterados.

5. Alterações em Células Glandulares de Significado Indetrminado

A. DLCN, 47 anos de idade, divorciada, G3P3A0, método anticoncepcional: laqueadura tubária. Ciclos menstruais com atrasos freqüentes. Veio para consulta rotineira, sem queixas.

Citologia:

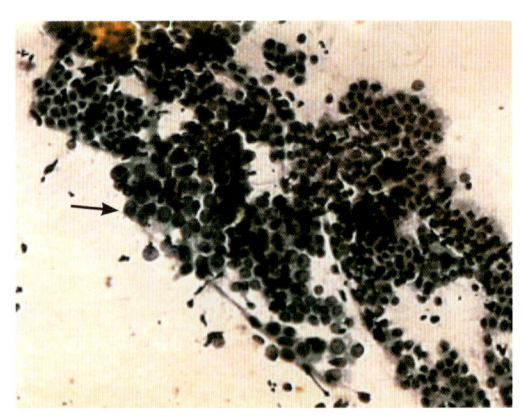

Figura 11.26
AGUS provável reacional. À direita, apresenta células colunares endocervicais sem alterações morfológicas relevantes. À esquerda (*seta*), as células apresentam sobreposição leve e hipertrofia nuclear moderada.

À colposcopia:

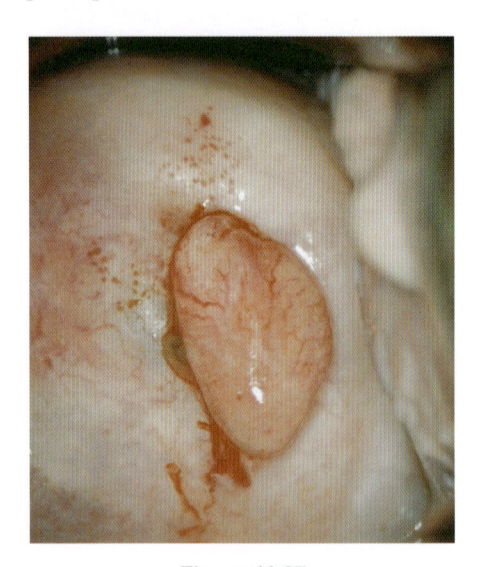

Figura 11.27
Achados colposcópicos vários: pólipo cervical. JEC não visualizada.

Realizada exérese do pólipo; exame anatomopatológico evidenciou somente pólipo mucoso endocervical sem atipias. Citologia 6 meses após sem anormalidades.

B. KBF, 50 anosde idade, professora, divorciada, natural de Ubá, G2P2, três parceiros sexuais em toda a vida. IAS: 25 anos. Última menstruação: há 4 anos, em terapia de reposição hormonal.

Citologia oncótica em 3/1/2001:

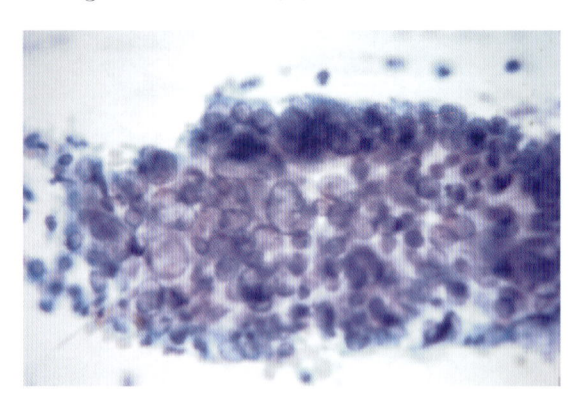

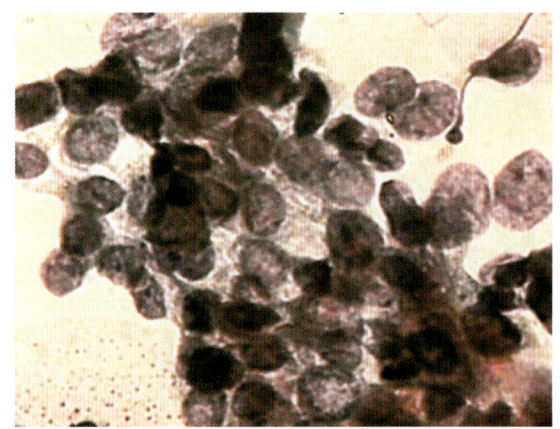

Figura 11.28
AGUS provável neoplásico. As células glandulares apresentam sobreposição e hipertrofia nuclear e escasso citoplasma. Esse padrão citológico pode estar associado a adenocarcinoma endocervical *in situ* ou CIN 3.

À colposcopia:

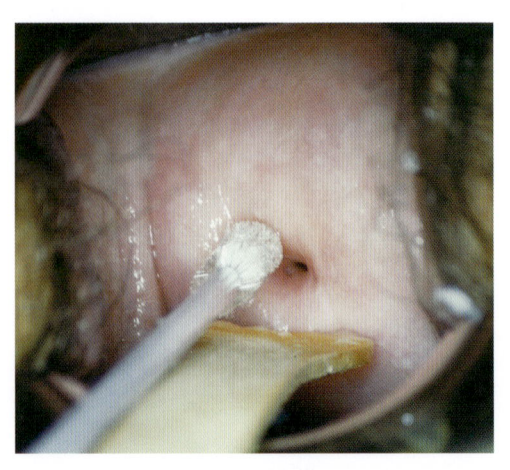

Figura 11.29
Achados colposcópicos insatisfatórios, JEC não visualizada. Essa foto realça a importância da coleta citológica realizada com escova para obtenção de material do canal endocervical.

Como a colposcopia não evidenciava nenhuma lesão, mas era insatisfatória, optou-se por solicitar revisão de lâmina: citologista mantém o diagnóstico de AGUS com grande possibilidade de adenocarcinoma *in situ*. A paciente relata citologias anteriores à primeira consulta:

- em nov/2000: grupamentos de células glandulares de origem não determinada, células endocervicais reativas.
- em 21/12/2000: atipia de alto grau em células escamosas/glandulares.

Com citologia de AGUS favorecendo neoplasia, é necessária melhor avaliação do canal cervical. A obtenção de amostra para citologia foi feita com utilização de escova adequada, que se mostra mais sensível do que a curetagem endocervical. Poder-se-ia pensar na realização da curetagem, que se positiva indicaria a realização da conização e, se negativa, não afastaria a possibilidade de existência de lesão, já que seu valor preditivo negativo não é tão alto, fazendo-se necessária a continuidade da propedêutica. A citologia com coleta adequada, utilizando a escova, tem um valor preditivo positivo significativo. Optou-se, neste caso, pela conização clássica, a bisturi frio. Descartou-se a possibilidade de realização de conização pela cirurgia de alta freqüência, pela possibilidade de danos térmicos prejudicando a análise histológica adequada.

Cone clássico em 24/01/2001: Peça de 40×35×30 mm – cortes escalonados: cervicite crônica com metaplasia escamosa focalmente imatura, com alterações ligeiramente atípicas mas reacionais do epitélio glandular – ausência de neoplasia. Foi realizado revisão de lâmina, sendo evidenciado presença de células ciliadas semelhantes a células tubárias, fechando o diagnóstico em metaplasia tubária.

Várias situações podem levar a alterações citológicas classificadas como AGUS: pólipo endocervical ou endometrial, deciduose, reação de Arias-Stella, hiperplasia microglandular endocervical, metaplasia tubária, alterações reacionais em decorrência do uso de DIU (dispositivo intra-uterino) e infecção clamidial.

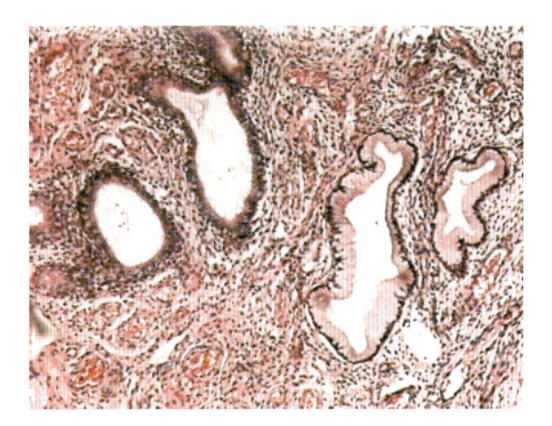

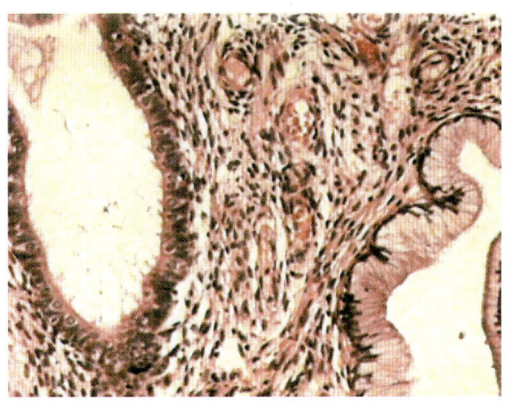

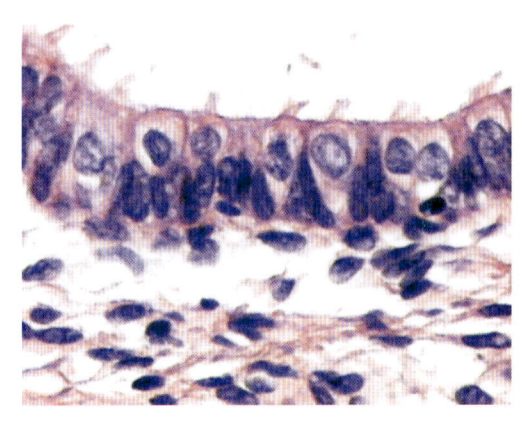

Figura 11.30
A revisão das lâminas do cone evidenciou células ciliadas, semelhantes a células ciliadas tubárias.

6. Lesões Intra-epiteliais Escamosas de Baixo Grau

A. MPD, 23 anos de idade, solteira, nuligesta, não fumante, início de vida sexual aos 16 anos de idade, três parceiros até o momento, usa anticoncepcional oral. Na consulta de rotina a citologia mostrou:

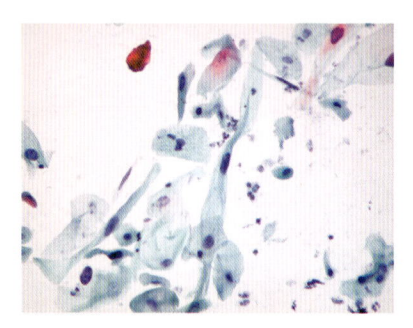

Figura 11.31
Neoplasia intra-epitelial grau I. Células escamosas atípicas exibindo núcleos hipertrofiados (< 50% do volume celular), hipercromasia e contornos nucleares irregulares. As células apresentam variação de tamanho e formato.

À colposcopia:

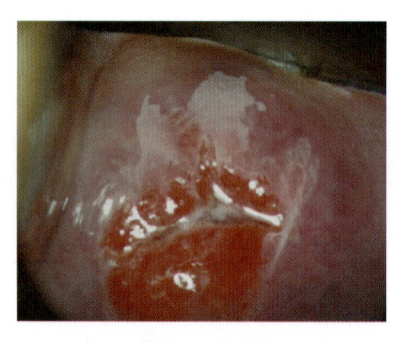

Figura 11.32
Achados colposcópicos anormais dentro da ZT, com epitélio acetobrando grau I no LA, JEC −1 – achados sugestivos de lesão de baixo grau.

Foi realizada biópsia do colo:

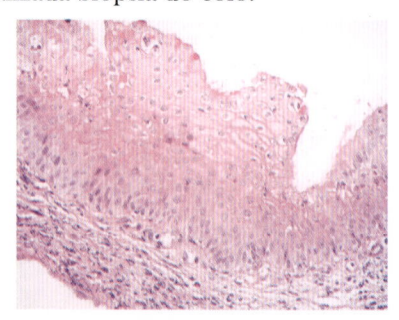

Figura 11.33
Biópsia de colo uterino. Neoplasia intra-epitelial cervical grau I. Basal com hiperplasia celular exibindo atipia nuclear envolvendo apenas o terço interno.

Em razão da grande possibilidade de regressão das lesões de baixo grau, a conduta foi discutida com a paciente, que concordou em realizar somente acompanhamento. A citologia realizada 6 meses após mostrou-se sugestiva de lesão de baixo grau. A colposcopia mostrou lesão com características semelhantes porém atingindo área menor (efeito da retirada de material para biópsia). Um ano após não foi encontrada mais nenhuma lesão, tanto à citologia quanto à colposcopia.

B. MCAM, 38 anos de idade, casada, um único parceiro em toda a vida, trompas ligadas, G3P3, tabagista, citologias anuais sem anormalidades. Consulta de rotina em maio/2000, com citologia também dentro da normalidade (coleta com escova).

À colposcopia:

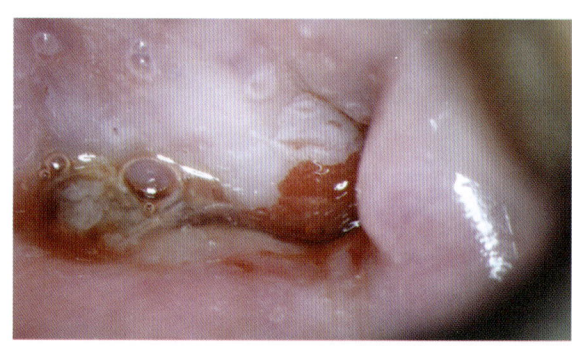

Figura 11.34
Achados colposcópicos anormais dentro da zona de transformação, com epitélio acetobranco adentrando o canal, com borda interna (sobreposição de lesão), orifícios glandulares com halo aceto-branco.

Realizada biópsia nessa consulta:

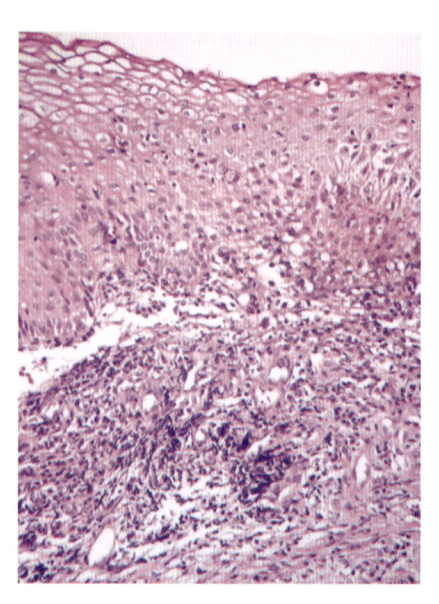

Figura 11.35
Basal com hiperplasia celular atípica, envolvendo apenas o terço interno. Neoplasia intra-epitelial cervical grau I.

A paciente foi submetida à excisão ampla da zona de transformação (ZT) com cirurgia de alta freqüência (CAF), que confirmou o diagnóstico. A opção de tratamento foi decorrente de a lesão estar adentrando o canal, haver acometimento glandular, não existindo segurança quanto a diagnóstico histológico dado pela biópsia, ou seja, ainda não estava afastada a possibilidade de uma lesão mais grave. Controles posteriores com citologia e colposcopia sem anormalidades.

C. JPG, 32 anos de idade, solteira, nuligesta, IAS aos 16 anos, quatro parceiros sexuais durante sua vida, veio à consulta apresentando citologia sem anormalidades.

Colhida nova citologia:

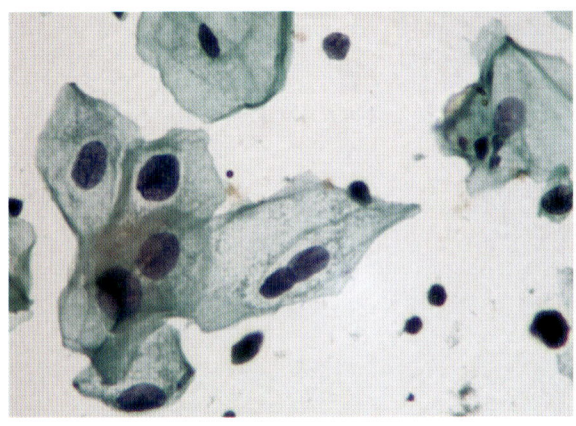

Figura 11.36
Colpocitologia convencional: Sugestivo de neoplasia intra-epitelial cervical grau 1. Células intermediárias com núcleos hipertrofiados (< 50% do volume celular), por vezes duplos, hipercromáticos e contornos nucleares levemente irregulares.

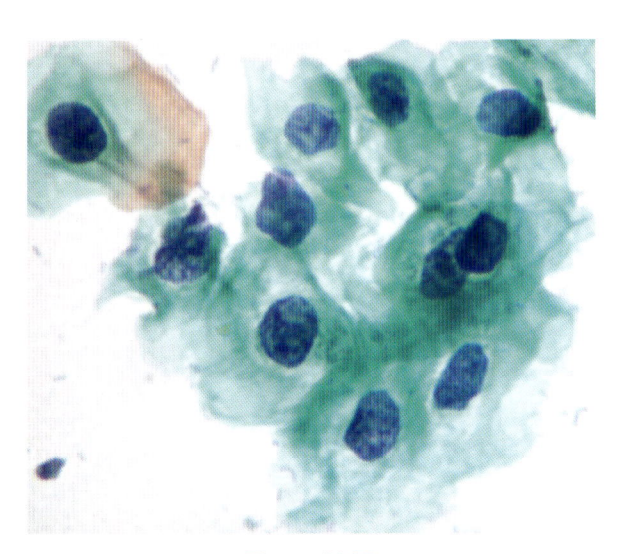

Figura 11.37
Colpocitologia convencional: neoplasia intra-epitelial cervical grau 1. Células intermediárias com núcleos hipertrofiados (< 50% do volume celular), hipercromasia e contornos nucleares irregulares.

À colposcopia:

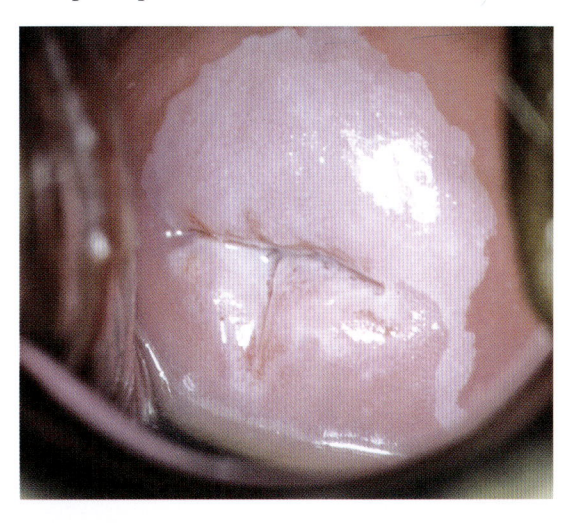

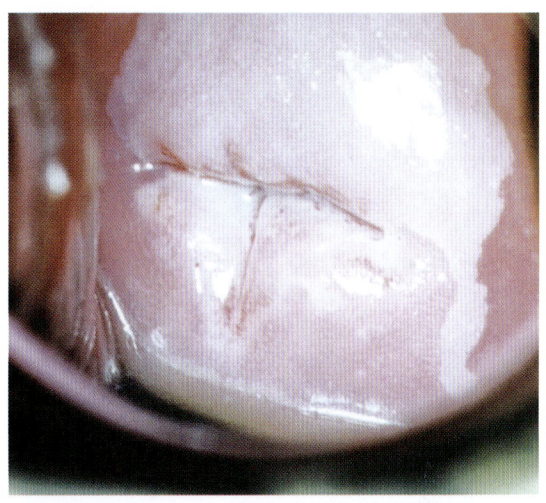

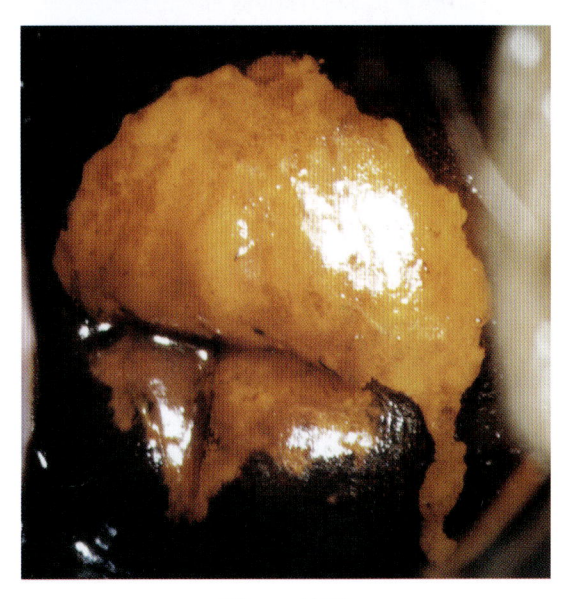

Figura 11.38
Achados colposcópicos anormais em toda a ZT, com epitélio aceto-branco grau II. ZT tipo II (JEC dentro do canal, visualizada após abertura do OE com pinça anatômica). Schiller positivo com bordas bem demarcadas. Os achados sugerem lesão de alto grau.

Realizada biópsia com pinça, foram obtidos três fragmentos de cerca de 0,5 cm:

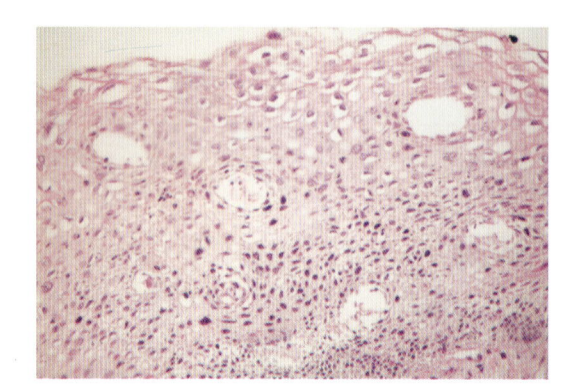

Figura 11.39
Neoplasia intra-epitelial cervical grau 1. Basal com hiperplasia e atipia citológica envolvendo o terço interno. Na camada superficial há halos perinucleares.

A citologia e a biópsia mostram tratar-se de lesão de baixo grau, mas a colposcopia sugere lesão mais grave. Em virtude dessa discordância e também pelo tamanho da lesão (acomete toda a zona de transformação), é necessário tratamento com obtenção de material para estudo histológico de toda a lesão. A probabilidade de regressão de uma lesão de baixo grau é inversamente proporcional ao tamanho da lesão. Quando a lesão acomete mais de um quadrante do colo tem maior probabilidade de não acontecer a regressão. A paciente foi então submetida à excisão ampla da ZT por alça diatérmica (CAF), e o exame histopatológico da peça confirmou uma lesão intra-epitelial escamosa de baixo grau.

D. FSM, 26 anos de idade, solteira, nuligesta, três parceiros sexuais em sua vida, assintomática, veio à consulta com citologia sugestiva de lesão de baixo grau.

À colposcopia:

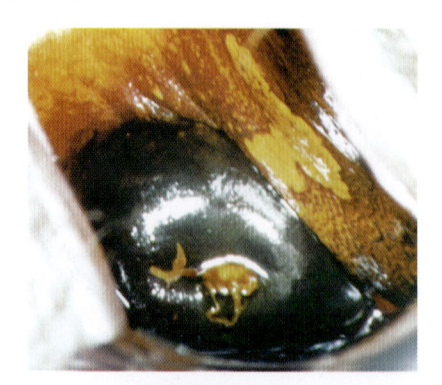

Figura 11.40
Colo uterino bem corado pela solução de Schiller, com JEC visualizada no OE, achados colposcópicos foram normais – mancha branca na foto entre 10 e 11 h e no OE trata-se de muco cervical. Evidencia-se achados colposcópicos anormais fora da ZT, na parede vaginal lateral esquerda, com parcial captação do iodo.

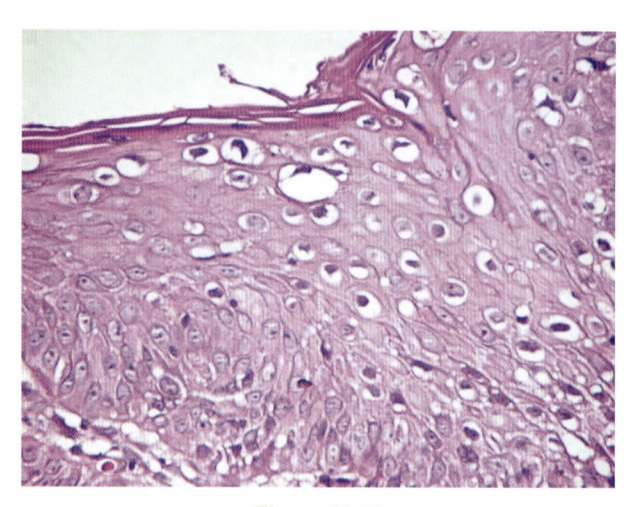

Figura 11.41
Biópsia de lesão vaginal: neoplasia intra-epitelial vaginal grau 1, com características de infecção pelo HPV. Notam-se halos perinucleares e atipias nucleares na camada intermediária e hiperplasia atípica da basal envolvendo apenas o terço interno do epitélio.

Diante de uma citologia oncótica sugerindo lesão intra-epitelial, a realização da colposcopia se faz necessária para identificação e localização da lesão, indicando o local ideal para realização da biópsia. Algumas vezes encontram-se colos uterinos sem alterações colposcópicas e a lesão localiza-se em outra porção do trato genital inferior, como no caso das Figuras 11.40 e 11.41. A paciente em questão foi acompanhada sem tratamento e houve regressão da lesão evidenciada na consulta realizada um ano após a biópsia.

E. BPG, 35 anos de idade, casada, único parceiro em toda sua vida, usuária de anticoncepcional oral, G2P2, último parto há 3 anos. Consulta de rotina.

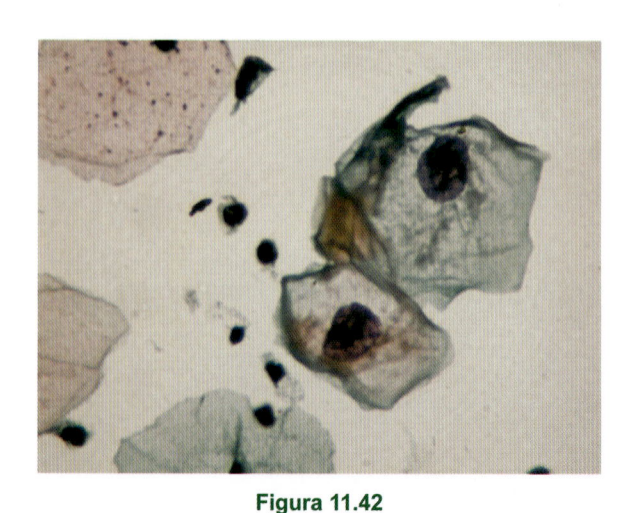

Figura 11.42
Neoplasia intra-epitelial cervical grau 1, com características de infecção ativa pelo HPV (células intermediárias com núcleos hipertrofiados, contornos irregulares e halos perinucleares.

À colposcopia:

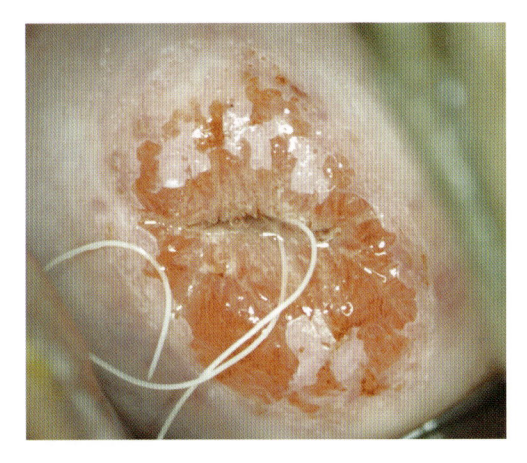

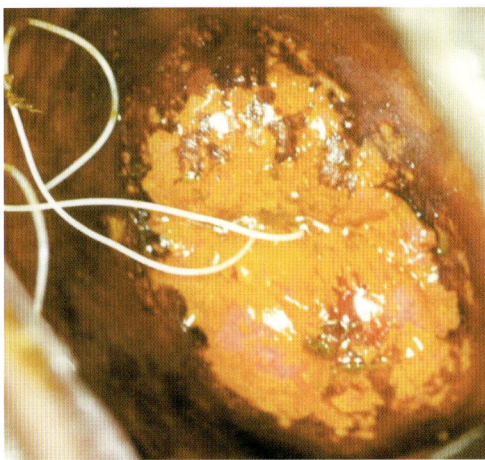

Figura 11.43
Achados colposcópicos anormais dentro da ZT, com epitélio acetobranco grau I, em placas, Schiller positivo. ZT tipo I. Achados são sugestivos de lesão de baixo grau que acomete três quadrantes do colo.

Realizada biópsia com retirada de dois fragmentos na ZT:

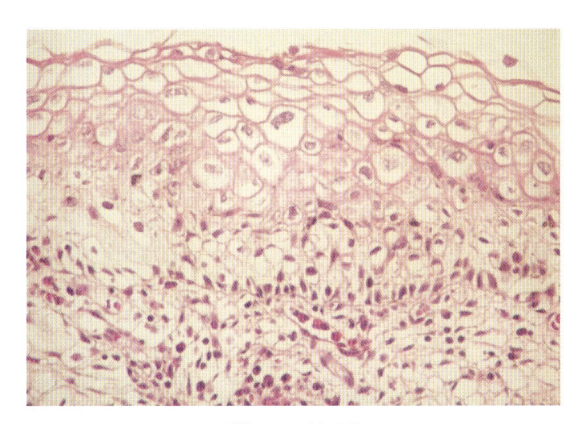

Figura 11.44
Biópsia de colo uterino mostrando neoplasia intra-epitelial cervical grau 1, com características de infecção ativa pelo HPV (atipia nuclear e proeminentes halos perinucleares na camada intermediária).

Como a paciente tem menor possibilidade de regressão da lesão, em virtude de sua idade e da extensão da lesão, a opção foi tratá-la com excisão ampla da ZT por alça diatérmica (CAF). O exame a peça confirmou o diagnóstico dado pela biópsia anterior.

F. GBMC, 22 anos de idade, solteira, nuligesta, cinco parceiros sexuais durante sua vida, assintomática. Consulta de rotina.

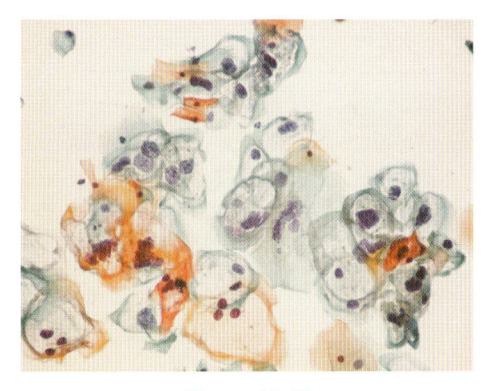

Figura 11.45
Neoplasia intra-epitelial cervical grau 1, com características de infecção ativa pelo HPV (células intermediária com núcleos irregulares, hipertrofiados, irregulares, por vezes duplos, envoltos por proeminentes halos).

À colposcopia:

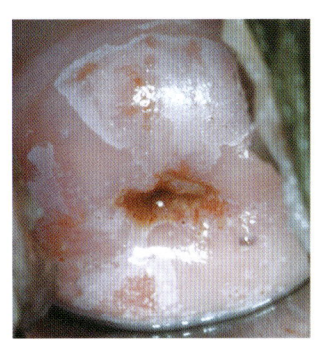 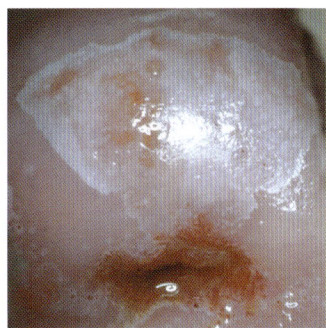

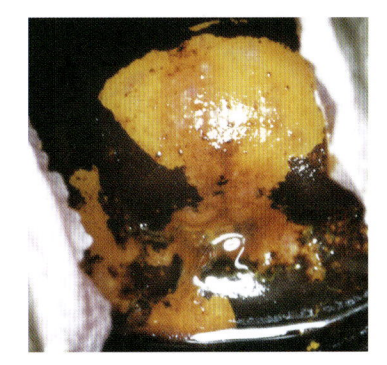

Figura 11.46
Achados colposcópicos anormais dentro da ZT, epitélio aceto-branco grau I, mosaico fino, regular, alguns orifícios glandulares levemente espessados. Schiller positivo, com bordas bem demarcadas. ZT tipo I. Achados sugestivos de lesão de baixo grau.

Realizada biópsia em três fragmentos:

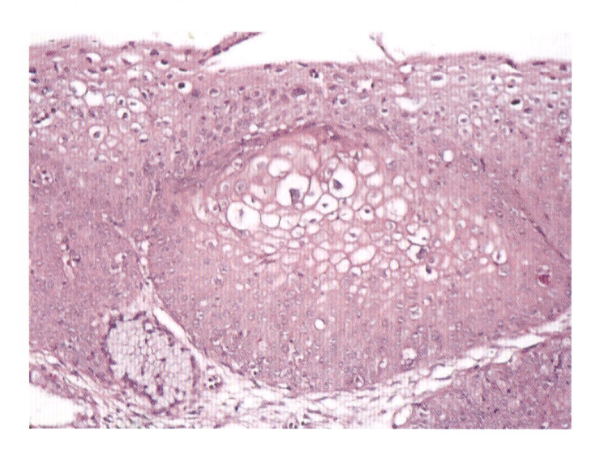

Figura 11.47
Neoplasia intra-epitelial cervical grau 1, com características de infecção ativa pelo HPV (atipia e hiperplasia da camada basal não ultrapassando o terço interno do epitélio e freqüentes halos perinucleares na camada intermediária/superficial.

Também nesse caso a possibilidade de regressão da lesão é pequena, apesar de a idade contribuir, devido à extensão da lesão, que acomete praticamente todo o colo. A paciente foi submetida à excisão ampla da ZT, por alça diatérmica, e à vaporização das lesões restantes, já que, pela extensão da lesão, não foi possível retirada total desta com a passada da alça.

7. LESÕES INTRA-EPITELIAIS ESCAMOSAS DE ALTO GRAU

A. VCF, 56 anos de idade, viúva, marido falecera há cerca de 2 anos, único parceiro. G4P4. Não faz terapia de reposição hormonal. Nunca teve citologia alterada. Consulta de rotina com queixa de depressão acentuada em decorrência do falecimento do marido.

Citologia:

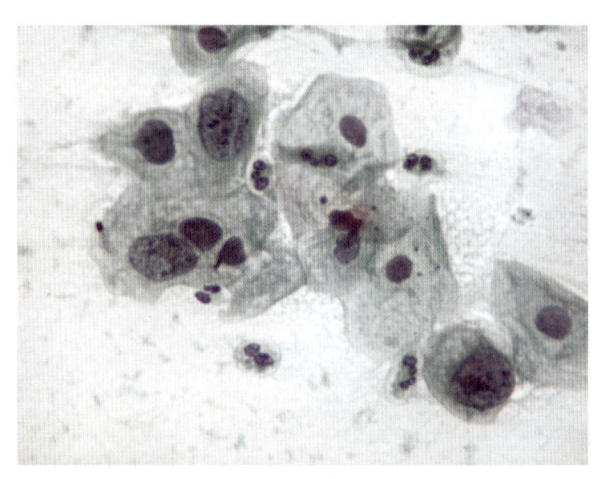

Figura 11.48
Citologia convencional: neoplasia intra-epitelial cervical grau 2 (HSIL). Células parabasais/intermediárias profundas apresentando núcleos hipercromáticos, hipertróficos, ocupando mais de 50% do volume nuclear, contornos nucleares irregulares.

A colposcopia mostrava-se insatisfatória em razão de atrofia e JEC não visualizada. Fez uso de promestriene por 20 dias e foi realizada nova colposcopia:

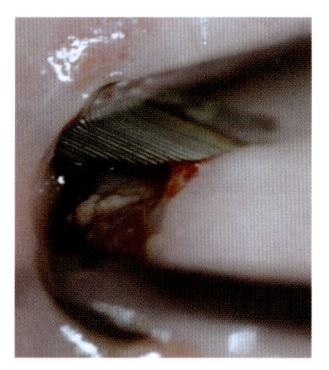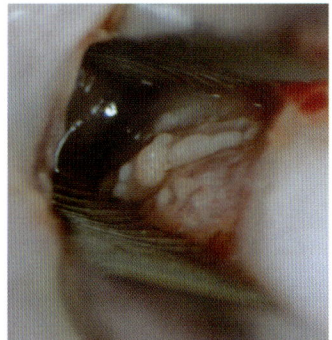

Figura 11.49
Como a JEC não era visualizada e, no ectocérvice, não se evidenciava nenhuma lesão, o canal foi exposto com uma pinça anatômica (é possível utilizar o espéculo de canal de Koogan-Menckel). Achados colposcópicos anormais em epitélio cilíndrico, dentro do canal, com vários focos de epitélio aceto-branco em placas, grau 2. ZT tipo II. Os achados são sugestivos de lesão de alto grau.

A realização da biópsia com pinça é impossível neste caso. A citologia sugestiva de lesão de alto grau e o encontro de alterações colposcópicas justificam a realização da biópsia cônica. Como a lesão está dentro do canal, é multifocal, de limite endocervical não visualizado, a melhor abordagem é a realização do cone clássico (a frio) ou então a conização por cirurgia de alta freqüência com agulha fina. Nesse caso foi realizada conização clássica. O exame da peça mostrou:

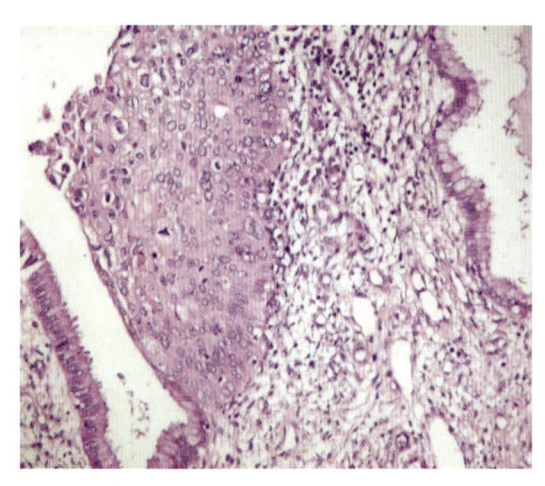

Figura 11.50
Neoplasia intra-epitelial grau 2 (atipia e despolaridade envolvendo até a metade interna do epitélio) com características de infecção ativa pelo HPV (presença de células com halos perinucleares). A lesão está circundada por epitélio glandular normal. Margem endocervical livre.

A conização foi realizada em 2000 e até o último controle, em agosto de 2005, não mais se encontraram anormalidades citológicas e/ou colposcópicas.

B. PLD, 31 anos de idade, solteira, nuligesta, cinco parceiros em toda a sua vida sexual, fumante.

Citologia:

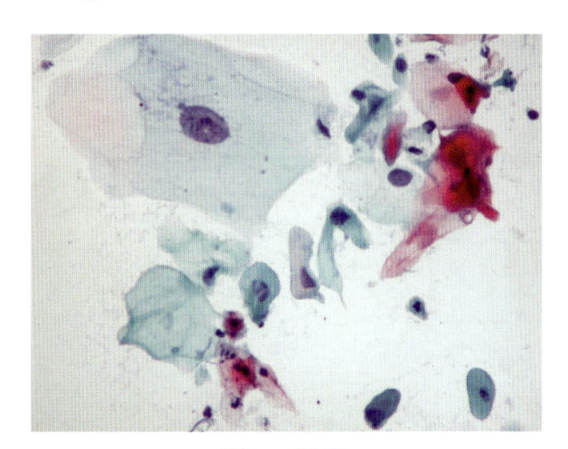

Figura 11.51
Citologia convencional: Neoplasia intra-epitelial grau 1 (LSIL). Células metaplásicas com núcleos hipertrofiados (< 50% do volume citoplasmático), hipercromáticos e contornos irregulares.

À colposcopia:

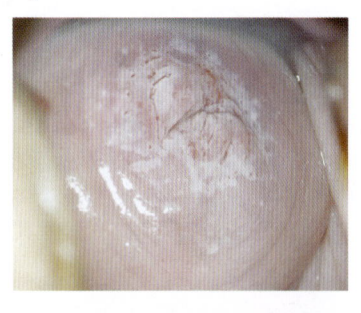

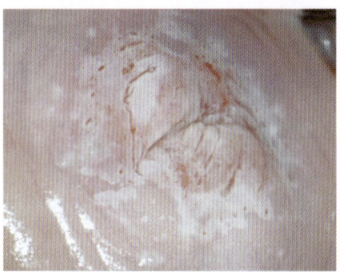

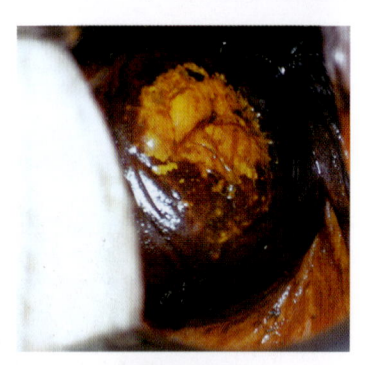

Figura 11.52
Achados colposcópicos anormais dentro da ZT, com epitélio acetobranco grau 1 e algumas áreas com aceto-branqueamento um pouco mais denso (5-7 h, 10-12 h) na ZT, com JEC em +1, visualizada após exposição com pinça anatômica. ZT tipo II. Schiller positivo com parcial captação do iodo, bordas não bem demarcadas. Achados sugestivos de lesão de baixo grau.

Realizada biópsia:

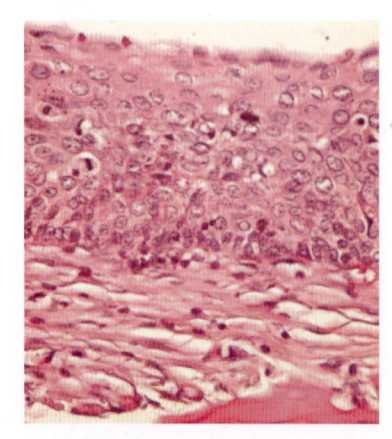

Figura 11.53
Neoplasia intra-epitelial cervical grau 2 (HSIL). A basal está hiperplasiada com atipia e mitoses anormais envolvendo quase dois terços internos do epitélio.

Com diagnóstico histológico de CIN 2, colposcopia compatível mostrando o limite da lesão, foi realizado conização com alça diatérmica (CAF).

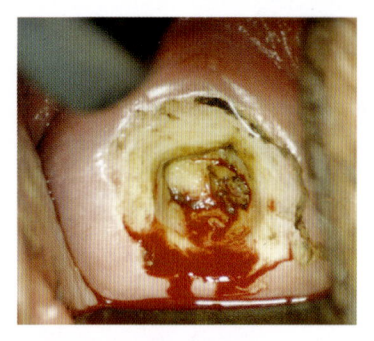

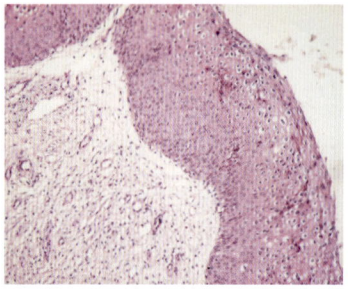

Figura 11.54
Colo uterino (CAF): neoplasia intra-epitelial grau 1 (LSIL). Basal com hiperplasia e atipia celular envolvendo o terço interno do epitélio, notando-se ainda a presença de halos perinucleares na camada intermediária e superficial. Margens livres.

O exame da peça obtida pelo CAF mostrou somente CIN 1, mas a biópsia mostrou um fragmento de epitélio escamoso com CIN 2. O diagnóstico definitivo é de CIN 2. O *follow-up*, com controles quadrimestrais no primeiro ano e semestrais posteriormente, não mais apresentou anormalidades citológicas e/ou colposcópicas.

C. CCLA, 38 anos de idade, divorciada, três parceiros em toda a vida, G3P3, método anticoncepcional: ligadura de trompas. Citologias anteriores dentro da normalidade.
Citologia em novembro/1999:

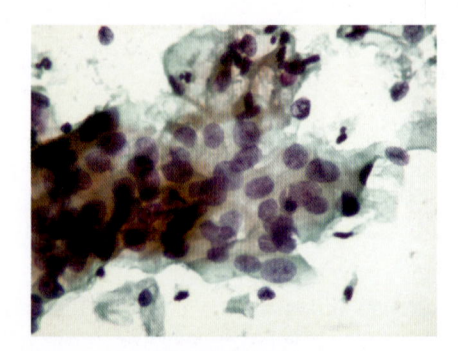

Figura 11.55
Citologia convencional: Neoplasia intra-epitelial cervical grau 2 (HSIL). Células escamosas parabasais/intermediárias profundas com hipertrofia nuclear, hipercromasia e contornos nucleares levemente irregulares.

À colposcopia:

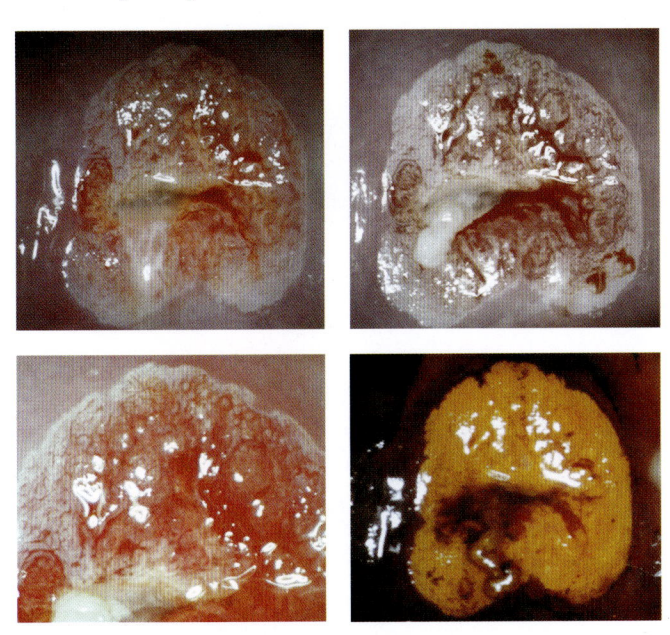

Figura 11.56
Achados colposcópicos anormais dentro da ZT, epitélio aceto-branco grau 2, mosaico irregular, presença de vasos atípicos. Schiller positivo, com bordas bem demarcadas. ZT tipo II. Achados anormais sugestivos de lesão de alto grau ou maior.

Paciente com citologia e colposcopia sugestivas de lesão de alto grau. Pode-se realizar a conização direta, sem a realização de biópsia, método conhecido com *see and treat (veja e trate)*. Essa abordagem deve ser realizada com citologia e colposcopia concordantes sugerindo lesão de alto grau. Apresenta vantagens de ganho de tempo, diminuição da ansiedade e de custos, mas pode apresentar, às vezes, sobretratamento. Não deve ser utilizada em pacientes com achados sugestivos de lesão de baixo grau, ou quando existe discordância entre a citologia e a colposcopia.

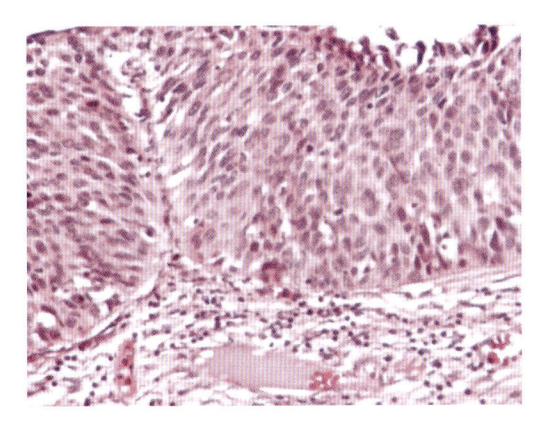

Figura 11.57
Neoplasia intra-epitelial grau 3 (HSIL). A atipia e a indiferenciação celular envolvem toda a espessura do epitélio. As margens estão livres.

D. MFS, 36 anos de idade, casada, G3P2A1, usuária de anticoncepcional injetável, último parto há 2 anos. Veio à consulta com citologia sugestiva de lesão intra-epitelial escamosa de alto grau, CIN 2.

À colposcopia:

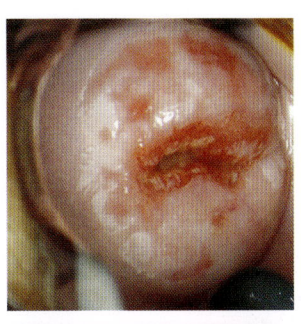

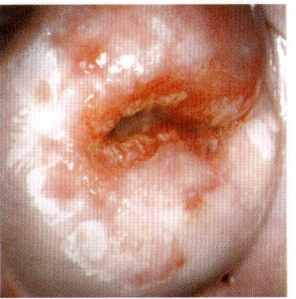

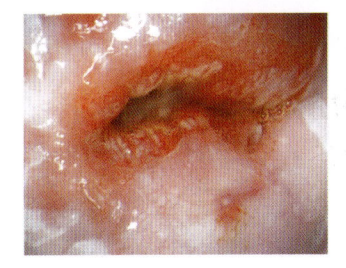 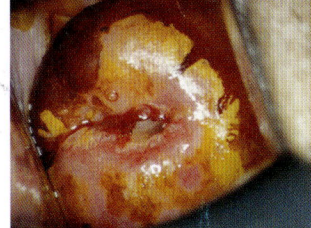

Figura 11.58
Achados colposcópicos anormais dentro da ZT, em área extensa, epitélio aceto-branco grau 1 na periferia da lesão e grau 2 próxima à JEC, Schiller positivo com bordas bem demarcadas. ZT tipo I. Achados sugestivos de lesão de alto grau.

Citologia e colposcopia sugestivas de lesão de alto grau; paciente foi, então, submetida à conização do colo uterino por alça diatérmica (*see and treat*).

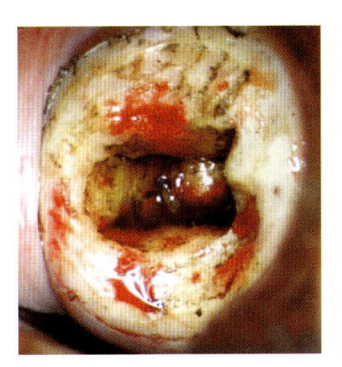 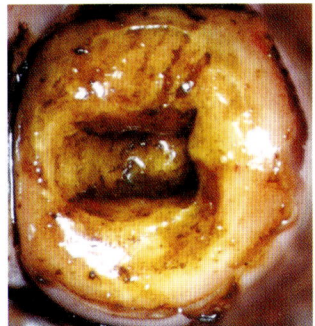

Figura 11.59
Colo após conização e vaporização do ectocérvice, por CAF, com aplicação da pasta de Monsel (hemostático) no final.

Exame histopatógico da peça cirúrgica:

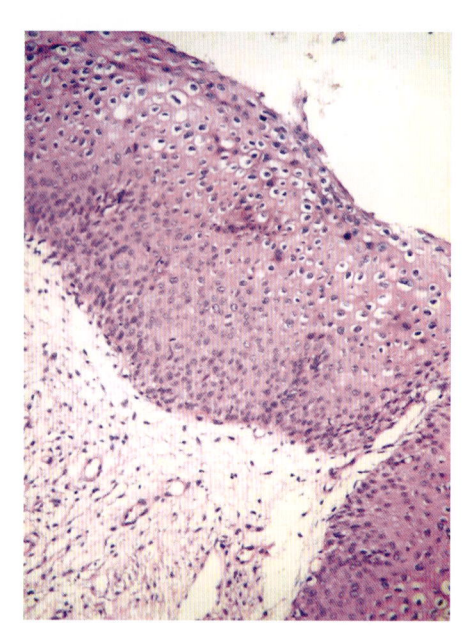

Figura 11.60
Neoplasia intra-epitelial grau 1. Basal com hiperplasia e atipia celular envolvendo o terço interno do epitélio, notando-se ainda a presença de halos perinucleares na camada intermediária e superficial.

Foi adotado o método *see and treat*, e o resultado final mostrou-se inferior ao esperado. Não houve sobretratamento já que trata-se de uma lesão de baixo grau que necessita de tratamento pela extensão da lesão (ocupa todos os quatro quadrantes do colo) e a idade da paciente, com grande possibilidade de progressão.

E. CEN, 25 anos de idade, solteira, nuligesta, único parceiro sexual, sem história prévia de DST.
Citologia:

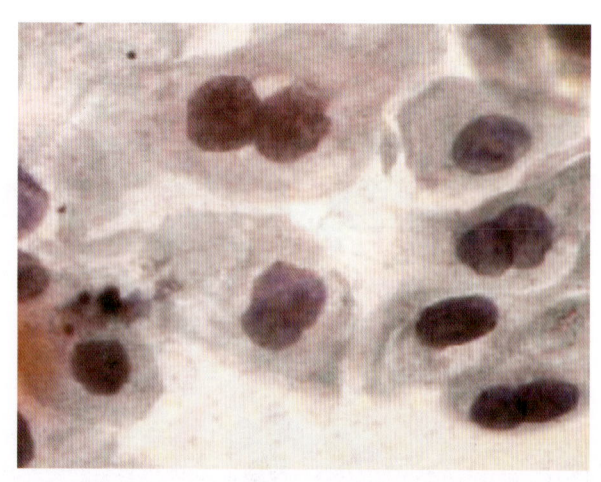

Figura 11.61
Citologia convencional: Neoplasia intra-epitelial grau 1 (LSIL). Hipertrofia nuclear (ocupando < 50% do volume nuclear) e hipercromasia em células intermediárias.

À colposcopia:

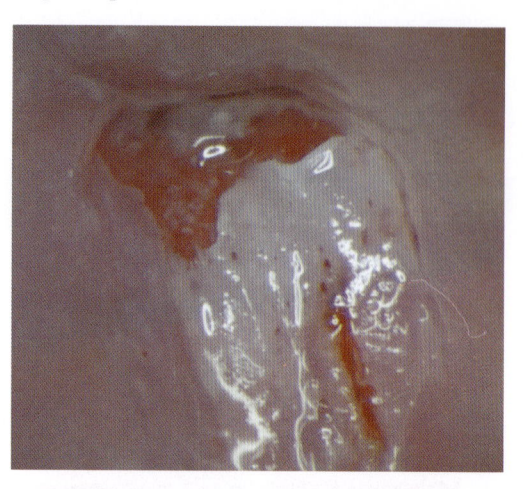

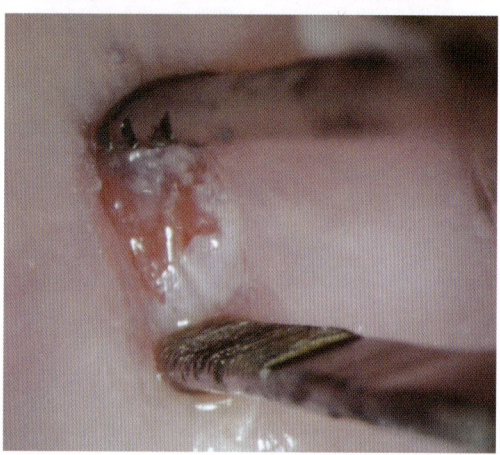

Figura 11.62
Achados colposcópicos anormais dentro da ZT, epitélio aceto-branco grau 1 no lábio posterior, JEC não visualizada no LA, mesmo com uso de pinça. ZT tipo III. Achados sugestivos de lesão de alto grau.

A paciente foi submetida à biópsia no LP:

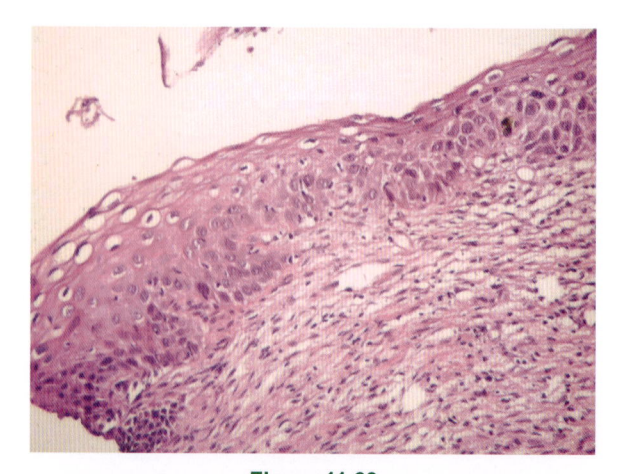

Figura 11.63
Neoplasia intra-epitelial grau 2 (HSIL). Em especial na metade direita da imagem, notam-se atipia, despolaridade e indiferenciação celular envolvendo a metade da espessura do epitélio.

Diante do diagnóstico de lesão de alto grau, a paciente foi submetida à conização do colo uterino com alça diatérmica (CAF). O exame da peça confirmou o diagnóstico dado pela biópsia anterior. No *follow-up* não mais se encontraram anormalidades citológicas e/ou colposcópicas.

F. GRB, 15 anos de idade, menarca aos 13 anos, veio à consulta para orientações quanto à anticoncepção. Início da vida sexual há um mês (julho/2000). Foi prescrito anticoncepcional oral. Em janeiro/2001 retornou para controle do AO. Foi coletado material para citologia, e esta se mostrou sem anormalidades.

À colposcopia:

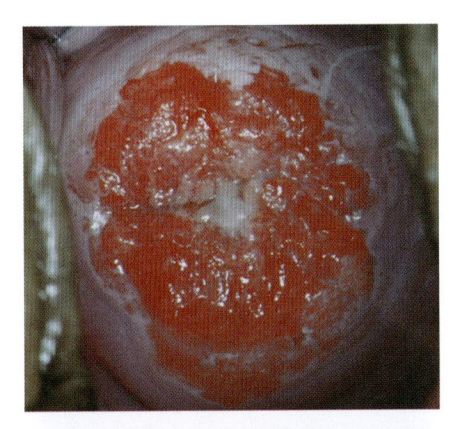

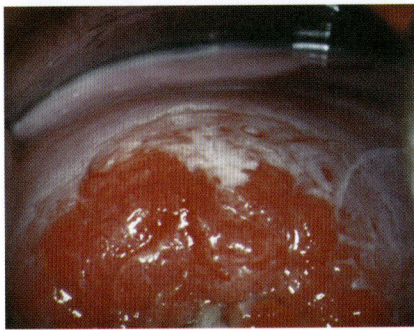

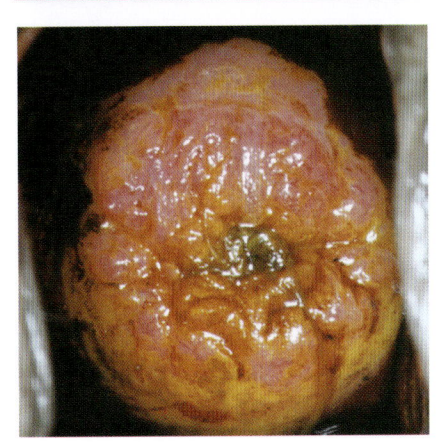

Figura 11.64
Achados colposcópicos anormais dentro da ZT, com pequena área de epitélio aceto-branco grau 2 às 12 h, com vaso atípico; outras áreas de epitélio acetobranco tênues com pontilhado muito fino. Schiller positivo. ZT tipo I. Achados sugestivos de lesão de alto grau.

Realizada biópsia às 12 h, em fevereiro/2001:

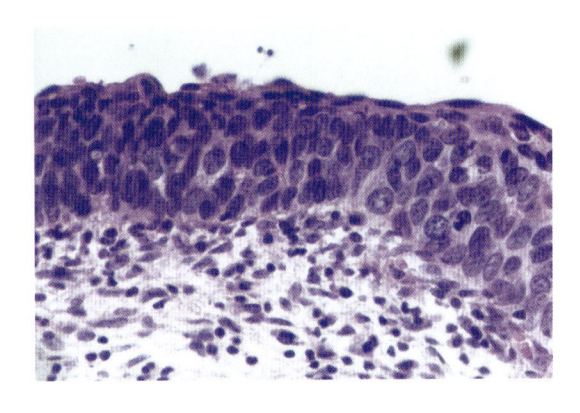

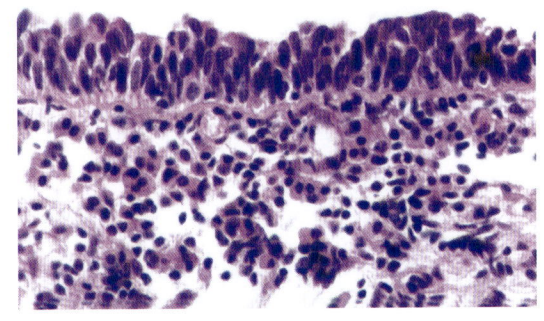

Figura 11.65
Neoplasia intra-epitelial cervical grau 3. Atipia, indiferenciação e despolaridade celular envolvendo toda a espessura do epitélio.

A paciente foi submetida à excisão ampla da ZT, por CAF, em junho/2001, que mostrou somente presença de lesão intraepitelial escamosa de baixo grau, do colo uterino, CIN 1. O diagnóstico final é de lesão intra-epitelial escamosa de alto grau, CIN 3, dado pela biópsia realizada antes do tratamento cirúrgico. A biópsia realizada em fevereiro retirou toda a lesão principal.

Colposcopia três meses após o tratamento:

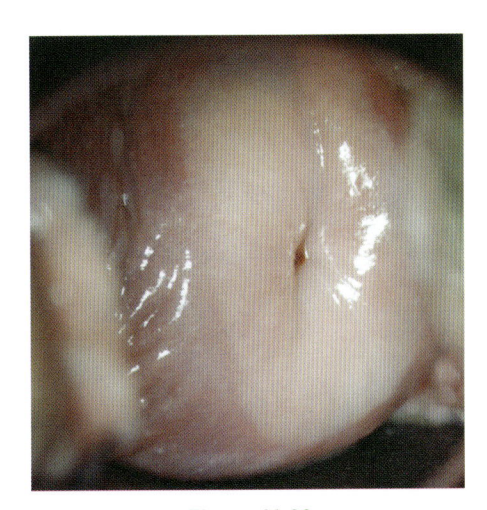

Figura 11.66
Achados colposcópicos insatisfatórios, JEC não visualizada, ZT tipo III. O colo mostra área mais pálida, sinal de cirurgia prévia.

Este é um caso raro de neoplasia intra-epitelial de alto grau em paciente bastante jovem. Hoje se recomenda iniciar o rastreamento para câncer cervical, a partir dos 21 anos de idade, ou três após o início da vida sexual, com citologia oncótica. A paciente em questão foi submetida à colposcopia por ter sido atendida em consultório que realiza este exame rotineiramente. Tinha iniciado sua vida sexual 7 meses antes do diagnóstico. Infelizmente, é impossível verificar quando surgiu esta lesão. Questiona-se se houve aquisição do HPV antes de iniciar sua vida sexual, ou após, podendo ser um HPV de alta virulência que encontrou um campo fértil de instabilidade devido a pouca idade da paciente e pouco tempo após a menarca. As citologias de controle mostraram-se sem anormalidades. Dois anos após a paciente engravidou, tendo um parto cesáreo em decorrência de doença hipertensiva específica da gestação.

8. Carcinomas Microinvasor e Invasor

A. IBR, 31 anos de idade, casada, um único parceiro sexual, usa condom e tabela como método anticoncepcional, nuligesta, iniciou vida sexual aos 22 anos. Na história pregressa relata cauterização do colo há 4 anos, não sabe o motivo. Citologias normais, última logo após a cauterização. Não é fumante. Marido apresenta lesão genital recorrente por herpesvírus e já fez tratamento para sífilis. Atendida no ambulatório de colposcopia porque apresentava citologia sugestiva de ASCUS. Colhido material para citologia e realizadas colposcopia e biópsia no mesmo dia.

Citologia:

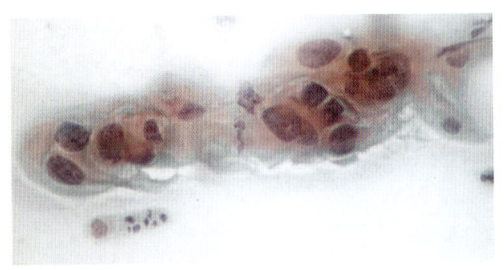

Figura 11.67
Citologia convencional: ASCUS (células escamosas parabasais com núcleos hipertrofiados, levemente irregulares e hipercromáticos), não se podendo afastar lesão de alto grau.

À colposcopia:

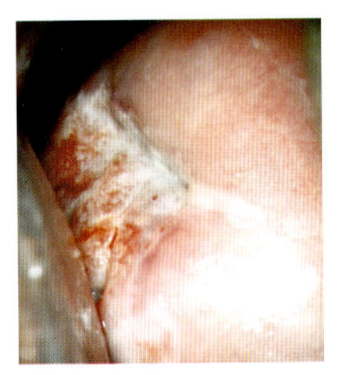
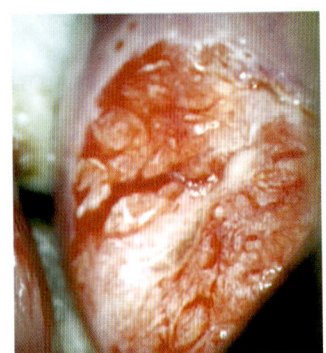
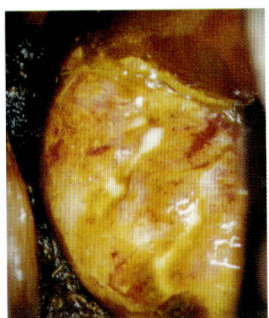

Figura 11.68
Achados colposcópicos sugestivos de invasão, com vasos grosseiros, entre 6 e 10 h, JEC não visualizada. Schiller positivo, com bordas bem delimitadas.

A biópsia mostrou:

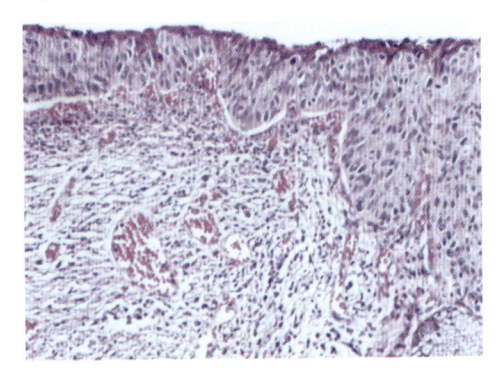
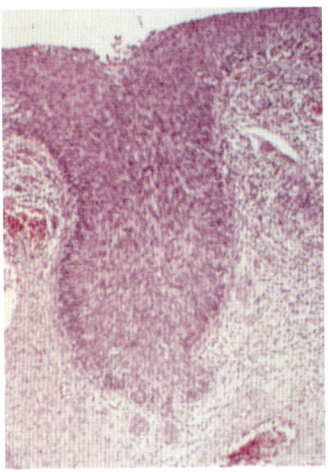

Figura 11.69
À esquerda neoplasia intra-epitelial 3 extensa, com atipia celular envolvendo toda a espessura do epitélio. No cório há neovascularização (vasos atípicos à colposcopia). À direita CIN grau 3 com suspeita de invasão, com atipia e despolaridade envolvendo toda a espessura do epitélio e ocupando espaço glandular, notando-se dois "gotejamentos" epiteliais de invasão.

A paciente era nuligesta, com colposcopia bastante sugestiva de invasão; a biópsia confirmou invasão mínima na área biopsiada. Optou-se, então, pela realização de um cone clássico e demais exames para estadiamento.

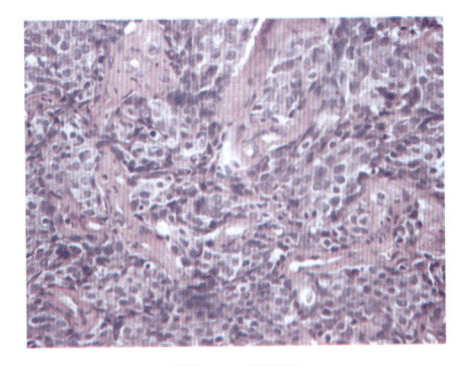

Figura 11.70
Carcinoma de células escamosas moderadamente diferenciado invasor. Blocos de células escamosas atípicas infiltrando o estroma fibroconjuntivo. A invasão atinge até a profundidade de 17 mm, atingindo focalmente as margens cirúrgicas da peça; ao nível do canal, a margem está com infiltração tumoral.

Foram realizados os seguintes exames para completar o estadiamento: urografia excretora; ultra-sonografia do abdômen total e endovaginal, retossigmoidoscopia e cistoscopia; todos sem evidenciar anormalidades. Estádio IB. Em abril/2001 foi submetida à histerectomia total ampliada, com linfadenectomia pélvica (cirurgia de Wertheim-Meigs) com preservação do ovário esquerdo, que foi fixado na parede abdominal fora da pelve. O exame anatomopatológico mostrou: carcinoma de células escamosas pouco diferenciado invasivo residual presente como foco microscópico em parede do canal do colo uterino. Manguito vaginal livre de doença, paramétrios idem, endométrio secretor, ovário direito sem anormalidades, tubas idem, linfonodos negativos para metástases.

A paciente vem fazendo seus controles periodicamente; desde então, sem sinais de recidiva da doença.

B. MAFM, casada, natural de BH, 31 anos de idade, IAS 21 anos, somente um parceiro – usava tabela. Veio à consulta para início de pré-natal, com primeira gestação, planejada. Relatava citologias anuais sem anormalidades. História pregressa: nada digno de nota, não fumante. Na história familiar, mãe teve câncer de mama e pai de pele. Marido: nada digno de nota.

Citologia mostrou:

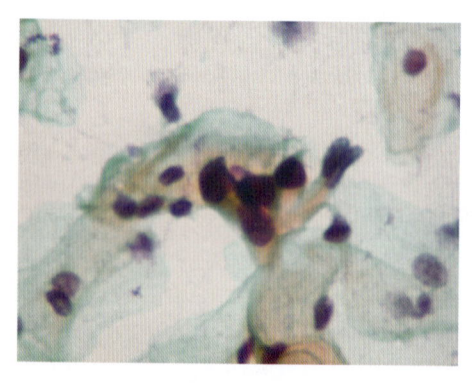

Figura 11.71
Células do porte das profundas, com núcleos hipertrofiados e hipercromáticos.

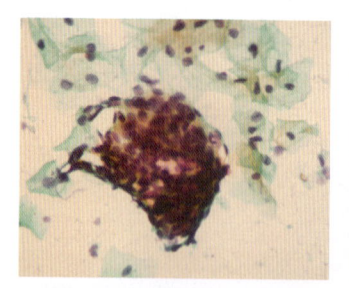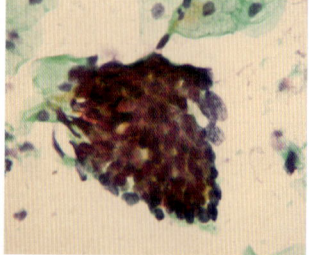

Figura 11.72
Células do porte das profundas, com núcleos hipertrofiados e hipercromáticos, aglomeradas AGC (atipias de células glandulares de significado indeterminado – Adenocarcinoma *in situ*? CIN 3 com extensão glandular?).

A colposcopia foi realizada no mesmo dia da coleta citológica:

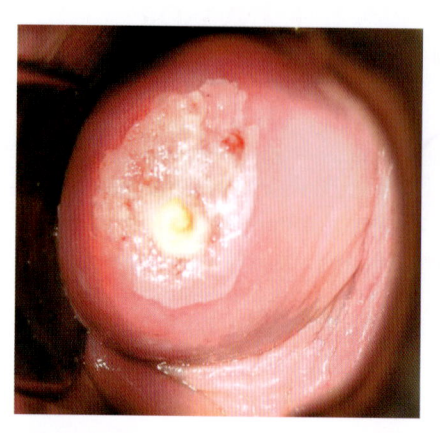

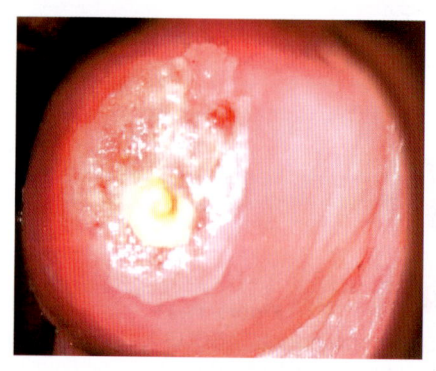

Figura 11.73
Achados colposcópicos anormais dentro da ZT, com epitélio aceto-branco tênue às 12 h, epitélio aceto-branco grau 2 em epitélio cilíndrico, mais acentuado às 3 h. Algumas vilosidades levemente hipertróficas. ZT tipo I. Na área central das fotos nota-se área mais branca, com centro amarelado – trata-se de muco cervical. Achados colposcópicos sugestivos de lesão de alto grau.

A paciente foi submetida à biópsia, com retirada de três fragmentos, envolvendo epitélio escamoso e epitélio cilíndrico.

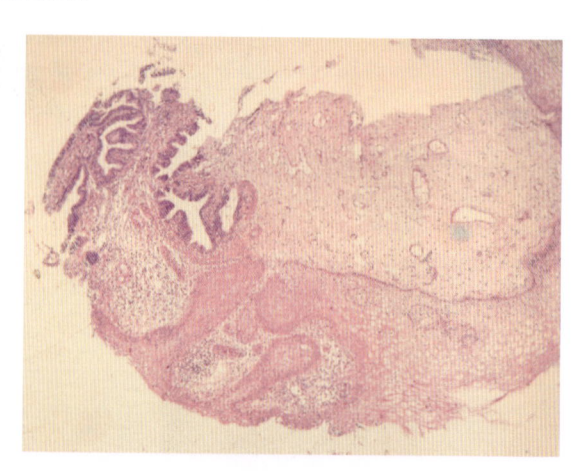

Figura 11.74
Corte ao nível da JEC mostrando proliferação de glândulas endocervicais hiperplásicas, irregulares, com núcleos hipercromáticos (sugere adenocarcinoma *in situ*).

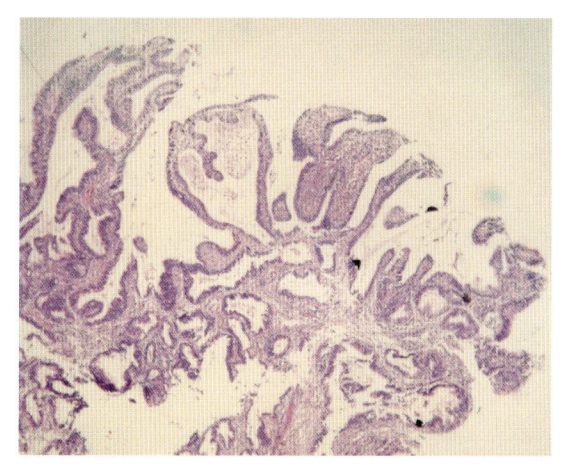

Figura 11.75
Proliferação de glândulas endocervicais hiperplásicas, irregulares, com núcleos hipercromáticos, arborescentes e de aspecto viloso (no canto inferior esquerdo parece invadir).

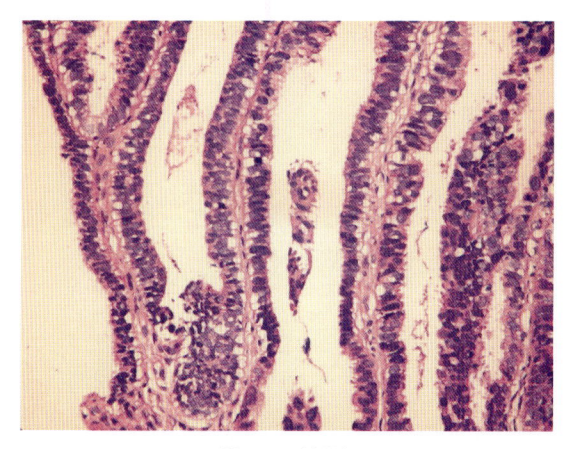

Figura 11.76
Proliferação de glandulas endocervicais hiperplásicas, irregulares, com núcleos hipercromáticos, arborescentes e de aspecto viloso (as atipias não são intensas). Consistente com adenocarcinoma viloglandular cervical.

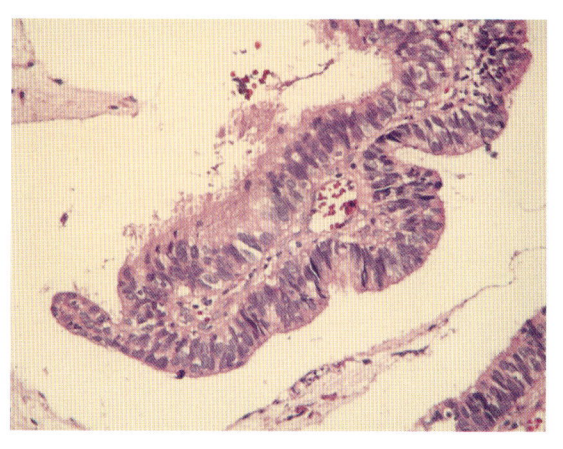

Figura 11.77
Segmento de vilo com núcleos hipercromáticos (as atipias não são intensas). Consistente com adenocarcinoma viloglandular cervical.

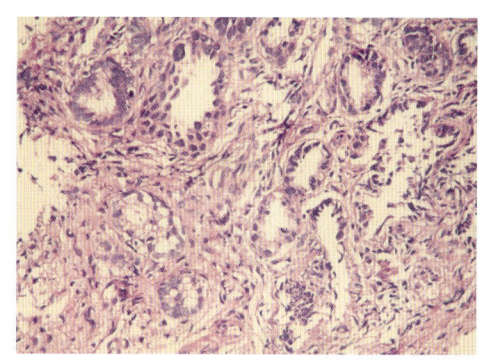

Figura 11.78
Adenocarcinoma cervical, tipo viloglandular, apresentando glândulas infiltrando superficialmente o estroma, que se mostra fibroplásico.

Com biópsia mostrando adenocarcinoma invasor, em gestante no segundo mês de gravidez, optou-se pela realização de conização clássica concomitante à cerclagem do colo uterino. Ato cirúrgico realizado em junho/2005.

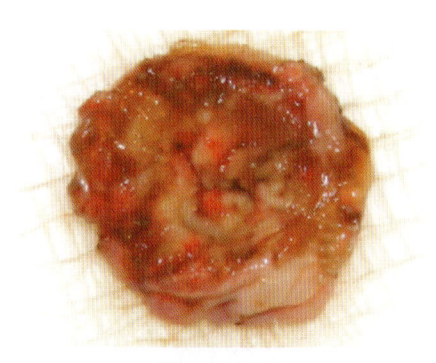

Figura 11.79
Segmento de colo uterino medindo 25 × 20 × 12mm mostrando ectocérvice acinzentada e irregular – cortes escalonados – adenocarcinoma microinvasivo bem diferenciado do colo uterino medindo 5 mm de extensão e 2 mm de profundidade, presente no canal endocervical próximo à JEC – notam-se foco e neoplasia intra-epitelial glandular cervical (CGIN) associado – presença de lesão escamosa intra-epitelial de baixo grau ao nível da JEC – não foi detectada invasão angiolinfática – margens cirúrgicas ecto e endocervicais livres.

Após revisão de lâmina firmou-se o diagnóstico de adenocarcinoma cervical invasivo, estádio Ia1, e descartou-se a possibilidade de adenocarcinoma viloglandular, que é um carcinoma de bom prognóstico, menos agressivo. A gestação transcorreu sem outras anormalidades, sendo realizada citologia oncótica em outubro/2005, que se mostrou dentro da normalidade, mas evidenciou células endocervicais. No início de janeiro de 2006, com 39 semanas de gestação, foi submetida a parto cesáreo por oligoidrâmnio, com RN saudável, pesando 3.160 g. Foram retirados pontos de cerclagem após o ato cirúrgico. Vinte e cinco dias após o parto, apresentou dor abdominal forte, relatando sangramento pós-parto somente nos dois primeiros dias. Foi drenado hematométrio.

ÍNDICE REMISSIVO

Este livro foi impresso na
Del Rey Indústria Gráfica
Rua Geraldo Antônio de Oliveira, 88
Inconfidentes - Contagem - MG
CEP. 32260-200 - Fone: (31) 3369-9400